黄河水利委员会治黄著作出版资金资助出版图书

黄河水库泥沙

焦恩泽 著

黄河水利出版社

巴家嘴水库出库高含沙水流，水面平如镜，山影倒映

巴家嘴水库，高含沙异重流潜入点处漂浮物（$Q \approx 60\mathrm{m}^3/\mathrm{s}$）

巴家嘴水库水位下降，引起河槽岸边滑塌

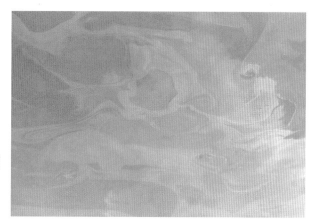

高含沙水流水面
扭曲的花纹

巴家嘴水库库水位下降引起的溯源冲刷

恒山水库末端附近河床组成

恒山水库泄空时上游滩
面泥块进入输水洞

恒山水库泄空冲刷时泥
块进入河槽

黄河府谷－保德河段"揭河底"冲刷

室内水槽试验，低含沙($S<60$kg/m³)异重流头部交界面与清水掺混情况

异重流抵达坝前，动能转化为位能，瞬时排沙

异重流泥沙撞击坝面，交界面稳定后排沙，此时排沙不是异重流排沙

异重流翻花现象

高含沙异重流（$S>400kg/m^3$）头部运动情况

高含沙异重流撞击
坝面后向上游的反射波

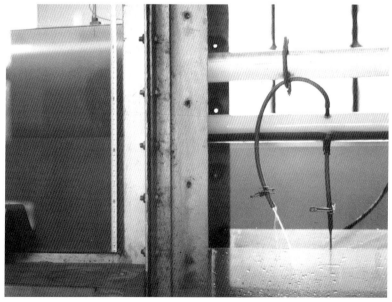

高含沙异重流排沙

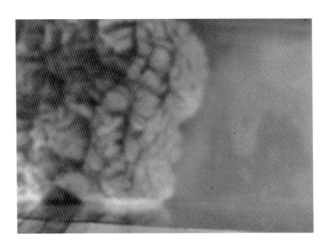

高含沙异重流
头部花纹（由上向
下拍摄）

高含沙水流平面流速分布（白色为白灰粉）

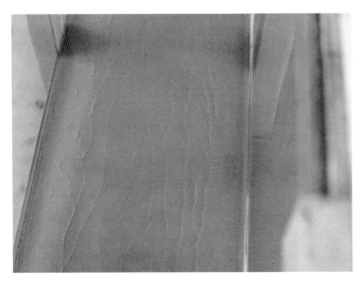

高含沙异重流流动
时出现"拉丝"现象

（照片由焦恩泽提供）

序

焦恩泽同志从事泥沙研究已近半个世纪,先后参加过野外观测、室内水库淤积及异重流的试验和研究工作。曾经主管过全国 12 座重点水库水文泥沙观测研究,对水库泥沙存在的问题和处理经验有较深入的认识,收集的资料和文献较为广泛。作者有扎实的理论基础和较为丰富的经验,曾先后发表了近百篇有关水库泥沙的论文。在此基础上写成《黄河水库泥沙》专著,是作者几十年研究工作的总结。

黄河干流水库的进库水沙条件有很大差异,引起的泥沙问题也具有不同性质,本书将其分类叙述并总结其特点,对指导今后的流域内水库的建设有参考作用。书中较详细地讨论了在泥沙较多的河流上修建水库和水库运用时将出现的几个重大问题,如保持长期可用库容、库区输沙能力、变动回水区冲淤变化和淤积上延以及对支流河口拦门沙等进行了讨论。

书中分类论述了水库中一般水流与高含沙水流所形成的异重流的不同特性,对利用异重流排沙有很大应用价值。此外还讨论了枢纽坝区及泄流建筑物的有关泥沙问题。

水库的库容是有限的,为了使已建成的水库能够较长时期地发挥效益,还必须研究水库运用与减少库区淤积、增加排沙效率的可行方法,以及水库冲淤对上下游的影响。这是黄河流域上的水库泥沙研究的一个特点,在本书中有较充分的反映。

黄河流域有较完整的水文泥沙测验站网,流域内已修建大中型水库 163 座(1994 年统计),其中不少水库自建成以后即已开展了测验研究,积累了大量系统而完整的实测资料,为作者研究水库泥沙问题提供了十分可靠的基础。

在黄河流域自然侵蚀、产沙、泥沙输移与沉积的过程中,多种尺度和类型的水库,均起到不同程度的拦滞与调节作用,为说明这一情况,本书叙述了在不同水沙条件下,已建的水库采取的多种蓄清排浑及调水调沙的运用方式。在这一方面我国的科技人员既取得了不少经验,提出很多创见,也有一些教训。今后如何更好地利用水库调节水沙,还有许多问题值得进一步深入研究。

本书的出版为继续深入研究水库泥沙问题提供了重要参考。作为一名从事泥沙工作的科技人员,特为之序,以求共勉。

2004 年 4 月

前　言

　　"水库泥沙"是泥沙学科中的一个重要分支。它涉及到河床演变、保持库容与下游河道防洪、水库排沙与减少淤积、滩区土地利用与开发、水库运用与调节水沙过程等。20世纪50年代初期，水利工程师对水库泥沙问题的认识比较肤浅，国内外有关水库泥沙方面的论文和专著很少。

　　我国永定河官厅水库于1953年初具规模，迎来了3 700m³/s大洪水，水库起到拦洪滞沙作用并且发生了异重流排沙现象，水利部及时组建了"官厅水库实验站"，开创了中国第一座水库泥沙观测研究基地。

　　北京水利科学研究院（中国水利水电科学研究院前身）于1956年在室内做了"三门峡水库异重流排沙"、"三门峡水库淤积"模型试验，同时又进行了异重流基本理论的探讨和水槽试验。1958年对官厅、丰满以及三门峡水库施工期的泥沙冲淤特性进行总结，编写成《水库淤积问题的研究》；在室内研究和试验的基础上，结合官厅水库实测资料分析，编写成《异重流研究和应用》。上述两部专著对以后研究水库淤积和异重流起到了重要的推动作用。

　　20世纪60、70年代，泥沙科学工作者在艰难的岁月里，克服各种困难，做了很多工作，取得了丰硕的成果，为三门峡水利枢纽两期工程改建、黄河小浪底水库、长江三峡水库的泥沙设计提供了科学依据，达到了世界领先水平。

　　本人有幸主管过"全国12座重点水库水文泥沙观测研究"工作，接触到很多水库泥沙问题，其中有多沙河流和高含沙河流上的水库，也有少沙河流上的水库；有高坝大库又有低水头枢纽。通过调查研究积累了大量资料，深化了对水库泥沙问题的认识。

　　在动乱的岁月里接受再教育，处于欲做不能、欲罢不忍的情形下，难以割舍对泥沙的情感，真正是"无端发配陕州城，黄河岸边战冷风，身染泥沙职业病，朝思暮想乐无穷"。1978年迎来了科学发展的春天，喜悦心情难以言表。20世纪70年代后期以来，先后编写了"水库淤积形态商榷"、"多沙河流水库几个问题"、"蒲河巴家嘴水库高含沙水库泥沙问题研究"、"水库异重流研究与应用"等专题报告，有近百篇论文刊登在大型学术会议论文集和学术刊物上。《黄河水库泥沙》就是在上述基础上编撰的。

　　韩曼华与我共度50个春秋，她除了完成所承担的专业研究工作之外，几乎承担了全部家务，从多方面支持我的工作，为我专心致志地研究水库泥沙提供了切实保障。

　　参加本书各章工作的有侯素珍（七、九、十六、十七章）、李红良（一、二章）、林秀芝（九、十章）。今年是我参加革命工作55周年，又是从事泥沙工作50周年，以此献给我的"母亲"——祖国。

　　在本书编写前后，得到原黄委会总工龙毓骞教授、黄河水利科学研究院时明立院长、张原锋副处长、黄河水利出版社岳德军主任的鼓励与支持，在此深表谢意。

　　由于作者水平所限，挂一漏万，错误之处会有出现，敬请读者批评指正。

作　者

2004年9月于郑州

目　录

第一篇 绪 论

黄河是我国第二条大河,也是世界上著名的多泥沙河流。黄河中游地区是世界上少有的黄土高原,水土流失非常严重,全流域年输沙量高达16亿t。历史上,黄河流域一直是中华民族繁衍生息的中心地区,也是政治、经济和文化的中心地区。黄河下游在1947年以前曾经发生过26次大改道,1 500多次决口,给两岸人民带来深重灾难。下游河道以"善淤、善变、善决、善徙"著称,河床不断抬升,是著名的"地上悬河",泥沙淤积和洪水是黄河下游成害的主要问题。因此,治理黄河的中心任务就是如何处理泥沙、防御洪水和充分利用好最为紧缺的水资源问题。

新中国成立以来,党中央和国务院十分重视黄河的治理与开发。1955年全国人民代表大会一届二次会议,通过了《关于根治黄河水害和开发黄河水利的综合规划的决议》,开工建设三门峡水利枢纽。周恩来总理于1964年亲自主持治黄工作会议,决定改建三门峡水利枢纽,扩大泄流能力。50多年来,国家对黄河流域做过多次治理规划,投入了大量资金,修建黄河下游防洪大堤,在黄河上中游修建众多大中型水库,在黄土高原地区建立水土保持实验站,指导治山、治水工作。依靠防洪工程体系和广大军民的严密防守,取得了黄河下游秋伏大汛50多年不决口的伟大胜利。

为了解除黄河泥沙和洪水给两岸人民带来的灾害,在黄河上中游和干支流已经修建小(I)型以上水库700多座,其中大型水库25座,总库容近900亿m³,但已经淤积的库容近120亿m³。小型水库的淤积情况更为严重,淤积量占总库容的近90%。因此,研究泥沙在库区运动规律、泥沙冲淤变化、水库运用与管理,对于保持水库长期可用库容,保证防洪、发电和供水等综合利用是十分重要的。水库冲淤变化对其下游河道演变的影响,也带来了新的课题。

水库泥沙问题研究是新兴的学科,它涉及到水文气象、地质地貌、河流特性以及规划设计和工程布局等多门类学科,在本书的编写过程中,对这些学科只能吸取一些已有成果,不可能深入研究。

20世纪30年代以后,国外虽已修建许多水库,但有关水库泥沙方面的论文不多。50年代以前的日伪时期,我国吉林省和辽宁省修筑了丰满水库和闹德海水库,也只是测量了1~2次水库容积,没有进行过泥沙观测。

1953年汛期,官厅水库初次拦洪,并组建水库泥沙观测队伍。此后,国内兴建很多大、中型水库,同时开展了泥沙观测工作。1962年6月,原水利电力部决定选择12座重点水库,进行泥沙观测(1972年扩大到20座水库)。各水库相继总结出了很多学术论文,其中只有少部分发表在各种学术刊物上,而更多的论文只在内部或各种会议上交流。数量虽多但较为分散,很多文章难以收集齐全,且多数文章只是针对各自水库中某一个泥沙问题进行论述。

本书以作者的文章、经历和所接触到材料为主体,以黄河流域水库为主轴,参考其他学者的论文编写而成,未能全面反映各家之论点。书中多以实际资料、图表形式勾画出水库泥沙的物理图形,描述水库泥沙运动的现象和基本规律。首次对高含沙河流上的水库泥沙问题做了系统研究,提出高含沙河流上的水库泥沙运动规律、淤积形态、淤积上延和冲刷机理,填补水库泥沙空白。对变动回水区泥沙冲淤演变做了比较全面的介绍,指出变动回水区泥沙问题的复杂性和重要性。黄河是世界上著名的多泥沙河流,出现了水库泥沙的特殊问题,为此本书也介绍了已建水库的特别突出的问题。

本书共分六篇十七章,第一篇概括地介绍了黄河流域自然地理地貌概况、干支流典型水库泥沙问题;第二篇论述水库泥沙有关问题,总结水库的泥沙运动规律、淤积形态、淤积上延和各种冲刷类型、排沙与不同地形冲淤特点和计算方法。依据几座大型水库存在的问题,对泄流建筑物应如何布局和防止淤堵提出建议;对坝前冲刷漏斗问题做了初步总结。

第三篇对水库异重流问题作了较全面介绍和分析;介绍分析了异重流特别是对高含沙异重流的特点、运动规律和排沙的特殊性,与一般异重流有很大差别,对高含沙河流水库的管理有特殊意义。这也是国内外首次提出的观点。第四篇论述枢纽泥沙的问题。第五篇提出水库泥沙规划设计以及管理运用方面的原则性综述和建议。最后,第六篇对水利枢纽下游河道泥沙问题做了简要分析。

为了使物理概念清楚,在本专著中适当地引用了国内其他水库的资料和研究内容,以资旁证,其最终目的是为治理黄河工作提供参考。

第一章　黄河流域概况与水文泥沙特性

第一节　流域概况

黄河发源于青海省巴颜喀拉山北麓,海拔 4 500m 的约古宗列盆地。流经青海、四川、甘肃、宁夏、内蒙古、山西、陕西、河南、山东等九省(区),于山东省垦利县注入渤海。干流河道全长 5 464km,落差 4 480m。流域面积 79.5 万 km²(包括内流区 4.2 万 km²)。

流域内自然地理条件十分复杂,河流特性异常。地势西高东低,形成三级阶地,流经世界上最大的黄土高原。由于黄土高原土质疏松,地形破碎,暴雨频繁,水土流失极为严重,大量泥沙输送进入黄河,使黄河成为世界上泥沙最多、含沙量最高的河流。

黄河流域按地理位置及河流特征可划分为上游地区、中游地区和下游地区。

一、上游地区

从河源起到内蒙古自治区托克托县的河口镇为黄河上游地区,河长 3 471km²,集水面积 38.6 万 km²。

本地区在龙羊峡以上属于青海高原高寒地区,有高寒草原、高寒草甸及沼泽类草原。

龙羊峡至兰州地区,位于青海高原与黄土高原相连接的部位,以高寒草甸和草甸草原为主,耕地面积只占全地区面积的 9.5%,林地面积占 14.8%。

上述两地区是黄河径流量的主要来源区,以兰州水文站为准,多年平均径流量为 315.9 亿 m³(1919~1998 年资料),输沙量相对较少,多年平均输沙量为 0.883 亿 t。多年平均含沙量为 2.8kg/m³,一般称之为"黄河清水来源区"。

兰州至河口镇为黄土高原区,北部与内蒙古腾格里沙漠、南部与鄂尔多斯沙漠相邻,沙漠大量的风沙吹入黄河。石嘴山至包头河段,基本上穿行于沙漠之间,沿河两侧沙丘林立,对河床淤积有一定影响。

二、中游地区

黄河中游上起河口镇,下至河南省郑州市的桃花峪,河长 1 206km,集水面积 34.4 万 km²。

河口镇至龙门区间属于黄土高原丘陵沟壑区,又是暴雨多发区,区内地形破碎,沟道纵横,植被覆盖极差。每逢暴雨,面蚀、沟蚀极为严重,大量泥沙进入黄河。其中吴堡以北各支流如黄甫川、窟野河、秃尾河以及无定河上游又是粗泥沙来源区,粗泥沙($d >$ 0.05mm)对黄河下游河道的危害极大。无定河中下游、清涧河以及延河等支流为细泥沙($d < 0.025$mm)来源区。在一定来水来沙及河床边界条件下,龙门至潼关(又称小北干流)河段,会出现强烈冲刷(民谚称为"揭河底")。

龙门至三门峡地区,除渭汾地堑盆地外,均属于黄土高原丘陵沟壑区,泾河和北洛河是黄河的第二主要产沙区。其中泾河与北洛河的上游又是粗泥沙来源区,其余为细泥沙来源区。泾河细泥沙来源区也是暴雨频发地带,常常出现非牛顿流体的高含沙洪水,它对渭河下游的冲淤变化起着关键性的作用。赵文林的研究成果表明:渭河高含沙洪水洪峰平均流量小于 300m³/s 时,全下游发生淤积;平均流量大于 500m³/s 时,全下游发生冲刷,而且可以冲刷到潼关以下黄河干流。

河口镇至龙门区间,多年平均径流量为 63 亿 m³,年均输沙量为 7.93 亿 t,平均含沙量 126kg/m³;龙门至三门峡区间,多年平均径流量为 94 亿 m³,年均输沙量为 4.29 亿 t,平均含沙量为 46kg/m³;三门峡至桃花峪区间,多年平均径流量为 44 亿 m³,年均输沙量很少,与花园口水文站的多年输沙量相比,几乎为零。

三、下游地区

桃花峪至黄河河口为下游地区,河长 786km,集水面积 2.24 万 km²(主要是天然文岩渠、金堤河和大汶河)。本河段自身坡度为 0.125‰,上游来沙多,河道宽浅,淤积严重,河床普遍高于两岸地面 3~5m,最高达 10m 以上,河道被两岸防洪大堤控制,已成为"地上悬河"。河道宽度上宽下窄,洪水、泥沙沿程减少。

河口由于逐年淤积,不断向前延伸,入海流路经过一定时期会发生摆动,相应出现改道,50 多年来,每年入海泥沙约 10 亿 t,滨海地区年均净造陆面积为 25~30km²。

第二节　水文泥沙特性

一、降雨特性[1]

黄河在花园口以上的流域,多年平均降水量为 452mm,各区段不同时期降水量见表 1-1。

表 1-1　　　　　　　　黄河流域各区段不同时期降水量　　　　　　　（单位:mm）

区　段	1950 年 7 月~ 1960 年 6 月	1960 年 7 月~ 1968 年 6 月	1968 年 7 月~ 1986 年 6 月	1986 年 7 月~ 1997 年 6 月	1950 年 7 月~ 1997 年 6 月
兰州以上	427.9	444.8	433.9	403.3	427.3
兰州—河口镇	259.8	309.2	294.7	280.8	286.5
河口镇—龙门	466.1	461.6	435.0	412.5	440.9
龙门—三门峡	593.3	609.3	564.6	506.5	564.7
三门峡—花园口	643.9	716.9	675.6	648.6	669.6
花园口以上	459.7	479.3	454.4	421.5	452.0

从表 1-1 可以看出不同时期降水量的变化是:1960 年 7 月至 1968 年 6 月降水量,比多年平均值多 6.04%;1986 年 7 月至 1997 年 6 月降水量,比多年平均值少 6.75%;其他两个时期的降水量基本上与多年平均值持平。

就全流域来看,兰州至河口镇区间,降水量最小,与花园口以上流域的降水量相比,仅为流域平均值的 63.3%,属于干旱或半干旱地区。三门峡至花园口区间的降水量最大,接近 670mm,是流域平均值的 148%。龙门至三门峡区间降水量为 564.7mm,是流域平均值的 125%。

降水量在全流域的分布非常不均匀,其总趋势为南多北少,东多西少。降水量由东南向西北逐渐减少,相差非常悬殊。上中游的南部地区和三门峡至花园口区间,降水量一般大于 650mm;宁夏和内蒙古部分地区,年均降水量不足 150mm。

降水量在年内分配也很不均匀,夏季降水量占全年降水量的 40%~66%,秋季占18%~33%,春季占 13%~23%,冬季干旱少雨,仅占 1.0%左右。

暴雨多是黄河中下游降雨的另一特点。河口镇至龙门区间,经常发生区域性暴雨,其特点是降雨强度大,历时短,覆盖面积在 4.0 万 km² 以下。实测 12 小时最大降水量高达409mm。

龙门至三门峡区间的泾河上中游也是暴雨频发区,其特点与河口镇至龙门区间的暴雨特性相近。渭河及北洛河的暴雨比泾河暴雨强度略小些,暴雨历时一般为 2~3 天。

河口镇至三门峡地区为黄土丘陵区,沟壑纵横,植被覆盖度极差。本地区的暴雨发生后,经常出现洪水或大洪水,1843 年和 1933 年的特大洪水均系在这一地区产生。暴雨不仅产生洪水,而且对地表侵蚀也非常严重,经常出现含沙量超过 400kg/m³ 的洪水,它对水库和下游河道的淤积作用是非常突出的。

三门峡至花园口区间，暴雨强度大，暴雨历时为 2～3 天，覆盖面积可达 2 万～3 万 km²。是黄河下游大洪水主要产流区，对黄河下游防洪威胁极大。

二、径流特性[1]

黄河的径流，在地区和时空分布上与流域降雨特性是一致的。

黄河上游地区可分为两部分：一是兰州以上地区，它是黄河径流主要来源区，1919～1998 年平均径流量为 315.9 亿 m³(实测值，下同)，占同期花园口径流量的 71.6%。汛期径流量为 178 亿 m³，占花园口的 68.5%。二是兰州至河口镇区间，本区干旱少雨，降雨产流极少，蒸发量大，加之宁蒙灌区用水量大，河口镇多年平均径流量仅为 241 亿 m³，比兰州少 75 亿 m³。

黄河中游地区可分为三部分：①河口镇至龙门区间，多为暴雨产流，是黄河洪水主要来源区，年均增加径流量为 63 亿 m³，汛期径流量增加为 33 亿 m³；②龙门至三门峡区间，有汾河、渭河和北洛河几大支流汇入黄河，年均增加径流量为 94 亿 m³，汛期增加径流量为 56 亿 m³，本地区有四大灌区(宝鸡峡、泾惠渠、洛惠渠和汾河灌区)农业用水量较大；③三门峡至花园口区间，为黄河第二清水来源区，以暴雨产流为主，年均增加径流 44 亿 m³，汛期增加 30 亿 m³。黄河干支流主要站月、年平均径流量成果见表 1-2。

黄河的洪水与暴雨出现的时间是相对应的，主要发生 6～10 月间，大洪水多出现在 7 月下旬至 8 月中旬，有些年份也出现在 9 月份。

黄河上游的兰州站洪水发生时间统计见表 1-3。

黄河兰州以上洪水的特点是：降雨强度小而面积大，长历时的阴雨连绵形成洪水过程。其成因是该地区草原广阔、沼泽湖泊众多、源远流长，调蓄作用显著，因而洪峰低而历时长，呈现出矮胖型洪水过程线。该地区植被好，侵蚀模数和含沙量小。以兰州水文站为准，一般洪水历时在 22～66 天。大洪水的洪峰流量在 5 000～6 000m³/s 之间。

黄河中游洪水，可分为伏汛(7、8 月)洪水和秋汛洪水(9、10 月)。伏汛洪水主要由局部暴雨构成，洪峰高而历时短，含沙量大。秋汛洪水多为阴雨连绵所致，降雨强度相对较小，降雨面积比伏汛要大，洪峰相对较低矮而历时长，含沙量比伏汛小。黄河中游主要水文站发生的大洪水时间见表 1-4。

龙门至三门峡区间的洪水，主要来自龙门和华县以上。根据三门峡(陕县)水文站统计，流量大于 10 000m³/s 的洪峰，1919～1997 年共 18 次，其中来自黄河干流龙门站的洪水占 75% 左右，来自渭河华县的洪水占 15% 左右，见表 1-5。

三、输沙量特性

黄河的输沙量主要来自中游地区。一般认为黄河上游为清水来源区，流域产沙不多。黄河河口镇至三门峡区间，水土流失严重，输沙模数在 3 000～15 000t/(km²·a)。

从修建水库的角度来看，上述结论太粗，如果进一步分析，黄河上游仍然有含沙量较大的支流。表 1-6 为干流兰州以上主要支流水文站的水沙特征值。

表 1-2

黄河干支流主要水文站月、年平均径流量成果(水文年)

(单位:亿 m³)

河名	站名	7月	8月	9月	10月	11月	12月	1月	2月	3月	4月	5月	6月	汛期径流量	年径流量	统计时段(年)
黄河	贵德	32.69	29.93	30.81	25.68	13.51	7.805	6.461	5.561	7.222	8.992	14.90	21.78	120	206.4	1919~1998
	兰州	47.64	46.41	45.1	37.72	20.92	13.0	11.13	9.251	11.10	15.07	25.20	31.80	178.1	315.9	1919~1998
	青铜峡	45.83	46.72	44.76	37.79	20.64	13.03	10.92	9.373	11.09	14.20	22.40	28.55	176.3	306.8	1919~1998
	河口镇	30.33	38.61	38.32	31.90	17.40	9.528	9.015	8.998	14.40	14.19	11.40	14.91	140.5	240.8	1919~1998
	吴堡	33.19	44.57	42.14	35.52	20.34	11.11	9.983	10.70	18.05	16.81	13.46	15.63	157.6	274.2	1919~1998
	龙门	38.26	50.60	44.88	38.62	22.44	12.39	10.83	12.28	20.11	18.65	15.23	17.05	173.8	303.4	1919~1998
	潼关	43.55	60.23	57.54	46.53	26.84	16.23	14.58	16.60	25.58	25.41	20.55	17.65	210.5	374.1	1952~1998
	三门峡	49.64	66.27	60.41	51.12	28.93	16.44	12.73	13.59	23.86	23.77	23.85	24.12	229.3	397.1	1919~1998
	小浪底	50.09	67.21	61.20	51.88	29.32	16.67	12.92	13.55	23.79	23.84	23.83	24.36	232.2	401.3	1919~1998
	花园口	55.90	76.36	67.81	57.76	32.88	18.51	14.26	13.97	24.87	25.12	25.30	25.65	259.7	441.1	1919~1998
	高村	43.70	65.76	60.64	51.84	30.76	19.10	13.59	11.54	24.21	24.18	22.80	18.14	224.6	389	1952~1998
	泺口	40.99	65.10	59.78	51.36	30.97	17.94	12.65	10.31	18.63	18.87	18.01	15.07	220	362.1	1952~1998
	利津	39.19	63.44	58.27	50.53	30.23	17.36	12.31	10.02	16.24	15.9	15.51	13.85	214.2	345.1	1952~1998
洮河	红旗	6.245	6.788	7.523	6.09	3.029	1.767	1.419	1.271	1.653	2.208	3.667	4.41	26.82	46.32	1919~1998
祖厉河	靖远	0.335 7	0.396 7	0.117 4	0.046 9	0.028 8	0.014 6	0.011 9	0.017 8	0.050 7	0.043 4	0.041 9	0.125 5	0.91	1.244	1955~1998
黄甫川	黄甫	0.440 8	0.606 7	0.174 0	0.060 8	0.029 0	0.005 3	0.001 0	0.007 0	0.104 9	0.065 8	0.032	0.077 7	1.29	1.60	1954~1998
窟野河	温家川	1.169	1.728	0.624 0	0.438 8	0.336	0.183	0.131 0	0.218 0	0.826 8	0.373	0.178 4	0.229 9	4.015	6.475	1954~1998
秃尾河	高家川	0.395 9	0.476 9	0.320 8	0.310 8	0.279 4	0.254	0.226 7	0.254 7	0.368 2	0.271 9	0.231 9	0.220 7	1.519	2.105	1956~1998
无定河	白家川	1.429	1.883	1.147	1.019	0.918 9	0.743 5	0.701 7	0.920 3	1.485	0.813 6	0.594 6	0.579 5	5.528	12.27	1956~1998
汾河	河津	1.707	2.825	2.273	1.423	0.875	0.621 8	0.647 8	0.565 6	0.591 3	0.491 3	0.473 0	0.602 9	8.211	13.05	1919~1998
渭河	咸阳	6.341	6.69	8.109	6.232	3.125	1.657	1.329	1.277	1.709	2.652	3.53	3.181	27.26	45.48	1919~1998
渭河	华县	10.88	12.13	13.23	10.02	5.134	2.531	1.972	2.024	2.82	4.135	5.445	4.776	46.04	74.53	1919~1998
泾河	张家山	2.67	3.285	2.31	1.686	1.068	0.656	0.521	0.646	1.048	0.894	0.997	0.961	10.68	16.64	1950~1998
北洛河	状头	1.152	1.25	1.023	0.821	0.572	0.371	0.283	0.337	0.616	0.564	0.52	0.483	4.246	8.213	1950~1998

表 1-3　　　　　　　　　　　　兰州水文站大洪水发生时间统计

年　份	1904	1935	1943	1946	1964	1967	1978	1981
洪峰流量(m^3/s)	8 500	5 510	5 060	5 900	5 660	5 510	5 260	7 090*
发生时间(月·日)	7.18	8.5	6.27	9.13	7.26	9.10	9.8	9.15

注：* 为受水库调蓄影响还原后数值,实际发生为 5 600m^3/s。

表 1-4　　　　　　　　　　　黄河中游主要水文站大洪水发生时间

	年　份	1842	1946	1951	1959	1964	1967	1970	1971	1976	1977
吴堡	$Q_m(m^3/s)$	32 000	23 000	18 000	16 100	17 500	19 500	17 000	14 600	24 000	15 000
	月·日	7.23	7.19	8.15	7.21	8.13	8.10	8.2	7.25	8.2	8.2
龙门	年　份	1933	1942	1953	1954	1964	1967				
	$Q_m(m^3/s)$	17 000	24 000	15 800	16 400	17 300	21 000				
	月·日	8.9	8.3	8.26	9.3	8.13	8.11				
三门峡	年　份	1843	1933	1942	1967						
	$Q_m(m^3/s)$	36 000	22 000	17 700	16 000*						
	月·日	8.9	8.10	8.4	8.13						
花园口	年　份	1716	1843	1933	1954	1958	1982				
	$Q_m(m^3/s)$	32 000	33 000	20 400	15 000	22 300	15 300				
	月·日	8.18	8.10	8.11	8.5	7.17	8.2				

注：带 * 者为考虑水库影响后的还原数值,实际发生为 5 740m^3/s。

表 1-5　　　　　三门峡水文站 $Q_m > 10 000m^3/s$ 洪峰不同时段洪量组成

项　目	龙门占三门峡(%)				华县占三门峡(%)	
	Q_m	$W_次$	W_5	W_{12}	W_5	W_{12}
统计次数	18	17	16	16	16	16
平　均	74.2	75.3	75.5	77.2	14.9	15.6
最　大	100.0	100.0	99.8	100.0	43.8	35.3
最　小	40.2	44.1	45.8	53.4	0.01	1.34
1933 年典型		83.0	81.0	76.5	13.4	15.7
1954 年典型	85.2	60.1	70.3	74.2	19.4	17.2

注：Q_m 为洪峰流量,$W_次$ 为场次洪量,W_5 为五日洪量,W_{12} 为 12 日洪量。

表 1-6　　　　　　　　　　　黄河兰州以上主要水文站的水沙特征值

站　名	径流量(亿 m³)			输沙量(亿 t)			含沙量(kg/m³)		
	汛期	非汛期	全年	汛期	非汛期	全年	汛期	非汛期	全年
贵德	120.0	86.4	206.4	0.132	0.052	0.184	1.10	0.602	0.89
循化	126.1	91.2	217.3	0.285	0.076	0.361	2.35	0.833	1.66
兰州	178.1	137.8	315.9	0.727	0.156	0.883	4.08	1.12	2.80

表 1-7 为黄河上游主要支流水文站的水沙特征值。

表 1-7　　　　　　　　　　黄河上游主要支流水文站的水沙特征值

河名	站名	径流量(亿 m³)			输沙量(亿 t)			含沙量(kg/m³)	
		汛期	非汛期	全年	汛期	非汛期	全年	汛期	全年
洮河	红旗	26.82	19.50	46.32	0.221 0	0.042 0	0.263 0	8.24	5.68
湟水	民和	10.64	7.323	17.96	0.150 9	0.027 7	0.178 6	14.2	9.94
大通河	享堂	17.72	11.00	28.73	0.022 9	0.005 7	0.028 6	1.29	0.995
祖厉河	靖远	0.91	0.334	1.244	0.454 0	0.093 6	0.547 0	4.54	4.38

　　洮河红旗水文站,1954~1990 年实测最大含沙量有 29 年超过 300kg/m³,年最大值达到 540kg/m³。年内输沙量 80% 集中在洪水期。祖厉河靖远水文站,1954~1990 年多年平均含沙量达 441kg/m³,年最大值 605kg/m³ 泥沙粒径小于 0.01mm 的沙重百分数为30%。因此,在这种河流上修建水利水电工程时,必须认真研究泥沙问题。

　　黄河中游产沙地区,可分为河口镇至吴堡、吴堡至龙门、龙门至三门峡三个区间。

　　河口镇至吴堡区间,有黄甫川、孤山川、窟野河、秃尾河和佳芦河、浑河、岚漪河、蔚汾河、湫水河等主要支流汇入,净增加输沙量 4.12 亿 t,其中汛期增加 3.58 亿 t,此区间是黄河粗泥沙主要来源区,中数粒径为 0.033~0.055mm。黄河干支流主要水文站月、年平均输沙量及多年平均悬移质颗粒级配见表 1-8 及表 1-9。

　　吴堡至龙门区间,有无定河、清涧河、延河、三川河、屈产河、昕水河等主要支流汇入,净增加输沙量 3.81 亿 t,其中汛期增加 3.46 亿 t。泥沙组成较细,中数粒径为 0.018~0.033mm。此区间发生较大洪水时,龙门以下河道容易出现强烈冲刷(揭河底)。

　　龙门至三门峡区间,有汾河、北洛河和渭河汇入。在渭河下游的上段有泾河汇入渭河,这一区间净增加输沙量 4.29 亿 t,其中汛期增加 3.43 亿 t,输沙量主要来自泾河(见表1-8)。汾河和渭河泥沙组成很细,中数粒径分别为 0.015、0.017mm。北洛河来沙组成略粗,中数粒径为 0.027mm。三门峡以下至花园口区间为石山区,植被相对较好,水土流失轻微。

　　从上述情况可知,兰州以上和三门峡以下两地区,泥沙问题不严重,如宏农河窄口水库,伊洛河的陆浑与故县水库,可不考虑泥沙问题。其他地区泥沙问题严重或非常严重,在水库规划设计时,就应当将泥沙设计作为重点研究,工程竣工后的调度运用方案,也应以保持长期可以使用库容为中心来制定。

表 1-8

黄河干流支流主要水文站月、年平均输沙量成果（水文年）

（单位：亿 t）

河名	站名	7月	8月	9月	10月	11月	12月	1月	2月	3月	4月	5月	6月	汛期输沙量	年输沙量	统计时段（年）
							月输沙量									
黄河	贵德	0.044 4	0.041 2	0.028	0.016 1	0.007 2	0.001 1	0.000 8	0.000 8	0.001 8	0.003 7	0.011 4	0.025 2	0.132	0.184	1919~1998
	兰州	0.224	0.322	0.142	0.032 5	0.007 7	0.002 5	0.001 8	0.001	0.003	0.008	0.087	0.092 2	0.727	0.883	1919~1998
	青铜峡	0.452	0.667	0.283	0.085 8	0.012 3	0.003 3	0.002 1	0.001 1	0.005 9	0.013	0.038 2	0.129	1.50	1.71	1919~1998
	河口镇	0.218	0.319	0.284	0.198	0.056 5	0.007 5	0.002 9	0.003	0.034 2	0.039	0.037	0.066 7	1.03	1.28	1919~1998
	吴堡	1.22	2.06	0.835	0.459	0.146	0.04	0.018	0.031	0.125	0.11	0.106	0.201	4.61	5.4	1919~1998
	龙门	2.57	3.77	1.14	0.539	0.169	0.051	0.026 7	0.043 8	0.146	0.151	0.149	0.394	8.07	9.21	1919~1998
	潼关	2.96	4.39	2.00	0.796	0.342	0.197	0.151	0.17	0.289	0.265	0.267	0.34	10.3	12.3	1952~1998
	三门峡	3.18	5.03	2.20	1.05	0.397	0.138	0.111	0.089 5	0.172	0.194	0.257	0.567	11.5	13.5	1919~1998
	小浪底	3.11	5.04	2.21	1.03	0.362	0.091 8	0.094 2	0.093 1	0.208	0.187	0.238	0.53	11.5	13.3	1919~1998
	花园口	2.48	4.55	2.30	1.13	0.443	0.176	0.101	0.108	0.236	0.23	0.240	0.474	10.5	12.5	1919~1998
	高村	1.55	3.10	2.07	1.09	0.482	0.193	0.096 6	0.095	0.291	0.268	0.223	0.22	7.91	9.79	1952~1998
	泺口	1.33	2.75	2.02	1.09	0.435	0.133	0.052 2	0.058	0.215	0.231	0.198	0.197	7.29	8.81	1952~1998
	利津	1.35	2.84	2.09	1.13	0.413	0.101	0.032 9	0.036 4	0.161	0.186	0.173	0.189	7.49	8.78	1952~1998
洮河	红旗	0.082 2	0.101	0.03	0.005 6	0.000 6	0.000 2	0.000 1	0.000 2	0.000 8	0.002 9	0.010 9	0.026 1	0.221	0.263	1919~1998
祖厉河	靖远	0.194	0.213	0.036 5	0.002 5	0.000 5	0	0	0	0.003	0.009	0.010 9	0.068 6	0.454	0.547	1955~1998
黄甫川	黄甫	0.213	0.22	0.033 4	0.001 1	0.000 2	0	0	0	0.001	0.002 1	0.003	0.033 2	0.472	0.509	1954~1998
窟野河	温家川	0.427	0.516	0.051	0.003 7	0.001 7	0.000 6	0.000 1	0.000 2	0.007	0.003	0.002 4	0.034 2	1.00	1.05	1954~1998
高家尾	高家川	0.085 3	0.088 8	0.011 5	0.002 5	0.002	0.001	0.000 3	0.000 4	0.003	0.002	0.002 4	0.005 5	0.19	0.208	1956~1998
无定河	白家川	0.464	0.558	0.104	0.017 1	0.011 7	0.003 4	0.000 6	0.002	0.021	0.015	0.025 6	0.067 5	1.16	1.3	1956~1998
汾河	河津	0.071 5	0.16	0.074 8	0.017 2	0.004	0.001 6	0.000 9	0.001 3	0.002 1	0.002 7	0.003 5	0.01	0.328	0.354	1919~1998
渭河	咸阳	0.44	0.477	0.253	0.053 5	0.006 5	0.001 8	0.000 8	0.000 9	0.004	0.021 7	0.049	0.109	1.24	1.43	1919~1998
渭河	华县	1.31	1.52	0.567	0.105	0.015 1	0.003 2	0.001 8	0.002 2	0.007	0.032 8	0.092 7	0.207	3.53	3.89	1919~1998
泾河	张家山	0.859 0	1.065	0.237 6	0.021 3	0.001 3	0.000 7	0.000 3	0.000 7	0.004 3	0.014 5	0.074 3	0.146 7	2.183	2.795	1950~1998
北洛河	洑头	0.312 3	0.379 2	0.094 1	0.008 7	0.000 3	0.000 1	0.000 03	0.000 1	0.000 7	0.002 5	0.010 0	0.040 7	0.749	0.848 9	1950~1998

表 1-9

黄河干支流主要水文站多年平均悬移质颗粒级配

站 名	平均小于某粒径的沙重百分数（%） 粒径级（mm）										中数粒径（mm）	平均粒径（mm）	统计时段（年）
	0.005	0.010	0.025	0.050	0.10	0.25	0.50	1.0	2.0	5.0			
兰州	25.8	39.1	61.6	81.5	94	99.1	100				0.015	0.033	1957～1997
头道拐	27.8	4.03	61.7	82.6	96.3	99.8	100				0.015	0.028	1958～1997
府谷	21.5	31.5	51.6	73	91.7	98.1	99.5	100			0.023	0.043	1966～1997
吴堡	20.9	29.0	46.9	69.4	90.4	98.6	99.8	100			0.027	0.045	1958～1997
龙门	18.9	26.6	44.9	72	92.8	98.3	99.7	100			0.028	0.044	1957～1997
潼关	21.2	30.9	52.9	80.2	96.6	99.6	100				0.022	0.032	1954～1997
三门峡	21.2	31.1	52.5	78.6	85.9	99.7	100				0.023	0.033	1956～1997
小浪底	22.0	31.5	53.2	79.8	96.3	99.8	100				0.022	0.031	1961～1997
花园口	22.8	35.1	57.4	81.8	97.1	99.9	100				0.019	0.029	1955～1997
夹河滩	25.3	36.3	59.6	84.4	98.2	100.0					0.018	0.026	1960～1997
高村	26.6	34.7	58.5	83.8	98.4	99.9	100				0.018	0.027	1954～1997
孙口	24.2	35.9	58.3	84.1	98.5	99.9	100				0.018	0.027	1962～1997
艾山	26.2	36.0	58.1	83.7	98.8	100					0.018	0.026	1955～1997
泺口	25.7	37.7	60.6	85.5	98.7	99.9	100				0.016	0.025	1954～1997
利津	27.3	28.4	60.3	85.4	99.2	100	100				0.017	0.025	1955～1997
黄甫	26.0	22.8	36.8	51.9	65.3	79.7	91.0	99.3	99.8	100	0.049	0.146	1966～1997
高石崖	16.7	25.5	42.0	63.2	86.8	96.7	99.3	100			0.033	0.057	1966～1997
温家川	19.2	22.3	35.0	50.6	67.7	83.4	94.7	98.9	99.8	100	0.050	0.128	1960～1997
高家川	16.4	15.7	26.9	46.4	72.3	85.9	95.6	99.8	100		0.055	0.114	1966～1997
后大成	12.2	30.1	55.0	82.0	96.8	99.5	99.8	100			0.022	0.031	1962～1997
白家川	21.4	20.0	38.5	68.6	92.5	97.8	99.5	100	100		0.033	0.048	1958～1997
延川	14.1	23.7	44.7	76.9	96.8	99.5	99.8	99.9			0.028	0.037	1958～1997
大宁	17.1	34.1	60.1	84.7	97.1	99.6	99.8	100			0.018	0.029	1966～1997
甘谷驿	23.6	23.0	43.2	73.0	92.8	97.7	99.5	100			0.029	0.046	1959～1997
河津	16.3	39.9	63.9	85.8	98.3	99.9	100				0.015	0.025	1957～1997
华县	27.6	36.1	63.0	87.9	97.9	99.3	99.9	100			0.017	0.027	1957～1997

第三节　黄河干支流水库泥沙概况[2]

黄河流域在花园口以上的干支流上,根据1994年统计,共修建小(Ⅰ)型以上的水库700多座。其中大型水利水电枢纽28座,其库容、淤积量见表1-10及表1-11。

表1-10　　　　　　　黄河干流大型水利水电枢纽库容、淤积量统计

水库名称	总库容(亿 m³)	淤积量(亿 m³)	开发任务与运用简况
龙羊峡	247.0	1.6	蓄水运用(发电、防洪、供水)
李家峡	16.5		发电
公伯峡	2.9	(在建)	
刘家峡	57.0	16.1	蓄水运用,发电、防洪、供水
盐锅峡	2.20	1.70	发电
八盘峡	0.50	0.25	发电
大　峡	0.90		发电
沙坡头	0.26	(在建)	
青铜峡	6.06	5.83	调水调沙、发电、灌溉供水
三盛公	0.80	0.40	灌溉、发电、供水
万家寨	9.0	0.90	灌溉、发电、供水
天　桥	0.70	0.50	发电
三门峡	96.0	71.0	调水调沙、防洪、灌溉、发电
小浪底	126.5	7.16	调水调沙、防洪、减淤、灌溉、发电

表1-11　　　　　　　黄河支流大型水库库容、淤积量统计

河流名称	水库名称	总库容 (亿 m³)	淤积量 (亿 m³)	开发任务与运用简况
清水河	石峡口	1.750	1.271	灌溉、蓄水运用
清水河	长山头	3.478	3.34	防洪、拦泥、滞洪排沙
红河	当阳桥	2.070	1.43	灌溉、防洪、蓄水排沙
无定河	新桥	2.000	1.90	灌溉、防洪、蓄水运用
延河	王瑶	2.030	0.925	防洪、灌溉、蓄清排浑
汾河	汾河	8.080	3.45	防洪、灌溉、蓄水运用
汾河	文峪河	1.053	0.280	灌溉、发电、蓄水运用
泾河	巴家嘴	5.25	2.49	防洪、拦沙、灌溉
渭河	羊毛湾	1.20	0.170	灌溉、蓄水运用
渭河	冯家山	3.89	0.813	防洪、灌溉、发电、蓄水运用
渭河	石头河	1.47	0.05	防洪、灌溉、发电
宏农河	窄口	1.85	0.08	灌溉、发电、蓄水运用
伊洛河	陆浑	13.20	0.620	防洪、灌溉、发电
伊洛河	故县	11.75	0.0	防洪、灌溉、发电

水库泥沙问题是否严重,受制于所在地区的水文泥沙特性、库容大小、库区地形地貌以及水库运用等多方面因素的影响。

从黄河泥沙主要来源区的输沙模数分布来看,河口镇至三门峡区间产沙量最大,见图1-1。

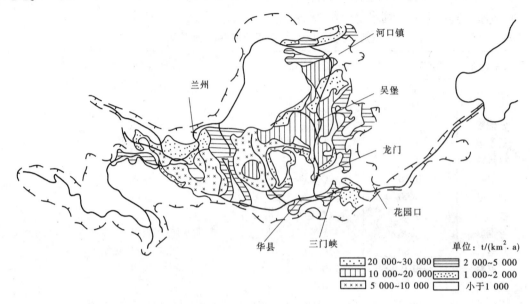

单位:t/(km². a)

20 000~30 000	2 000~5 000
10 000~20 000	1 000~2 000
5 000~10 000	小于 1 000

图 1-1 黄河流域输沙模数地区分布

由于黄河各支流的输沙模数大小不同,各支流已建水库的淤积状况相差很大。

黄河上游的湟水河,处在高寒地区,山高谷深,林草较为丰富,输沙模数约 1 200 t/(km²·a),至 1990 年,已建水库的总库容为 0.8 亿 m³,淤积量为 65 万 m³,占总库容的 0.81%。

清水河流域,地处黄土高原北部,输沙模数达 3 500t/(km²·a)以上。1990 年以前已建水库的总库容为 8.23 亿 m³,淤积量达到 5.71 亿 m³,库容损失率高达 69.4%。

黄河中游河口镇至潼关区间是黄河流域主要产沙区,输沙模数在 1 200~20 000 t/(km²·a)。

汾河流域,输沙模数为 1 300t/(km²·a)。已建小(Ⅰ)型以上水库 70 多座,总库容为 14.83 亿 m³。已淤库容约 6.47 亿 m³,库容损失率达到 43.6%以上。

延河流域,输沙模数高达 8 220t/(km²·a)。已建大中型水库 3 座,总库容为 2.246 亿 m³,已淤库容 1.01 亿 m³,库容损失率高达 45%。

泾河流域,输沙模数为 6 456 t/(km²·a),已建水库 8 座,总库容为 7.05 亿 m³,已淤库容 3.03 亿 m³,库容损失率为 43.1%。

宏农河流域,已建水库 10 座,总库容 2.057 亿 m³,已淤库容 0.095 亿 m³,库容损失率为 4.6%。

从上述几条支流的水库和库容损失率可以看出,输沙模数越大,库容损失率越高,反之则低。表 1-12 是黄河流域各侵蚀分区的水库淤积情况。

表 1-12 黄河流域各输沙模数分区水库淤积情况

侵蚀分区	输沙模数 （t/(km^2·a)）	总库容 （亿 m^3）	淤积量 （亿 m^3）	库容损失率 （%）
10	20 000～30 000	2.11	1.11	52.6
9	15 000～20 000	2.87	1.47	51.2
8	10 000～15 000	5.67	2.33	41.1
7	5 000～10 000	18.06	7.78	43.1
6	2 000～5 000	13.24	5.43	41.0
5	1 000～2 000	25.39	5.11	20.1
4	500～1 000	23.63	3.64	15.4
3	200～500	10.05	1.41	14.0
2	100～200	5.29	0.62	11.7
1	<100	3.40	0.13	3.8

参 考 文 献

［1］陈先德.黄河水利科学技术丛书.黄河水文.郑州:黄河水利出版社,1996
［2］赵文林.黄河水利科学技术丛书.黄河泥沙.郑州:黄河水利出版社,1996

第二章　黄河典型水库泥沙问题

由于水文泥沙条件不同,对已建或拟建的水利水电枢纽工程,在制订处理泥沙方案时,应当认真进行多方案对比分析,深入研究水文泥沙特性与运行规律。

黄河流域的水利水电枢纽工程,开发目标和承担的任务虽然不尽相同,但是都存在问题,就是泥沙淤积与库容损失。用正常蓄水位以下的总库容(原始)与年均入库输沙量(折算为体积)之比,可作为判断工程泥沙是否严重的指标之一。国家颁布的《水电水利工程泥沙设计规范》[1]中规定:库容与输沙量比大于100以上,可不做泥沙计算。黄河流域和其他流域水库库容沙量比与库容损失率关系见图2-1。

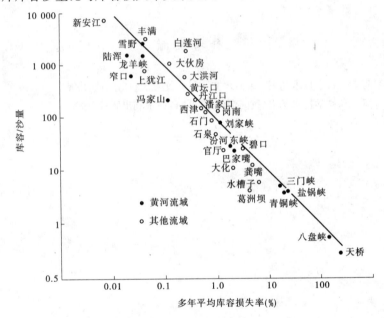

图2-1　库容沙量比与库容损失率关系

从图2-1中可看出,黄河干支流的龙羊峡、陆浑、窄口和冯家山等水库应当属于泥沙问题不严重的水库。其余水库不仅要进行泥沙冲淤计算,而且在制订水库调度运用方案时,要周密、系统地考虑水库排沙问题,并且要研究泥沙淤积可能带来的其他问题,如淤积上延对水库上游城镇的威胁,库区周边地区的地下水位上升引起农田浸没、淹没,以及涉及的防洪、防凌、河道淤积等问题。

黄河流域的中游地区,干支流输沙模数大,在修建水利水电工程时,更应认真分析研究泥沙问题。可采用资料分析类比方法、实体模型和数学模型,必要时上述三种方法同时进行,以对比分析。黄河上的众多水库有大量的实测资料,通过综合分析可能得到具有普遍性的共性规律,同时也有许多经验教训可以借鉴。

黄河上的水利水电枢纽工程,已经出现的泥沙问题有:

（1）泥沙在库区淤积、库容损失、降低工程效益，特别是防洪库容的损失，对下游防洪威胁极大。

（2）支流汇入库区形成拦门沙坎，使拦门沙坎上游出现溯源淤积，引起地下水位上升，扩大浸没、淹没面积。由于拦门沙坎阻水的作用，会引起用水量暂时受阻等问题。

（3）淤积上延引起回水末端同时上延，扩大淹没区，影响上游城镇、工业区和居民的安全。

（4）坝前淤积可能淤堵各泄流、排沙、发电进水口和引水口，危及工程安全运行。

（5）泥沙通过泄水建筑物、发电机组后，增加气蚀和磨损。

（6）洪水期大量水草及漂浮物进入坝区，堵塞和压垮拦污栅，引起电站停机，影响泄流排沙。

（7）受水库调蓄作用，改变出库水文泥沙过程，使下游河道形态发生变化，影响下游河道的防洪和治理。

（8）在洪水期泄洪过程出库含沙量较大时，在坝区会出现"泥雾现象"，造成局部环境污染，给生产、生活带来危害。

（9）由于泥沙不断淤积，为了保持长期可以使用的库容，水库运用方式不得不随之调整。

下面分别介绍几座水库的泥沙问题。

第一节　刘家峡水库[2]❶

一、水库概况

刘家峡水利水电枢纽，修建在甘肃省永靖县境内的刘家峡峡谷的出口。库区由黄河干流和支流大夏河、洮河组成。大夏河河口在距坝址上游26km处汇入黄河，洮河在坝址上游1.5km处汇入黄河。

水电站于1964年复工，1968年10月蓄水，1969年4月第一台机组发电，至1974年12月5台机组全部投产。

干流库区由刘家峡、永靖川地和寺沟峡组成；洮河库区由茅笼峡和唐汪川地组成；大夏河库区处在野孤峡以下河段。各库区的原始地形特征值见表2-1。

表2-1　　　　　　　　　　刘家峡干支流库区地形特征值

河段库段	黄河干流			洮河	大夏河
	刘家峡	永靖川地	寺沟峡	茅笼峡	河道
长度（km）	8.5	23.8	22.0	20.0	15.0
宽度（m）	100～200	3 000～6 000	100～200	100～200	400～500
坡度（‰）	2.0	1.4	3.4	2.5～10	4.5
断面编号	黄0～9	黄9～21	黄21以上	洮0～13	大1～9

枢纽建筑物有：拦河坝全长840m，主坝为混凝土重力坝，最大坝高147m，长204m。

---

❶　水利电力部水利水电规划设计院.水电站泥沙问题总结汇编.1988年

左右两岸副坝、电站坝段与溢洪道、泄水道相联结。坝顶高程为 1 739m,安装 5 台水轮发电机组,装机容量 122.5 万 kW,设计年均发电量为 57 亿 kW·h。

泄流建筑物右岸有溢洪道,主坝左侧有泄水道,电站右侧有泄洪洞和排沙洞。泄水道兼有排沙作用。刘家峡水电站枢纽布局见图 2-2,各泄流建筑物的泄量见表 2-2。

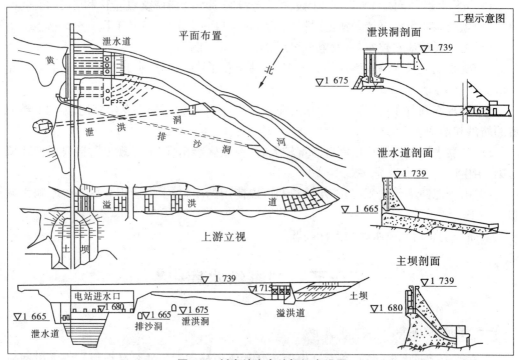

图 2-2 刘家峡水电站枢纽布设图

表 2-2　　　　　　　　　　刘家峡水电站各泄流建筑物泄量

建筑物名称	底坎高程（m）	不同水位下的泄量(m³/s)		
		1 694	1 720	1 735
溢洪道	1 715			3 800
泄洪洞	1 675	930	1 944	2 140
泄水道	1 665	880	1 382	1 488
排沙洞	1 665	68	99	105

刘家峡水库主要技术经济指标见表 2-3。

二、进库水文泥沙特性

进入刘家峡水库的径流量和输沙量的控制站,有黄河干流的循化水文站、支流大夏河的冯家台水文站和洮河的红旗水文站。多年平均径流量为 272.7 亿 m³,输沙量为 0.655 4 亿 t,水库进库径流量、输沙量见表 2-4。

表 2-3　　　　　　　　　　　　　　　刘家峡水库主要技术经济指标

	序号		名称	单位	数值	备　注
水库技术指标	1	水库水位	校核洪水位($P=0.01\%$)	m	1 738.00	
			设计洪水位($P=0.1\%$)	m	1 735.00	
			正常蓄水位	m	1 735.00	
			汛期限制水位	m	1 726.00	
			死水位	m	1 694.00	
	2		正常蓄水位的水库面积	km²	140	
	3	水库容积	总库容(1 738.0m 以下)	亿 m³	64	
			总库容(1 735.0m 以下)	亿 m³	57	
			防洪库容(1 738.0～1 726.0m)	亿 m³	14.7	
			调节库容(1 735.0～1 694.0m)	亿 m³	41.5	
			死库容(1 694.0m 以下)	亿 m³	15.5	
	4		回水长度(1 735.0m 以下)	km	66	洮河约 30km 大夏河约 15km
	5		水库系数(径流利用程度%)		16%	为不完全年调节
水电站经济指标	1		发电效益			
			装机容量	万 kW	122.50	
			保证出力(95%)	万 kW	40.00	
			平均年发电量	亿 kW·h	57.00	
			年利用小时数	h	4 650.00	
	2		防洪效益	m³/s	6 500	
	3		灌溉效益	万 hm²	105.33	
	4		航运效益	km	830	
	5		防凌	km	700	
	6		增加梯级发电效益			
	7		城市及工业用水			
	8		水库内养鱼效益	t	30	
	9		水电站经济指标			
			单位千瓦投资	元/kW	521	1980 年
			单位千瓦造价	元/kW	420	1980 年

表 2-4　　　　　　　　　　　　　　　刘家峡水库进库径流量、输沙量

河名	站名	径流量(亿 m³)			输沙量(亿 t)			统计年数
		汛期	非汛期	全年	汛期	非汛期	全年	
黄河	循化	126.10	91.19	217.30	0.285	0.076	0.361	79
洮河	红旗	26.82	19.50	46.32	0.221	0.042	0.263	78
大夏河	冯家台	5.45	3.64	9.09	0.025 4	0.006 0	0.031 4	78
合计	入库	158.37	114.33	272.71	0.531 4	0.124	0.655 4	78～79

从表 2-4 中可以看出,汛期径流量占全年径流量的 58% ～60%,输沙量占全年输沙量的 79% ～84%。输沙量更集中在洪水期,甚至集中在一场洪水或一天之内。洮河红旗水文站,1959 年全年输沙量为 4 720 万 t,该年 8 月 21～25 日一场洪水的输沙量就高达 1 640 万 t,8 月 24 日一天的输沙量达到 1 340 万 t,占全年的 28.4%。洮河的沙峰频繁,丰沙年份的 7、8 月可出现 4～8 次沙峰。虽然洪峰流量不大,但它对刘家峡水电站的安全运行威胁极大,迫使刘家峡水电站停机泄空冲刷坝区淤积,以减少过机泥沙对过流部件的磨损。

刘家峡水库进库的径流量和输沙量来自干支流,其洪峰与沙峰不对应。洪水主要来自黄河干流,沙峰主要来自支流洮河。黄河来沙较粗,洮河来沙较细,进库(汛期)泥沙颗粒级配见表 2-5。

表 2-5 　　　　　　　刘家峡水库进库(汛期)泥沙颗粒级配

河名	站名	小于某粒径的沙重百分数(%)							平均粒径(mm)
		0.01mm	0.025mm	0.05mm	0.1mm	0.25mm	0.5mm	1.0mm	
黄河	循化	27.9	50.6	73.2	88.4	97.7	99.5	100	0.061
洮河	红旗	28.2	53.0	77.2	91.7	97.8	99.6	100	0.049

由于洮河泥沙颗粒较细,$d < 0.01$mm 沙重占 28.2%,进入库区壅水范围以后,容易发生异重流,可利用异重流排沙,减少水库淤积。

三、水库淤积与分布

刘家峡水库在黄河干流库区呈三角洲淤积形态,支流洮河和大夏河的库区为锥体淤积形态。在洮河口附近的干流库段出现拦门沙坎淤积形态。干支流库区淤积纵剖面见图2-3。

干流三角洲淤积的顶坡段在寺沟峡峡谷中,1985 年以后,三角洲顶点已经达到黄淤 20 断面以下,顶点淤积面高程在 1 710～1 715m 之间变动。三角洲前坡段已经推进到永靖川地,三角洲顶坡段淤积量占黄河库区总淤积量的 6.1%,这是因为它处在寺沟峡峡谷中,断面宽度在 200m 范围内,淤积空间太小。而三角洲的前坡段地处永靖川地,其淤积量占黄河库区总淤积量的 56% 以上。淤积量在库区分布特点是其他水库所少见的,对具有类似库区形态的拟建水库有重要的参考价值。

四、洮河拦门沙坎问题

如图 2-3 所示,洮河口距坝址 1.5km 处淤积成拦门沙坎。洮河多年平均输沙量为 0.263 亿 t,折合体积约 0.2 亿 m³。洮河库区的库容为 1.15 亿 m³,不足 6 年即可全部淤满,大量泥沙将进入黄河刘家峡峡谷段。1968～1971 年间,洮河来沙量主要淤积在洮河库区上、中段,部分泥沙形成异重流进入黄河刘家峡峡谷段。1972 年汛期,洮河泥沙进入黄河库区的输沙量增加,至该年汛后,拦门沙坎已具雏形。1973 年洮河年输沙量高达5 230 万 t,其中 72% 泥沙淤积在洮河库区下段和黄河刘家峡峡谷库段,水轮机开始过沙。此后的 1978、1979 年两年,洮河输沙量分别为 4 230 万 t 和 6 590 万 t。拦门沙和坝前段淤积加快,过机泥沙量增加,过机泥沙组成变粗。洮河来沙量和过机沙量以及拦沙坎高程见表2-6。

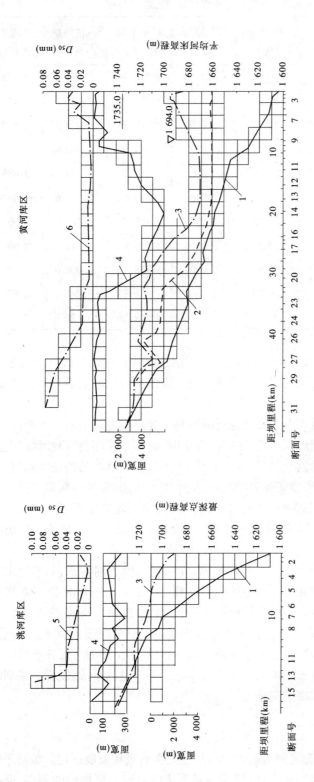

图 2-3 刘家峡水库干支流库区淤积纵剖面

1—天然河床; 2—1971年汛后; 3—1985年汛后; 4—水面宽度(1 735.0m); 5—1978年汛后; 6—1980年汛后

表 2-6　　　　　　　　　　刘家峡水库洮河来沙量和过机沙量以及拦沙坎高程

年份	过机沙量（万 t）	d_{50}（mm）	$d>0.05mm$（%）	洮河沙量（万 t）	汛期平均水位(m)	过机沙量/洮河沙量	沙坎平均高程(m)
1974	14.1			977	1 711.98	0.014 4	1 673.4
1975	28.7	0.014	8.2	1 420	1 718.54	0.020 2	1 672.9
1976	129.0	0.015	14.5	3 760	1 719.11	0.034 2	1 677.2
1977	180.0	0.025	16.2	2 180	1 714.04	0.082 6	1 679.7
1978	1 160.0	0.026	20.7	4 230	1 712.29	0.274 0	1 688.6
1979	1 190.0	0.028	22.4	6 590	1 713.03	0.180 6	1 694.0
1980	584.0	0.037	27.8	3 650	1 713.83	0.160 0	1 692.9
1981	352.0	0.024	17.5	3 170	1 714.92	0.111 0	1 692.2
1982	58.8	0.011	5.5	1 050	1 718.24	0.056 0	1 621.2
1983	91.9	0.007	3.7	1 890	1 721.87	0.048 6	1 690.6
1984	481.0	0.028	23.4	4 010	1 719.20	0.120 0	1 693.4

从表 2-6 中可以看出,自 1977 年至 1980 年,汛期水位变幅不大,过机沙量与洮河来沙量的多寡有关,它说明进入刘家峡坝前库段的沙量与洮河来沙量的多寡相关,拦门沙坎也随之升降。

刘家峡水库的拦门沙坎,对水电站安全运行的影响主要反映在以下三个方面:

(1)拦门沙坎淤积面高程超过死水位 1 694m 以上时,起阻水作用,拦门沙坎以上的蓄水量受阻,电站突然增加负荷时,坝前水位骤降 0.6～1.1m,影响水电站的正常运行。

(2)拦门沙坎升高后,洮河来沙多流向坝前,使过机泥沙增加,泥沙中粗颗粒的百分比增加,过流部件和水轮机磨损日趋严重。如 1981 年 4 月,水涡轮磨损面积为 29m²,补焊耗用的不锈钢焊条 3.5t。1986 年,磨损面积为 40m²,耗用的焊条 5.2t。检修一次历时为 103 天。

(3)泄水建筑物闸门前淤堵严重,1986 年 10 月,龙羊峡水库关闸蓄水,刘家峡水库上游断流 124 天,刘家峡水库水位由 1 735m 逐渐下降到 1 699m,由于库水位下降幅度达 36m,促成洮河库区发生强烈冲刷,大量泥沙进入坝区,泄水道闸门前淤积面高程达到 1 682.3m,高出进水口底板高程(1 665m)17.3m,高出泄洪洞进口底板 11.0m。1988 年 5 月 21 日开启闸门时,因泥沙淤堵,曾短时间不能过水。1988 年 5 月 26 日,开启排沙洞闸门,经过 65 天以后,才冲开门前淤堵的淤积物后过水。这些严重的事故,既影响了刘家峡水电站的正常运用,又威胁着水库的安全度汛。

五、水库排沙

刘家峡水库在 1973 年以前,洮河口的拦门沙坎还处在形成和发展过程。黄河干流和支流大夏河来沙量较少,距离坝址较远,所形成的异重流能够运动到坝前的不多,因此所排出的泥沙,基本上是洮河库区发生的异重流。1973 年以后,拦门沙坎平均高程达到 1 672m 以上,黄河干流和大夏河产生的异重流被拦截在拦门沙坎上游,淤积在永靖川地库段,只有洮河发生的异重流通过拦门沙坎,一部分流向坝前排出库外,一部分在拦门沙坎顶部流向上游,淤在刘家峡峡谷库内。洮河在洪水期,其排沙比可占洮河洪水期总沙量的 64.0%,水库历年排沙情况见表 2-7。

表 2-7　　　　　　　　　刘家峡水库历年排沙情况

年份	全年			汛期			汛前 5、6 月		
	洮河沙量 (万 t)	出库沙量 (万 t)	排沙比 (%)	洮河沙量 (万 t)	出库沙量 (万 t)	排沙比 (%)	洮河沙量 (万 t)	出库沙量 (万 t)	排沙比 (%)
1973	5 230	1 480	28.3	4 420	1 280	28.9	599	190	31.7
1974	977	233	23.8	771	193	25.0	87.8	27.7	51.5
1975	1 420	511	36.0	1 120	405	36.2	86.5	61.2	70.8
1976	3 760	2 270	60.4	3 200	1 950	60.9	456	304	66.6
1977	2 180	1 660	76.1	1 530	1 190	77.8	547	428	78.2
1978	4 230	2 840	67.1	3 780	2 460	65.0	341	356	104
1979	6 590	3 490	53.0	6 460	2 910	45.1	22.0	553	2 510
1980	760	668	87.6	418	84.5	20.2	287	565	197
1981	3 170	2 300	72.6	2 850	1 540	54.0	216	754	349
1982	1 050	503	47.9	720	315	43.8	239	177	74.1
1983	1 890	1 060	56.1	1 460	807	55.3	214	196	91.6
1984	4 010	3 840	95.8	2 930	1 020	34.7	968	2 680	277
1985	2 650	2 470	93.2	2 340	1 320	56.6	224	1 130	504
合计	37 917	23 325		31 999	15 475		4 287.3	7 422	
平均	2 916.7	1 794.2	61.5	2 461	1 190.4	48.4	329.8	570.9	173.1

　　除洪水期异重流排沙外,由于水库水位消落的作用,洮河库区发生冲刷,有很大一部分泥沙被输送到坝前排出库外。每年在 5、6 份份,水库水位下降幅度较大,洮河库区发生强烈冲刷,排沙比可达 100%(按洮河输沙量计算)以上,就全年计算可达 61.5%。

　　刘家峡水库排沙主要是通过泄水道和发电机组下泄。1974～1984 年,泄水道排沙量占总排沙量的 37%,通过发电机组的排沙量占总排沙量的 24.5%,其他泄流设施排沙数量较少。

六、经验与教训

　　在任何一条河流上兴建水利水电工程,都要评价其工程效益,除发电外,也要慎重考虑其他方面的兴利与可能出现的不利因素。

　　刘家峡泄水建筑物的布局,对泥沙问题的重视不足。在规划设计过程中,方宗岱曾经提出在电站进水口两侧设置泄量较大的排沙孔,避免和减少进入水轮机沙量,但没有被采纳。

　　为了多发电,将洮河纳入库区,多年平均径流量只有 46.3 亿 m³,同时也多接纳近 0.263 亿 t 泥沙。虽然泥沙数量与刘家峡的总库容相比是很少,但洮河库区库容小,洮河距坝址仅有 1.5km。因此,这个问题就非常突出,致使水轮机磨损严重、泄流建筑物闸门淤堵、拦门沙坎阻水等重大问题接踵而来。刘家峡枢纽的这一教训,在黄河干支流规划设计和修建水利水电工程时应引以为戒。

第二节　青铜峡水库[3,4]❶

青钢峡水利枢纽位于宁夏回族自治区青铜峡市境内青铜峡出口处,水库长度46km,水库面积113km²。

青铜峡水库是黄河干流上以灌溉为主兼顾发电的综合利用水库,1960年挡水灌溉,1967年蓄水发电。

一、库区与枢纽概况

青铜峡水库库区呈葫芦形,坝址以上8.2km以内为峡谷段,宽度为300～500m,8.2km以上为宽阔河谷,滩地、串沟、汊流分布众多,库面宽度1 500～5 000m不等。青铜峡库区平面图见图2-4。

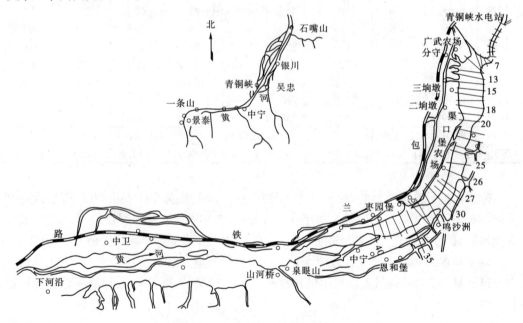

图 2-4　青铜峡库区平面示意

青铜峡水利枢纽为低水头水工建筑物,全长693.75m,主体工程由河床式电站、溢流坝、重力坝、岸边泄洪闸及土坝组成。在原秦渠、汉渠和唐徕渠引水口分别布设一台机组,称之为渠首电站,渠首电站与河床电站连成一个整体。河床电站采用闸墩式的形式,由8台机组与7孔溢流坝相间布设。坝顶高程1 160.2m,最大坝高42.7m,设计蓄水位1 156.0m。总库容为7.35亿m³,总装机容量为27.2万kW,灌溉引水量550m³/s。青铜峡水利枢纽平面布置见图2-5。

---

❶　水利电力部水利水电规划设计院.水电站泥沙问题总结汇编.1988年

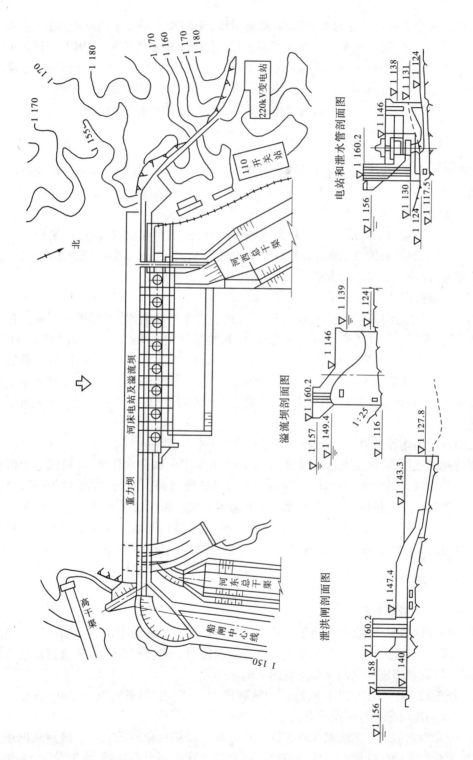

图 2-5　青铜峡水利枢纽平面布置

二、水文泥沙特性

水库库区处于黄河上游的干旱地区,降雨量少,年均降水量在 150mm 左右。兰州以上来水又受龙羊峡、刘家峡大型水库的调蓄控制,水沙过程变化较大。1919～1998 年的实测年均径流量为 306.8 亿 m^3,其中汛期径流量为 176.3 亿 m^3,非汛期径流量为 130.5 亿 m^3;年均输沙量为 1.71 亿 t,其中汛期为 1.50 亿 t,非汛期为 0.21 亿 t。6～10 月份进入库区的悬移质泥沙较细,粒径小于 0.01mm 的沙重百分数为 25%。

三、水库运用

青铜峡水库于 1967 年 4 月开始蓄水运用以来,历经蓄水、蓄清排浑和沙峰期排沙三种运用方式。

(一)蓄水运用

1967 年 4 月蓄水,至 1971 年 9 月为蓄水运用期,由于蓄水位较高,库区淤积十分严重,淤积量达 5.28 亿 m^3。1 156m 高程以下淤积量为 5.27 亿 m^3。为了减少水库淤积,保持调节库容,改变了水库运用方式。

(二)蓄清排浑运用

1971 年 10 月至 1976 年 9 月,水库运用方式改为非汛期蓄水、汛期排沙方式。在本时段内,除在库区比较开阔库段有少量淤积外,其他库段发生冲刷。总淤积量为 0.11 亿 m^3,1 156m 高程以下库容恢复了 14.8%。这种运用方式,虽然保持了库容,但汛期的来水量基本上全部敞泄出库,降低了综合经济效益。通过详细分析,进入水库的输沙量主要集中在洪水期,而且主要来自祖厉河。根据进库水沙在时空分布的特性,进一步完善了水库运用方案。

(三)沙峰期排沙运用

蓄清排浑运用中,汛期全部敞泄排沙,实际上浪费了大部分水资源,与地区电力供求的矛盾十分尖锐。经研究,来沙量主要集中在洪峰沙峰过程。因此,1976 年 10 月以后,改为洪水期降低水位排沙,以减少水库淤积的运用方式。遇到大水大沙时,迅速降低库水位,适时排沙或强行排沙。至 1985 年 9 月,1 156m 高程以下库容,尚有 0.36 亿 m^3 可供日调节发电之用。青铜峡水库各时期的库区冲淤量沿程分布见表 2-8。

四、水库淤积形态

(一)纵剖面淤积形态

青铜峡水库根据库区地质、地貌以及原始的河流形态可分为坝前段、峡谷段、开阔段及库区末端 4 个库段;而水库的淤积形态可分为坝前段、三角洲前坡段、三角洲顶坡段和三角洲尾部段,水库淤积纵剖面形态见图 2-6。

(1)坝前段。水库坝址以上 8.2km 为峡谷段,两岸陡峻,河谷宽度在 300～500m,本段淤积形态与原河床接近平行抬升。

(2)三角洲前坡段。本段淤积形态从外形上看为淤积三角洲前坡段。但是从机理分析,它主要受地形变化的影响构成前坡段淤积形态。从断面形态来看,水库黄淤 11 断面宽度1 500m,到黄淤8断面缩窄到300m。断面缩窄起卡水壅高作用,泥沙在黄淤11断面以上发生淤积。由于河宽突然缩窄,单宽流量增大,泥沙淤积受到一定的限制,淤积坡度增大。因此,青铜峡水库的前坡段淤积形态,不能按照湖泊型水库的前坡段淤积形态来理解。青铜峡水库三角洲前坡段比降约为24.5‰。

表2-8　　　　青铜峡水库各时期的库区冲淤量沿程分布　　　　（单位:亿 m³）

运用方式	时段 (年·月)	峡谷段 (1#~8#)	过渡段 (8#~11#)	开阔段 (11#~24#)	尾部段 (24#~30#)	全库区	累积 淤积量
施工导流	1963.4~ 1966.10	0.030 0	0.017 3	0.035 8	—	0.083 1	0.083 1
蓄水运用	1966.10~ 1971.9	0.381 0	0.548 0	4.290 0	0.112 0	5.331 0	5.414 1
蓄清排浑	1971.10~ 1976.9	−0.037 5	−0.000 4	0.149 0	−0.000 8	0.110 3	5.524 4
沙峰排沙	1976.10~ 1985.6	0.044 6	0.067 6	0.577 0	0.093 8	0.783 0	6.307 4
Σ	1963.4~ 1985.6	0.418 1	0.632 5	5.051 8	0.205 0	6.307 4	6.307 4

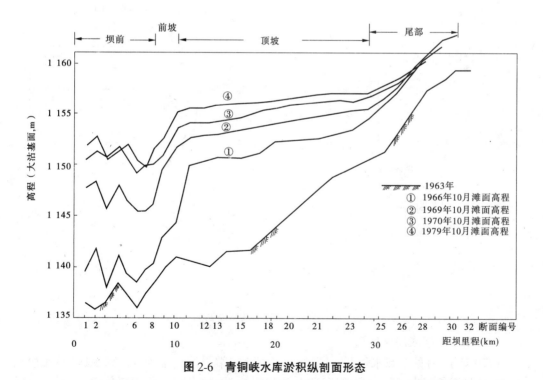

图2-6　青铜峡水库淤积纵剖面形态

(3)三角洲顶坡段。顶坡段处在黄淤11断面至黄淤24断面,长度约20km。在本库

· 25 ·

段内,断面宽浅,受蓄水或壅水作用,大量泥沙淤积在本库段内,顶坡段比降约为1.5‰。

(4)三角洲尾部段。自黄淤24断面至黄淤30断面是水库淤积尾部段。本库段淤积比降约为5.3‰。

(二)横断面淤积形态

青铜峡水库黄淤2断面和8断面处在坝前段和前坡段。黄淤15断面和22断面处在淤积顶坡段。在坝前段和前坡段上的断面形态形成之后,基本上无大的变化;而在顶坡段上的断面,由于受库水位升降的作用,主槽左右摆动无常,类似游荡性河道的河床形态。青铜峡水库各段横断面演变见图2-7。

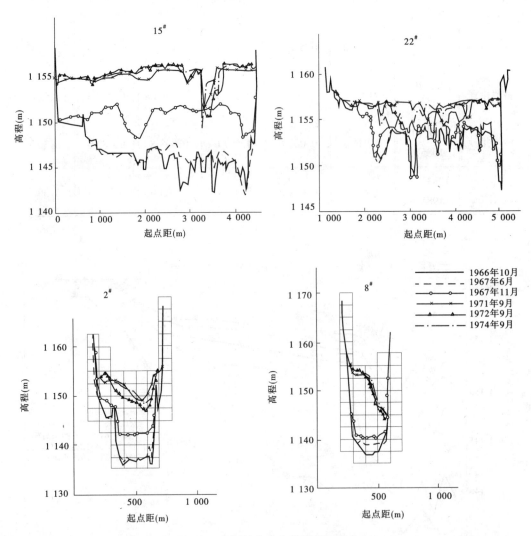

图 2-7　青铜峡水库各段横断面演变

(三)淤积物组成和干容重

1970年10月处在高水位蓄水期,水库在回水末端附近或刚刚进入回水区,粗泥沙先落淤。较细泥沙可以运行至坝前段,因此淤积物的D_{50}在沿程变化规律是由上而下、由粗变细。当水库淤积量达到原始库容的 90% 以上,水库淤积纵剖面已趋向平衡时,库区沿程淤积物的 D_{50} 基本变化不大,只是尾部段上端略粗些。青铜峡水库各断面淤积物 D_{50} 及淤积物干容重见表 2-9。

表 2-9 **青铜峡水库各断面淤积物 D_{50} 及淤积物干容重**

断面号	距坝里程(km)	1970 年 10 月 D_{50}(mm)	1979 年 9 月 D_{50}(mm)	淤积物干容重 (t/m³)
2	2.08	0.034 1	0.094 0	1.39
4	4.32		0.125 0	1.29
6	6.12	0.018 7	0.081 3	1.45
8	7.77	0.039 6	0.124 7	1.24
10	10.07	0.021 5	0.067 2	1.37
12	12.64	0.018 8	0.062 0	1.35
15	16.21	0.026 2	0.093 7	1.36
18	19.47	0.092 5	0.079 0	1.37
20	21.89		0.104 5	1.28
22	25.55	0.047 1	0.128 8	1.44
24	28.77	0.065 4	0.098 0	1.32
26	32.23	0.210 0	0.089 5	1.33
28	34.49	0.220 0	0.115 0	1.31
30	37.54		0.178 8	

五、水库冲刷与排沙

青铜峡水库自 1971 年汛后,改为蓄清排浑和沙峰排沙运用以来,库区发生强烈冲刷。大体上可分为汛期降低水位排沙、沙峰期排沙、大流量低含沙洪水冲刷与排沙、非汛期骤降水位排沙等多种形式。

(一)汛期降低水位排沙

汛期降低水位排沙是蓄清排浑或调水调沙运用方式中的一种排沙类型。当水情预报将出现较大进库流量时,及时开启排沙孔和泄洪洞闸门,库水位下降,库区发生强烈冲刷。汛期降低水位冲刷与排沙比见表 2-10。

表 2-10 **汛期降低水位冲刷与排沙比**

日 期 (年·月·日)	库水位降幅(m)	进库流量 (m³/s)	输沙量(万 t) 进库	输沙量(万 t) 出库	冲淤量 (万 t)	排沙比 (%)
1972.7.5~7.15	0.95	1 590	554	811	−257	146
1972.7.23~8.5	1.81	2 700	538	1 380	−842	257
1980.9.25~10.4	6.50	1 780	453	2 280	−1 830	503

从表 2-10 中可看出,冲刷量与库水位下降值、进库流量成正比。

(二)沙峰期排沙

黄河上游龙羊峡和刘家峡两座大型水库建成后,已经拦截了小川水文站以上的大部分来沙,能够进入青铜峡水库的泥沙主要来自祖厉河和清水河。因此,可以根据水情预报在青铜峡水库采用沙峰排沙。沙峰期排沙统计见表 2-11,从表中可知,沙峰期进库沙量很大,其排沙量可达 788 万～3 500 万 t,排沙比在 100%以上。

表 2-11 青铜峡水库沙峰期排沙统计

时 期 (年·月·日)	平均库水位 (m)	$\overline{Q}_入$ (m³/s)	输沙量(万 t)		冲刷量 (万 t)	排沙比 (%)
			入库	出库		
1972.8.23～9.5	1 152.50	1 310	1 310	1 730	420	132
1975.7.29～8.5	1 154.18	2 570	690	788	98	114
1981.7.13～23	1 155.15	2 220	3 360	3 500	140	104

(三)大流量低含沙洪水冲刷与排沙

当进库流量很大,含沙量较小时,可及时开启闸门、降低库水位排沙,是冲刷库区泥沙并排沙出库的一种较好的运用方式。

1978 年 9 月 8～17 日,入库洪峰流量为 4 140m³/s,平均流量为 3 630m³/s,入库平均含沙量为 9.37kg/m³。为了利用较清的洪水冲刷库区淤积泥沙,及时开启 10 孔泄水道和 6 孔溢流坝闸门,库区净冲刷量为 2 630 万 t。

1981 年 9 月 4～24 日,进库洪峰流量为 5 780m³/s,平均流量为 4 490m³/s,入库平均含沙量为 3.89kg/m³,及时开启 11 孔泄水道、7 孔溢流坝和 3 孔泄洪闸闸门,库区净冲刷量为 3 220 万 t。

(四)非汛期骤降水位冲刷排沙

水库淤积已经威胁到调节库容,影响灌溉引水和发电用水时,可以采用急骤降低库水位的方法,恢复部分库容,以满足发电用水的调节库容。排沙比可高达 270%～590%,净冲刷量达 100 万～1 000 万 t。非汛期骤降水位冲刷排沙效益见表 2-12。

表 2-12 非汛期骤降水位冲刷排沙效益

时 段 (年·月·日)	水位降幅 (m)	$\overline{Q}_入$ (m³/s)	冲刷量 (万 t)	排沙比 (%)
1968.4.2～9	10.8	554	183	586
1970.11.10～18	6.93	707	143	333
1973.10.15～26	3.57	1 970	1 030	270

(五)不同泄流建筑物排沙效果

泄流建筑物排沙效益与各建筑物进水口底坎高程、泄流建筑物所处的平面位置密切相关。青铜峡水库各泄流、排沙建筑物的布局,基本上处在原河床中央,而且比较分散有利于排沙(如图 2-5 所示)。因此,青铜峡各泄流建筑物的排沙效益仅与进水口底板高程有关。此外,各时期的泄流量大小对排沙比也有一定影响。在衡量排沙效益时,往往用含沙量的大小来确定。因为在相同的含沙量条件下,泄流量大其排沙比或排沙量大,反之则小,表2-13是1967年9月8日至9月24日的观测成果,表2-14是1984年6月24日至6月27日的观测成果。从表中可看出,孔口底坎高程越低,含沙量越大,反之则小。

表2-13 1967年各泄水建筑物泄流量与排沙效益

项目	泄流管	泄洪闸	溢流坝
$\overline{Q}$(m³/s)	2 000	1 600	880
$\overline{S}$(kg/m³)	4.43	3.8	1.56
排沙比(%)	54.5	35.6	8.4
底坎高程(m)	1 124	1 140	1 149

表2-14 1984年各泄水建筑物泄流量与排沙效益

项目	泄流管	泄洪闸	溢流坝	电站
$\overline{Q}$(m³/s)	843	18.0	404	840
$\overline{S}$(kg/m³)	12.5	9.7	6.57	11.6
排沙比(%)	45.5	0.8	11.5	42.2
底坎高程(m)	1 124	1 140	1 149	1 130

第三节 三门峡水库[5~7]

三门峡水利枢纽位于河南省三门峡市境内,是黄河流域修建的第一座大型水利枢纽。水库以防洪减淤为主,兼顾发电和灌溉用水。

三门峡水利枢纽的原设计为正常蓄水位360m高程,相应总库容653亿m³。技经报告确定正常蓄水位为350m高程,相应总库容为360亿m³。经多次讨论与研究,最后确定为360m高程设计、350m高程施工、335m高程移民。最高蓄水位不超过333m高程。

一、库区与枢纽工程概况

三门峡水库库区可分为三部分。一是坝址以上至潼关,二是潼关至黄河小北干流中段以下部分,三是渭河下游渭南以下河道以及北洛河洑头以下河道。335m高程以下总库容为98.4亿m³,相应水库的面积为1 529km²,水库库区平面图见图2-8。

枢纽工程大坝为混凝土重力坝,主坝长713.2m,最大坝高106m,其中从左岸起有非溢流坝段、溢流坝段、隔墩坝段、电站坝段,右岸有非溢流坝段。右侧副坝为双铰心墙斜丁坝。在溢流坝段280m高程设12个施工导流底孔,在300m高程设12个深水孔。在338m高程设有2个表面溢流孔,电站为坝后式厂房,设有8条压力发电钢管。

经过初期蓄水运用,水库淤积严重。为了解决水库的淤积问题,1962年3月决定采用滞洪排沙运用方式,并于1964年和1969年分别决定进行扩大枢纽泄流规模和排沙设

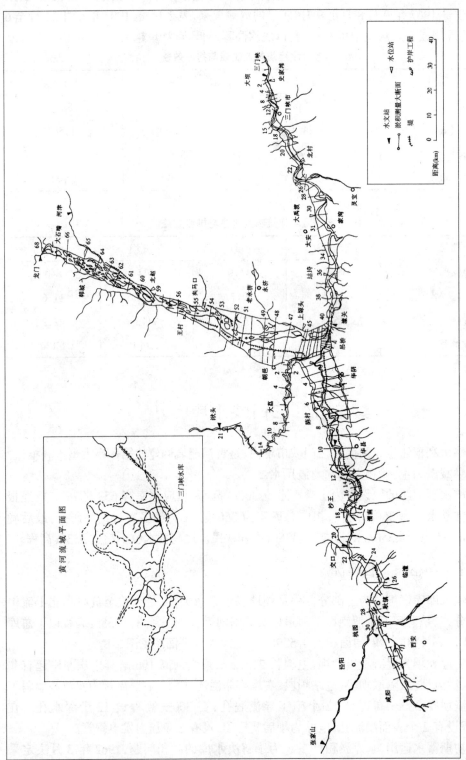

图 2-8　三门峡水库库区平面图

施的增建和改建,用以增加泄流能力,解决水库淤积问题。

　　第一次增建,在大坝左岸增建两条泄流隧洞,同时将原发电引水钢管中的 4 条改为泄流排沙管道。第二次改建,打开 8 个原来用于施工导流底孔,下卧 5 个发电引水钢管进水口底坎高程为 287m。1990 年又打开 9～10 号导流底孔,三门峡水利枢纽工程总平面图及下游立视图见图 2-9。

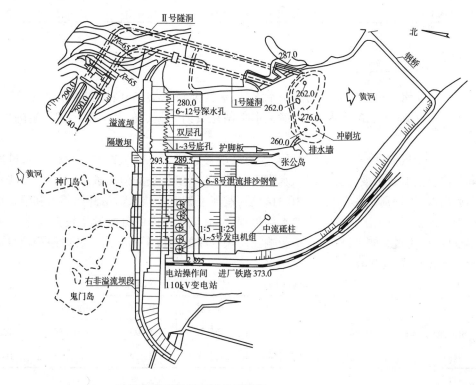

三门峡水利枢纽工程总平面图

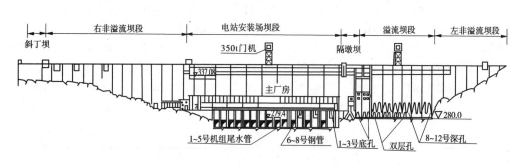

下游立视图

图 2-9　三门峡水利枢纽工程总平面图和下游立视图

　　枢纽工程经过增建和改建,泄流能力增加很多,315m 高程的泄流量增加 1 倍以上,见表 2-15。

表 2-15　　　　　　　　　三门峡枢纽泄流能力(设计值)

时　间	不同高程泄流量(m³/s)					
(年·月)	300m	305m	315m	320m	330m	335m
1960.4		612	3 084	4 044	5 460	6 036
1968.8	712	1 924	6 064	7 312	9 226	10 016
1973.12	2 872	4 529	9 059	10 501	12 869	13 741
1993.10	3 143	4 859	8 991	10 413	12 681	13 536

二、水文泥沙特性

三门峡水库进库站有黄河龙门水文站、汾河河津水文站、渭河华县水文站、北洛河狱头水文站,出库为三门峡水文站,潼关水文站是黄河干流、洛、渭河汇流区下游的控制站,见图 2-8。

由于受气候、降水量的变化以及人类活动等影响,在 20 世纪 90 年代以后,进库径流量和输沙量有较大变化。三门峡水库蓄水前,各站多年平均值见表 2-16。三门峡水库蓄水运用以后,特别是在 1986 年 10 月以后,黄河上游龙羊峡水电站开始蓄水和沿黄引水量增加。改变了进入三门峡水库的水沙过程,径流量在年内的分配发生较大变化。自 1990年以后,径流量大幅度减少,直接影响三门峡水库的冲淤平衡状态。各时段径流量和输沙量见表 2-17 及表 2-18。

表 2-16　　　　　三门峡水库建库前(1919~1959 年)径流量、输沙量统计

站　名	龙　门	河　津	华　县	狱　头	四站合计	三门峡
径流量(亿 m³)	324.3	15.8	79.3	6.93	426.33	426.8
输沙量(亿 t)	10.62	0.534	4.241	0.839	16.23	16.04

表 2-17　　　　　　　　三门峡水库各时段进出库径流量

项　目	时　段	龙　门	华　县	河　津	狱　头	四站合计	潼　关	三门峡
年均	1960~1973	310.6	85.08	16.11	7.65	419.4	412.8	415.1
径流量	1974~1986	303.3	73.17	7.84	6.86	391.2	391.6	391.3
(亿 m³)	1987~1995	221.3	56.50	5.44	8.20	291.4	286.4	287.4
汛期占	1960~1973	57.1	56.3	56.2	57.9	56.9	56.2	54.4
全年百分	1974~1986	55.5	67.3	65.5	65.2	58.1	58.3	58.0
比(%)	1987~1995	43.0	52.5	65.7	65.2	46.3	46.0	45.8

从表中可以看出,1987 年以后,径流量大幅度减少。汛期径流量占全年径流量的百分比由 56.9% 降低到 46.3%,输沙量也有较大变化,但是汛期输沙量占全年输沙量的百分比,基本上无大的改变。

1990 年以后,径流量与输沙量显著减少。表 2-19 是 20 世纪 90 年代的径流量与输沙量统计。

表 2-18 三门峡水库各时段进出库输沙量

项目	时段	龙门	华县	河津	洑头	四站合计	潼关	三门峡
年均悬移	1960~1973	10.65	4.402	0.311	0.939	16.30	14.07	12.57
质输沙量	1974~1986	6.143	3.030	0.099	0.582	9.854	9.948	10.59
(亿 t)	1987~1995	5.756	2.918	0.035	0.906	9.615	8.474	8.54
汛期占全	1960~1973	89.3	90.0	85.2	92.1	89.6	83.9	77.7
年百分比	1974~1986	86.8	90.7	93.1	91.7	88.4	84.0	97.5
(%)	1987~1995	84.0	86.7	92.5	91.5	85.5	75.9	93.9

表 2-19 1990~1999 年潼关水文站径流量、输沙量统计

年份	径流量(亿 m³)			输沙量(亿 t)		
	全年	汛期	汛期占全年(%)	全年	汛期	汛期占全年(%)
1990	334.2	139.6	41.8	7.52	5.50	73.1
1991	240.5	61.13	25.4	6.22	1.99	32.0
1992	260.5	131.0	50.3	9.96	8.06	80.9
1993	292.9	139.6	47.7	5.87	4.08	69.5
1994	297.0	133.4	44.9	12.4	10.3	83.1
1995	239.7	113.8	47.5	8.52	6.79	79.7
1996	250.5	127.8	51.0	11.4	9.62	84.4
1997	149.4	55.7	37.3	5.21	4.11	78.9
1998	200.4	84.6	43.1	6.61	4.37	66.1
1999	217.5	97.0	44.6	5.36	3.70	69.0
Σ	2 482.6	1 085.4	43.7	79.07	58.52	62.6
平均	248.3	108.5	43.7	7.91	5.85	74.0

1951 年至 1990 年潼关水文站多年平均径流量为 398.5 亿 m³,其中汛期为 229.7 亿 m³,占全年径流量的 57.6%。多年平均输沙量为 13.0 亿 t,其中汛期为 11.0 亿 t,占全年输沙量的 84.6%。1990~1999 年与 1951~1990 年相比,径流量减少 150.2 亿 m³,减少 37.7%;输沙量减少 5.09 亿 t,减少 39.1%。然而汛期径流量减少 121.2 亿 m³,占年径流量减少量的 80.6%,汛期输沙量减少 5.15 亿 t,即输沙量主要是在汛期减少,而非汛期略有增加。

由于径流量在年内分配发生逆转,给三门峡水库运用和维持潼关以下库区冲淤平衡带来很多问题。

三门峡水库进库悬移质粒径特征见表 2-20。

表 2-20 三门峡水库进库悬移质粒径特征值 (单位:mm)

粒径	龙门	华县	河津	洑头	潼关	三门峡
d_{50}	0.028	0.017	0.015	0.027	0.022	0.023
$d_{平均}$	0.044	0.027	0.025	0.033	0.032	0.033

三、水库运用

由于泥沙淤积问题非常严重,迫使三门峡水利枢纽工程进行了两次增建与改建,以增加泄流能力和排沙能力。因此,对水库运行方式也随之做了调整。先后经历了蓄水拦沙、滞洪排沙和蓄清排浑三个不同运用时期。

(一)蓄水拦沙运用

1960 年 9 月至 1962 年 3 月为蓄水拦沙运用。在此期间,最高蓄水位达 332.58m 高程,库区总淤积量达 15.3 亿 m³。回水末端黄河达到黄淤 49 断面(距坝 147km),渭河达到渭淤 14 断面(距坝 185km)。1961 年汛期发生多次异重流。因塌岸引起黄淤 11 断面(距坝 13km)水下形成 8.0m 高的水下潜坝,阻挡了异重流向坝前运行,在潜坝以上形成二级浑水水库后,影响异重流排沙效益。异重流越过潜坝流向坝前排出库外,全年异重流排沙占进库输沙量的 6.8%。

由于潼关断面水位较高,黄河洪水倒灌渭河,在渭河河口段加重了拦门沙坎的生成与发展。渭河两岸农田浸没,淹没面积增大,出现盐碱化和沼泽化。为减缓水库淤积和渭河下游洪涝灾害,1962 年 3 月经国务院批准,三门峡水库的运用方式改为滞洪排沙,只保留防御特大洪水和防凌任务。潼关断面 1 000m³/s 水位由建库前 323.5m 上升到 325.11m(1962 年 11 月 1 日)。

(二)滞洪排沙运用

1962 年 4 月至 1973 年 11 月为滞洪排沙运用期。除配合黄河下游防凌蓄水外,均将 12 个深孔闸门全部开启、敞泄排沙。

在此期间,遇到 1964、1966、1967 年三年丰水丰沙年份,库区淤积进一步加重,全库区三年共淤积 33.522 5 亿 m³,库区冲淤量见表 2-21。

表 2-21　　　　　　　　　1964、1966、1967 年三年库区冲淤量　　　　　　(单位:亿 m³)

年　份	时　期	黄淤 1~41	黄淤 41~68	渭拦 1~渭淤 26	洛淤 1~23	全库区
1964	汛　期	11.560	3.946	0.656 3	0.124 2	16.286 5
	非汛期	−3.398	−0.328	0.057 2	−0.016 8	−3.685 6
	全　年	8.162	3.618	0.713 5	0.107 4	12.600 9
1966	汛　期	1.647	4.297	2.692 8	0.653 1	9.289 9
	非汛期	−1.253	−0.504	0.064 0	−0.012 2	−1.762 8
	全　年	0.394	3.793	2.699 2	0.640 9	7.527 1
1967	汛　期	2.072	4.040	1.750 1	0.084 0	7.946 1
	非汛期	−1.094	0.036	0.000 7	−0.016 6	−1.073 9
	全　年	0.978	4.076	1.750 8	0.067 4	6.872 2
合　计	汛　期	15.279	12.283	5.099 2	0.861 3	33.522 5
	非汛期	−5.745	−0.796	0.064 3	−0.045 6	−6.522 3
	全　年	9.534	11.487	5.163 5	0.815 7	27.000 2

三门峡水库 1960 年 5 月至 2000 年 10 月总淤积量为 70.16 亿 m³。表 2-21 中的三年共淤积 27 亿 m³,占 40 年中总淤积量的 38.6%。它表明大水大沙是淤积严重的因素之

一,其次水库的泄流规模不足也是影响水库淤积的重要因素。

1964、1966、1967 年,进库站输沙量也是历年最大,三年进库出库输沙量见表 2-22 及表 2-23。

表 2-22　　　　　　　　　　1964、1966、1967 年三年进库输沙量　　　　　（单位:亿 t）

年　份	时　间	龙　门	华　县	河　津	洑　头	四站合计
1964	汛　期	15.9	9.64	0.542	1.740	27.822
	非汛期	0.90	0.36	0.106	0.00	1.366
	全　年	16.8	10.00	0.648	1.740	29.188
1966	汛　期	15.9	8.91	0.599	1.83	27.239
	非汛期	1.50	0.73	0.024	0.01	2.264
	全　年	17.4	9.64	0.623	1.84	29.503
1967	汛　期	23.0	2.68	0.433	1.24	27.353
	非汛期	1.20	0.33	0.031	0.01	1.571
	全　年	24.2	3.01	0.464	1.25	28.924
合　计	汛　期	54.80	21.23	11.574	4.810	82.414
	非汛期	3.60	1.41	0.161	0.020	5.201
	全　年	58.40	22.65	1.735	4.830	87.615

表 2-23　　　　　　　　　　1964、1966、1967 年三年出库输沙量　　　　　（单位:亿 t）

年　份	潼　关			三门峡		
	汛　期	非汛期	全　年	汛　期	非汛期	全　年
1964	21.3	2.20	23.5	8.31	7.49	15.8
1966	19.7	3.00	22.7	18.5	4.90	23.4
1967	18.7	2.70	21.4	17.5	3.80	21.3
总　计	59.7	7.90	67.6	44.31	16.19	60.5

(三)蓄清排浑运用(调水调沙运用)

1973 年 12 月下旬,枢纽工程第二次改建已基本完成,开始非汛期蓄水拦沙,翌年汛期泄洪排沙。开始阶段称之为"蓄清排浑"运用,1977 年起又称之为"调水调沙"运用,由张启舜和龙毓骞首先提出,并在《人民黄河》1979 年第 3 期上正式发表,论文名为《三门峡工程的改建和运用》。在形式上也是非汛期蓄水拦沙,将淤积下来的泥沙利用汛期洪水较大的富余输沙能力排沙出库,使水库达到年内冲淤基本平衡。经过多年的实践,调水调沙的内涵更加多样化。有关调水调沙的问题将在第十三章做专题论述。

三门峡水库调水调沙运用的实践可分为两个阶段:第一阶段是 1974 年至 1986 年,第二阶段是 1987 年至 2000 年。

1974 年至 1986 年黄河径流量较为丰富，汛期洪水次数多，洪峰流量大，库区基本上达到冲淤平衡。潼关断面（六）1 000m³/s 水位，在汛后维持在 326.64m 高程上下。

1987 年以后，由于龙羊峡水库多年调节，将汛期径流量调节到非汛期，加上龙羊峡与刘家峡两库联合调度，使径流量在年内分配发生较大变化。汛期径流量由原来占全年径流量的 58% 下降到 45%。黄河主要产沙地区的河口镇至潼关区间，输沙量在年内分配上基本没有大的改变。因此，进入三门峡库区的输沙量在年内分配没有变化，但径流量与输沙量之间的关系很不协调。20 世纪 90 年代，降水量偏枯，黄河上中游地区工农业和城市用水量增加，也是进入三门峡水库径流量减少的主要因素之一。由于上述多种因素的作用，三门峡水库运用，虽然也是采用调水调沙的方式，但是因为汛期洪水次数减少，流量过程坦化，汛期水量减少很多，由此引起潼关以下库区发生累积性淤积，至 2000 年 10 月，潼关以下库区淤积量达到 2.351 亿 m³。潼关断面（六）1 000m³/s 水位上升到 328.33m 高程。

四、水库冲淤特点

1960 年 9 月至 1961 年 10 月为蓄水运用，水库淤积为三角洲形态。1962 年 4 月以后改为滞洪排沙运用，三角洲顶坡段及其以上发生强烈冲刷。由于水库水位较低，大量泥沙运行到坝前，部分泥沙排出库外，淤积外形逐渐转变成锥体淤积形态。1964 年为丰水丰沙年，汛期进库径流量达 437 亿 m³，输沙量高达 27.8 亿 t，潼关以下库区淤积成高滩深槽的形式，水库淤积比降约 1.7‰。1964 年汛后至 1966 年汛前，库区发生强烈冲刷，冲刷比降约 2.3‰。

1966、1967 年两年又是丰水丰沙年，前期淤积已经占据了可以淤积的库容。因此，潼关以下库区淤积较少，仅为 0.526 亿 m³。此后水库基本上处于敞泄排沙运用，至 1970 年汛前，潼关以下库区冲刷 0.86 亿 m³。然而水库的冲淤演变，往往滞后于水沙过程，加上前期淤积对后期的影响等诸多因素的作用，潼关以上库区淤积十分严重。1964 年汛前至 1970 年汛前，小北干流共淤积 13.54 亿 m³，渭河下游（渭淤 1~26 断面）淤积 7.25 亿 m³，北洛河淤积 0.909 亿 m³。

1970 年汛初，枢纽工程打开 3 个导流底孔，之后相继打开 5 个导流底孔。至 1973 年汛后，潼关以下库区冲刷 3.95 亿 m³，黄河小北干流淤积量减少，共淤积 2.44 亿 m³，渭河下游淤积 1.336 亿 m³，北洛河下游淤积 0.025 亿 m³。

1974 年以后，三门峡水库改为蓄清排浑运用或调水调沙运用。至 1986 年 10 月，潼关以下淤积 0.553 9 亿 m³，黄河小北干流淤积 0.689 亿 m³，渭河下游冲刷 0.235 亿 m³，北洛河下游淤积 0.142 亿 m³。这充分证明，三门峡枢纽工程改建是成功的，调水调沙运用是正确的。

1986 年汛后至 2000 年汛后，潼关以下淤积 2.35 亿 m³，黄河小北干流淤积 5.429 亿 m³，渭河下游淤积 3.248 亿 m³，北洛河下游淤积 1.478 亿 m³。本时段之所以淤积较为严重，主要是流域来水来沙有很大变化所引起的。

各时期水库冲淤纵剖面见图 2-10~图 2-13。

典型断面冲淤变化见图 2-14~图 2-24。

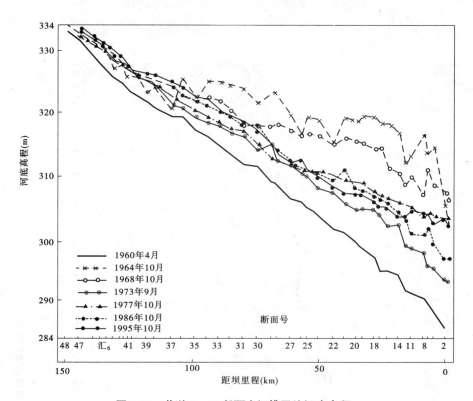

图 2-10　黄淤 1～48 断面主河槽平均河床高程

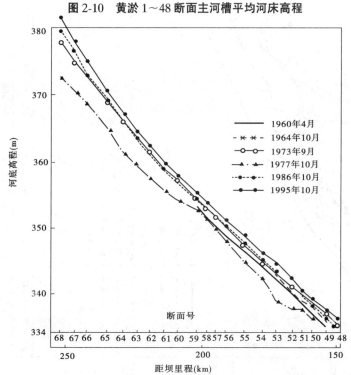

图 2-11　黄淤 48～68 断面主河槽平均河床高程

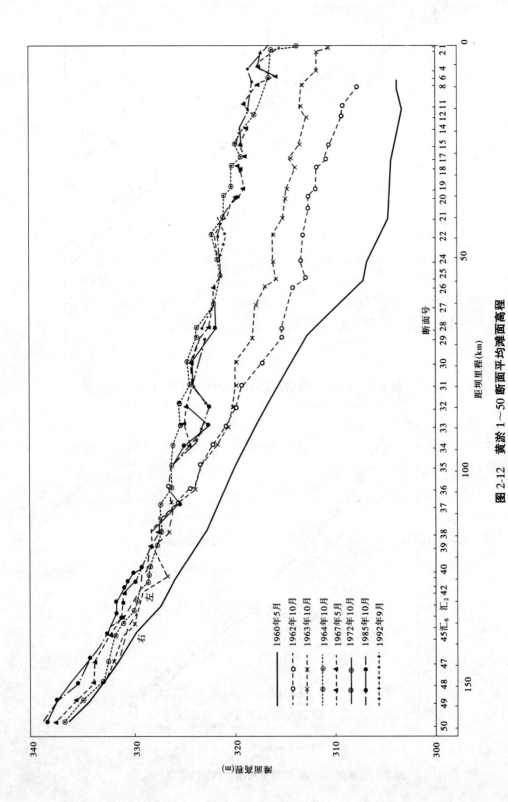

图 2-12　黄淤 1～50 断面平均滩面高程

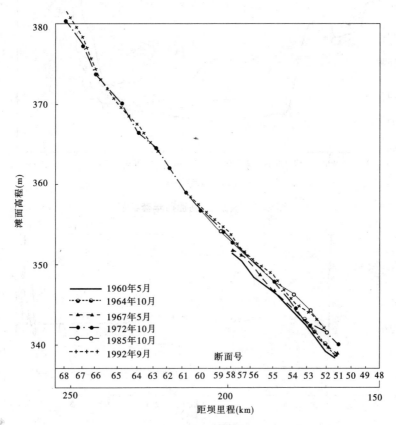

图 2-13　黄淤 51~68 断面平均滩面高程

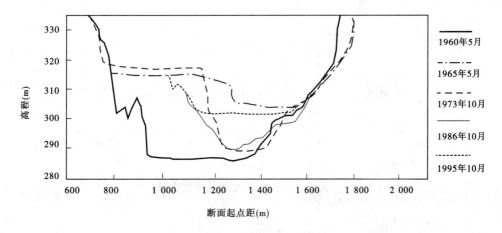

图 2-14　黄淤 2 断面历年套绘图

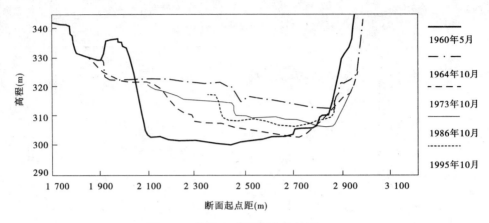

图 2-15　黄淤 22 断面历年套绘图

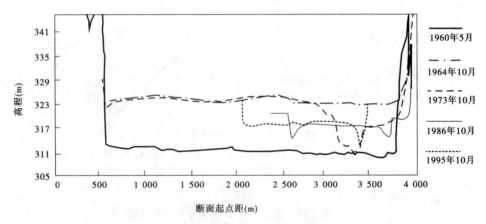

图 2-16　黄淤 31 断面历年套绘图

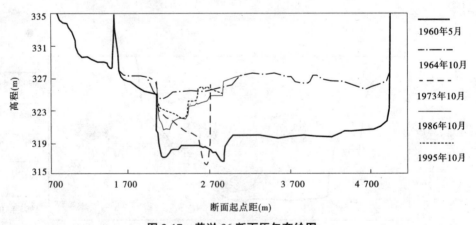

图 2-17　黄淤 36 断面历年套绘图

五、潼关河床高程

潼关断面位于黄渭河汇流以后的潼关老县城北,黄河河宽由数公里缩窄为 1 000m 左

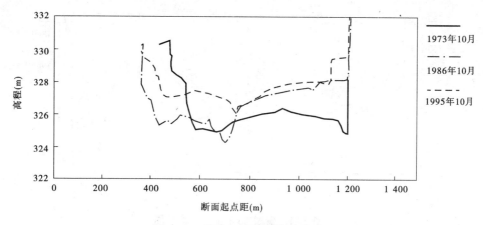

图 2-18　黄淤 41 断面历年套绘图

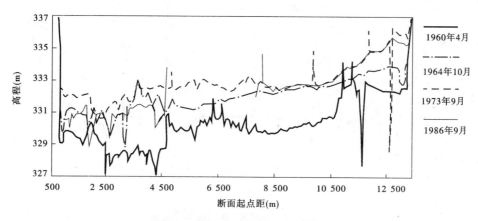

图 2-19　黄淤 45 断面历年套绘图

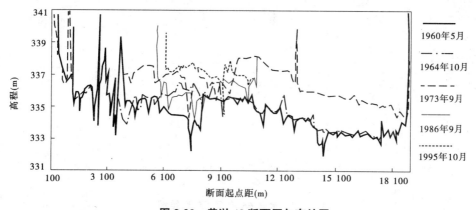

图 2-20　黄淤 49 断面历年套绘图

右。它是渭河下游河道的准侵蚀基准面,对黄河小北干流起着局部调控作用。因此,在 1969 年 6 月四省会议审议枢纽工程改建的规划设计方案中,要求 315m 高程下泄 10 000m³/s,一般洪水、回水和淤积不影响潼关。因此,潼关断面高程对三门峡水库调度运用是非常敏感的问题。

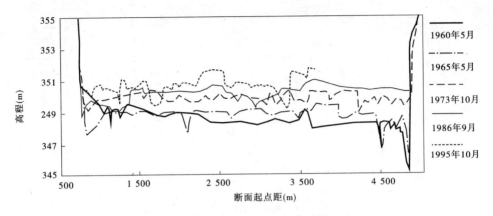

图 2-21　黄淤 56 断面历年套绘图

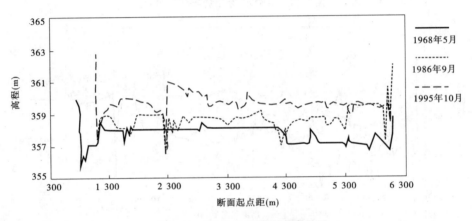

图 2-22　黄淤 61 断面历年套绘图

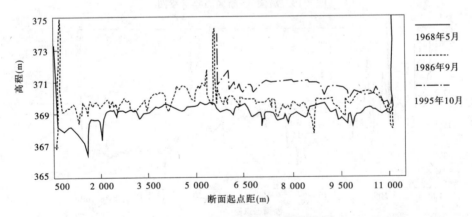

图 2-23　黄淤 65 断面历年套绘图

　　潼关水文站多年平均流量为 1 250m³/s,此流量级的水位处在河槽中部位置。1970年 5 月,在三门峡水文水资源局(原三门峡库区水文总站)总结三门峡水库经验时,经过与中国水利水电科学研究院、清华大学、黄河水利科学研究院、西北水利科学研究所、陕西省三门峡库区管理局以及三门峡水文水资源局等单位共同研究和协商,确定采用潼关水位

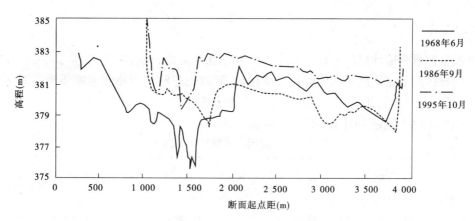

图 2-24　黄淤 68 断面历年套绘图

站断面(六)的 1 000m³/s 流量的相应水位,表征"潼关高程"。

三门峡水库修建前,潼关高程的演变规律是汛期冲刷下降,非汛期淤积上升。汛期在洪水过程中,冲刷下降,平水期淤积上升,就全年而言是上升的。1960 年至 2000 年潼关高程变化见表 2-24。

表 2-24　　　　　　　**1960～2000 年潼关高程(1 000m³/s 水位)特征值**

年份	汛前 (6 月 30 日)	汛后 (11 月 1 日)	年份	汛前 (6 月 30 日)	汛后 (11 月 1 日)	年份	汛前 (6 月 30 日)	汛后 (11 月 1 日)
1960	323.80		1974	327.19	326.70	1988	327.37	327.08
1961	—	—	1975	327.23	326.04	1989	327.62	327.36
1962	326.10	324.89	1976	326.71	326.12	1990	327.75	327.60
1963	325.14	325.76	1977	327.37	326.79	1991	328.02	327.90
1964	326.03	328.09	1978	327.30	327.09	1992	328.40	327.30
1965	327.95	327.64	1979	327.76	327.63	1993	327.78	327.78
1966	327.99	327.13	1980	327.82	327.38	1994	327.95	327.69
1967	327.73	328.50	1981	327.95	326.94	1995	328.12	328.28
1968	328.65	328.11	1982	327.44	327.06	1996	328.42	328.07
1969	328.70	328.63	1983	327.39	326.57	1997	328.40	328.05
1970	328.46	327.71	1984	327.18	326.75	1998	328.40	328.28
1971	327.74	327.50	1985	326.96	326.64	1999	328.43	328.12
1972	327.44	327.10	1986	327.08	327.18	2000	328.43	328.33
1973	328.13	326.64	1987	327.30	327.16			

三门峡水库建成之后,潼关高程除了受三门峡水库运用水位影响之外,与上游的来水来沙条件关系也十分密切。渭河发生高含沙较大洪水时(洪水期平均流量大于 500 m³/s),潼关断面会强烈冲刷下降,最大冲刷深可达 2.5m 以上。若出现高含沙小洪水(平均流量小于 300m³/s),不仅渭河下游发生沿程淤积,潼关高程也随之淤积上升。黄河干流出现洪水时(平均流量大于 2 000m³/s),潼关高程下降幅度在 0.1～0.3m,若出现高含沙揭底冲刷时,潼关高程反而淤积上升。

有关潼关高程演变问题将在第七章做专题论述。

六、水库排沙

下面根据悬移输沙率法来计算水库排沙量。在计算中,没有将龙门、华县、河津和狱头至三门峡区间的未控区的入库沙量计算在内,同时也忽略了坍岸和悬移质测验时接近床面底沙漏测部分,因此只是定性或接近定量的结果。

三门峡水库不同运用时期的排沙统计见表2-25。

表2-25 　　　　　　　　　　三门峡水库不同运用时期的排沙统计

时　段 (年·月)	W_{S4} (亿 t)	$W_{S潼}$ (亿 t)	$W_{S三}$ (亿 t)	$\dfrac{W_{S三}}{W_{S4}}$ (%)	$\dfrac{W_{S三}}{W_{S潼}}$ (%)	运用情况
1960.9~1962.3	17.16	14.71	2.284	13.3	15.5	蓄水运用
1962.4~1970.6	137.56	122.53	105.98	77.0	86.5	滞洪排沙
1970.7~1973.12	56.69	52.4	59.29	104.6	113.1	二期改建
1974.1~1986.12	128.11	129.32	137.6	107.4	106.4	调水调沙
1987.1~1998.12	111.23	99.5	98.6	88.6	99.1	来水来沙变化

注:1. W_{S4} 为龙门、华县、河津、狱头四站输沙量之和,$W_{S潼}$ 为潼关站输沙量,$W_{S三}$ 为三门峡站输沙量;

2. 输沙量为悬移质输沙量,按日历年统计;

3. 表中数据引自水利部黄河水利委员会编印,黄河流域主要水文站实测水沙特征值,2001年版。

从表2-25中可以看出,蓄水运用时期排沙比最小,1974~1986年调水调沙运用时期排沙比最大,水库基本上维持冲淤平衡。1970~1973年是二期工程改建过程,打开8个施工导流底孔,与深水孔相比,底坎高程下降20m,引起库区强烈冲刷,排沙比在105%~113%,恢复了一定的库容。1987~1998年,流域内水沙条件有较大改变,相对讲是"水少沙多",库区出现累积性淤积,排沙比小于100%。

七、经验与教训

黄河是一条多沙河流,又是非常复杂的难以治理的河流。进入三门峡水库的径流量和输沙量,来自水沙异源和泥沙组成相差悬殊的不同地区。因此,在水库管理运用方面,会出现很多异常现象和预想不到的情况。如潼关断面出现河道型异重流,黄河小北干流和渭河下游在高含沙洪水期出现"揭河底"等。

三门峡水库建成后已运行40多年,积累了很多经验和教训,具体情况如下:

(1)在多沙河流上修建水利水电工程时,必须对泥沙问题有清醒的认识,在治理泥沙方面也应采取多种途径和多种措施分散处理。无限的泥沙难以用有限的库容来解决,三门峡水库的教训就是在进行规划设计和建设时对黄河泥沙问题认识不足。

(2)调水调沙与保持可以长期使用库容问题,是三门峡水库总结出来的最宝贵经验。在水库运用过程中,吸取了国内闹德海(辽河的支流柳河)水库经过两次大洪水淤积以后尚能保持一定库容的经验,以及陕西省黑松林小型水库的蓄清排浑经验,结合三门峡水库洪水期有富余输沙能力的基本规律,找出了三门峡水库运用模式——"调水调沙"方式,进而可以保持一定容积的可用库容。这一成功的科学技术在国内外尚没有先例,达到国际领先水平。

（3）由于对泥沙认识不足，水库淤积引起潼关高程上升。潼关高程上升直接引起渭河下游河道淤积，河床淤积抬高，带来一系列问题。因此，维持潼关高程稳定问题，既是沉痛的教训又是宝贵的经验。

（4）洪水期富余输沙能力是在三门峡水库经验总结过程中发现的，它反映出，建库前潼关以下河床组成粗，阻力系数大；建库后由于悬移质为主的泥沙淤积，河床组成细化，阻力系数变小。由于阻力减小引起水流强度增加，获得的水流能量小于因能坡变缓所损失的能量，从而得到富余输沙能力。有关富余输沙能力将在第六章做专题论述。

（5）渭河与黄河交汇处，由于黄河洪水倒灌渭河河口段，大量泥沙在渭河河口段落淤，形成拦门沙坎。在自然河道上、干支流交汇处，均会出现拦门沙坎，虽然经常出现但时间很短，对生产没有太大的影响。渭河口拦门沙坎形成以后，影响渭河洪水下泄，对防洪十分不利。同时也增加渭河下游河道淤积，特别是淤积在渭河河口段，其影响程度更为严重。有关拦门沙坎问题将在第六章讨论。

（6）20世纪90年代，受各方面因素的影响，进入三门峡库区的水沙条件发生较大变化。径流量在年内分配由汛期占全年的56%下降到43%，而输沙量在年内分配变化不大。洪水峰量降低，次数减少，富余输沙能力下降，库区出现累积性淤积，已达不到库区冲淤平衡的目的，使潼关高程缓慢上升，如果长此下去，将带来许多问题。因此，如何安排好泥沙，是治黄工作中的重大课题，也是今后在黄河干支流上修建水利水电工程规划设计阶段时，必须认真思考和妥善处理的重要工作。

第四节　巴家嘴水库

巴家嘴水库位于甘肃省庆阳地区西峰市。处在泾河支流蒲河中下游的黄土高原地区，控制流域面积 3 522km²。占全流域面积的47%。1958年9月兴建，1962年7月竣工，开发目标是以防洪为主兼顾发电、灌溉和供水。1964年的治黄会议确定为拦泥实验坝。这是一座高含沙河流上少见的水库泥沙问题。有关巴家嘴水库泥沙问题将在第四章做专题论述。

第五节　王瑶水库[1]

王瑶水库位于陕西省延安地区延河支流杏子河中游王瑶村，下距延安市65km。控制流域面积820km²，占全流域面积的54%。水库开发目标是以防洪为主兼顾灌溉、供水和发电，于1972年建成投入运用。

一、水库与工程概况

王瑶水库的库区由杏子河及其支流岔路川组成，回水长度12～15km，杏子河库区的

---

[1]　陕西省王瑶水库工程观测资料汇编.1987年12月

平均宽度约550m,岔路川库区平均宽度约280m。原始河道比降42‰,水库面积为9.0km²。

枢纽工程由挡水坝、输水洞、泄洪洞、电站和引水渠首组成。挡水大坝为碾压式黄土均质土坝,大坝长度为325m,最大坝高55m,坝顶高程1 190.7m,总库容为2.03亿m³。正常蓄水位为1 181.7m,相应库容为1.485亿m³。

王瑶水库枢纽工程特征值见表2-26。

表2-26　　　　　　　　　　　　　　　王瑶水库工程特征值

项　目	特征值	项　目	特征值
集水面积(km²)	820	灌溉面积(hm²)	566.67
正常高水位(m)	1 181.71	引水流量(m³/s)	1.20
正常高水位库容(亿m³)	1.485	泄洪洞泄量(m³/s)	79.0
回水长度(km)	15.0	进水口高程(m)	1 145.71
坝顶长度(m)	325	输水洞泄量(m³/s)	3.32
坝高(m)	55	进水口高程(m)	1 161.71
坝顶高程(m)	1 190.71	水库面积(km²)	9.0

二、水文泥沙特征

王瑶水库的进库径流量多年平均值约0.4亿m³,输沙量约0.09亿t。汛期(6～9月)径流量为0.247亿m³,占全年径流量的62%;输沙量为0.088亿t,占全年输沙量的97.8%。汛期平均含沙量约346kg/m³,泥沙组成较细,中数粒径为0.026mm,颗粒小于0.01mm的沙重百分数为44%。

王瑶水库进库洪水多为暴雨形成,洪峰陡涨陡落,历时仅3～6小时,然而沙峰可延长到14小时以上,水库进库洪水过程线见图2-25。洪水期的泥沙组成很细,粒径小于

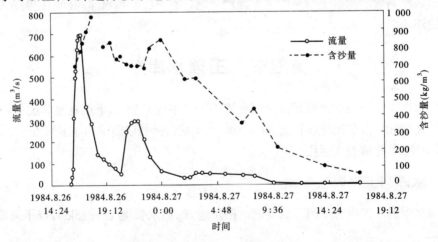

图2-25　王瑶水库进库洪水过程线

0.01mm的含沙量可达 150kg/m³ 以上,构成非牛顿流体的高含沙水流,进入水库以后,在壅水条件下,均转化为高含沙异重流。

王瑶水库在非汛期进库的径流量占全年的 38%,而输沙量只占 2.2%。这是王瑶水库水文泥沙的又一特征。在采用调水调沙运用方式时,非汛期有水可调,而输沙量很少;汛期调沙时,比较容易冲出库外。

三、水库运用

王瑶水库投入运用以后,经历了以下四个时期(三种运用方式):

(1)1972 年 9 月至 1980 年 5 月,因为没有泄洪与排沙设施,只能采取蓄水拦泥运用,进库泥沙全部拦截在库区,共淤积 0.596 亿 m³。1977 年 7 月,杏子河发生特大暴雨洪水,径流总量达 0.262 亿 m³,总输沙量高达 0.239 亿 t,平均含沙量为 912kg/m³。

(2)1980 年泄洪洞、输水洞投入运用。水库采用低水位排沙,但实施次数过少,排沙效果不大,至 1985 年 6 月,库区淤积达 0.2 亿 m³。

(3)吸取前期两种水库运用方式的经验教训,1985 年 7 月至 9 月,改为泄空冲刷运用,库区冲刷 0.010 7 亿 m³,排沙量达到 0.084 2 亿 m³。其中在 7 月 14 日至 18 日,高含沙洪水将 2~3m³ 的大泥块输送出库。洪水排沙效果见表 2-27。

表 2-27   1985 年 7 月洪水排沙效果

进库流量 (m³/s)		进库沙量 (万 m³)	进库平均含沙量 (kg/m³)	出库沙量 (万 m³)	出库平均含沙量 (kg/m³)	库区冲刷量 (万 m³)	排沙比 (%)
最大	平均						
214	10.4	186	748	378	985	192	203

(4)1985 年 10 月,水电站已经建成并投入运用,为了兴利,水库又改为汛期低水位排沙运用方式。至 1986 年 10 月,库区淤积 0.022 亿 m³,水库淤积向上游延伸 0.7km。各时期水库库区冲淤特征值见表 2-28。

表 2-28   王瑶水库不同运用方式库区冲淤特征值

项目	蓄水拦沙期	浑水排沙期	泄空冲刷期	浑水排沙期
时段(年·月)	1972.9~1980.5	1980.6~1985.6	1985.7~1985.9	1985.10~1986.10
淤积量(万 m³)	5 961	1 949	−107	346
坝前滩面高程(m)	1 167.3	1 170.3	1 170.3	1 170.7
淤积末端高程(m)	1 174.9	1 175.8	1 175.8	1 176.5
排沙量(万 m³)	3.6	478.4	842.1	218

四、水库冲淤形态

杏子河流域处在黄土丘陵沟壑区,水土流失严重,每逢暴雨水沙俱下,形成高含沙洪水。高含沙洪水进入水库以后,在水库蓄水情况下,都能转化为高含沙异重流。高含沙异重流在水库多为层流状态,当进库洪水消落之后,仍然可以蠕动流向库区各个角落。高含沙水流和异重流为三维纲架结构,好像"固体"一样,自成一种整体向前流动。粗泥沙挟带其中,构成整体运动不与细泥沙分离。因此,虽然在壅水条件下,过水面积增大、平均流速减缓,但是没有水力分选作用,与细泥沙一起流向库区各处。由于具备上述特性,水库的淤积形态,纵剖面为锥体淤积,横断面形成水平上升。王瑶水库淤积纵剖面图和典型横断面图见图 2-26 及图 2-27。

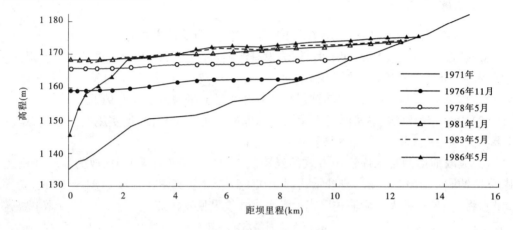

图 2-26　王瑶水库淤积纵剖面图

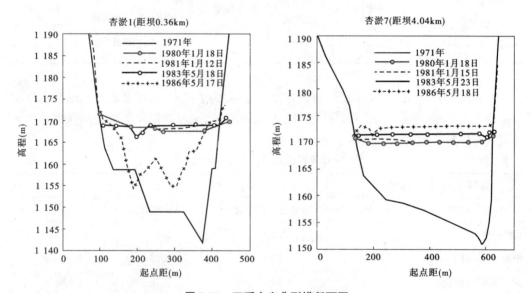

图 2-27　王瑶水库典型横断面图

在水库水位下降条件下,库区发生冲刷。每当泄空冲刷之后,杏淤 7 断面(距坝 4.04km)以下冲刷出漏斗形态,其容积约 300 万 m³。在杏淤 7 断面以上冲刷出很小的河槽,宽度约 20m。

王瑶水库淤积比降为 0.36‰,与原河床比降 4.2‰之比值为 0.086,这是一般水库淤积特征值中所鲜见的,此特性与蒲河巴家嘴水库类似。

五、水库排沙

王瑶水库进库水文站于 1980 年初设立,历年的水库运用方式和相应的排沙量以及排沙比见表 2-29。

表 2-29   王瑶水库历年排沙量

运用方式	低水位排沙					泄空冲沙 (1985 年)	浑水排沙 (1986 年)
	1980 年	1981 年	1982 年	1983 年	1984 年		
进库沙量(万 t)	396	404	652	104	695	618	328
出库沙量(万 t)	25.4	65.1	216	61.3	262.4	1 095	283.4
排沙比(%)	6.4	16.1	33.1	58.9	37.8	177.2	86.4

从表 2-29 可以看出,水库降低水位排沙的运用方式,由于实施次数少,历时短,排沙效果不大。其中以 1983 年最大,其排沙比也只有 58.9%。而 1985 年采用泄空冲刷运用方式,其排沙比高达 177.2%。1986 年改为全汛期降低水位排沙,排沙比达到 86.4%。

在多沙河流上修建的水库,其排沙效果与库水位高低、泄流能力大小有密切关系,特别是在洪水期(更应注意沙峰过程)敞泄排沙效果最大。1986 年的两次洪水过程共 10 天,降低了坝前水位,其中 6 月洪水过程的排沙比达到 76.5%,7 月洪水过程的排沙比达到 106.9%。相比之下,6 月洪水过程,坝前水位偏高,为 1 172.39~1 173.37m。而 7 月洪水过程,坝前水位为 1 171.73~1 172.09m。如果 6 月份的坝前水位下降到 7 月份的水平,其排沙比将接近 100% 或超过 100%。1986 年水库洪水排沙特征见表 2-30。

表 2-30   1986 年王瑶水库洪水排沙特征值

日期 (月·日)	进库		坝前水位 (m)	蓄水量 (万 m³)	出库		排沙比 (%)
	水量 (万 m³)	沙量 (万 t)			水量 (万 m³)	沙量 (万 t)	
6.25	9.94	0.54	1 173.27	992	54.7	2.84	521.8
6.26	241.92	204.77	1 173.37	1 007	150	89.4	43.7
6.27	9.85	1.66	1 173.31	1 010	224	65.4	3 942.4
6.28	4.32	0.01	1 172.83	793	222	0.69	7 986.1
6.29	4.32	0.00	1 172.39	730	69.4	0.08	9 259.3
6.25~6.29(合计)	270.35	206.98			720.1	158.41	76.5
7.24	113.18	70.59	1 171.97	695	18.4	10.7	15.2
7.25	4.58	1.29	1 172.09	695	113	62.5	4 844.9
7.26	3.37	0.27	1 171.76	644	44.2	3.69	1 377.7
7.27	2.59	0.18	1 171.77	634	13	0.3	165.3
7.28	2.07	0.01	1 171.73	622	13	0.11	1 273.1
7.24~7.28(合计)	125.80	72.33			201.6	77.3	106.9

第六节 盐锅峡水电站[2]❶

盐锅峡水电站位于甘肃省永靖县境内,在黄河上游盐锅峡峡谷出口处,上距刘家峡电站 31km,下距兰州市 70km。水电站开发目标是以发电为主兼顾灌溉用水。正常蓄水位为 1 619m 高程,相应总库容为 2.2 亿 m³。水电站于 1958 年 9 月开工,1962 年建成运用,1970 年全部竣工。

一、水库与工程概况

水库为河道型,平均宽度约 450m,其中峡谷段的宽度为 300～400m,川地段宽度为 1 000～1 500m,原河道比降约 1.3‰,库区的弯道较多,没有较大支流汇入。刘家峡大坝至盐锅峡坝址的区间面积为 1 051km²,水库面积为 16.1km²。库区长度 30.6km,回水末端与刘家峡水电站尾水位衔接。

枢纽工程为混凝土重力坝,坝顶高为 1 624.2m,最大坝高为 57.2m。水电站为河床式电站,布设在左岸,安装 8 台机组,电站进水口底坎高程为 1 600m。右岸设置 6 孔溢洪闸,堰顶高程为 1 609m,最大泄量为 5 500m³/s。非常溢洪道的堰顶高程为 1 609m,最大泄量为 1 110m³/s。此外,在左右岸的副坝,各设置一条灌溉引水洞。水电站没有排沙设施,出库泥沙绝大部分是通过水轮机组下泄。水电站枢纽平面布局见图 2-28。

二、水文泥沙特征

盐锅峡水电站的进库站为小川(上诠)水文站,多年平均径流量为 269.8 亿 m³,其中汛期径流量为 149.6 亿 m³,占年径流量的 55.4%。多年平均输沙量为 0.545 亿 t,其中汛期输沙量为 0.430 2 亿 t,占全年输沙量的 78.9%,7、8 月两月输沙量占全年输沙量的 59.6%。小川站月径流量、输沙量见表 2-31。

进库悬移质泥沙组成较细,中数粒径为 0.01～0.022mm,平均粒径为 0.027～0.034mm。

1968 年以后,受到刘家峡水库的调控影响,水沙条件在年内和年际间的变化,与其他不受上游工程调蓄作用的水库相差较大。一般情况下,进库流量较为均匀,当刘家峡水库水位较高时,大量泥沙被拦截在刘家峡库内,只有异重流排沙且泥沙颗粒较细。当刘家峡水库水位很低,特别是在人为的冲刷洮河口拦门沙坎时,进入盐锅峡的含沙量较大。因此,盐锅峡水电站是反调节枢纽的水文泥沙特性。

三、水库运用与库区冲淤变化

盐锅峡为日调节水电站,水库的调度运用方式应当满足水电站日调节所需要的库容。

在刘家峡水库蓄水运用之前,盐锅峡水库在汛期,库水位控制在 1 615～1 617m 高程的范围,非汛期上升到 1 619m 高程。刘家峡水库运用以后,因为来水量比较稳定,来沙量

❶ 水利电力部水利水电规划院.水电站泥沙问题总结汇编.1988 年

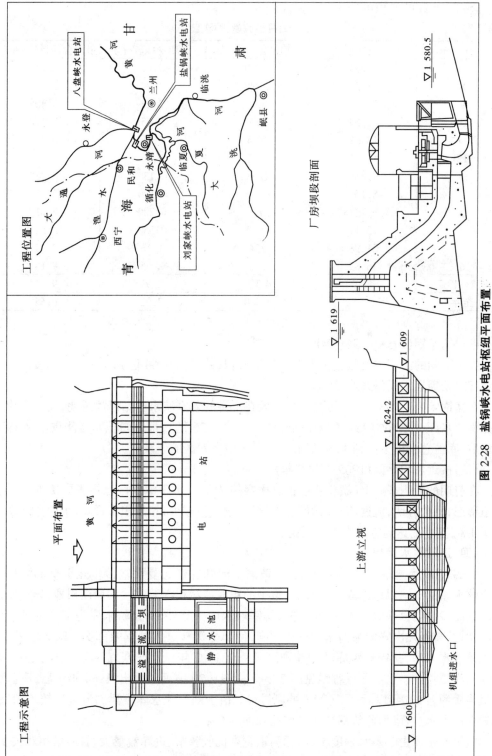

图 2-28 盐锅峡水电站枢纽平面布置

大幅度减少,库水位保持在 1 618~1 619m 高程之间。

盐锅峡水库的淤积可分为四个阶段。

表 2-31 小川站月径流量、输沙量

月份	径流量(亿 m³)	输沙量(万 t)	含沙量(kg/m³)	最大含沙量(kg/m³)
7	39.84	1 360	3.41	13.5
8	38.29	1 890	4.94	15.3
9	37.81	839	2.22	6.40
10	32.53	213	0.65	2.17
11	18.51	48.4	0.26	0.77
12	11.37	17.7	0.16	4.52
1	9.868	12.8	0.130	3.28
2	8.163	13.9	0.170	2.27
3	9.721	21.8	0.220	2.21
4	13.11	46.0	0.350	3.57
5	21.98	254	1.16	7.97
6	26.82	683	2.55	8.16
7~10	149.60	4 350	2.91	9.90
全年	269.80	5 450	2.02	6.55

(一)施工期(1958~1961 年)

施工期间的淤积主要是施工围堰引起的淤积,共淤积 0.66 亿 m³。

(二)初期运用期(1962~1964 年)

在盐锅峡施工期和初期运用阶段,正处在上游的刘家峡水电站停建时期,大量泥沙进入盐锅峡水库,特别是 1964 年进库的输沙量高达 1.26 亿 t,水库淤积非常严重。至 1964 年汛后,库区总淤积量达到 1.54 亿 m³,主要集中在库区的下段。

(三)接近淤积平衡(1965~1968 年)

在前期的淤积基础上(淤积量已占总库容的 71%),水库深水区已淤积成接近原天然河道形态,滩槽分明,流速增大,输沙能力增加,淤积量减少,年淤积率锐减,水库拦沙率只有 1.1%,基本上达到进出库沙量平衡。

(四)正常蓄水运用

1969 年以后,刘家峡水库蓄水发电,黄河干流和支流大夏河输沙量几乎全部淤积在刘家峡水库的永靖川地库段,洮河来沙量中的粗泥沙淤积在茅笼峡和唐汪川地,异重流挟带的细泥沙由刘家峡泄水道排出后进入盐锅峡水库。此外,刘家峡水库为了冲刷洮河口拦门沙坎,曾经几次降低坝前水位进行冲刷,使部分泥沙进入盐锅峡库区。除此之外,基本上是清水入库,盐锅峡水库转为冲刷阶段。至 1983 年汛前已恢复库容 970 万 m³。盐锅峡水库历年冲淤量累积过程线见图 2-29。从图 2-29 中可以看出,1964 年汛后,库区淤积极为缓慢,1969 年以后,库区转入冲刷过程。由于刘家峡水库下泄的流量比较均匀,没有较大的洪水过程,因此盐锅峡库区的泥沙冲刷有限。

盐锅峡水库由于壅水程度不高、原河道宽度比较狭窄、进库流量大、含沙量相对较少、水库长度较短等综合因素的作用,水库淤积呈锥体形态,淤积物质组成相对较细。在淤积

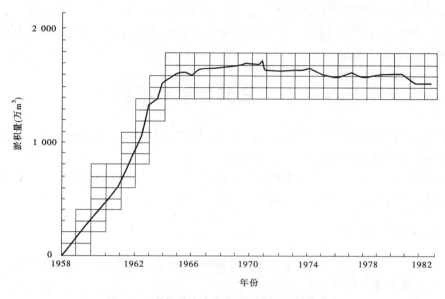

图 2-29　盐锅峡水库历年冲淤量累积过程线

接近平衡和正常蓄水运用时期,受水流冲刷作用,淤积物组成粗化,中数粒径达到 0.28～21.0mm,其沿程变化见表 2-32。

表 2-32　　　　　　　　盐锅峡库区淤积物 D_{50} 沿程变化　　　　　（单位:mm）

断面	库区地形	距坝里程(km)	1964 年11 月	1965 年10 月	1966 年10 月	1970 年8 月	1976 年10 月	1978 年10 月
1	峡谷	0.318	0.043 5		0.112	0.225	0.325	0.283
2		0.689	0.132	0.128	0.103	0.240	0.206	0.384
3	川地	1.729	0.145	0.108	0.109	0.225	0.117	0.357
4		4.019	0.116	0.125	0.127	0.019	0.417	0.293
5	峡谷	5.499	0.094 2	0.113	0.197	0.035	0.337	0.442
6		6.467	0.007 9	0.134	0.107	0.049	0.276	0.359
7		8.292	0.198	0.152	0.134	0.126	0.466	0.485
8		10.102	0.192	0.143	0.113	0.31	0.257	0.331
9		11.652	0.087 2	0.112	0.123	0.101	0.56	0.698
10	川地	12.287	0.252	0.037	0.224	0.213	0.504	0.288
11		14.347	0.240	0.170	0.240	0.335	0.394	0.419
12	峡谷	16.899	0.532	0.234	0.246	0.406	0.440	0.487
13	川地	18.934	0.165	0.133	0.146	0.061	0.51	0.47
14		20.004	0.307	0.201	0.144	0.250	0.546	0.393
15		22.034	0.758	0.198	0.202	0.237	0.549	0.316
16		24.499	0.400	0.252	0.412	0.035	0.414	0.242
17	河道	25.884	0.645	0.542	0.215	0.363	26.6	3.70
18		27.046	0.33	0.269	0.204	10.3	15.3	21.0
19				0.568				
20								

水库淤积物干容重在坝前段为 $1.2\sim1.3t/m^3$,其他库段为 $1.3\sim1.4t/m^3$。坝前滩面高程约 1 618.5m,坝前和机组前沿的冲刷漏斗边坡稳定,在 1:6~1:8 之间。水库淤积纵比降为 0.17‰~0.18‰。

第七节　三盛公水利枢纽[8]

三盛公水利枢纽位于内蒙古自治区巴彦淖尔盟磴口县巴彦高勒镇,包兰铁路桥下游 2.6km 处,东距包头市 300km,西南距银川市 200km。

水利枢纽的开发目标是以灌溉为主,兼顾发电。在灌溉引水期间,为总干渠沿岸的城镇及包头钢铁公司供水。1959 年动工,1961 年建成。

一、枢纽工程概况

枢纽工程有拦河闸、土坝、沈乌进水闸、南北两岸进水闸和左右岸导流堤以及库区围堤组成,三盛公水利枢纽平面见图 2-30。

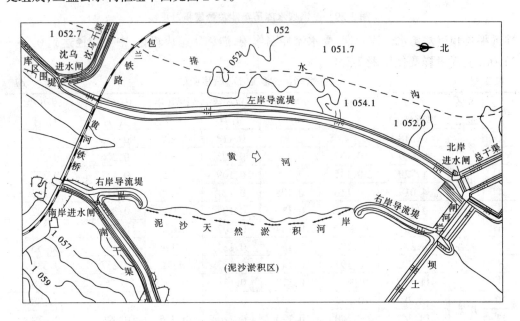

图 2-30　三盛公水利枢纽平面图

拦河闸位于主河道上,闸底高程为 1 049.1m,闸孔高程为 1 061m,闸孔净宽 25m,共 20 孔,设计单宽流量 $16.4m^2/s$。北岸进水闸位于拦河闸左侧,底板高程为 1 051.6m,共 10 孔。拦河土坝在拦河闸右侧,最大坝高 10m,坝顶高程 1 059.1m,长 300m。沈乌进水闸位于左岸黄河铁路桥上游 320m 处,闸底坎高程为 1 052.5m,闸孔净宽 2.6m,共 5 孔。南岸进水闸位于右岸铁路桥下游 350m 处,闸底坎高程为 1 052.5m,闸孔、闸宽与沈乌进水闸相同。三盛公枢纽总库容为 0.8 亿 m^3。

二、水文泥沙特征

三盛公入库径流量多年平均为 255.6 亿 m^3，其中汛期径流量为 149.6 亿 m^3，占全年径流量的 58.5%。多年平均输沙量为 1.41 亿 t，其中汛期为 1.13 亿 t，占全年输沙量的 80%。自 1968 年起，受刘家峡和青铜峡水库拦沙作用，进入水库的输沙量大幅度减少。1969 年至 1998 年多年平均输沙量为 0.59 亿 t，年输沙量超过 1.0 亿 t 的只有 4 年。输沙量的改变对三盛公枢纽十分有利。

虽然龙羊峡、刘家峡水库的多年调节运用，使径流量在年内分配上有较大变化，然而三盛公枢纽工程是以灌溉用水为主，因此所受影响不大。

三、管理运用

三盛公水利枢纽的运用，按季节分为三个时期：每年 5 月上旬至 10 月上旬为壅水灌溉期；10 月中旬至 12 月中旬以及翌年 3 月下旬至 4 月底为敞泄排沙期。

在壅水灌溉期，闸上水位一般控制在 1 053.5~1 953.9m 范围。其他运用期，闸上水位均在 1 053m 以下。

为了保持一定的库容，采取了以下 3 种措施：

(1)控制闸上水位。水库冲淤是由于壅高水位或降低水位造成的，因此在灌溉用水期，要尽可能地降低闸上水位。1965 年以前，闸上水位控制在 1 054m 以下，1968 年以后逐步提升到 1 054.2m。同时要根据灌区用水量的改变，及时调整闸上水位，以减少库区淤积。

(2)缩短灌区用水时间。壅水灌溉运用期应尽可能缩短引水时间，以减少壅水历时而造成的淤积。

(3)根据库区淤积和库容损失情况，采取洪水期敞泄冲沙。通过年内几次泄洪冲刷，既可以保持一定的库容又减少了进入渠道泥沙。泄洪冲沙最优流量为 3 000~4 000 m^3/s，冲刷长度一般为 20~25km，历时一般为 7~10 天，基本上不影响灌溉用水。

四、枢纽淤积与防治

三盛公枢纽为一低水头灌溉引水工程。壅水高度不足 6.0m，库容只有 0.8 亿 m^3，原河床比降 0.19‰，在刘家峡水库建成后，年均来沙量为 0.59 亿 t。因此，保持一定库容是工程管理的重要任务。

(一)库区淤积概况

三盛公水库长度约 50km，距坝 15km 范围内由于壅水影响故淤积较严重。距坝 15~27km 范围为变动回水区，处在时冲时淤、淤大于冲的状态；27km 以上处在回水末端，淤积以粗泥沙为主。库区冲淤量见表 2-33。

从表 2-33 可以看出，常年壅水库段共淤积 1 599 万 m^3，变动回水区共淤积 2 519.8 万 m^3，回水末端以上河段淤积 271.6 万 m^3，全库区共淤积 4 390 万 m^3。从表中还可以看出，淤积主要在滩地上占据滩库容，槽库容略有冲刷。从淤积过程来看，淤积最严重的年份是 1961、1965、1966 年和 1969 年的 4 年，共淤积 6 053 万 m^3，是库区总淤积量的 1.38

倍。1967 年和 1968 年 2 年,全库区冲刷 3 866 万 m³。由此可以看出,水库管理运用对保持库容是非常重要的。

水库淤积比降为 0.13‰~0.14‰,淤积长度为 46~47km。

表 2-33　　　　　　　内蒙古黄河三盛公枢纽库区冲淤量成果(断面法)　　　　　　　(单位:万 m³)

年度	常年壅水段		变动回水区		回水末端段		全河段		
	主槽	滩地	主槽	滩地	主槽	滩地	主槽	滩地	全断面
1961	651.78	850.0	421.2	360.28			1 072.98	1 210.28	2 283.26
1962	−291.51	108.43	810.98	185.82			519.47	294.25	813.72
1963	−405.08	388.92	−324.71	274.88			−729.79	−663.8	−65.99
1964	−544.35	184.04	334.23	365.55			−210.12	549.59	339.47
1965	353.63	220.49	620.96	161.59	28.39	−7.52	1 002.98	374.56	1 377.54
1966	218.97	139.01	30.55	461.16	190.99	214.04	440.51	814.21	1 254.72
1967	−439.89	191.56	−1 148.93	75.43	−1 274.91	113.85	−2 863.73	380.84	−2 482.89
1968	−440.07	−107.13	−399.26	−42.02	−190.96	−203.62	−1 030.29	−352.77	−1 383.06
1969	−119.71	60.74	31.06	26.63	964.44	174.00	875.79	261.37	1 137.16
1970	−190.20	10.2	42.72	120.82	122.92	212.07	−24.56	343.09	318.53
1971.5~9	746.44	12.41	49.86	61.01	−46.61	−25.44	749.69	47.98	797.67
Σ	−459.99	2 058.67	468.66	2 051.15	205.74	477.38	−197.11	3 259.6	4 390.13

注:表中"−"为冲刷,淤积为正。下同。

(二)防淤措施

为了减少水库淤积,保持长期可用库容,采取了非灌溉引水期敞泄冲沙和夏季洪峰期停灌排沙、灌溉引水期利用停灌时期敞泄排沙两种措施。前一种措施一般自 10 月中旬开始到翌年 5 月初,历时约 180 天。闸上水位急速下降,冲刷效果明显。根据 23 年的冬季冲刷资料统计,共冲刷 25 250 万 t,年均冲刷 1 100 万 t。敞泄排沙开始时为溯源冲刷,闸上水位降落平稳以后为基流沿程冲刷,冲刷范围可达 30km 左右。后一种措施是在灌溉引水期中间的短期冲刷,一般是在进库来沙量较大时,相机降低闸上水位进行泄水冲沙。在 23 年中共进行了 34 次,每次历时 5~7 天,累计冲沙量为 8 453 万 t,年均冲沙量为 250 万 t。冲刷长度约 20km。

三盛公水利枢纽建成以来,经过多年的实践,采取上述各种排沙措施,恢复了部分槽库容,使水库保持长期可用库容为 4 000 万~5 000 万 m³,可以满足灌区用水的需要。至今水利枢纽已经运行 40 多年,运用方式基本上是成功的,其效益也是显著的。

第八节　东峡水库❶

东峡水库位于甘肃省静宁县境内,渭河支流葫芦河上的一级支流的南河。河流长度 46.2km,河道比降 17.3‰。控制流域面积 552km²,南河流域属于黄土丘陵沟壑区。东峡水库是一座以灌溉为主的中型水库,1960 年建成。由于库区淤积非常严重,曾先后三次

---

❶ 甘肃省水利科学研究所.甘肃省水库排沙清淤试验研究成果汇编.1987 年 7 月

加高大坝,以增大库容。

根据多年库区水文泥沙观测,调整了水库运用方式。采用异重流排沙、泄空冲刷和蓄清排浑运用等方式,进行多项研究,取得了蓄清排浑和保持可用库容的宝贵经验。

一、水库与工程概况

拦河大坝为均质土坝,坝顶高程为 1 728m,最大坝高 38.7m,总库容为 7 660 万 m^3。左岸设有泄洪洞(1974 年增建),右岸设有输水洞。水库长度约 4.3km,最大宽度 1 300m,最小宽度 300m。

东峡水库枢纽工程平面布置见图 2-31。

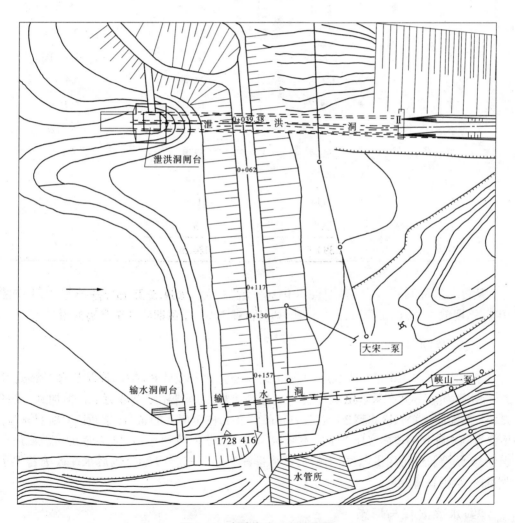

图 2-31　东峡水库工程平面图

二、水文泥沙

流域内气候干燥,多暴雨,降水量集中,多年平均降水量约 500mm。多年平均径流量约 2 393 万 m³,其中 7～9 月径流量占全年的 60%;多年平均输沙量约 324.5 万 t,其中 7～9 月输沙量占全年的 75%。年平均含沙量为 135.6kg/m³,泥沙组成较细,中数粒径为 0.02mm。洪峰期的平均含沙量在 200kg/m³ 以上,最大可达 500kg/m³ 以上。多年平均径流量和输沙量年内分配见表 2-34。

表 2-34　　　　　　　　　　东峡水库多年平均径流量、输沙量年内分配

月份	径流量(万 m³)	输沙量(万 t)	含沙量(kg/m³)
1	31.0	0	0
2	75.1	0	0
3	126.1	9.1	72.2
4	78.6	20.3	258.3
5	87.7	22.1	252.0
6	241.8	23.4	96.8
7	608.7	78.0	128.1
8	470.6	130.0	276.2
9	338.4	33.8	99.9
10	162.0	6.5	40.1
11	99.0	1.3	13.1
12	73.8	0	0
全年	2 393.0	324.5	135.6

从表 2-34 中可以看出,汛期(6～9 月)径流量为 1 659.5 万 m³,占全年径流量的 69%,汛期输沙量为 265 万 t,占全年输沙量的 81.7%。非汛期有 3 个月输沙量为零。

三、水库运用

东峡水库自 1960 年建成之后,为了满足灌溉用水和防洪的需要,采取蓄水拦沙运用方式,水库淤积异常严重。虽然经过三次加高大坝,总库容由 3 700 万 m³ 增加到 7 660 万 m³,然而库区淤积量达到 3 680 万 m³(1977 年),占总库容的 48%,接近新增加的库容,不恰当的水库运用方案必须改变。在吸取国内其他水库特别是三门峡水库的经验以后认识到,要保持长期可用库容,应当采用蓄清排浑运用方式。1978 年以后水库改为蓄清排浑运用,取得显著效果。

四、水库淤积与形态

自 1960 年蓄水拦沙运用以后至 1978 年,水库累积淤积量达到 4 170 万 m³,占总库容的 54.4%,年均淤积量为 231.7 万 m³。1978 年汛后至 1983 年,采用蓄清排浑运用,共冲刷 51.7 万 m³,年均冲刷量为 8.62 万 m³。水库多年冲淤变化见表 2-35。

表 2-35　　　　　　　　　　　　　　　东峡水库多年冲淤量变化

运用方式	施测年份	施测方法	总库容（万 m³）	总淤积量（万 m³）	可用库容（万 m³）	年限	冲、淤量（万 m³）	平均年冲淤量（万 m³）	冲、淤速率（%）
拦洪蓄水	1960	地形法	3 700						
	1973	地形法	5 200	3 460.0	1 740.0	14	3 460	247	4.75
	1977	断面法	7 600	3 680.0	3 980.0	3	220	73.5	0.96
	1978	断面法	7 600	4 170.0	3 490.0	1	490	490	6.4
阶段小计			7 600	4 170.0	3 490.0	18	4 170	231.7	3.02
蓄清排浑	1978	断面法	7 600	4 111.1	3 548.9	1	−58.9	−58.9	−0.77
	1979	断面法	7 600	4 064.0	3 596.0	1	−47.1	−47.1	0.62
	1980	断面法	7 600	4 063.6	3 596.4	1	−0.44	−0.44	−0.006
	1983	断面法	7 600	4 118.3	3 541.7	3	54.7	18.2	0.24
阶段小计			7 600	4 118.3	3 541.7	6	−51.74	−8.62	−0.11

注：1984 年末进行库容测量，根据进、出库实测资料，本年至 7 月底冲刷量为 5 909 万 m³。蓄清排浑运用至 1984 年 7 月底，水库累计冲刷量为 111 万 m³。

　　水库蓄水运用初期，水库淤积呈三角洲淤积形态，随着淤积量的增加，逐步演变成锥体淤积形态。纵比降约为 1.5‰。

　　当水库运用改为蓄清排浑方式以后，首先在坝前出现冲刷漏斗并逐步向上游发展。蓄清排浑第一年汛期敞泄排沙后，槽库容即初具规模；第二年空库排沙结束后，槽库容向纵深发展已经基本稳定，槽库容达到 130 万 m³。经过 7 年运用，槽库容基本上维持冲淤平衡，蓄清排浑运用库区冲淤量分布见表 2-36。

表 2-36　　　　　　　　　　　东峡水库蓄清排浑运用库区冲淤量分布

区间	区间长度（m）	库区各段冲淤量（万 m³）				区间历年累计量（万 m³）	累计冲淤量（万 m³）
		1978 年 1～9 月	1978 年 9 月～1979 年 9 月	1979 年 9 月～1980 年 8 月	1980 年 8 月～1983 年 12 月		
0～1	100	−2.375	−0.295	0.697	1.564	−0.409	−0.409
1～2	223	−9.118	−0.013	2.350	4.358	−2.423	−2.832
2～3	260	−9.440	0.201	−0.072	3.494	−5.817	−8.649
3～4	272	−7.502	−11.752	−1.350	3.627	−16.977	−25.626
4～5	314	−20.853	−13.033	−0.439	2.174	−32.151	−57.777
5～6	410	−16.299	−3.186	−1.457	−0.081	−21.023	−78.800
6～7	630	6.691	−21.903	−0.241	−0.009	−15.462	−94.262
7～8	544		−9.192	3.239	5.916	−0.037	−94.299
8～9	413		−1.067	−0.031	9.232	8.134	−86.165
9～10	235		4.056	−3.063	8.238	9.231	−76.934
10～11	465		9.082	−0.068	16.143	25.157	−51.777
累计量		−58.896	−47.102	−0.435	54.656		−51.777

五、水库排沙

东峡水库排沙形式有泄空冲刷排沙、敞泄冲刷排沙和异重流排沙三种。

(一)泄空冲刷排沙

泄空冲刷是指库水位由高水位下降到最低水位的全过程冲刷,因此它包括水位下降过程的全库区沿程冲刷和坝前的溯源冲刷。自1978年起,每年都进行泄空冲刷,截至1984年共进行11次。水库泄空排沙统计见表2-37。从表中可知,泄空冲刷总历时为135.3小时,所耗总水量为534万 m^3,总排沙量为103.5万 t,排沙耗水率为5.16 m^3/t。

(二)敞泄冲刷排沙

敞泄冲刷是在泄空冲刷之后,闸门全部开启,进库水沙"穿堂而过"所发生的库区冲刷排沙。按照进库流量的大小、排沙效果可分为滞洪排沙和基流排沙两部分。在空库期,洪水过程以扩大河槽面积、增加排沙量为主的排沙形式,基流排沙期主要表现为冲刷下切为主的排沙形式。敞泄排沙总历时为220天,排沙量为624万 t,排沙比为227%,占全年排沙量的62.2%。排沙耗水率为7.51 m^3/t。其中滞洪排沙43天,排沙量512万 t,排沙耗水率为5.94 m^3/t,历年敞泄期滞洪、基流排沙统计见表2-38。

基流排沙总历时约177天,排沙总量112.2万 t,占敞泄排沙的18%,为总排沙量的11.2%。

(三)异重流排沙

东峡水库自1978年至1984年共测到的异重流有26次,异重流总排沙量为259.93万 t,排沙比达到90.1%。出库最大含沙量达到700kg/m^3。东峡水库异重流最大排沙比可达153.8%,最小排沙比为3.4%。

东峡水库的特点是,回水距离短(不足5.0km),原河槽比降陡(4.5‰)。由于淤积形态为锥体,冲刷以后形成坝前大漏斗,对异重流的产生、输移提供了非常有利的边界条件。异重流的各种水沙因子及排沙量见表2-39。

从表2-39中可以粗略地看出,出库沙量与出库水量成正比,两者有较好的相关性,异重流排沙量与排水量关系见图2-32。其经验关系式为 $W_S = 0.1W$,式中 W_S 为每次异重流排沙量,W 为同期排水量。其排沙耗水率的平均值为10.0 m^3/t。

六、水库冲刷

东峡水库运用之后至1978年,蓄水拦沙、水库淤积异常严重,坝前淤积厚度达15m。自1978年开始采用蓄清排浑运用以来,库区逐年冲刷出主库。至1980年8月冲刷范围上溯到4.0km以上,形成较为稳定的冲刷比降(4.5‰)。水库冲淤纵剖面见图2-33。从图中可以看出,采用蓄清排浑的运用方式以后,水库逐年冲刷,槽库容逐渐扩大,初步估算可以保持槽库容近400万 m^3。东峡水库的经验可供黄河支流的中型水库建设加以借鉴。

表2-37

东峡水库泄空排沙统计

序号	年	起				止				历时(h)	最大流量(m³/s)	平均流量(m³/s)	水量(万 m³)	最高含沙量(kg/m³)	平均含沙量(kg/m³)	排沙量(万 t)	排沙耗水率(m³/t)	占当年排沙百分比(%)
		月	日	时	分	月	日	时	分									
1	1978	7	20	19	00	7	21	10	20	15.33	18.32	4.46	24.61	637.5	229.22	5.64	0.36	2.32
2	1978	7	21	17	45	7	22	09	10	15.37	45.5	14.55	80.51	390.00	228.57	18.4	4.38	7.8
3	1978	7	22	15	15	7	23	01	30	10.25	5.26	2.45	9.04	104.7	64.38	0.58	5.59	0.24
4	1979	7	20	00	00	7	21	08	00	32.0	69.6	4.26	49.12	869.7	81.47	4.0	2.28	1.06
5	1980	7	24	10	00	7	25	08	00	22.0	207.8	23.35	184.75	705.4	228.57	42.27	4.37	23.45
6	1981	7	14	12	00	7	14	18	22	6.36	42.5	8.03	189.3	572.90	190.78	3.51	5.24	1.76
7	1982	8	23	08	00	7	23	15	00	7.0	95.3	47.6	119.98	627.11	30.71	9.29	12.91	4.65
8	1982	7	9	02	00	7	9	18	00	16.0	1.17	0.67	3.83	808.00	240.2	0.92	4.16	
9	1983	7	16	09	00	7	16	20	00	11.0	23.6	3.42	13.53	1 234.7	1 039.8	14.08	0.96	
10	1984	8	25	19	36	6	25	22	00	3.5	31.0	7.25	9.15	585.95	153.0	1.4	6.35	
11	1984	7	19	09	00	7	19	18	00	9.0	52.0	6.52	21.13	626.00	161.9	3.42	6.14	
合 计										135.3			534.04			103.5		
平 均												10.96			193.8		5.16	

表 2-38

东峡水库历年敞泄期滞洪、基流排沙统计

序号	年份	次数	总历时 (h)	平均流量 (m³/s)	滞洪排沙 出库 水量 (万 m³)	滞洪排沙 出库 平均含沙量 (kg/m³)	排沙量 (万 t)	排沙耗水率 (m³/t)	占当年排沙量 (%)	占敞泄排沙量 (%)	基流历时 (h)	平均流量 (m³/s)	平均含沙量 (kg/m³)	基流排沙 排沙量 (万 t)	基流排沙 排沙耗水率 (m³/t)	基流排沙 水量 (万 m³)	占敞泄排沙量 (%)
1	1978	7	348.0	9.32	1 167.09	137.40	160.37	7.25	66.23	76.31	854.4	0.66	79.89	25.38	12.50	317.63	13.10
2	1979	6	216.0	7.45	579.62	186.43	108.06	5.36	75.87	79.01	1 068.0	1.09	58.93	24.70	16.93	418.25	18.61
3	1980	3	91.2	12.46	408.04	162.72	66.42	6.14	36.85	56.60	782.4	1.35	22.27	8.47	44.74	379.01	4.70
4	1981	2	198.2	3.42	244.37	191.75	46.80	5.22	23.40	100							
5	1982	1	18.0	1.19	7.70	571.80	4.40	1.75	8.45	30.51	942.0	0.23	126.48	10.02	7.91	79.22	69.49
6	1984	4	169.5	10.41	635.04	197.2	125.23	5.07	70.00	74.14	598.5	2.83	97.07	43.67	10.30	449.90	25.90
合计		23	1 040.9		3 041.86		511.78		51.04	82.0	4 245.3			112.19		1 644.00	
平均				8.12		168.25		5.94				1.08	68.2		14.65		17.98

表2-39

东峡水库异重流排沙统计

年份	次数	入库						出库						排沙比(%)	占当年排沙百分比(%)	排沙耗水率(m³/t)
		历时(h)	平均流量(m³/s)	水量(万m³)	最高含沙量(kg/m³)	平均含沙量(kg/m³)	沙量(万t)	历时(h)	平均流量(m³/s)	水量(万m³)	最高含沙量(kg/m³)	平均含沙量(kg/m³)	沙量(万t)			
1978	3	34.5	1.54	191.41		235.41	45.06	107.80	5.79	224.78		170.33	38.29	85.00	15.76	5.87
1979	3						5.00	65.92	3.67	87.06		56.05	4.88	97.60	3.42	17.84
1980	5	144	3.99	206.92	515.80	192.00	39.72	142.10	13.49	690.25	411.00	88.60	61.12	153.80	33.89	11.20
1981	8	281.1	8.36	846.26	498.73	202.67	171.51	311.35	11.02	1 313.98	359.00	103.27	135.7	79.12	67.54	9.68
1982	4	121.5	2.13	93.24	596.00	241.96	22.56	114.70	4.42	182.62	700.58	93.20	17.02	75.44	32.67	10.73
1983	1	24	0.86	7.40	305.00	194.60	1.44	29.60	1.66	14.68	171.91	39.51	0.58	40.28	11.00	25.31
1984	2	34	3.50	42.78	143.50	76.91	3.29	45.00	4.62	74.76	150.64	31.30	2.34	71.12	1.31	31.95
合计	26	639.1		1 388.01			288.58	836.47		2 588.13			259.93			
平均			6.03			207.90			8.60			100.40		90.1	25.92	9.96

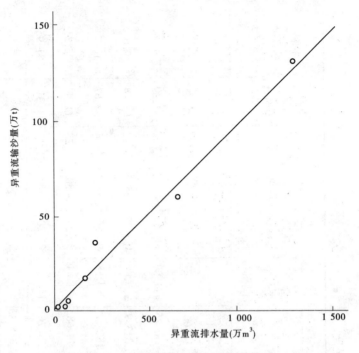

图 2-32　异重流排沙量与排水量关系

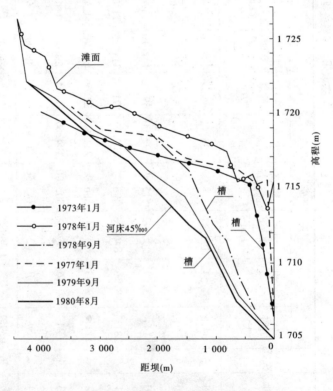

图 2-33　东峡水库冲淤纵剖面图

第九节　本章小结

本章介绍了黄河干支流几座水库的泥沙问题实例,其中有大型水库和中型水库。从入库的输沙水流情况来看,有少沙水流、多沙水流和高含沙水流之分。从工程开发的目标来看,有以发电为主兼顾防洪的,有以防洪为主兼顾发电的,也有以灌溉用水为主的水利枢纽。从主坝高度来看既有低水头枢纽又有坝体高度较大的工程。

但是,黄河干支流水库都存在一个共同的问题,就是如何进行排沙减淤,保持一定数量的可以长期使用的库容。各水库经过几十年的外业观测工作,通过不断地总结和研究,都在水库运用方面进行了改进和优化,制订出符合本水库的较好运用方案。所有水库基本上都是采用蓄清排浑或调水调沙运用模式,其不同点只是汛期库水位的下降幅度及排沙时机各异。因此,黄河干支流水库,除了库容与年均输沙量比值接近 100 的水库以外,蓄清排浑运用方式是可以普遍采用的。长江三峡水库,尽管库容很大,其规划设计中所拟定的运用方式,也是采取蓄清排浑方案。

三门峡水库已运用 40 多年,取得了丰富的科研成果。在多泥沙河流上修建水库,必须高度重视泥沙问题,要认真研究入库的水沙过程和时空分配、泥沙在库区运行的基本规律、水库排沙的各种措施。必须妥善地多种途径、多种措施安排泥沙,才有可能保持长期可以使用的库容。

三门峡水库的蓄清排浑调水调沙控制运用方式,在控制水库淤积部位、排沙的水沙条件、水库泥沙运行规律、库区水流输沙能力的调整机理、水库纵横向形态调整与排沙机理、水库异重流、溯源冲刷和沿程冲刷基本规律等方面的研究,都有重大突破,发展了水库泥沙科学及水沙调节理论。这些基本理论将在第二篇及第三篇中做专题论述。

通过上述讨论,可以得出这样的结论:泥沙在水库中运动,因所处的库段和水沙运行过程受水库运用的作用,泥沙在库区冲淤变化也会随之变化,但基本上可以归纳出运动框图,见图 2-34。

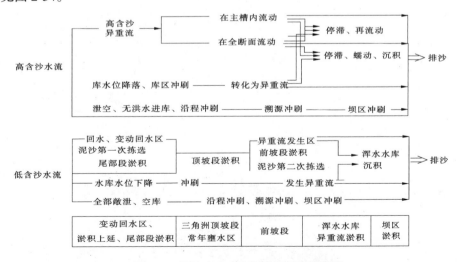

图 2-34　泥沙在水库各区段运行示意框图

参 考 文 献

[1] 国家经济贸易委员会．水电水利工程泥沙设计规范．1999
[2] 蒲乃达,等．刘家峡、盐锅峡水库泥沙的几个问题．见:河流泥沙国际学术讨论会论文集．北京:光华出版社,1980
[3] 焦恩泽．青铜峡水库泥沙运动规律分析．人民黄河,1983(5)
[4] 陆大章．青铜峡水库的排沙措施及效果．人民黄河,1987(4)
[5] 焦恩泽．黄河大型水库淤积问题．见:黄河水利科学院科学研究论文集(第二集)．郑州:河南科学技术出版社,1990
[6] 焦恩泽．三门峡潼关以下库区泥沙冲淤的基本规律总结．见:黄河三门峡水利枢纽运用研究文集．郑州:河南人民出版社,1994
[7] 黄河三门峡水利枢纽志编纂委员会.黄河三门峡水利枢纽志．北京:中国大百科全书出版社,1993
[8] 林显邦,等．三盛公引水枢纽的设计与实践．见:黄河枢纽工程技术．郑州:黄河水利出版社,1997

第二篇　水库冲淤机理与计算

黄河泥沙产自于流域内各种侵蚀类型区。黄河流域内因为地质、地貌和降水量的差异以及人类活动的深度和广度不同,土壤侵蚀模数相差十分悬殊。黄土高原地区,最大侵蚀模数可达 30 000t/(km²·a),黄河流域内的最小侵蚀模数不足 500t/(km²·a)。

在多沙河流上修建水库,水库淤积是普遍存在的现象。而在黄河的干支流上修建的水库,淤积程度更是远远超过人们的想象,其复杂性和难度也是始料不及的。

50 多年来的实践中,水库运行所遇到的问题主要有:库容损失,减少兴利库容和缩短水库使用寿命;水库淤积上延,扩大回水末端以上地区的淹没、浸没范围;淤积泥沙侵占防洪库容,威胁下游河道防洪安全;悬移质淤积量增加,影响生态平衡;泥沙对水轮机和其他过流部件的磨损等。水库淤积对环境和工程技术所造成的影响见表 0-1。

表 0-1　　　　　　　　水库淤积对环境和工程技术所造成的影响

位　置	问　题	说　明
库　区	(1)损失库容	减少水库兴利效益,缩短水库寿命
	(2)污染环境	化学物质吸附在泥沙颗粒表面,随泥沙进入水库。由于离子交换,使水质日益恶化
	(3)破坏泄水建筑物,造成水轮机磨损	①粗颗粒泥沙通过水轮机后促成磨损。②高速含沙水流对闸槽和输沙隧洞所造成的磨损。③泥沙堵塞泄水建筑物进口,需要提门开闸时造成困难
	(4)影响生态平衡	①悬移质泥沙增多以后,改变了水中溶解氧的含量,影响鱼类正常生长。鱼类的繁殖区和食物供应基地为泥沙覆盖以后,造成水产量下降。②库周为泥沙淤没并遍长杂草,鸟类将不能自浅水湖底取食
	(5)影响旅游业	三角洲的推进使部分库区丧失旅游价值
水库上游	水库淤积不断向上游延伸	三角洲尾部段溯源淤积上延,使水位不断抬高,扩大了库区上游的淹没范围和洪水威胁。地下水位的抬高也将产生更多的沼泽地和盐碱地
水库下游	(1)水库下游河床的下切与展宽	①河床下切与展宽不定,平流靠溜,险工脱溜,使防汛工作非常被动。②淘刷桥基和沿河建筑物的基础,危及安全。水位降低将给引水带来困难。③水电站的水头和出力增加。水跃下延有可能超出消力池范围
	(2)破坏了河岸坍塌和滩地淤积增长的平衡	河岸继续坍塌,而滩地淤长速度因洪峰和含沙量的减小而减缓;导致河槽展宽,甚至影响两岸堤坝的安全

续表 0-1

位　置	问　题	说　明
水库下游	(3)洪峰流量减小	①使下游洪水威胁得到缓和。②小流量和中水流量持续时间的延长,将有利于航运。③部分河漫滩不再上水,可以开垦利用。④如水库长期不排泄较大流量,将使下游河槽内草木丛生,妨碍设计洪水的正常通过。⑤小流量历时延长,易发生河槽萎缩
	(4)对生态和农作物生长的影响	①冲泻质减少,水中肥分下降,影响灌溉质量。②水库拦截部分浮游物质,影响河口渔场。③水库下游水温变化幅度减小。有利于浮游生物和生活在河底部分的水生物的生长

第三章　水库淤积与排沙[1]

挟沙水流进入水库壅水区以后,泥沙沉降而逐渐淤积在库内,冲淤过程可用水流输沙能力和水力拣选系数来描述。浑水进入水库回水曲线范围以后,因为过水面积增大,水流速度减缓,对于较粗颗粒的泥沙来说,输沙水流处于超饱和状态而逐渐沉积。水流开始第一次拣选,这部分被拣选出来的泥沙淤积在三角洲尾部段,拣选系数自 1.35 至 1.52。粗颗粒泥沙绝大部分落淤在尾部段,在三角洲逐渐向坝前发展的同时,三角洲尾部也向上游发展,三角洲洲面也随之抬高,这是泥沙在水库中淤积向三个方面发展的基本规律。

水流对粗颗粒泥沙的拣选作用,只能从粗颗粒泥沙在淤积物中得到,无法进行拣选过程的观测。这里定义拣选系数[2]:

$$\alpha = \sqrt{\frac{D_{75}}{D_{25}}}$$

上式与表示土壤均匀的程度相似,但在水库淤积中,α 又有其更深刻的内涵。

以永定河官厅水库为例,α 值沿水库长度变化很小时,反映在该库段水流对泥沙的拣选作用微弱;相反,α 在水库沿程变化较大时,水流对泥沙的拣选作用显著,同时也反映出粗颗粒泥沙沉积严重,官厅水库的三角洲淤积特征见图 3-1。

由于水力因素在进入库区以后是连续变化的,因此淤积物的 α 值也沿程发生连续变化。由于水库各段的边界条件不同,α 在各库段的演变规律也不尽相同。在多沙河流上的水库,α 值在沿程是递增的。

当淤积三角洲已经形成之后,挟沙水流进入三角洲顶坡段,经过在三角洲尾部段拣选以后的细颗粒泥沙,已恢复到接近饱和状态。因此,在三角洲顶坡段泥沙级配比较均匀,拣选系数变化甚微。其值在 1.52 左右,见图 3-1。

挟沙水流通过三角洲顶点进入三角洲前坡段的深水区,流速突然减小,对于接近饱和的细颗粒泥沙,转变为超饱和。泥沙发生第二次拣选。其 α 值由 1.52 上升到 3.1。挟沙水流中不能产生异重流的部分泥沙,全部淤积在三角洲前坡段。淤积在前坡段起点的颗粒级配,也是三角洲顶坡淤积物级配,而淤积在前坡段终点的淤积物级配,则是异重流泥沙的级配。

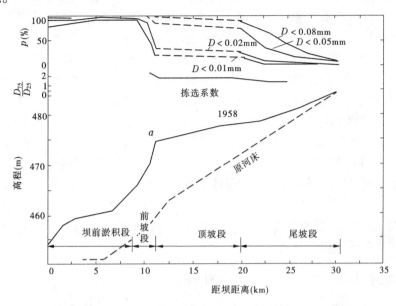

图 3-1　永定河官厅水库的三角洲淤积

挟沙水流通过三角洲前坡的过程,是三角洲淤积发展的主要过程,又是水库异重流产生库段。

异重流中挟带相对较粗的泥沙,也有拣选现象,但数量非常小,异重流淤积物颗粒级配沿程变化很小,几乎是相等的,见图 3-1。

为了减少水库淤积,保持一定的可以长期使用库容,探讨水库排沙减淤的诸多方法和措施,是水库泥沙研究课题的主攻方向。经过几十年的探索和研究,通过在泄空排沙、敞泄排沙和异重流排沙以及与之相应的水库调度运用方案的制订等多方面的实践、总结、再实践,取得了丰硕的研究成果。

为了水库排沙减淤,要求大幅度降低坝前水位,以致空库基流排沙,将使原有按蓄水条件下设计的库区取水工程悬空,影响库区两岸工农业用水。

另外,在水库排沙的全过程中,出库的水沙会出现小流量挟带大含沙量,势必造成下游河道发生严重淤积,对河道防洪带来很大威胁。因此,对某一座特定水库来讲,在实施排沙方案时,要详细、认真地通盘考虑对水库两岸和上下游的影响。特别是大型水库,如三门峡、刘家峡以及新建的小浪底水库,更应当做过细的研究工作,通过多方案比选,评估利弊,妥善安排已经预测的问题。

第一节　水库冲淤基本成因

天然河流经过长期的水流与河床相互作用,塑造出来与来水来沙相适应的河床纵剖面和横断面,在长时段内,河床一般处于冲淤相对平衡状态。在河道上筑坝修建水库之后,从某种意义上讲,抬高了侵蚀基准面,库区回水所及范围,挟沙水流的流速减缓,输沙能力下降,泥沙逐渐沉积,这就是水库淤积的概括。水库淤积的过程又是库区再造床的过程,经过水沙与河床不断地进行调整,当河床调整到可以将上游来水来沙全部输送到下游时,库区淤积已接近尾声,新的平衡再次形成,逐渐转向相对冲淤平衡的河道。

当水库上游受人类活动或降水量增减的影响,使进库水沙条件发生变化,或者水库的运用方式因某些原因而改变时,库区将发生冲淤变化。例如,三门峡水库在 1964 年汛期进库输沙量高达 21.3 亿 t,同期库区淤积量达到 16 亿 m^3,占 1960~2001 年总淤积量的23%。又如,三门峡水库于 1970 年至 1973 年进行第二次工程改建,打开原施工导流底孔,比深水孔高程下降 20m,比泄洪隧洞高程下降 10m。库区发生强烈冲刷,潼关以下库区冲刷近 4.0 亿 m^3,恢复部分河槽库容。其冲刷又有自上而下或上下同时发生的沿程冲刷、由下而上的溯源冲刷两种形式。利用这种冲刷基本规律,可以保持一部分可供长期使用的库容。

水库冲淤变化的主要成因有流域来水来沙的条件、水库运用的方式、水库水位对冲淤的影响、干支流库区淤积等问题。

一、流域来水来沙条件对水库冲淤的作用

黄河流域在兰州以上,是黄河径流量的主要来源区,多年平均径流量为 316 亿 m^3,多年平均输沙量为 0.883 亿 t,多年平均含沙量为 2.8kg/m^3。河口镇至潼关河段,流经黄土高原又是暴雨频发区,水土流失严重,区间多年平均加入的径流量为 156.3 亿 m^3,加入的输沙量为 12.2 亿 t,河口镇至潼关区间的平均含沙量高达 78kg/m^3。不仅如此,径流量和输沙量在年内的分配不均,输沙量尤甚(参见表 1-2 及表 1-8)。表 3-1 是黄河干支流水库汛期径流量、输沙量占全年总量百分比。

表 3-1　　　　　黄河干支流水库汛期径流量、输沙量占全年总量的百分比

水库名称	三门峡	刘家峡	巴家嘴	汾　河	黑松林	红领巾
径流量(%)	58	59	63	61	45	67
输沙量(%)	85.2	79.8	93	92	98	99

从表 3-1 可以看出,汛期径流量占全年的 45%～67%,输沙量占全年的 85.2%～99%。应当特别指出的是,汛期输沙量往往集中在几场洪水过程。如青铜峡水库 1973 年8 月 26 日至 9 月 10 日一场洪水,进库输沙量为 0.83 亿 t,占全年输沙量 1.72 亿 t 的48%,占汛期输沙量的 56%。由于来沙量非常集中,造成水库淤积非常严重。青铜峡水电站从中吸取教训,改变了水库运用方案。凡遇含沙量较高的洪水进库,及时开闸泄洪冲刷排沙,取得了非常好的效益。

众所周知,河流的输沙率与其流量的高次方成正比,汛期平均流量大,可以挟带更多的泥沙。三门峡水库利用了这一基本规律,在非汛期蓄水拦沙,汛期降低水位,靠洪水期大流量排沙,除洪水自身挟带的泥沙能够排出库外,还可以将非汛期淤积下来的泥沙,靠洪水的富余输沙能力冲刷出库,基本上能够达到库区冲淤平衡。如果汛期的径流量小,洪

水次数少,就会出现累积性淤积,1974~2000 年三门峡潼关以下库区冲淤量见表 3-2。从表中可以看出,汛期坝前水位基本稳定在 302.7~304.7m。当上游来水量比较丰富时,潼关以下库区发生冲刷,如 1974~1985 年冲刷 0.33 亿 m^3。1986~1990 年和 1996~2000 年两个时期,来水量偏枯,潼关以下库区发生淤积,分别为 0.362 亿 m^3 和 0.168 亿 m^3。

表 3-2   三门峡水库 1974~2000 年潼关以下库区冲淤量

时 段 (年)	汛期平均水位(m)	径流量(亿 m^3)		输沙量(亿 t)		潼关以下冲淤量(亿 m^3)	
		汛 期	非汛期	汛 期	非汛期	汛 期	非汛期
1974~1980	304.71	212.1	153.4	10.26	1.54	−1.234	1.151
1981~1985	304.23	270.2	183.9	6.94	1.72	−1.327	1.080
1986~1990	302.74	168.2	162.0	5.76	2.10	−0.849	1.211
1991~1995	303.71	115.8	139.4	6.24	1.90	−1.408	1.498
1996~2000	304.10	88.0	114.5	4.76	1.73	−1.377	1.545

注:径流量、输沙量为潼关水文站实测值。

黄河三盛公水利枢纽,根据输沙量在年内分配非常不均匀的特点,当汛期大沙峰进库时,停止灌溉引水,敞泄排沙。这种灵活的运用,使库容得到一定程度的恢复,三盛公水利枢纽洪水期排沙统计见表 3-3。

表 3-3   三盛公水利枢纽洪水期排沙统计

时 段 (年·月·日)	进库输沙量 (万 t)	出库输沙量 (万 t)	时段平均流量 (m^3/s)	排沙百分比 (%)
1964.7.25~8.5	4 440	4 560	4 690	103
1968.8.5~8.12	1 790	2 080	2 580	116
1970.8.21~8.25	1 970	2 420	2 660	123
1973.8.30~9.20	1 950	1 850	2 010	95
1976.6.8~8.10	1 190	1 440	2 630	121

由于大洪水或特大洪水的输沙量都特别大,因此水库库容损失特别严重。

东北辽河支流柳河上的闹德海水库,1942 年建成。1949 年及 1963 年均发生大洪水,水库淤积非常严重,淤积量分别占总库容(1.68 亿 m^3)的 42.3%和 41.7%。它提醒人们,在水库规划设计时,要特别注意大水大沙年的水库淤积问题。

此外,进入水库的高含沙水流和泥沙组成,对水库淤积的影响也很大。黄河各支流,在洪水期经常出现高含沙水流,含沙量一般在 400kg/m^3 以上。随着含沙量的增加,粗颗粒泥沙也随之增加。

图 3-2 是黄河中游各水文站的实测最大含沙量与 $d>0.05$mm 沙重百分比的关系图。因为最大含沙量均发生在大洪水过程,而大洪水的输沙量又是全年输沙量中所占比例最

大值,因此可以用最大含沙量与 $d>0.05$mm 定性地建立相关关系。从图 3-2 中可看出,含沙量越大,$d>0.05$mm 沙重所占百分比也越大。

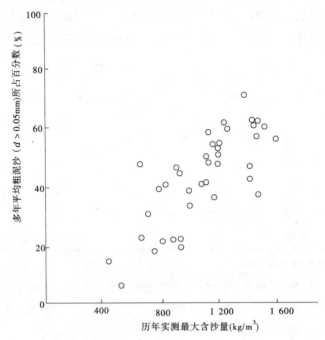

图 3-2　黄河中游各水文站粗泥沙所占比例与实测最大含沙量关系

巴家嘴和王瑶水库在汛期每逢暴雨便发生高含沙洪水。高含沙洪水进入库区回水范围以后,都转化为高含沙异重流。高含沙异重流的排沙比可达 60% 以上。

二、水库运用对库区冲淤的影响

在多沙河流上修建的水库,其管理运用的优劣,直接影响到库区的冲淤变化、冲淤部位和冲淤形态。如管理不当时,即使发生异重流可以排沙,因闸门不开或者不能及时开启,则库区会出现不应有的淤积。

三门峡水库自 1960 年 9 月蓄水运用以来,经历了五个时段、五种运用方式。不同运用方式其排沙比不同,同时水库淤积量也各异。其中蓄水运用淤积量最大,其次是 1962 年 4 月至 1966 年 6 月。滞洪排沙时期因泄流能力不足,洪水期坝前水位高、历时长,发生壅水淤积,排沙比只有 58%。三门峡水利枢纽第一期工程改建后,库水位 315m 高程的泄流能力增加近一倍,加大了排沙力度,排沙比达到 82.5%。第二期工程改建之后至 1991 年汛前,水库实施调水调沙运用以来,排沙比达到 100% 以上,不同运用期水库排沙比见表 3-4。表 3-4 中没有考虑悬移质漏测和推移质问题。同时也没有将库区区间加沙、库区坍岸等沙量计算在内。因此,排沙比可能偏大 6% 左右。

巴家嘴水库自 1964 年至 1972 年进库洪水共有 59 场,洪峰期累积淤积量为 1.41 亿 t,占同期淤积总量的 90%。其中蓄水拦沙期的排沙比为 0.6% ~ 33%,滞洪排沙期的排沙比为 52%,敞泄排沙期的排沙比在 92% 以上。

从上述两座水库的运用可知,不同运用方式对水库淤积的作用相差悬殊。

表 3-4   三门峡水库不同运用期水库排沙比

水库运用方式	起讫时间 (年·月)	输沙量(亿 t)		排沙比(%)
		潼 关	三门峡	
蓄水运用	1960.9~1962.3	16.46	1.12	6.8
滞洪排沙	1962.4~1966.6	58.38	33.86	58.0
一期改建	1966.7~1970.6	89.48	73.80	82.5
二期改建(敞泄)	1970.7~1973.10	56.37	59.29	105.2
调水调沙	1974.7~1991.6	165.20	174.00	105.3

注:本表是按输沙率法计算,与大断面法有出入。

三、水库水位对水库冲淤的作用

水库水位的高低,反映了水库各断面的过流情况、水力因素变化、回水长度以及泥沙可能淤积的部位。除了确定淤积三角洲顶点高程以外,对淤积末端也起着关键性作用。

在库水位比较稳定的条件下,汛期平均水位与三角洲顶点高程有一定相关关系,图3-3 为青铜峡水库三角洲顶点与汛期平均水位关系。当水库水位下降幅度较大时,坝前段将产生强烈的溯源冲刷,水面比降非常陡峻,形成高差很大的跌水现象。

1970 年 7 月初,三门峡水利枢纽打开了 3 个原施工用的导流底孔,其底板高程为 280m,与深水孔底板高程 300m 相比降低 20m。比输水洞底板高程 290m 相比降低 10m。3 个导流底孔打开之后,坝前发生跌水式溯源冲刷,发生跌水时的水面线见图3-4。

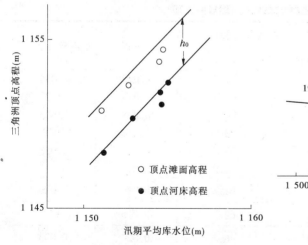

图 3-3 青铜峡水库三角洲顶点与
汛期平均水位关系

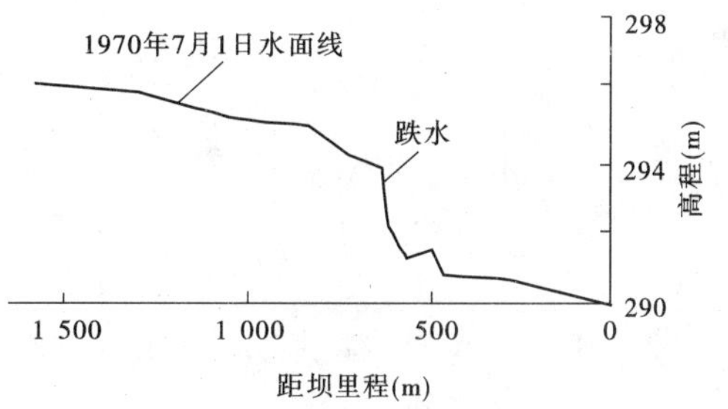

图 3-4 1970 年 7 月三门峡水库溯源
冲刷发生跌水时的水面线

第二节 泥沙在水库中运行基本规律

挟沙水流进入水库的回水影响范围以后,受水流条件的改变、水力对泥沙拣选作用、水库水位升降以及枢纽泄流能力等综合因素的作用,泥沙在库区将发生淤积和冲刷。其特点有二:①进库水流受壅水影响,水流强度减弱,部分泥沙发生淤积,剩余的泥沙则排出库外。随着淤积的发展,库区逐渐塑造出新的河槽,以适应水流输沙的需要,出库泥沙不断增加,直到进出库的输沙量相等为止。②在水库淤积过程中,由于水库运用方式的变更,或者流域内来水来沙条件发生变化(水库上游兴建新的大型水利水电工程、大规模开展水土保持工程,或者出现暴雨洪水),库区发生冲刷排沙。前者是泥沙在库区内悬浮运动逐渐转化为沉降、止动过程,后者是泥沙从床面由起动渐变到扬动直至悬移运动的过程。当然,在淤积过程中有时也会发生短暂的冲刷过程。而冲刷过程中,也会出现短时间的淤积过程。无论是冲刷过程还是淤积过程,库区泥沙运动都服从于它的基本规律。

一、水库输沙能力

冲积河流的挟沙能力计算问题,苏联学者维利康诺夫和我国的张瑞瑾先后从不同的角度提出水流挟沙能力公式。所谓水流挟沙能力,是指具有一定的水力因素的单位水体所能挟带的悬移质中床沙质泥沙数量。在一般情况下,水流所挟带的冲泻质常常处于不饱和状态,只有床沙质能处于饱和状态。因此,水流挟沙能力应当是指水流所能挟带的悬移质中的床沙质的能力[3]。因此,水流挟沙能力是悬移质中的床沙质与水流参数建立的关系。

黄河干支流中绝大部分的泥沙都来自于黄土高原地区,泥沙颗粒较细,$d > 0.01$mm的沙重占 22.7%~39.3%,主要水文站悬沙组成特征值见表 3-5。

表 3-5 黄河干支流主要水文站悬沙组成特征值

河 名	站 名	小于某粒径的沙重百分数(%)		d_{50}(mm)	平均粒径(mm)
		0.01mm	0.025mm		
黄 河	兰 州	39.1	61.9	0.015	0.034
	头道拐	39.3	61.7	0.015	0.028
	龙 门	26.6	44.7	0.028	0.045
	潼 关	31.1	53.3	0.022	0.032
	花园口	35.7	58.7	0.018	0.028
	艾 山	34.2	55.8	0.020	0.027
汾 河	河 津	37.1	61.8	0.016	0.026
渭 河	华 县	36.8	64.2	0.016	0.026
北洛河	㳇 头	22.7	46.1	0.027	0.033

黄河悬移质泥沙中的床沙质,在黄河上一般以 0.025mm 界定。大于 0.025mm 的泥沙为床沙质,小于 0.025mm 的泥沙为冲泻质。从表 3-5 中可知,黄河悬移质泥沙中的冲

泻质占 46%～62%。细颗粒泥沙($d>0.01$mm)所占比例较大,一般在 23%～39%。当细颗粒含沙量达到某一数量($70～100$kg/m³)以后,对输送粗颗粒泥沙有很大的作用。这也是黄河泥沙的突出特点,正因为如此,在研究泥沙输移问题时,应当从全沙输沙方面考虑。

　　另外,库区的泥沙运动中,在天然河流中属于冲泻质部分的泥沙,进入库区落淤以后也会转化为床沙质。所以研究全沙输沙能力,对于了解黄河以及水库的输沙规律是非常重要的。

　　我们于 20 世纪 70 年代曾经提出过全沙水流输沙能力经验关系式:

$$Q_s = k(Q_0 J)^2 (\frac{S_i}{Q_i})^{2/3} \frac{Q_{max}}{Q_0} \tag{3-1}$$

式中:Q_s 为全沙输沙率,t/s;Q_0 为计算时段出库平均流量,m³/s;J 为计算时段的河段平均比降,‰;S_i 为计算时段的进库平均含沙量,kg/m³;Q_i 为计算时段的进库平均流量,m³/s;Q_{max} 为计算时段的进库最大流量,m³/s;k 为系数,三门峡水库潼关河段为 4 650。

　　从水流挟沙能力出发,可以求得全沙的输沙能力。水流挟沙能力可以用下式表示:

$$S_* = f\left(\frac{u^2}{gh}\right)\left(\frac{u}{\omega}\right)$$

式中:右边第一项为费氏数,与挟沙力成正比,第二项是流速与颗粒沉速之比值,与挟沙力成正比,将均匀流阻力方程 $u = \frac{1}{n} R^{2/3} J^{1/2}$ 代入以后,可写成如下形式:

$$S_* = \frac{1}{g} \frac{uJ}{\omega_0} \frac{R^{1/3}}{n^2}$$

令曼宁系数 $n = aD^{1/6}$,则上式可改写成

$$S_* = \frac{1}{ga^2} \frac{uJ}{\omega_0} (\frac{R}{D})^{1/3} \tag{3-2}$$

式中:S_* 为水流挟沙能力,kg/m³;g 为重力加速度,m/(s·s);u 为平均流速,m/s;J 为水面比降,‰;ω_0 为单颗粒泥沙沉降速度,cm/s;R 为水力半径,m;D 为床沙质中数粒径,mm;α 为待定系数。

　　式(3-2)中泥沙沉降速度是按照单颗粒泥沙在静水中的沉降速度计算的。实际上,泥沙是在浑水中沉降,随着含沙浓度的增加,其相应的单颗粒泥沙沉降速度减缓。含沙浓度与沉降速度的关系表示方法,目前有很多形式,其计算结果又不尽相同。为了联解方便,计算简捷,采用西北工业大学和黄河水利科学院的试验数据,我们得到如下关系式:

$$\frac{\omega_s}{\omega_0} = e^{-6.715S_V} \tag{3-3}$$

式中:ω_s 为泥沙群体沉降速度,cm/s;S_V 为以体积百分比表示的含沙量;e 为自然对数的底。

　　公式的验证见图 3-5。

　　将式(3-3)代入式(3-2),两边乘以单宽流量,再稍加推演以后,可得到全沙单宽输沙率公式:

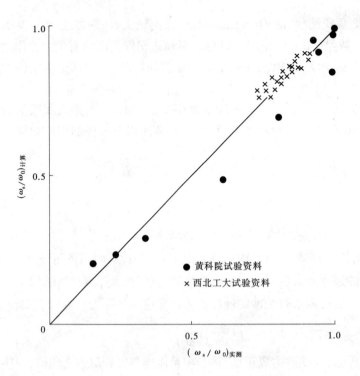

图 3-5　式(3-3)验证图

$$q_{s*} = \varphi \frac{q^{1.6} J^{1.2}}{D^{2/5} \omega_0} e^{6.715 S_V} \tag{3-4}$$

式中：q_{s*} 为全沙单宽输沙率，t/(s·m)；q 为单宽流量，m³/(s·m)；$\varphi = k /10^3 g \alpha^{2/5}$；其他符号的含义同前。

根据三门峡库区各站、黄河下游水文站以及青铜峡水库和室内水槽试验的资料，求得 $\varphi = 0.011\ 1$，结果见图 3-6。

式(3-4)及图 3-6 中所采用的资料范围：q_s 为 0.000 15～0.52t/(s·m)；q 为 0.036～0.48m³/(s·m)；J 为 0.000 108‰～0.003‰；D 为 0.000 32～0.001 6m；ω_0 为0.003 65～0.043m/s。

拜格诺从能量概念出发[4]，给出全沙单宽输沙率公式为

$$q'_{s*} = 0.01 \tau \frac{u^2}{\omega_0} \tag{3-5}$$

式中：q'_{s*} 为水下重量计的单宽输沙率；τ 为河床底部剪应力。

用均匀流阻力方程变换平均流速以后，再令 $n = \alpha D^{1/6}$，将式(3-3)代入式(3-5)，稍加推演即可得到下式：

$$q_{s*} = 0.01 \frac{\tau}{\alpha^{2/5}} \frac{q^{1.4} J^{1.3}}{\omega_0 D^{2/5}} e^{6.715 S_V} \tag{3-6}$$

将式(3-6)改为用干容重计算的全沙单宽输沙率，则可写成下式：

$$q_{s*} = \frac{\rho_s}{\rho_s - \rho} \times 0.01 \frac{\tau}{\alpha^{2/5}} \frac{q^{1.4} J^{1.3}}{\omega_0 D^{2/5}} e^{6.715 S_V} \tag{3-7}$$

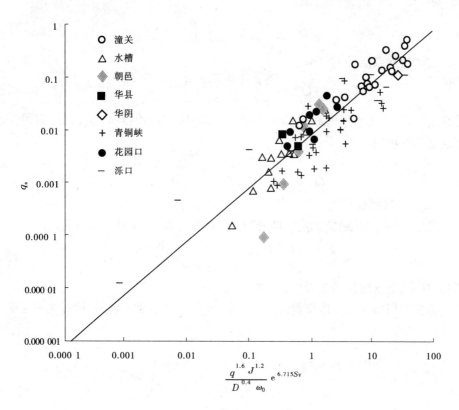

图 3-6　水流输沙能力验证图

式中：ρ_s、ρ 分别为泥沙和水的比重；其他符号的含义同前。

式(3-7)与式(3-4)的公式结构和参数完全一致，仅仅是各参变量的指数略有差异。

式(3-4)反映了黄河的输沙特性。当水流挟带的含沙量很低时，水力参数对输沙能力起主导作用；当体积比含沙量 S_V 在 0.1～0.2 范围内，水力参数和含沙量对输沙能力都起作用；当 S_V 大于 0.2 时，含沙浓度起主要作用；特别是含沙量中颗粒小于 0.01mm 的沙量对输沙能力的影响非常强烈。有关高含沙水流的输沙能力问题，将在第四章作专题讨论。

二、水库排沙基本方程

在水库泥沙设计时，可以用输沙能力公式，从进库由上向下沿各库段进行冲淤计算。也可以用排沙能力，从排出的沙量反算库区冲淤量。

如前所述，水库的冲淤变化都服从于水流输沙能力，不论是冲刷还是淤积，应当遵循同一规律。在冲刷过程的水库排沙，如敞泄排沙、空库冲刷排沙，都可以用统一的关系式来表达。

将式(3-2)中各水力参数进行变换。令 $u = Q/A$，$J = \Delta H/L$，其中 A 为水库某断面的过水面积，ΔH 是某一回水长度的水位落差，L 为回水长度。考虑到 $AL = V$，V 为容积，一并代入式(3-2)中，则可写成

$$S_* = \frac{k}{g\alpha^2} \frac{Q}{V} \frac{\Delta H}{\omega_0} \left(\frac{R}{D}\right)^{1/3}$$

将上式两边乘以流量 Q，即得

$$Q_{s*} = \frac{k}{g\alpha^2} \frac{Q^2}{V} \frac{\Delta H}{\omega_0} \left(\frac{R}{D}\right)^{1/3} \tag{3-8}$$

若将式(3-8)定为出库输沙率 Q_{s*}，再将两边除以进库输沙率 Q_{si}，就可以得到水库排沙比的基本方程为

$$\frac{Q_{so}}{Q_{si}} = \frac{k}{g\alpha^2} \frac{\Delta H}{\omega_0} \left(\frac{R}{D}\right)^{1/3} \frac{Q_o}{S_i Q_i} \frac{Q_o}{V} \tag{3-9}$$

式中：S_i 为进库含沙量。

如将式(3-9)中的单颗粒沉速变换成群体沉速 ω_s，则式(3-9)可改写成

$$\frac{Q_{so}}{Q_{si}} = \frac{k}{g\alpha^2} \left(\frac{R}{D}\right)^{1/3} \frac{L}{\omega_0} \frac{Q_o}{Q_i} \frac{Q_o J}{V} \frac{e^{6.715 S_V}}{S_i} \tag{3-10}$$

式(3-10)就是水库排沙关系的统一基本方程。

我们依据三门峡水库实测资料，对式(3-10)进行简化后做了验算，验算关系见图3-7。

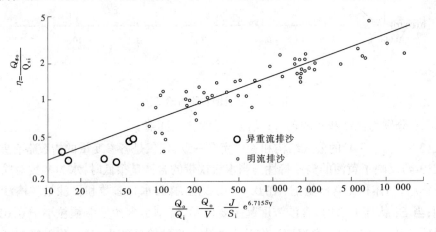

图 3-7 水库排沙基本方程(3-10)关系图

另外，从全沙单宽输沙能力公式(3-4)也可以求得排沙方程式。从式(3-4)推演，设出库单宽输沙率 q_{so} 等于 q_{s*}，令进库全沙单宽输沙率为 q_{si}，对式(3-4)两边除以进库全沙单宽输沙率，则可写成排沙关系式为

$$\frac{q_{so}}{q_{si}} = \frac{0.011\, 1 q_o^{1.6} J^{1.2} e^{6.715 S_V}}{D^{2/5} \omega_0 q_i S_i} \tag{3-11}$$

用三门峡水库的实测资料，按式(3-11)计算得到关系如图 3-8 所示。

式(3-11)是统一了冲刷与淤积的排沙公式。当进出库单宽流量相等时，水面比降起主要作用。一般来讲，在冲刷过程中，出库的单宽流量往往大于进库的单宽流量。因此，比降与流量共同起着主导作用。公式(3-11)是建立在水流输沙能力基础上的，因此比较合理。考虑到水流含沙浓度的特殊性对冲淤的影响，当水库发生高含沙水流时也能应用。采用单宽流量和单宽输沙率，不会因水面宽度变化而影响使用。

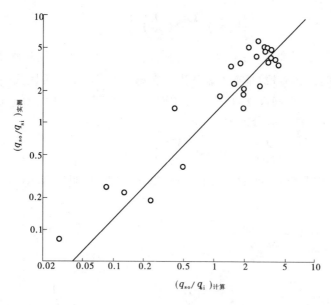

图 3-8　单宽输沙率排沙比

三、水库排沙的经验关系

式(3-10)和式(3-11)中,考虑的水力参数、库容等因素虽然比较全面,但在有些水库难以找到比较齐全的资料。因此,用经验关系式反而更简单、方便。

(一)壅水明流排沙

水库在壅水情况下,有异重流排沙和明流排沙两种排沙形式。关于异重流排沙,将在第三篇专门论述。

壅水明流排沙其主要特征是,在壅水情况下,坝区的水流流速和含沙量在垂线的分布与天然河道极其相似。进库的输沙量中有一部分泥沙运动到坝前排出库外。

1965 年,郭锐邦从水流输沙能力概念出发,首次建立了水库排沙比的经验公式,见图3-9 及式(3-12)。

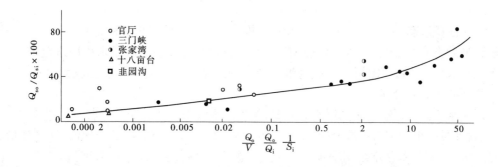

图 3-9　水库排沙比经验关系

$$\frac{Q_{so}}{Q_{si}} = f(\frac{Q_o}{V})(\frac{Q_o}{Q_i})\frac{1}{S_i} \qquad (3-12)$$

式中：Q_o/Q_i 反映水库的滞泄程度；V 为计算时段的库容，其值大小反映水库壅水程度；其他符号的含义同前。式(3-12)基本上表达出了影响水库排沙的主要因素。

水利电力部第十一工程局设计研究院，在 1969 年至 1972 年，为了三门峡水利枢纽第二期改建，提出的水库排沙经验公式为

$$\frac{Q_{so}}{Q_{si}} = -0.44\lg\frac{V}{Q_o}\frac{1}{J^{1/2}} + 0.82 \qquad (3-13)$$

根据三门峡水库实测资料，按式(3-13)计算，得到的相关图见图 3-10。

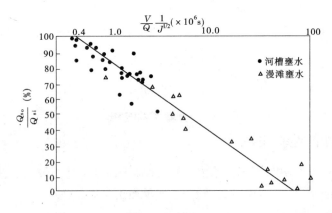

图 3-10　三门峡水库壅水排沙关系

(二)空库冲刷

空库冲刷排沙，是指在前期水库蓄水或者壅水发生淤积的前提下，水库水位大幅度下降，直至库区蓄水量全部泄完后发生的冲刷排沙。一般可出现沿程冲刷和溯源冲刷两种冲刷形式。有关这方面的内容，将在本章第五节论述。

第三节　水库淤积形态与特征

水库淤积形态，基本上分为三角洲淤积、锥体淤积和带状淤积三种类型。三角洲淤积发展到最后将演变成锥体淤积形态。带状淤积又有两种情况：一种是水库回水范围内有多条支流入库，形成淤积体接力，成为带状淤积；另一种是因水库水位变幅较大，是各个时段三角洲淤积的联合体。

影响水库淤积形态的主要因素有：来自流域的水沙条件及其变化特点，其中包括泥沙组成、含沙量大小和年内水沙分配；水库库容大小、库容与年均输沙量的比值；库区地形、库区组成、干支流库容分配；水库运用方式、水量调节周期、水库运用方式变更等。

一、三角洲淤积形态

三角洲淤积形态都发生在水头高、大库容、库容（V）与年均输沙量（W_s）比值

（V/W_s）大的水库,如河北省官厅水库、黄河上游刘家峡水库。图 3-11 是官厅水库淤积纵剖面图。

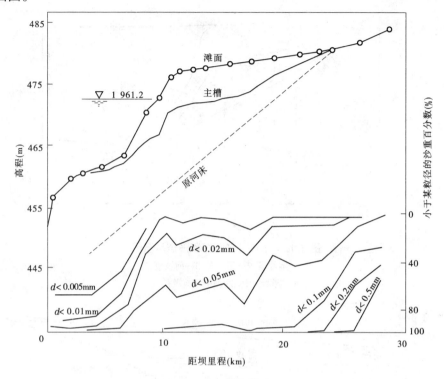

图 3-11 官厅水库淤积纵剖面

形成三角洲淤积形态的水库,一般讲都承担着防洪任务。为了预留防洪库容,水库在汛初都要将水库水位下降到汛期限制水位。7、8 两月是主汛期,进库的输沙量占全年沙量的 60％～80％。这期间,除了洪水进库时间短暂,库水位升降幅度相对来讲变化较小外,水库水位比较稳定,所形成的三角洲外形也比较规整。

这种淤积形态可划分为三角洲淤积尾部段、三角洲顶坡段、三角洲前坡段、异重流淤积段和坝前淤积段,坝前淤积主要是浑水水库沉积的结果。三角洲淤积形态见图 3-12。

二、锥体淤积形态

锥体淤积形态一般出现在低水头水利枢纽、多沙河流的支流中小型水库和高含沙河流上的大中型水库。大型水库三角洲淤积发展到最后,也会演变成锥体淤积形态。

黄河流域内处在黄土高原地区的支流,其特点是河道坡度陡、水库回水长度短,有80％左右的输沙量集中在洪水期。洪水进库以后,还来不及拣选,粗颗粒泥沙已被输送到坝区,形成锥体淤积形态。

无定河左岸支沟韭园沟小型水库就是一个典型例子,淤积形态见图 3-13。从图中可以看出,锥体淤积形态的特征是淤积上延幅度很小,其淤积过程基本上是平行抬高。在高含沙较大的洪水期,淤积末端还会发生冲刷,进而制约了淤积上延。

巴家嘴水库是修建在高含沙河流上的大型水库,其淤积形态也是锥体形态,淤积纵剖

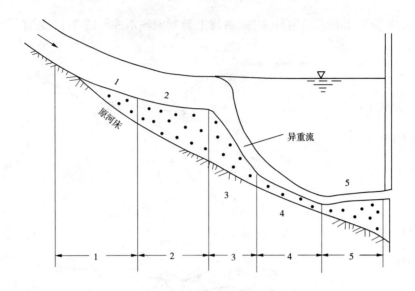

图 3-12　水库三角洲淤积形态示意图

1—尾部段；2—顶坡段；3—前坡段；

4—异重流淤积段；5—坝前淤积段

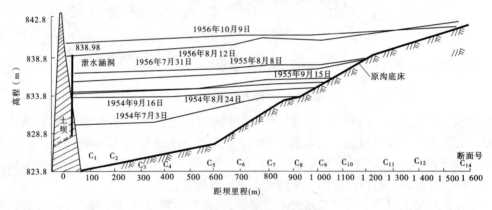

图 3-13　韭园沟水库淤积形态图

面见图 3-14。

　　巴家嘴水库淤积纵剖面与韭园沟水库纵剖面是相同的淤积形态,只是水库长度不同。

三、带状淤积形态

　　带状淤积形态多发生在少沙河流上,以吉林省丰满水库为例,在水库库区范围有几条支流汇入(辉发河、木箕河、漂河、拉法河及蚂蚁河等)。进库泥沙组成较细,$d<0.01$mm的沙重百分数一般在 37%～50%。库水位变化幅度为 10～20m。其淤积形态为锥体,图 3-15 是丰满水库淤积纵剖面和支流入汇位置。

　　山东省冶源水库,总库容 1.67 亿 m^3,流域产沙量约 100 万 t。水库淤积物的中数粒径为 0.02～0.32mm,D_{90} 在 0.05～0.14mm 范围。水库水位在汛初最低,进入汛期逐步抬高水位蓄水,每次洪水入库后,都淤积成一个小型三角洲,随着洪水进库的次数增加,库

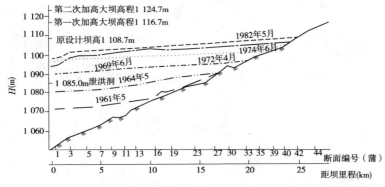

图 3-14 巴家嘴水库淤积纵剖面

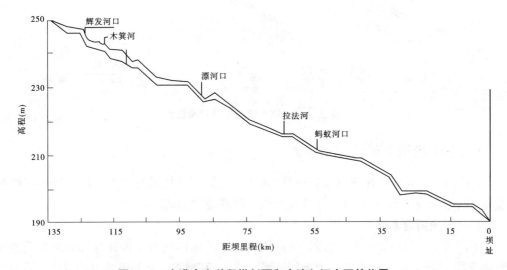

图 3-15 丰满水库淤积纵剖面和支流入汇库区的位置

水位相应上升,每一次洪水所淤积的小型三角洲的部位,与库水位的上升同时向上游移动。最后因小型三角洲由下而上相连接,形成锥体形态,图 3-16 是冶源水库历年淤积纵剖面。

根据许多水库的实测淤积资料,归纳出判别淤积形态指标如下:

三角洲形态

$$\left. \begin{array}{c} \dfrac{V}{W_s} \geqslant 2.0 \\[2mm] \dfrac{\Delta H}{H_o} \leqslant 0.15 \end{array} \right\} \tag{3-14}$$

锥体形态

$$\left. \begin{array}{c} \dfrac{V}{W_s} \leqslant 2.0 \\[2mm] \dfrac{\Delta H}{H_o} \geqslant 0.15 \end{array} \right\} \tag{3-15}$$

式中:V 为与汛期平均水位相对应的库容,m^3;W_s 为汛期进库总输沙量,t;ΔH 为汛期水位变幅,m;H_o 为汛期坝前平均水深,m。

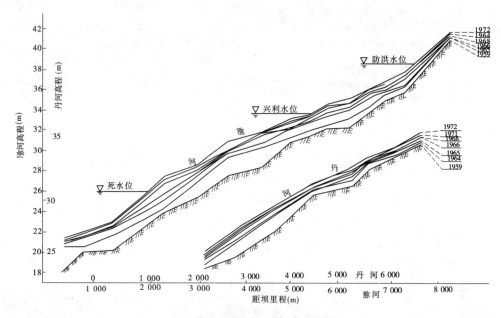

图 3-16　冶源水库历年淤积纵剖面

四、水库淤积上延机理和危害

水库淤积上延在水库中具有普遍性,其产生的原因是极其复杂的。既有进库泥沙特性和库区原始河道形态的作用,又有人类活动起到推波助澜的作用。

(一)平原河流水库

平原河流的特点是:河床物质以悬移质泥沙中的床沙质为主体并有部分冲泻质淤积形成,颗粒级配较细。在这类河流上修建水库之后,其淤积下来的泥沙也是以悬移质泥沙中的床沙质为主和部分冲泻质泥沙,淤积上延十分严重。之所以如此,是因为水库修建前后的河床组成粗细变化不大,从河流纵剖面的机理来看,河流纵比降 J 与河床组成 D 有较好的函数关系,即 $J=f(D)$。水库建成后淤积物组成略小于原河床的物质组成。因此,水库修建前的比降与水库建成后发生淤积的比降也变化不大。

山西省镇子梁水库修建在平原河流上,原河床比降 J_0 为 1.22‰,水库经过多年淤积以后,淤积比降 J_s 为 1.10‰,设计回水长度 9.0km,水库淤积以后,淤积上延到 15km。J_s/J_0 之比为 0.951。图 3-17 是镇子梁水库历年淤积纵剖面。

黄河三盛公水利枢纽是修建在宁蒙河段上的低水头枢纽,坝前壅水 10m 左右。原河床比降 0.17‰,淤积以后比降为 0.13‰左右,J_s/J_0 之比值为 0.765。在非汛期水库全部敞泄,冲刷后库区比降可以恢复到原河床比降。

从上述两座水库的实例可以看出,在平原河流上修建水利枢纽工程,其淤积上延长度是很大的。

(二)山区少沙河流水库

我国在山区少沙河流上修建了众多水库,北方有松花江丰满水库、东辽河支流浑河的

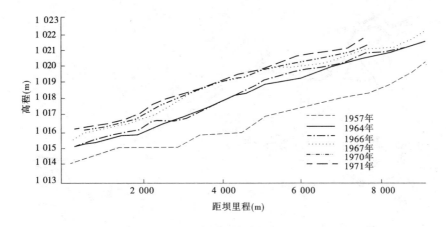

图 3-17　镇子梁水库淤积纵剖面变化

大伙房水库、黄河上游的刘家峡水库等;汉江流域有白龙江的碧口水库、浠水的白莲河水库、郁江的西津水库、大渡河的龚嘴水库、乌溪江的黄坛口水库等。

这些水库共同特性是原河床比降陡,一般都在 1.0‰以上;含沙量小,多年平均含沙量在$1.0kg/m^3$ 以下。因此,淤积末端的河床高程都不超过水库运用的最高水位。

(三)峡谷与川地共同组成的水库

黄河流域中的水库,其库区组成既有峡谷段又有川地开阔段,如青铜峡和三门峡水库。青铜峡距坝 8.3km 为峡谷段,河道窄深,在峡谷段以上为开阔库区,原河道主槽摆动不定,属于堆积性河道。三门峡水库潼关以下为峡谷河道,在潼关以上,小北干流为堆积性河流,在历史时期是淤积上升的;渭河下游是冲积性河流,原河道比降在 0.1‰～0.17‰,小于潼关以下原河道比降 0.3‰～0.35‰,受河流特性的影响,其淤积上延比较显著。

(四)人类活动对淤积上延的作用

官厅水库回水末端为桑干河和洋河汇流区,官厅水库库区平面见图 3-18。1975 年以前,淤积末端基本稳定。1975 年以后,当地群众为了与河争地,将洋河河宽从 2 000m 压缩到400m,并筑堤护滩。致使洋河上段形成"束水攻沙",大量泥沙冲起以后,输送到桑干河和洋河汇流区,堆积在官厅水库淤积末端,进而促使淤积末端上延。洋河实施缩窄河道以后,造成洋 4 断面以上发生冲刷,以下发生淤积,官厅水库上游淤积纵剖面见图 3-19。

从图 3-19 中可看出,洋 7 断面冲刷 1.0m 以上,洋 2 断面附近淤高 1.0m 以上。这种人为的缩窄河道引起水库淤积上延,使得水库回水区的上游增加浸没、淹没范围,给当地农业生产、人民生命安全带来诸多问题。

河道整治对河床冲淤的影响,国外已有先例。如美国的密苏里河,1950 年修建Cavins Point 坝以后,在下游开始进行河道整治,主要是束窄河道宽度(下游纵剖面图及整治前后断面变化见图 3-20 及图 3-21)。30 年以后,使上段冲深 3.0m,而下段淤厚 0.5～1.0m,引起上段地下水位下降和一系列的生态问题❶,这些经验教训值得借鉴。

---

❶　张启舜.官厅水库泥沙问题及其解决途径.1983 年 10 月

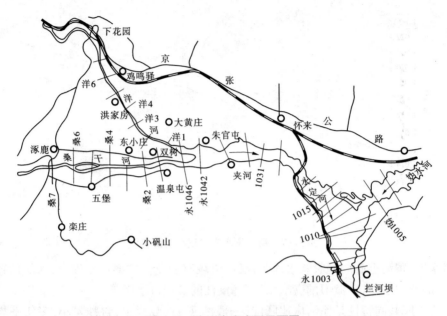

图 3-18　官厅水库库区平面图

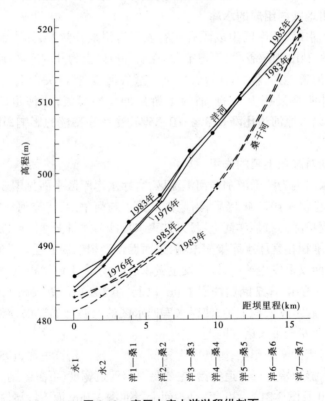

图 3-19　官厅水库上游淤积纵剖面

　　水库淤积上延问题十分复杂,它与原河床的比降和河床物质组成、进库的水沙条件(流量、含沙量的大小)、水库运用方式等多种因素密切相关。

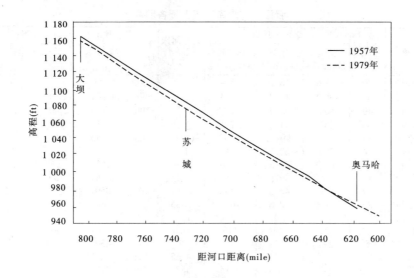

图 3-20 密苏里河水库下游纵剖面

（1ft＝0.304 8m，1mile＝1.609 3km）

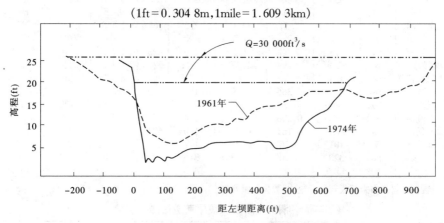

图 3-21 密苏里河河道整治前后断面变化

我国已建水库中观测资料比较完整的有 27 座水库，具体数据见表 3-6。

表 3-6 中所列出的水库，其中淤积上延最远达 98km，为三门峡水库渭河库区。渭河库区淤积上延的原因，可从河流特征方面进行分析。

渭河下游下段为冲积性平原河流，河道比降平缓；及至中段（临潼以上）河道比降陡然变陡，河床组成较粗，D_{50} 在 0.1mm 以上，间有小卵石；及至咸阳河流比降已接近 0.7‰（见表 3-7）。

渭河下游河道在华县以下河段，属于平原河流特性，其淤积呈接近水平抬升，沙王至临潼属于过渡性河流；而临潼以上河道受南山支流挟带大量粗颗粒泥沙和卵石进入渭河，其特性近似于峡谷河流。因此，在沙王以下库区属于平原河流水库淤积上延特性，而沙王以上则是多泥沙河流淤积上延特性。同样，潼关以上黄河小北干流的河道特性也属于堆积性游荡型河流，所以它的淤积上延也比较长。但是，黄河小北干流的原河道比降较大，为 0.35‰～0.65‰，因此它比渭河下游库区的淤积上延长度相对要短些。

表 3-6   我国已有水库淤积上延各因素

水库	河流	淤积年限(年)	多年平均值			天然河床坡降 J(‰)	坝高 H(m)	正常蓄水位下的原始库容 V($10^6 m^3$)	最高库水位水面回水长度 L_w(km)	淤积最远点距坝里程 L_s(km)	$L_s - L_w = \Delta L$ (km)
			流量 Q(m³/s)	含沙量 S(kg/m³)	入库总沙量 W_s(10^6t)						
官厅	洋河	30	16.6	18.3	26.4	3.0	50	1 200	25.5	36.5	11.0
官厅	桑干河	30	24.0	15.0	26.4	3.6	50	1 200	25.5	32.0	6.5
三门峡	黄河	40	984	32.9	1 230	0.39	106	7 150	140	196	56
三门峡	渭河	40	246	51.6	1 230	0.15	106	7 150	180	278	98
三门峡	北洛河	40	23.2	119.3	1 230	0.168	106	7 150	160	215	55
镇子梁	浑河(雁北)	24	2.3	62.9	5.14	1.2	14	36	9	15	6.0
闹德海	柳河	30	11.9	64.3	15.6	1.4	41.5	168	24	29	5.0
黑松林	冶峪河	13	0.45	49.8	0.7	11	45.5	8.6	3	3.3	0.3
红山	老哈河	17	34	46.8	43	0.61	31	850	35	54	19
册田	桑干河	25	16.3	32.8	16.7	1.05		580	27	33	6.0
孤峰山	三沙河	20		138		10.0		23	2	2.5	0.5
丹江口	汉江	13	1 200	2.92	115	0.6	97	17 450	181	185.6	4.6
碧口	白龙江	5	295	2.64	27.3	3	102	450	32.9	30	−2.9
水槽子	以礼河	23	19.3	2.45	1.42	4.65	36.9	9.58	6.6	6.6	0.0
石泉	汉江	5.5	342	1.23	7.15	0.74	65	470	67	70	3.0
青铜峡	黄河	5	1 030	7.2	202	0.707	42.7	606	35	37.5	2.5
刘家峡	黄河	10	834	3.31	82.4	2.5	147	5 740	56	52.5	−3.5
冶源	渼河	13	6	6.1	1.15	2.57	23.7	93.5	8	8.3	0.3
岗南	滹沱河	17	49	7.54	11.6	2.5	63	1 558	21.3	21	−0.3
冯家山	千河	3	15	9	4.3	3.85	73	389	16.6	17.3	0.7
二龙山	东辽河	15	9.5	7.03	2.1	1.5	28	1 760	20	18.1	−1.9
大伙房	浑河(辽宁)	6	52.3	0.9	1.37	1.27	52.3	1 410	35	35	0.0
丰满	第二松花江	16	434	0.21	4.8	0.75	90.5	8 110	149	128.6	−20.4
白莲河	浠水	18	36.9	0.365	1.5	1.2	69	800	44	41	−3.0
西津	郁江	16	1 600	0.288	10.3	0.1	41	1 400	170	156.3	−13.7
龚嘴	大渡河	8	1 530	0.698	24.5	1.4	85.5	310	42	35	−7.0
上犹江	上犹江	13	94.2	0.161	0.35	1.0	67.5	721	45	43.8	−1.2
黄坛口	乌溪江	5	101	0.16	0.41	1.1	44	91	23	19	−4.0
柘溪	资水	11	320	0.10	3.33	3.5	104	2720	150	138.8	−11.2
石门	澧河	8	43.6	0.93	1.48	4.3	88	105	16.2	15.7	−0.5

注:表中数据来自很多未正式刊印的论文,数据仅供参考。

表 3-7   渭河下游各河段原河道比降

河 段	河道比降(‰)	距潼关里程(km)*
咸阳—道口	0.699	180.9(道口)
道口—临潼	0.663	156.0(临潼)
临潼—沙王	0.205	116.0(沙王)
沙王—华县	0.154	77.3(华县)
华县以下	0.11	

注:* 表示 1976 年主河槽中心线。

水库的淤积上延,在水库规划设计时,因为对水库泥沙缺乏全面的认识,往往采用一般清水河流进行设计,只考虑设计洪水位可能达到的长度,而且一般是用水平长度代替。在多沙河流上,特别是在黄河中游地区的干支流上,水库修建后由于泥沙淤积与回水相互作用,使淤积末端逐渐上延。其结果是,在水库建成运用后,很快暴露出因为淤积上延促使水库的淹没、浸没面积增大的问题。如官厅水库因为淤积上延,先后两次增加投资,赔偿增加淹没地区的损失。

由于淤积上延,引起库区周边农田地下水位上升,土地盐碱化,居民房屋受损。三门峡水库渭河下游库区周边的农村,在水库蓄水初期就出现这类问题。因此,在多沙河流上修建水库之前,应当充分研究水库淤积上延可能带来的问题。

五、水库淤积在横断面上的形态

水库淤积在横断面上的形态是多样化的,它受流域来水来沙及其组成、水库运用方式的变更、库水位的高低,以及前期淤积形态和淤积量在沿程分布等多种因素的综合作用。根据水库情况有蓄水运用、蓄清排浑运用、高水头与低水位、低含沙与高含沙之分。下面举例说明。

(一)高水头蓄水运用水库淤积形态

永定河官厅水库,自1955年开始蓄水,坝前水深超过30m,至1957年汛后,已发展成三角洲淤积形态。在淤积三角洲顶点附近(1019断面),横断面仍保持一个主河槽,其余部分呈水平淤积。三角洲尾部段,主河槽略有摆动。三角洲顶点以下库区,横断面呈水平状淤积抬升。坝前段(1000、1008断面)是异重流浑水水库沉积结果,为水平状淤积上升(见图3-22)。

(二)滞洪排沙和蓄清排浑运用水库淤积形态

滞洪排沙和蓄清排浑运用的水库,在黄河干支流上比较多见,比较典型的是三门峡水库。

黄河三门峡水库,1964年汛期水库水位较高,达到320.28m,其中8、9两月的平均库水位达到322.27m。在距坝72km的黄淤31断面淤积成近似三角洲前坡的横断面形态;距坝42km的黄淤22断面和距坝15km的黄淤12断面与1960年相比,最大淤积厚度近20m,原主槽已淤积成盆状;黄淤36断面(距坝94km)塑造出新的主槽。三门峡水库各断面历年套绘图见图3-23。

随着水库运用方式的改变,横断面淤积形态也随之变化。三门峡水库由1962年4月改为滞洪排沙,又经过两次改建,库区发生强烈冲刷。至1973年汛后,各断面冲刷最深点接近原始河床底部,形成高滩深槽格局。1974年改为蓄清排浑运用以后,主河槽略有回淤,但滩槽分明。1986年以后,因来水来沙量变小,主河槽回淤较快,见图3-23。

(三)高含沙水库横断面淤积形态

巴家嘴是修建在高含沙河流上的大型水库,高含沙水流进入水库以后转化为高含沙异重流。异重流流量漫溢出主河槽以后,仍然可以呈蠕动状态流向水库各个角落,沉积后在横断面上呈水平状淤积。该水库在1964年汛前以及在1969年汛前都是蓄水运用,横断面淤成水平状,见图3-24。

1974年以后改为蓄清排浑运用,在断面上冲刷出一条主河槽。蒲1断面靠近坝前泄水洞,不仅冲出主槽,而且主槽两侧发生溜滩,形成三角形河槽形态。

(四)低水头枢纽横断面形态

盐锅峡水电站是一座低水头日调节电站。在上游刘家峡水库投入运用之前(1968年),流域来沙几乎全部进入盐锅峡库区,库区淤积严重。由于水库水位较低,库区呈明渠流状态,仍然有滩地与主槽之分。刘家峡水库自1968年汛后投入运用后,流域来沙几乎全部淤积在刘家峡库区,下泄清水进入盐锅峡库区,盐锅峡水库发生强烈冲刷,冲刷出来的主槽过水面积增大,主槽形态规整,淤积横剖面见图3-25。图中上部为刘家峡蓄水前冲淤形态,下部为刘家峡水库蓄水后的冲淤形态。

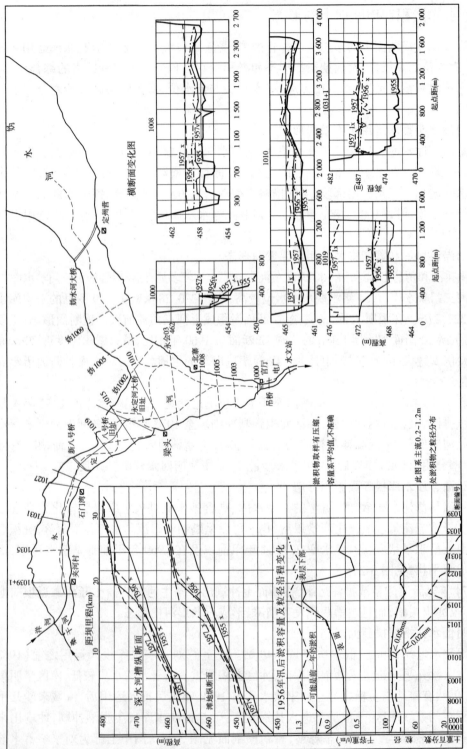

图 3-22 官厅水库淤积纵、横断面图

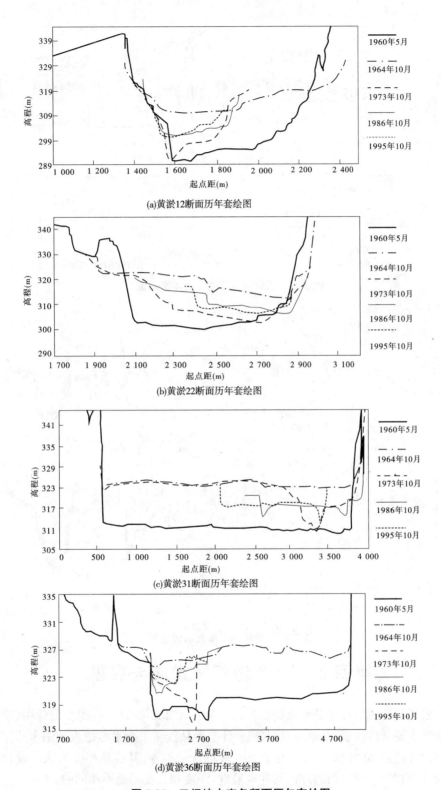

(a)黄淤12断面历年套绘图

(b)黄淤22断面历年套绘图

(c)黄淤31断面历年套绘图

(d)黄淤36断面历年套绘图

图3-23　三门峡水库各断面历年套绘图

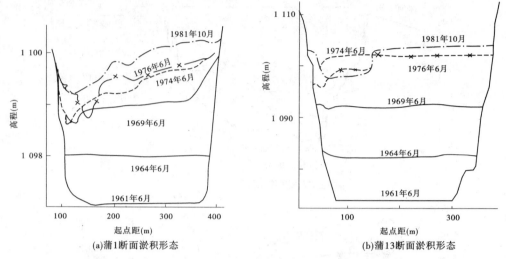

(a)蒲1断面淤积形态　　　　　(b)蒲13断面淤积形态

图 3-24　巴家嘴水库断面历年套绘图

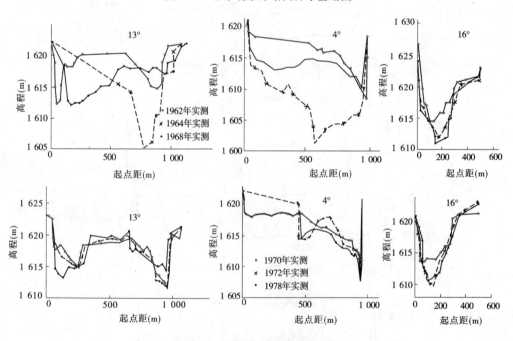

图 3-25　盐锅峡水库淤积横剖面

第四节　水库淤积物组成与容重

　　水库淤积物组成与容重是水库泥沙设计中的一项重要参数。在泥沙设计中,所采用的泥沙参数主要是输沙量,其单位是以吨(t)计。而从沙量平衡来考虑或预估水库淤积年限时,应将吨转换为立方米(m³)。由于泥沙颗粒直径不等,其容重相差较大。设计水库冲刷时,不同的淤积物组成和容重,其冲刷数量、深度和长度都是不相同的。

　　由于现有的观测仪器简陋和取样方法比较粗糙,淤积物组成沿程变化只能是定性的分析。

一、水库淤积物组成

(一)三门峡水库

三门峡水库的淤积物,在库区沿程变化具有一定的代表性。图 3-26 为三门峡水库蓄水运用(1961 年 10 月)、敞泄排沙运用(1962 年 10 月)、工程改建后的泄空冲刷运用(1973 年 10 月)和蓄清排浑运用(1982 年 10 月)等不同运用方式下的淤积物 D_{50} 沿程分布。从图中可以看出,在蓄水运用时期,D_{50} 自淤积三角洲顶点(黄淤 30 断面)向上逐渐变粗。敞泄排沙运用时期,水库是冲刷过程,冲刷以后的河床组成普遍粗化,但是靠近坝区仍受壅水影响,比壅水区以上的河床组成要细一些。在两期工程改建期间,潼关以下水库河槽库容冲刷近 10 亿 m^3,河床更加粗化。河床泥沙组成均在 0.1mm 以上。蓄清排浑运用期,因为非汛期蓄水淤积,汛期降低水位排沙,坝前水位仍保持在 302~305m 高程,与泄空冲刷时期相比,河槽仍有部分淤积,因此河床组成也相应细化。从图 3-26 中还可以看出,除泄空冲刷期以外,具有一定的规律性。而 1973 年 10 月的资料却有较大跳动,这是因为第二期工程改建经过近四年的长期冲刷,河槽冲刷下切幅度大,主流摆动激烈,有几个断面已经下切到原河床高程附近,因此 D_{50} 偏粗,但仍有一定的规律趋势。

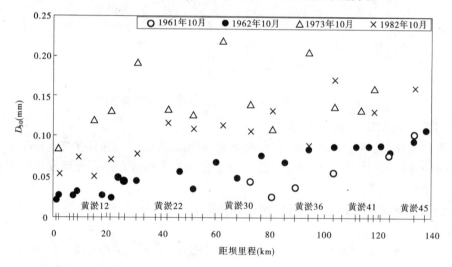

图 3-26　三门峡水库不同运用期淤积物 D_{50} 沿程变化

(二)盐锅峡水库

盐锅峡水电站为一低水头电站。运用初期,流域来沙中的粗颗粒泥沙大部分淤积在水库中。1968 年汛后,上游刘家峡水库蓄水以后,经过清水冲刷,河床泥沙组成粗化。经过淤积与冲刷两个过程,其淤积物组成在沿程的变化上,具有"淤"与"冲"的特殊规律。

在蓄水初期,特别在 1964 年汛期水大沙多,坝前壅水历时较长,坝区附近淤积物 D_{50} 相对较细,川地以上各段河床淤积物较粗。由于库容小,经过 1964 年汛期大淤,累积淤积量达到 1.54 亿 m^3。在剩余库容只有 0.6 亿 m^3 的情况下,库区已接近明渠水流,输沙能力得到一定程度的恢复。由于床沙交换的作用,库区沿程河床组成粗化,D_{50} 在沿程变化上趋于均匀。1968年汛后,刘家峡水库几乎将上游来沙全部拦截在库区而下泄清水。盐锅峡处在清水冲刷过程,河床组成进一步粗化。尤其在距坝10km范围,粗化更为明显(见图3-27)。从图3-27中可以看出,在不同来水来沙的条件下,D_{50}的沿程变化具有较好的趋势。

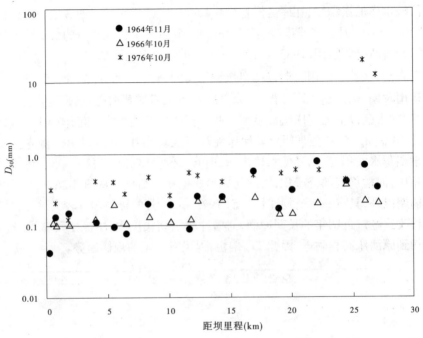

图3-27　盐锅峡水库不同时期淤积物 D_{50} 沿程变化图

(三)青铜峡水库

青铜峡水库,虽然处在刘家峡、盐锅峡下游,但相距较远,距盐锅峡约580km。区间又有多沙支流祖厉河(甘肃)、清水河(宁夏)汇入。进入青铜峡库区的泥沙组成较细,因此青铜峡库区淤积物也较细。

青铜峡水库在8断面以上的库区河道较为宽阔,淤积物 D_{50} 略细一些,在水库淤积末端库段要粗一些。

水库运用第一年(1967年),全库区淤积物都比较细,D_{50} 在 0.022～0.05mm 之间。经过四年淤积,至1971年汛后,库区累积淤积量达到 5.49 亿 m³,占总库容的90%,库区已经淤积成滩槽分明的格局,在一般情况下,洪水通过主槽,输沙能力增大,淤积下来的泥沙基本上是粗颗粒泥沙,河床组成粗化;至1979年汛期,库区累积淤积量已达到 6.27 亿 m³。除8断面以下峡谷区尚有0.3亿 m³ 调节库容外,8断面以上基本上恢复到天然河道状态,河床组成趋于稳定。青铜峡水库不同时期淤积物 D_{50} 沿程变化见表3-8。

(四)官厅水库

永定河官厅水库是一座常年蓄水大型水库。淤积形态包括坝前段、异重流段、三角洲前坡段、顶坡段和尾部段等五个库段。沿程淤积物组成的特征是非常典型的,沿程变化见图3-28。不同淤积部位的淤积物组成,见表3-9。

断面	距坝里程(km)	时间(年·月)		
		1967.10	1971.9	1979.9
2	2.08	0.025 4	0.046 9	0.094
4	4.32	0.041 4	0.055 3	0.125
6	6.12	0.028 5	0.045 8	0.081 3
8	7.77	0.023 7	0.065 2	0.124 7
10	10.07		0.033 3	0.067 2
12	12.64	0.054 2	0.020 0	0.062 0
15	16.21	0.022 4	0.038 0	0.093 7
18	19.47	0.043 2	0.017 3	0.079 0
20	21.89	0.031 8	0.035 5	0.105 0
22	25.55	0.050 5	0.089 4	0.129 0
24	28.77		0.102 4	0.098 0
26	32.23		0.080 5	0.090 0
28	34.49		0.223	0.115 0
30	37.54			0.179 0

表 3-8 　　　　　青铜峡水库不同时期淤积物 D_{50} 沿程变化 　　　　（单位:mm）

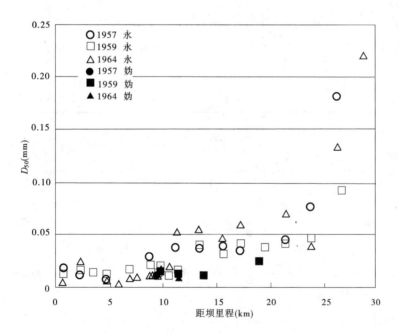

图 3-28　官厅水库淤积物 D_{50} 沿程变化

(五)巴家嘴水库

高含沙河流上的水库,受高含沙水流与异重流输沙能力极强的作用,水库淤积物组成在沿程的变化又具有比较均匀的特点。

巴家嘴水库是一座修建在高含沙河流上的大型水库,有 98% 的输沙率集中在洪水期。该库有蓄水拦沙、泄洪排沙和调水调沙三种运用方式,不同运用方式其相应的淤积物组成在沿程变化上也有一定差别。其中泄空冲刷期河床组成 D_{50} 略粗一些，而调水调沙和蓄水拦沙两种运用方式的 D_{50} 在沿程变化上基本相同，见图 3-29。

表 3-9　　　　　　　　　官厅水库历年各库段淤积物平均粒径统计　　　　　　　（单位:mm）

年份	三角洲淤积段			异重流淤积段	
	尾部段	顶坡段	前坡段	永定河库区	妫水河库区
1956		0.025 0	0.029 0	0.018 5	0.010 3
1957	0.145 0	0.039 7	0.034 5	0.014 1	0.017 8
1958		0.031 9	0.023 4	0.012 3	
1959	0.076 1	0.036 3	0.015 4	0.014 5	0.011 6
1960	0.107 0	0.033 6		—	—
1961~1962	0.432 0	0.066 7	0.044 2		
1963	0.119 0	0.052 2			—
1964	0.117 0	0.040 4	0.011 8	0.008 5	—
1965		0.086 6	0.032 9	—	—
1966		0.023 8			
1967	0.064 3	0.042 5			
1968		0.024 1	0.014 4	0.006 8	—
1969		0.075 3			
多年平均粒径		0.045 8	0.027 4	0.013 6	0.013 2

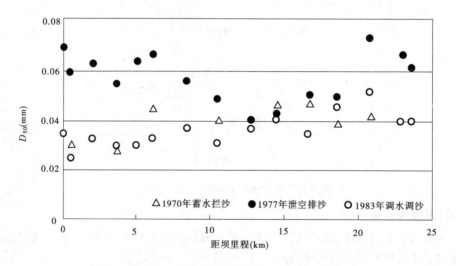

图 3-29　巴家嘴水库淤积物 D_{50} 沿程变化

二、水库淤积物容重

水库淤积物容重受泥沙在水库中的沉积历时、在水下或是暴露在水上、泥沙沉积深度以及进库泥沙组成等多方面的因素影响。

目前对淤积物取样的方法和使用的仪器尚不统一,缺乏统一的观测规范。因此,各水库所测出来的容重也难以统一,只能是定性地综合出较为粗略的数据。

三门峡水库在 1961 年,曾经采用同位素方法施测水下不同深度的淤积物干容重,其沿程分布见表 3-10[7]。

表 3-10　　　三门峡水库 1961 年同位素法施测水下不同深度淤积物干容重　（单位:t/m³）

断面号	距坝里程 (km)	各级水下深度(m)								垂线平均干容重
		0.5	1.0	1.5	2.0	3.0	4.0	5.0	6.0	
黄淤 2	2	0.92	0.91	0.98	1.12	1.00	0.94	1.22	1.15	1.05
黄淤 22	42		0.95	0.72	0.81	0.98				0.85
黄淤 31	72	1.03			1.07	1.32	1.31			1.17
黄淤 41	113	1.10	1.18	1.24	1.24	1.22				1.21
黄淤 43	119	1.08	1.46	1.54	1.54					1.44
黄淤 45	132	1.48								1.48

青铜峡水库在 1979 年实测的淤积物干容重见表 3-11。表 3-11 中的 D_{50} 与干容重的关系较为明显。而干容重在沿程的分布相差不大,这与青铜峡水库淤积物经常暴露在水面以上有一定关系。另外,在 1979 年,库区已经淤积近 90% 以上的库容,大量粗颗粒泥沙淤在库内,使干容重增大。

表 3-11　　　　　　　　青铜峡水库(1979 年)淤积物干容重

断面号	距坝里程 (km)	D_{50} (mm)	干容重 (t/m³)	断面号	距坝里程 (km)	D_{50} (mm)	干容重 (t/m³)
2	2.08	0.094	1.39	18	19.47	0.079	1.37
4	4.32	0.125	1.29	20	21.89	0.105	1.28
6	6.12	0.081	1.45	22	25.55	0.129	1.44
8	7.77	0.125	1.24	24	28.77	0.098	1.32
10	10.07	0.067	1.34	26	32.23	0.090	1.33
12	12.64	0.062	1.35	28	34.49	0.115	1.31
15	16.21	0.094	1.36	30	37.54	0.179	

官厅水库对淤积物干容重的观测历时较长,其中既有异重流淤积物干容重,又有三角洲淤积物干容重,还有妫水河库区和坝前段的异重流淤积物干容重,见表 3-12。从表中可以看出,坝前段和妫水河库区为异重流淤积物干容重,因淤积物组成很细,相应的干容

表 3-12

官厅水库各断面历年淤积物干容重统计

(单位：t/m³)

断面	拦洪时期								蓄水时期						多年平均干容重
	1953	1954	1955	1956	1957	1958	1959	1960	1961~1962	1964	1965	1966	1967	1968	
永1000		1.33	1.00	0.99	0.80	0.67	0.70							0.59	0.75
永1003		1.38		0.77	0.77	1.13	0.70							0.56	0.79
永1005	1.42	1.41	1.07				0.70							0.60	0.65
永1008		1.29	1.14	1.00	0.71	0.53	0.68							0.60	0.70
永1009	1.41	1.29												0.56	0.56
永会03		1.38		0.92	0.83	0.61	0.78							0.67	0.76
永会05	1.53	1.20												0.83	1.06
永1010		1.49	1.21	1.05	1.14	1.07	0.87		1.32		1.29			1.09	1.14
永1010+1			1.26			0.84	0.95		1.43		1.41	1.12		1.27	1.19
永1010+2						0.95	0.69	1.45	1.26		1.44	1.20		1.30	1.16
永1015		1.40	0.98	1.16	1.20	1.07	1.10		1.49		1.32			1.65	1.27
永1017+1(旧八号桥)	1.39				1.14		1.32		1.54						1.33
永1019		1.53	1.19	1.39	1.32		1.38	1.40	1.48			1.43	1.32		1.39
永1022+1(新八号桥)				1.36	1.32		1.36						1.45		1.38
永1027		1.58	1.31	0.91	1.33	1.28	1.40	1.49	1.53	1.50			1.66		1.37
永1031		1.67	1.36	0.99	1.38	1.42	1.48	1.38	1.40	1.59			1.25		1.35
永1035+1		1.72	1.56	1.38	1.47	1.50	1.51	1.40	1.44	1.55			1.53		1.48
永1039+1		1.62			1.45	1.52	1.46	1.48	1.46	1.62			1.55		1.50
永1042					1.48	1.55	1.60	1.53	1.54						1.55
永1046		1.58			1.67	1.58		1.62	1.53				1.51		1.59
洋001										1.55					1.55
妫1002			1.02	0.92	0.68		0.61								0.74
妫1005			0.92	0.89			0.67								0.78
妫1009				0.68			0.69								0.69
妫大桥							0.85								0.85
取样日期(年·月)	1953.11	1955.2~5	1956.5	1956.11~1957.3	1957.11~1958.2	1959.1~1959.5	1960.1~1960.5	1960.10~1961.5	1962.9~1963.5	1964.10	1966.5	1967.5	1967.9	1969.5	
全库平均	1.44	1.46	1.17	1.06	1.15	0.93	1.04								

注：1. 计算历年各断面平均干容重的资料均选择基本测次的实测资料；

2. 计算历年各断面的干容重的方法：先按算术平均法计算垂线平均干容重（若一垂线仅在一个深度取样，则该点的干容重即为垂线平均干容重），再按算术平均法计算断面平均干容重（若一断面仅在一条垂线取样，则该垂线的平均干容重即为该断面的平均干容重）；

3. 各断面平均多年平均干容重依算术平均法计算；

4. 历年各断面全库平均干容重的计算方法：拦洪运用时期，用算术平均法计算，蓄水运用时期则采用按淤积体积加权的方法计算。

重都在1.0t/m³以下；三角洲前坡段(1010～永会05断面)干容重在1.0t/m³至1.2t/m³范围；三角洲顶坡段(1015～1022断面)淤积物干容重在1.27t/m³至1.39t/m³范围；三角洲尾部段(1022断面以上)干容重由1.38t/m³上升到1.6t/m³。从表3-12中还可以看出，干容重在库区沿程变化具有一定的规律。它是常年蓄水大型水库淤积物干容重，是水库中淤积物干容重在沿程变化比较典型的例证。其中多年平均干容重的计算方法，考虑了水库运用方式和淤积体积加权，应当说是比较接近实际的。

巴家嘴水库由于高含沙水流的作用，淤积物组成(D_{50})或淤积物干容重在水库中的沿程变化不大，接近均匀(见图3-30)。

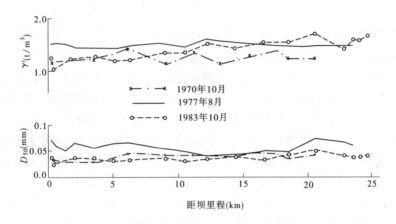

图3-30 巴家嘴水库 D_{50} 与干容重 γ' 沿程变化

少沙河流上的水库，推移质输沙量相对较多，在水库末端或变动回水区范围，都是推移质泥沙淤积物，淤积物组成更粗。进入常年壅水区都是悬移质泥沙，而且输沙量较少，淤积物 D_{50} 沿程变化不大。少沙河流水库淤积物 D_{50} 沿程变化见图3-31。

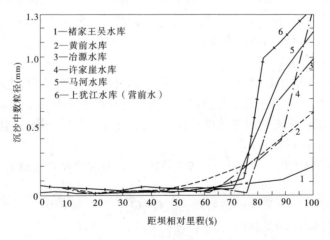

图3-31 少沙河流上水库淤积物 D_{50} 沿程变化

第五节 水库冲刷与排沙减淤

20世纪50年代，人们对水库泥沙问题的认识尚处在摸索阶段，对于如何保持长期可用库容、排沙减淤问题的重要性认识不足。1954年黄河规划委员会提出的"黄河技术经济报告"中，把泥沙全部堆积在死库容，设泥沙淤积比降为水平面；在枢纽工程布局方面，更没有设置排沙孔等建筑物。

1954年汛后，官厅水库出现淤积三角洲，淤积比降小于原河道比降，同时泥沙淤积部位并非全部堆积在死库容，它侵占了兴利或防洪库容中的很大一部分。在洪水期发生了异重流，异重流挟带的泥沙排出库外，排沙比在30%以上。这一情况给设计工程师们很大的启发。

如何利用水工建筑物排沙呢？经过调查研究，辽河支流柳河上的闹德海水库在大坝底部靠近原河床高程，均匀分布五个底孔作为泄洪兼排沙孔；中部设置两个中孔，顶部为溢流堰。在中枯水时，利用五个底孔泄流排沙；遇到洪水时，中孔可以泄流，底孔泄流排沙；遇大洪水（如1949、1963年）时，顶部溢流堰泄洪。其排沙效果较好。

20世纪60年代，三门峡水库蓄水后，暴露出泥沙淤积问题的严重性。因此，在此后的水库规划设计中，将水库冲刷与排沙减淤问题，与水工建筑（必须设置排沙孔）、水库运用方式紧密地结合起来。考虑到泥沙对水轮机组的淤堵和磨损等问题，青铜峡、天桥、万家寨和小浪底等水库，在电站坝段电站进水口两侧下方设置了排沙泄水孔（洞）。

为了减淤排沙，在水库运用方式方面也进行了经验总结并逐步完善。基本上都是采用非汛期蓄水，汛期结合本水库的进库水沙过程和输沙特性采取降低水位或短时间泄空冲刷排沙的方式。这一理论，已被小浪底、长江三峡水库在规划设计中采用。

一、水库排沙类型

水库排沙类型有蓄水条件下的异重流排沙、壅水条件下的异重流和明渠流排沙、敞泄滞洪时期的明渠流排沙、泄空条件下的空库冲刷排沙等。除异重流排沙（将在第三篇讨论）外，可归纳为壅水排沙和冲刷排沙。

（一）壅水明渠流排沙

当水库处在壅水状态时，壅水区平均水深不大而行进流速较大时，进库的大部分泥沙可以被输送到坝区，泥沙在垂线上的分布接近明渠流中的分布形式。大部分泥沙可以通过泄流洞（孔）排出库外，对这种形式的排沙，称之为壅水明渠流排沙。其排沙基本方程和经验关系式见式(3-12)和式(3-13)。

清华大学在吸取水利电力部第十一工程局设计研究院的经验基础上，提出经验公式：

$$\frac{Q_{so}}{Q_{si}} = f\left(\frac{V}{Q_o} \cdot \frac{Q_i}{Q_o}\right) \tag{3-16}$$

图3-32是式(3-16)的关系图，式中各项符号的含义同前。

（二）冲刷排沙

水库冲刷可分为沿程冲刷和溯源冲刷，这两种冲刷都与水库前期淤积、进库水沙条件和库水位下降幅度有密切关系。水库水位降低而产生的溯源冲刷与较大流量进库产生的沿程冲刷,往往是相互交错发生的。从水库运用角度来讲,当汛期入库流量增大时,沿程冲刷现象激烈。与此同时,为了排沙大幅度降低库水位,在发生沿程冲刷的同时又在坝区产生溯源冲刷。所以,出库输沙量与库水位降落幅度、进库流量大小成正比。

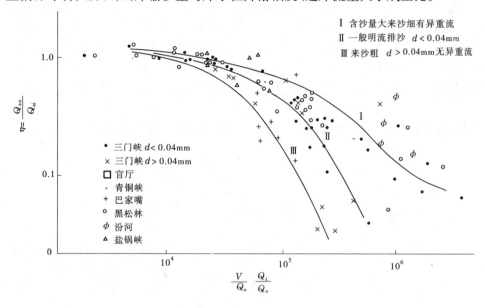

图 3-32　水库壅水排沙比经验关系图

1.沿程冲刷[2,8]

沿程冲刷是水流输沙能力不饱和的现象,它不仅在水库库区可以发生,而且在天然河道中也经常出现。从水流输沙能力来看,在一定的河道中,如果输沙能力大于上游来沙量时,河床将发生冲刷,是不饱和的输沙水流在沿程恢复饱和的现象。

水库中的沿程冲刷基于下述两个条件:一是发生在已经脱离了库水位影响范围以上的河段,其二是发生在前期淤积的基础上。

沿程冲刷的幅度一般来讲不是很大,三门峡水库 1974 年统计数据见表 3-13。

表 3-13　　　　　　　　　三门峡水库 1974 年沿程冲刷统计

项目		各断面水位(m)				潼关流量 (m³/s)
		潼关	坩垗	太安	北村	
观测时间 (月·日)	9.10	326.93	321.28	315.86	308.18	933
	10.10	326.47	321.13	315.60	308.04	950
冲刷厚度(m)		0.46	0.15	0.26	0.14	
起始比降(‰)			0.299		0.274	

注:表中是用同流量水位差代表冲刷厚度。

沿程冲刷的结果,会使某一特定断面形态发生变化。三门峡水库自 1964 年汛后至 1965 年汛前,水库一直处于敞泄排沙过程,沿程冲刷发展得非常充分,以潼关水文站为例,在流量相近的条件下,河道几何形态向窄深方向发展,水面比降和流速增大,河床断面有粗化趋势,潼关断面河槽形态与水力因子变化见表3-14。

表3-14 　　　　　　1964 年 11 月～1965 年 4 月潼关断面河槽形态与水力因子变化

日 期 (年·月·日)	Q (m^3/s)	B (m)	h (m)	J (‰)	U (m/s)	S (kg/m^3)	D_{50} (mm)
1964.11.23	1 790	582	1.72	0.163	1.78	14.1	0.125
1965.3.29	1 870	420	1.97	0.200	2.26	14.8	0.132
1965.4.23	1 750	435	2.33	0.209	1.81	16.0	0.129

沿程冲刷各河段之间的冲刷深度又有一定程度的相关,见图3-33。

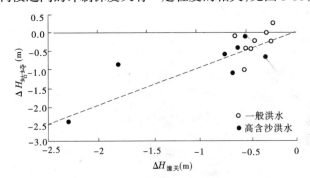

图 3-33 沿程冲刷厚度之间的关系

沿程冲刷厚度与水流能量 $\gamma'WJ$ 有较好相关关系,见图 3-34。图中 W 为统计时段内的水量,J 为水面比降,γ' 为浑水重率。

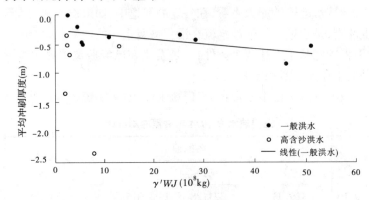

图 3-34 平均冲刷厚度与水流能量的关系

水利电力部第十一工程局设计研究院,在研究三门峡水库潼关垰垮段的输沙能力时,得出沿程冲刷经验关系式为

$$Q_s = 1.05 \times 10^5 [QJ]^2 \left[\frac{S}{Q} + 0.02\right]^{1.75} \tag{3-17}$$

式中:Q_s 为输沙率;Q 为时段平均流量;J 为水面比降;S 为时段平均含沙量。

青铜峡水库在 1981 年 9 月 5 日至 10 月 5 日期间,入库最大流量达 5 600m^3/s,先后开启各种泄流闸门,降低水位运行。共排沙 0.32 亿 t,排沙比为 186%,最大冲刷深度在 2.0m 以上,库区沿程都发生不同程度的冲刷,1981 年排沙过程及洪水沿程冲刷前后纵剖面见图 3-35 及图 3-36。

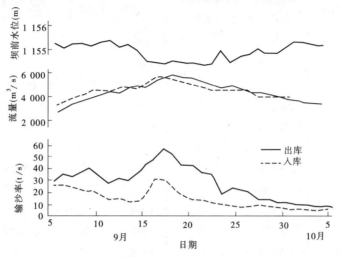

图 3-35　青铜峡水库 1981 年洪水排沙过程

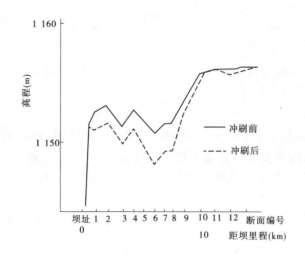

图 3-36　青铜峡水库 1981 年洪水沿程冲刷前后纵剖面(局部)

2.溯源冲刷

当水库水位下降速度大于河床变形速度,库水位低于三角洲或锥体淤积顶点附近床面高程时,将发生自下而上的冲刷,这种冲刷形式称为溯源冲刷,其冲刷厚度和冲刷数量由下而上沿程逐渐减少。

溯源冲刷主要从沿程冲淤量的变化、水面比降变化、沿程同流量水位、进出库输沙量差值或净冲刷沙量几方面判断。

溯源冲刷范围一般是从淤积三角洲顶点以下附近开始,向上游发展到与沿程冲刷相衔接为止。表 3-15 是三门峡水库蓄清排浑运用以来,各年溯源冲刷的范围、冲刷时段内平均流量和坝前水位小于 300m 高程的天数。

表 3-15 三门峡水库溯源冲刷范围及平均流量统计

年　份	最远断面	平均流量 （m³/s）	$H_史$＜300m （天数）	年　份	最远断面	平均流量 （m³/s）	$H_史$＜300m （天数）
1974	38	1 146	5	1988	36	1 760	9
1975	38	2 844	7	1989	37(2)	1 929	12
1976	36	3 004	3	1990	37(2)	1 314	24
1978	36	2 097	0	1991	33	575	31
1979	37(2)	2 043	0	1992	37(2)	1 232	26
1980	38	1 261	27	1993	36	1 314	27
1981	38	3 183	5	1994	36	1 254	10
1982	37(2)	1 729	6	1995	33	1 071	33
1983	37(2)	2 954	0	1996	35(2)	1 204	29
1984	36	2 653	8	1997	31	523	0
1985	36	2 194	10	1998	33	808	7
1986	34	1 263	14	1999	35(2)	896	6
1987	31	710	10	2000	34	688	4

注：$H_史$ 为坝上史家滩水位，代表坝前水位。

发生溯源冲刷时期内，其冲刷距离与来水量、坝前水位（用潼关至坝前比降代替）和前期淤积量有关。其经验关系式为

$$L = 70.3(W_{Q>1\,000}J_{2-41})^{0.09} + 16.3\Delta W_{s31-41} + 2.62 \qquad (3-18)$$

式中：$W_{Q>1\,000}$ 是指流量大于 1 000m³/s 的水量；ΔW_{s31-41} 是指黄淤 31 断面至黄淤 41 断面间在非汛期淤积量，因为蓄清排浑运用以来，非汛期水库水位回水范围一般都超过黄淤 31 断面，三角洲顶点在黄淤 31 断面上游附近。非汛期淤积量中的 60% 以上在黄淤 31—黄淤 41 断面之间。

溯源冲刷主要发生在大禹渡与垆埼之间，两个断面的冲淤厚度有一定的相关性，见图 3-37。

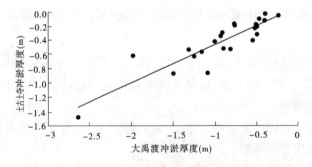

图 3-37　大禹渡与垆埼冲淤厚度关系

大禹渡(黄淤30)处在淤积三角洲顶点附近,坫埝处在非汛期淤积尾部段附近。因此,在同一次溯源冲刷过程中,大禹渡断面冲刷厚度大于坫埝断面冲刷厚度。表3-16是图3-37的冲淤厚度数据。

表3-16 三门峡水库溯源冲刷数据

时 段 (年·月·日)	潼关同流量 (m³/s)	同流量各断面冲淤厚度(m)				潼关平均流量 (m³/s)
		潼关	坫埝	大禹渡	北村	
1974.7.8~12	1 000	−0.1	−0.3	−0.9	−0.14	1 219
1975.6.30~7.10	1 000	−0.1	−0.43	−0.55	0.08	767
1975.7.22~8.4	1 000	−0.18	−0.65	−1.25	−1.2	2 947
1975.7.1~8.5	1 000	−0.54	−1.5	−2.63	−3.83	2 000
1976.7.5~8.7	1 350~1 390	0.04	−0.42	−1	−1.13	1 906
1977.7.18~24	1 000	−0.07	−0.54	−0.9	−0.55	865
1978.7.7~11	1 000	−0.03	−0.26	−0.53	−0.37	759
1978.7.11~8.4	1 000	−0.49	−0.87	−1.1	−1.05	1 673
1979.7.4~7.22	730~713	−0.07	−0.59	−1.16	−1.12	813
1981.6.25~7.1	500	−0.05	−0.07	−0.4	−0.5	357
1982.7.15~7.29	1 120~1 140	0.01	−0.07	−0.22	−0.25	1 249
1982.7.12~8.29	1 060~1 080	−0.23	−0.88	−1.49	−1.16	1 757
1983.6.28~7.14	1 660~1 600	−0.09	−0.35	−0.5	−0.63	1 481
1984.6.10~23	1 000	0	−0.14	−0.4		699
1985.6.23~7.10	1 000	−0.16	−0.24	−0.48		541
1990.6.19~6.30	897~848	−0.07	−0.13	−0.46	0.94	1 004
1991.7.24~8.7	1 000	−0.2	−0.22	−0.75	−2.67	996
1992.7.30~8.22	1 280~1 270	−0.28	−0.55	−0.8	−0.34	2 398
1993.7.31~8.12	1 000	0.49	−0.2	−0.5	−0.2	2 109
1994.8.5~8.20	1 000	−0.25	−0.55	−1.3	−3.55	2 423
1995.7.25~8.10	1 470~1 420	−0.23	−0.35	−0.93	−3.35	1 588
1996.7.16~7.25	1 260	0.04	−0.2	−0.76	−2.76	1 280
1996.7.27~8.22	1 190~1 180	−0.41	−0.63	−1.98	−2.06	2 115

青铜峡水库,为了减少淤积扩大库容,曾经进行过两次降低坝前水位冲刷试验,其性质为溯源冲刷。1973年10月15日至25日,坝前水位下降3.4m,净冲刷量为1 036万m³;1980年9月25日至10月3日,坝前水位下降6.26m,净冲刷量为1 658万m³。排沙耗水量分别为19.5亿m³、14.8亿m³。两次溯源冲刷的有关数据见表3-17。

水利电力部第十一工程局设计研究院,根据三门峡水库实测资料建立了经验关系式:

$$\dot{Q}_s = 250(QJ)^2 \tag{3-19}$$

式中符号的含义同前。

表 3-17　　　　　青铜峡水库两次溯源冲刷率与诸因素关系

时间		水位 H (m)	较设计蓄水位降低值(m)	冲刷流量(出库)(m/s)	水量(亿 m^3)	净冲刷量(万 m^3)	冲刷率(t/s)	冲刷每立方米泥沙耗水量(m^3)
年·月	日							
1973.10	15	1 154.48	1.52	2 740	2.37	184	23.4	129
	16	1 153.33	2.67	2 290	1.98	193	24.5	102
	17	1 153.04	2.96	2 220	1.92	194	24.6	99.0
	18	1 154.16	1.84	2 190	1.89	56.4	7.18	335
	19	1 153.07	2.93	2 270	1.96	165	21.1	119
	20	1 153.19	2.81	1 780	1.54	37.7	4.80	408
	21	1 153.28	2.72	1 910	1.65	48.7	6.20	339
	22	1 152.90	3.10	1 730	1.49	40.8	5.20	365
	23	1 153.60	2.40	1 940	1.68	47.5	6.05	354
	24	1 153.48	2.52	1 690	1.46	34.4	4.38	424
	25	1 153.48	2.52	1 850	1.60	35.0	4.46	457
1980.9	25	1 155.40	0.60	1 510	1.30	166	21.1	78.3
	26	1 153.77	2.23	2 110	1.82	235	29.9	77.4
	27	1 153.00	3.00	1 770	1.53	300	38.1	51.0
	28	1 152.70	3.30	2 050	1.77	382	48.5	46.3
	29	1 152.34	3.66	2 080	1.80	253	32.2	71.1
	30	1 153.52	2.48	2 020	1.74	138	17.5	126
1980.10	1	1 153.10	2.90	1 950	1.68	99.1	12.6	170
	2	1 153.30	2.70	1 820	1.57	58.1	7.40	270
	3	1 154.11	1.89	1 810	1.56	27.2	3.46	574

陕西省水利科学研究所,采用下列四个方程联解:

$$u = \frac{1}{n}h^{2/3}J^{1/2} \qquad\qquad Q = Bhu$$

$$Q_s = QS \qquad\qquad S_* = k\frac{u^3}{gh\omega}$$

得到溯源冲刷公式:

$$Q_s = \varphi Q^{1.6}J^{1.2} \qquad\qquad (3\text{-}20)$$

$$\varphi = \frac{k}{gB^{0.6}n^{2.4}\omega}$$

式中:B 为水面宽度,m;n 为曼宁系数;其他字母的含义同前。

式(3-20)实际上是一般河流的输沙能力方程,在这里只是对系数 φ 作了调整。沿程冲刷时,φ 取 3.0;溯源冲刷时,φ 取 10。

式(3-19)及式(3-20)通过三门峡水库 1972 年以前的资料得到验证。

第六节　水库泥沙冲淤形态计算方法[1]

水库的冲淤形态是水库泥沙设计工作中的重要组成部分。它关系到水库的综合效益、水库寿命、枢纽工程布局和水库管理和运用方式等方面。

冲积河流受流域的来水来沙对河床的作用,河床对水流泥沙的反作用,经过长时期的塑造和不断的调整,形成了一个较为稳定的河流纵剖面和横断面。水库的冲淤演变所造成的纵剖面和横断面的形态,仍然属于天然河流形态范畴之内,只是水库中的冲淤形态在演变过程中,其变化幅度大、演变强度大、调整过程较短、变形速度快。

当水库冲淤发展到终极阶段,库区河道再造床的过程接近尾声或即将完成,流域来水来沙可以全部通过水库,纵向和横向的形态已经基本上达到了稳定状态。如果水库的运用方式变更或流域的来水来沙受到人类活动的作用而发生变化,库区在淤积(冲刷)全过程会出现冲刷(淤积),倘若这种冲刷(淤积)过程维持较长时间,经过再一次的塑造和调整,会再出现冲刷(淤积)稳定的形态。

一、淤积形态计算方法

当水库淤积三角洲的顶点发展到坝区时,三角洲的前坡形态已经被坝前冲刷漏斗所代替,此时水库淤积进入尾声,水库淤积纵剖面将呈现出一条接近光滑的下凹型曲线,即相对平衡的纵剖面。在某一级流量条件下,横断面有一个稳定河宽和正常水深。

(一)水库淤积总长度

水库淤积总长度,是指水库淤积末端断面至坝址的水平长度,参见图 3-38。

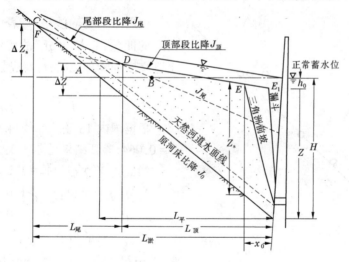

图 3-38 水库淤积纵剖面示意图

设水库淤积总长度为 $L_{淤}$(即 L_s),则

$$L_{淤} = L_{尾} + L_{顶} = \frac{\Delta Z_s + H}{J_0} \tag{3-21}$$

$$L_{尾} = \frac{\Delta Z}{J_0 - J_s}$$

$$L_{顶} = \frac{(H - h_0) - \Delta Z}{J_0 - J_{顶}}$$

式中:$L_{尾}$ 为淤积尾部段长度;$L_{顶}$ 为淤积顶坡段长度;ΔZ_s 为淤积上延高度,它是淤积末

端断面的高程与正常蓄水位高程之差值;H 为坝前正常蓄水位与原河床高程的差值;J_0 为原河床比降;$J_尾$ 为尾部段淤积比降;$J_顶$ 为三角洲顶坡段淤积比降;h_0 为正常水深;Z 为坝前或锥体淤积顶点的淤积厚度;ΔZ 为三角洲顶坡段与尾部段交界处的淤积厚度。

(二)水库淤积上延高度

水库淤积上延,是水库淤积纵剖面的组成部分之一。实际上它的尾部段淤积长度与原河床比降的乘积很接近,很多论文中将淤积上延高度称之为"翘尾巴"高度。

设正常蓄水位时,库水位平交于原河床的交点为 A,A 点至坝址长度为 $L_平$,则

$$L_平 = \frac{H}{J_0} \tag{3-22}$$

$$\frac{L_淤}{L_平} = \frac{\dfrac{\Delta Z_s + H}{J_0}}{\dfrac{H}{J_0}} = 1 + \frac{\Delta Z_s}{H} \tag{3-22'}$$

式中符号的含义同前。式(3-22′)是淤积上延高度表达式。为了能够用于计算,对式(3-22)需要进一步求解。

单宽流量在单位时间内所能提供的水流功率为 $\gamma' q J_0$。其中 γ' 为浑水容重;q 为单宽流量。

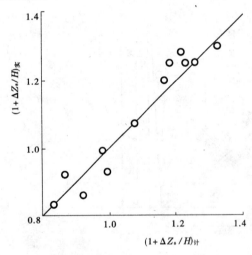

图 3-39 公式(3-23)验证

用进库单宽输沙率 q_s 表示水流输沙所需要的能量,它与 $\gamma' q J_0$ 的比值可表征淤积上延高度的物理成因,可写成如下关系式:

$$1 + \frac{\Delta Z_s}{H} = a \left(\frac{q_s}{\gamma' q J_0} \right)^b \tag{3-23}$$

根据国内 13 座水库资料求得 $a = 0.93$,$b = 0.064$,验证结果见图 3-39。

当 $a[q_s/(\gamma' q J_0)]^b = 1.0$ 时,$\Delta Z_s = 0$;

当 $a[q_s/(\gamma' q J_0)]^b > 1.0$ 时,$\Delta Z_s > 0$;

当 $a[q_s/(\gamma' q J_0)]^b < 1.0$ 时,$\Delta Z_s < 0$。

式(3-23)的资料范围:ΔZ_s 为 $-22.0 \sim 12.5$m;H 为 $12.0 \sim 65.0$m;J_0 为 $0.28‰ \sim 2.28‰$。

(三)三角洲尾部段淤积比降

当水库淤积达到冲淤平衡以后,尾部段河道的输沙能力已经恢复到建库前的输沙能力。

用式(3-4)分析建库前后输沙能力变化与河床比降调整的关系。

设建库前输沙能力为

$$\left[q_{s*} = \varphi \frac{q^{1.6} J^{1.2}}{D^{2/5} \omega_0} e^{6.72 S_V} \right]_0$$

建库后,冲淤已经达到平衡的输沙能力为

$$\left[q_{s*} = \varphi \frac{q^{1.6} J^{1.2}}{D^{2/5} \omega_0} e^{6.72 S_V}\right]_{\text{尾}}$$

冲刷平衡以后，输沙能力已全部恢复，则

$$\left[q_{s*} = \varphi \frac{q^{1.6} J^{1.2}}{D^{2/5} \omega_0} e^{6.72 S_V}\right]_0 = \left(q_{s*} = \varphi \frac{q^{1.6} J^{1.2}}{D^{2/5} \omega_0} e^{6.72 S_V}\right)_{\text{尾}} \tag{3-24}$$

从长时段考虑，进入水库的流量和含沙量、泥沙沉降速度，可假定是不变或变化很小，式中的 q、S_V、ω_0 可以消除。则式(3-24)可写成

$$\left(\frac{J^{1.2}}{D^{2/5}}\right)_0 = \left(\frac{J^{1.2}}{D^{2/5}}\right)_{\text{尾}} \quad \text{或} \quad J_{\text{尾}}^{1.2} = \left(\frac{D^{2/5}_{\text{尾}}}{D^{2/5}_0} J^{1.2}\right)$$

令 $\left(\frac{D_{\text{尾}}}{D_0}\right)^{2/5} = N$，则式(3-24)可写成

$$J_{\text{尾}} = N J_0 \tag{3-25}$$

式(3-25)实际上是反映由于淤积以后河床组成细化，引起比降减小。根据国内15座水库的资料，求得 N 值为 0.68，见图3-40。

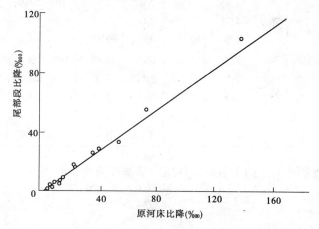

图 3-40　尾部段比降与原河床比降关系

陕西省水利科学研究所，将原河床比降与三角洲顶坡比降之和取其 1/2 为尾部段比降，即 $J_{\text{尾}} = (J_0 + J_{\text{顶}})/2$。

(四)三角洲顶坡段淤积比降

水库三角洲顶坡段淤积比降有方程联解和经验关系两种方法。

1. 方程联解法

1960年初，侯晖昌教授首先提出用三个方程式联解求出三角洲顶坡段淤积比降：

阻力方程：　$u = \frac{1}{n} h^{2/3} J^{1/2}$

挟沙方程：　$S_* = k \frac{u^3}{gh\omega}$

连续方程：　$q = uh$

令 $n = A_n D^{1/6}$，$\omega = A_\omega d^2$，求得顶坡比降公式为

$$J_s = A_* \frac{S^{5/6} d^{5/3} D^{1/3}}{q^{1/2}} \tag{3-26}$$

式中：A_n 为河床质粒径 D 与曼宁系数 n 关系系数；A_ω 为沉速与悬沙粒径相关系数；A_* 为平行比降综合系数；q 为单宽流量；d 为悬移质中数粒径；k 为挟沙能力综合系数；g 为重力加速度；ω 为泥沙沉降速度；S_* 为挟沙能力；D 为河床质中数粒径；u 为平均流速。

将 A_n 及 A_ω 合并为 A_*。由于水库或河道的纵剖面或比降是水沙因子经过长时期塑造形成的。因此，式(3-26)中的水沙因子应当是多年平均值，所以 A_* 也应是多年平均值。A_* 的确定见表 3-18。从表 3-18 中可以看出，A_* 值的范围在 $(1.21 \sim 1.68) \times 10^4$，其平均值为 1.39。

表 3-18　　　　　　　　　　比降计算系数 A_* 数值

位置	站名	Q (m^3/s)	B (m)	q $(m^3/(s \cdot m))$	d_s $(10^{-3}m)$	D_b $(10^{-3}m)$	$d_s^{5/3}$ $(10^{-8}m)$	$D_b^{1/3}$ (m)	S (kg/m^3)	$S^{5/6}$ (kg/m^3)	J $(‰)$	A_* (10^4)
渭河下游	华县	588	240	2.45	0.02	0.070	1.45	0.040	64.0	32.0	1.600	1.40
黄河	三门峡水库	3 600	760	4.72	0.023	0.045	1.80	0.036	78.3	38.0	1.670	1.47
永定河	官厅水库	—	—	1.16	0.025	0.032	2.14	0.032	80.0	38.5	4.300	1.68
渭河上游	咸阳	340	146	2.38	0.031	0.310	3.05	0.068	50.9	26.5	4.750	1.37
黄河下游	高村	3 500	685	5.11	0.036	0.060	3.80	0.039	34.5	19.1	1.575	1.26
黄河下游	艾山	3 500	357	9.8	0.034	0.060	3.50	0.039	33.0	18.5	0.975	1.21
黄河下游	利津	3 250	362	8.99	0.035	0.060	3.70	0.039	29.0	15.5	0.975	1.30
水槽试验	河渠所	0.020	0.50	0.04	0.065	0.100	10.60	0.046	8.6	6.0	21.00	1.43

武汉大学谢鉴衡院士用四个方程联解求出平衡比降关系式为[9]

$$J = \frac{n^2 \zeta^{0.4} S^{0.73/m} \omega^{0.73} g^{0.73}}{k^{0.73} Q^{0.2}} \tag{3-27}$$

式中：ζ 为河相关系数。

我们用水流输沙能力式(3-4)求得顶坡比降关系式为

$$J_顶 = 45.5 \frac{D^{1/3} (S_i \omega_0)^{5/6}}{q^{1/2} e^{5.6 S_V}}$$

令 $\omega_0 = A_{\omega_0} d^2$，代入上式，则可写成

$$J_顶 = 45.5 A_\omega^{5/6} \frac{D^{1/3} d^{5/3} S_i^{5/6}}{q^{1/2} e^{5.6 S_V}} \tag{3-28}$$

根据国内水库和室内水槽试验，求得：$45.5 A_\omega^{5/6} = 1.3 \times 10^{-4}$。验证结果见图 3-41。

式(3-28)的资料范围：J_s 为 $0.3‰ \sim 21‰$；q 为 $0.04 \sim 9.8 m^3/(s \cdot m)$；$S$ 为 $1.14 \sim 78 kg/m^3$；D 为 $0.045 \sim 0.31 mm$；d 为 $0.02 \sim 0.065 mm$。

中国水利水电科学研究院，在总结我国南方水库淤积时，用联解方程求得淤积比降公式为

$$J_顶 = \frac{(k_2/m)}{Q^{3/7}} \left(\frac{A\gamma'}{\gamma} D + Bq'' q_{sb}^{2/3} \right)^{10/7} \tag{3-29}$$

式中：k_2 为河相关系数；γ' 为泥沙在水中容重；q_{sb} 为水下重量推移质输沙率；A、B 为待定系数；其他符号的含义同前。

2. 经验关系法

中国水利水电科学研究院泥沙所，根据国内 11 座水库资料，考虑河宽的影响，求出顶坡淤积比降经验公式为

$$J_顶 = 1.28 \times 10^{-4} \left(\frac{S\omega_0}{q^{0.6}} \right)^{0.81} \quad (3\text{-}30)$$

黄河水利科学研究院也求得类似经验公式为

$$J_顶 = 0.16 \left(\frac{S}{Q} \right)^{0.96} D_{50}^{1.2} \quad (3\text{-}31)$$

成都勘测设计院，考虑了流域来沙组成对淤积比降的影响，根据国内 14 座水库资料，提出的经验公式为

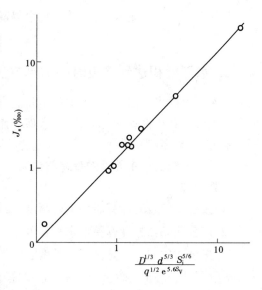

图 3-41 式 (3-28) 验证

$$\frac{J_顶}{J_0} = 19.5 \left(\frac{d}{D} \right)^{0.1} \left(\frac{1}{HV} \right)^{0.15} \quad (3\text{-}32)$$

式中：d 为进库悬移质中数粒径；D 为库区原河床的床沙中数粒径。

（五）三角洲前坡比降

挟沙水流进入库区以后，在尾部段经过第一次拣选，部分粗泥沙落淤在尾部段，剩余泥沙基本上通过三角洲顶坡段进入前坡段。泥沙在前坡进行第二次拣选，大量粗颗粒泥沙发生淤积的同时又发生异重流。

前坡段水深较大，特别是它的下段近似静水区。泥沙在本库段的沉降距离，一是受三角洲顶点以下的流速大小所支配，二是由泥沙颗粒的沉降速度所决定。在多沙河流上的水库，泥沙在前坡上的沉降速度，不是单一颗粒沉降，往往是群体沉降。

从异重流产生的理论来讲，水流存在密度差而且又有细颗粒泥沙时，异重流可随时发生。只是异重流产生之后，其运行距离决定于异重流自身的能量大小能否克服沿程阻力。考虑了上述水流参数和河床组成以及群体沉降等因素，可以建立下述关系式：

$$J_前 = \zeta \frac{D_{50}^{0.6}}{Q^{0.24} e^{4.0S_v}} \quad (3\text{-}33)$$

式中：ζ 为待定系数，根据实测资料求得为 270。对式 (3-33) 验证，见图 3-42。

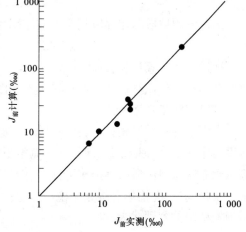

图 3-42 前坡比降验证

此外,用国内 11 座水库实测资料,求得前坡比降与原河道比降之间的经验关系式为

$$J_{前} = 1.6 J_0 \tag{3-34}$$

二、水库淤积达到终极时的估算方法[10]

水库以上的集水面积,泥沙源源不断而来,有限的库容难以容纳无限的泥沙,水库总要有一天淤满并逐渐达到终极状态,水库寿命必将告终,淤积上延也随之逐渐停止。而淤积的最远点(最高点)对泥沙设计工作是必须进行估算的条件。

(一)淤积纵剖面主要参数计算与绘制

计算步骤:

(1)按公式(3-23)计算淤积上延高度 ΔZ_s;

(2)按公式(3-22)计算蓄水水平长度 $L_{平}$;

(3)按公式(3-21)计算淤积总长度 $L_{淤}$。

分别用式(3-25)、式(3-28)、式(3-33)推求淤积尾部段、顶坡段和前坡段比降。

计算三角洲顶点距坝址长度 x_0,依据图3-38可用下式计算:

$$x_0 = \frac{H - h_0 - Z_0}{J_0} = L_{前} \tag{3-35}$$

式中:Z_0 为泄流孔底槛高程;h_0 可用曼宁公式求得。

三角洲顶点的淤积厚度 Z_s 可用下式计算:

$$Z_s = H - h_0 - x_0 J_0 \tag{3-36}$$

三角洲顶坡长度为

$$L_{顶} = \frac{Z_s - (J_0 - J_{尾})(L_s - x_0)}{J_{尾} - J_s} \tag{3-37}$$

三角洲尾部段长度为

$$L_{尾} = L_s - L_{顶} - L_{前} \tag{3-38}$$

三角洲顶坡段与尾部段相交处的厚度为

$$\Delta Z = (J_0 - J_{尾}) L_{尾} \tag{3-39}$$

通过上述步骤计算,可将图 3-38 所表示的各项参数全部求得,再根据计算结果,就可以绘制出水库淤积终极状态的淤积纵剖面图。

(二)河槽横断面形态

水库中的断面河相关系,在泥沙设计与计算中占有相当重要的位置。横断面的稳定程度与床沙组成、河床的纵向和横向调整幅度大小有直接关系。如果采用单宽输沙率 q_s 表示水流输送泥沙所需要付出的能量,则 $\gamma' q J$ 可以表示水流本身可以提供的能量。当两者能量相当时,河槽形态将处于稳定状态;否则将发生冲淤变化。以无量纲的形式给出表示河槽稳定的判别式为

$$\frac{\sqrt{BD}}{H} = \zeta \left[\frac{q_s}{\gamma' q J} \right]^a \tag{3-40}$$

苏联学者 M.A.维利康诺夫曾经给出无量纲形式的河相关系式为

$$B = A_1 D \left[\frac{Q}{D^2 \sqrt{gDJ}} \right]^{x_1} \tag{3-41}$$

$$H = A_2 D \left[\frac{Q}{D^2 \sqrt{gDJ}} \right]^{x_2} \tag{3-42}$$

上述(3-41)和(3-42)两式只考虑了在清水水流条件下的河相关系,在挟沙水流的河槽中,由泥沙带来的问题要比清水河流复杂。用上述两式计算我国许多河流的河相关系时,其指数系数的变化范围较大(见表3-19)。

表3-19   式(3-41)、式(3-42)系数指数

河　流	A_1	A_2	x_1	x_2
长江荆江段	1.16	0.16	0.39	0.38
华北、东北游荡性河流	15.60	0.27	0.39	0.33
苏联河流	5.60	0.29	0.40	0.35

从我国许多河流泥沙的实际情况可以看出,河相关系不仅是水流与河床相互作用的结果,而且与水流中所挟带的泥沙和河床的组成有很重要的关系。从这一基本概念出发,给出了如下的无量纲形式的河相关系式:

$$\frac{B}{D} = a_1 \left[\frac{Q}{D^2 \sqrt{gDJ}} \right]^{b_1} \left[\frac{q_s}{\gamma' qJ} \right]^{c_1} \tag{3-43}$$

$$\frac{H}{D} = a_2 \left[\frac{Q}{D^2 \sqrt{gDJ}} \right]^{b_2} \left[\frac{q_s}{\gamma' qJ} \right]^{c_2} \tag{3-44}$$

$$\frac{A}{D^2} = a_3 \left[\frac{Q}{D^2 \sqrt{gDJ}} \right]^{b_3} \left[\frac{q_s}{\gamma' qJ} \right]^{c_3} \tag{3-45}$$

式中的系数　$a_1 = 8.7$　$a_2 = 0.14$　$a_3 = 1.22$;

式中的指数　$b_1 = 0.36$　$b_2 = 0.39$　$b_3 = 0.75$;

　　　　　　$c_1 = 0.15$　$c_2 = -0.24$　$c_3 = -0.09$。

采用黄河下游、三门峡库区、渭河、青铜峡水库、盐锅峡水库、长江下游、汉江等资料,对式(3-43)、式(3-44)、式(3-45)作了验证,见图3-43、图3-44、图3-45。图3-45中的点据资料来源见表3-20。

河相关系验证的资料范围:$Q = 412 \sim 39\,500 \text{m}^3/\text{s}$;$D = 0.045 \sim 2.77 \text{mm}$;$S = 0.96 \sim 101 \text{kg/m}^3$;$J = 0.3‰ \sim 18.2‰$;$B = 141 \sim 2\,150 \text{m}$;$H = 1.14 \sim 14.2 \text{m}$。其中 B 为平滩流量时的水面宽度;q_s、q 为平滩流量时的单宽输沙率(t/m)和单宽流量$[\text{m}^3/(\text{s}\cdot\text{m})]$;$D$ 为河床质中数粒径(mm);J 为比降(‰)。

(三)水库淤积终极时总淤积体估算

当水库淤积发展到终极状态时,总淤积体积要比设计正常蓄水位高程以下的体积大,水库淤积上延部分的体积(如图3-38中ABF)可用$\Delta V_{\Delta Zs}$表示。

当水库淤满以后,为了输送上游来水来沙,在库区又会塑造出来新的河槽。新河槽的总容积为过水面积$A \times$总淤积长度L_A乘以河流弯曲系数ξ。即

$$L_A = A \times L_s \times \xi \tag{3-46}$$

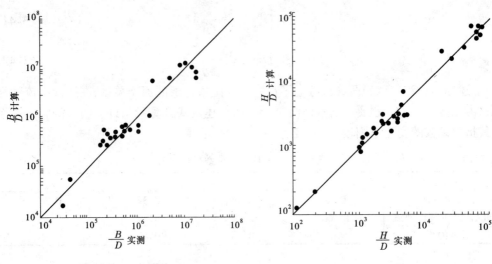

图 3-43　B/D 的验证　　　　　　　　　　图 3-44　H/D 的验证

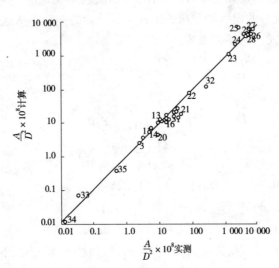

图 3-45　式(3-45)验证

表 3-20　　　　　　　　　　　　　　图 3-45 资料来源*

序号	河流	站名	序号	河流	站名
1~11	黄河	潼关	26	黄河	艾山
12	黄河	太安	27	黄河	利津
13~18	渭河	华阴	28	下荆江	监利
19	黄河	上源头	29	长江	枝江
20	渭河	林家村	30	长江	新厂
21	渭河	魏家堡	31	汉江	唐河
22	渭河	咸阳	32	汉江	(下游)
23	渭河	华县	33	枝江	白河
24	黄河	秦厂	34	黄河	青铜峡
25	黄河	高村	35	黄河	盐锅峡

注：*　钱意颖教授提供部分资料,特表示感谢。

式中:A 可按式(3-45)计算;L_s 可按式(3-21)计算;ξ 参考水库下游河道的资料确定,一般为1.5。因此,淤积总体积为

$$V_s = V_0 + \Delta V_{\Delta Zs} - V_A \tag{3-47}$$

式中:V_0 为正常蓄水位高程以下的原始库容。

(四)水库淤积过程估算

在水库淤积还没有达到终极状态之前,要经历一个较长的时期。为了进行水库调节计算和调度运用,随时需要了解水库淤积和库容变化,以及淤积体积和纵剖面。

N 年的库区淤积体积 V_{sN} 的估算如下:

估算 V_{sN} 时的关键是给出较为准确的出库输沙量,然而出库输沙量是随着库区淤积量的增加而增加,或者说随着库容的减少而增加。但这种情况对库容与年沙量比大于50的水库,在运用初期是不适用的,在它的后期适用。

关于出库输沙量的计算可采用式(3-11)及图3-8进行计算。

借助于式(3-11)和图3-8,可按下列步骤计算某年的累积淤积量:

(1)划分时段。可根据泥沙设计的需要,按年、汛期、非汛期划分,汛期又可划分为洪水期和平水期。

(2)计算第一个时段淤积量。先按式(3-11)或图3-8求出排沙比值,再按下式计算第一个时段末的库区淤积体积 V_{s1}:

$$V_{s1} = \frac{(1 - \eta) Q_{si}}{\gamma_s} T \tag{3-48}$$

式中:γ_s 为泥沙淤积干容重,t/m^3;T 为计算时段,s。

(3)第二时段淤积量计算。起始条件需要用第一时段淤积体积 V_{s1} 来修改库容。当淤积三角洲发展到距坝址较近时,除修改库容外,还要改正淤积各部位的比降,然后按第一时段的计算步骤求出 V_{si}。

(4)重复上述做法,一直计算到 N 年为止。N 年的水库淤积累加体积为

$$V_{sN}' = \sum_{i=1}^{N} V_{si} \tag{3-49}$$

(五)淤积过程中的纵剖面估算

根据下面的基本图形(见图3-46)和已知条件,并按下列步骤计算:

(1)计算淤积上延高度 ΔZ_{sx}。先按式(3-23)和式(3-47)求出终极状态的 ΔZ_s 及 V_s。若 $\Delta Z_s \leqslant 0$ 时,则取 $\Delta Z_s = \Delta Z_{sx}$;若 $\Delta Z_s > 0$ 时,可按下式求出 ΔZ_{sx}:

$$\Delta Z_{sx} = \left(\frac{V_{sx}}{V_s} \right)^n \times \Delta Z_s \tag{3-50}$$

式中:指数 n 为 0.3~0.5。

(2)按式(3-22)求出正常蓄水位水平长度 $L_{平}$。

(3)按式(3-21)计算淤积总长度 $L_淤$,用 $L_淤$ 根据 ΔZ_{sx} 换算 L_{sx}。

(4)由公式(3-25)、式(3-28)、式(3-33)分别求出尾部段、顶坡段和前坡段的比降。

(5)计算淤积三角洲顶点处的淤积厚度 Z_{sx}:

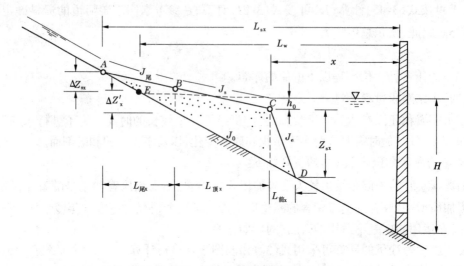

图 3-46 水库淤积示意图

$$Z_{sx} = H - h_0 - XJ_0 \tag{3-51}$$

式中: X 为运用 N 年后三角洲顶点距坝址水平长度。

（6）计算三角洲顶坡长度 $L_{顶x}$

$$L_{顶x} = \frac{Z_{sx} - (J_0 - J_尾)(L_{sx} - X)}{J_尾 - J_s} \tag{3-52}$$

（7）计算三角洲尾部段长度 $L_{尾x}$

$$L_{尾x} = L_{sx} - L_{顶x} - X \tag{3-53}$$

（8）计算三角洲前坡长度 $L_{前x}$

$$L_{前x} = \frac{Z_{sx}}{J_前 - J_0} \tag{3-54}$$

（9）计算三角洲顶坡与尾部段相交处的淤积厚度 $\Delta Z'_x$

$$\Delta Z_x{'} = (J_0 - J_尾)L_{尾x} \tag{3-55}$$

三、水库冲刷简化计算方法

黄河干支流的推移质沙量很少,占全部输沙量的 $1.0\% \sim 2.0\%$。为了推导公式方便起见,假定水库淤积为水平状态,不考虑推移质加入,其淤积图形见图 3-47。图中 dx 为某时段冲刷长度, Z 为坝前淤积厚度, $L_淤$ 为总淤积长度。

从图 3-47 可知,水库冲刷体积为

$$dV = \frac{1}{2}(BZdx)$$

令冲刷后的宽度和冲刷平均厚度 h 的比值为 $B = \zeta^2 h^2$,代入上式可写成

$$dV = \frac{1}{2}\zeta^2 h^2 Z dx \tag{3-56}$$

水库冲刷的沙量平衡方程为

$$dV = \frac{Q\Delta S}{\gamma_s}dt \qquad (3\text{-}57)$$

式(3-56)与式(3-57)恒等后,可写成

$$\frac{1}{2}\zeta^2 h^2 Z dx = \frac{Q\Delta S}{\gamma_s}dt \quad (3\text{-}58)$$

将水流连续方程($Q = Bhu$)和均匀流阻力方程代入式(3-58),并令$J = Z/X$,可得

$$\frac{Q\Delta S}{\gamma_s}dt = \frac{1}{2}\zeta^{0.91} n^{0.55} Q^{0.55} X^{0.27} Z^{0.73} dx$$

$$(3\text{-}59)$$

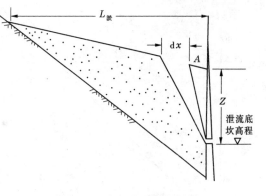

图 3-47　水库冲刷简化示意

式中:ΔS为冲起的含沙量;ζ为河相关系系数;γ_s为泥沙容重;X为冲刷长度;Z为坝址处冲刷厚度。

式(3-59)为简化冲刷计算基本方程。

(一)水库冲刷长度

将式(3-59)进行整理后积分则得

$$x = \lambda_1 \frac{Q^{0.36}\Delta S^{0.79} t^{0.79}}{Z^{0.57}} \qquad (3\text{-}60)$$

$$\lambda_1 = \frac{2.08}{\gamma_s^{0.79} \zeta^{0.72} n^{0.43}}$$

当$t = t_{max}$时,x为最大冲刷长度,即冲刷长度与淤积长度相等,根据国内几座水库资料,按式(3-60)计算,验证见图3-48。

(二)水库冲刷体积和极限时间

水库冲刷体积,可由式(3-58)积分得

$$V_{冲} = \frac{1}{\gamma_s}Q\Delta St \qquad (3\text{-}61)$$

水库经过冲刷达到稳定之后,库容不再增大,令全部冲刷过程所需要的时间为冲刷极限时间,以t_{max}表示。由式(3-60)可知,当$X = L$时,$t = t_{max}$,即

$$t_{max} = \frac{1}{\lambda_1^{1.3}} \frac{Z^{0.73} L^{1.3}}{Q^{0.46}\Delta S} \qquad (3\text{-}62)$$

图3-49是对式(3-62)的验证结果。

(三)冲刷出库含沙量

上述几个公式中,都有一项冲刷含沙量,即ΔS项,$\Delta S = S_o - S_i$,S_o为出库含沙量,S_i为进库含沙量。引用如下水流挟沙力方程:

$$S_* = k\left(\frac{u^3}{gh\omega_0}\right)$$

将均匀流阻力方程($u = \frac{1}{n}h^{2/3} J^{1/2}$)代入上式,则得

$$S_* = k\left(\frac{hJ^{1.5}}{gn^3\omega_0}\right) \qquad (3\text{-}63)$$

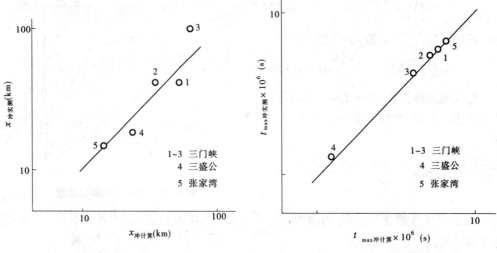

图 3-48　水库冲刷长度验证　　　　　图 3-49　式(3-62)验证

令 $J = \dfrac{Z}{L}$，并将式 $h = \dfrac{n^{0.272} Q^{0.272} X^{0.136}}{\zeta^{0.545} Z^{0.136}}$ 及式(3-60)代入式(3-63)，可写成

$$S_* = \lambda_2 \frac{Z^{2.14}}{Q^{0.214} \Delta S^{1.06} t^{1.06} \omega_0} \tag{3-64}$$

$$\lambda_2 = \frac{k}{n^{2.73} \zeta^{0.545} g \lambda_1^{1.36}}$$

式(3-64)可改写成

$$S_* \Delta S^{1.06} Q^{0.21} t^{1.06} \omega_0 = \lambda_2 Z^{2.14} \tag{3-65}$$

设 $A = Q^{0.21} t^{1.06} \omega_0$；$C = \lambda_2 Z^{2.14}$；令 $S_* = S_o$。并近似假定 $\Delta S^{1.06} \approx \Delta S, \Delta S = S_o - S_i$，代入式(3-65)，可写成

$$A S_*^2 - A S_o S_i - C = 0$$

最后求得

$$S_o = \frac{1}{2} \Big[S_i + \big(S_i^2 + \frac{4\lambda_2 Z^{2.14}}{Q^{0.21} t^{1.06} \omega_0} \big)^{1/2} \Big] \tag{3-66}$$

考虑 ω_0 为单颗粒泥沙在静水中沉降速度，而冲刷过程是群体泥沙运动，应予改正，则为

$$S_o = \frac{1}{2} \Big[S_i + \big(S_i^2 + \frac{4\lambda_2 Z^{2.14} e^{6.715 S_v}}{Q^{0.21} t^{1.06} \omega_0} \big)^{1/2} \Big] \tag{3-67}$$

式(3-67)是水库冲刷出库含沙量计算公式，验证见图 3-50。

当库区不发生冲刷时，$Z = 0$ 时，出库含沙量等于进库含沙量 S_i。当进库含沙量为零时，只要库区发生冲刷，即 $Z > 0$ 时，出库含沙量受坝前冲刷厚度和进库流量以及冲刷历时所决定。

(四)冲刷宽度与冲刷比降公式

通过上述各公式，可求得冲刷宽度及冲刷比降公式为

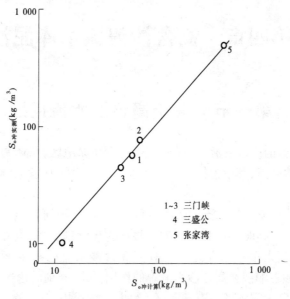

图 3-50　冲刷出库含沙量验证

$$B_{冲} = \lambda_3 \frac{Q^{0.64} \Delta S^{0.21} t^{0.21}}{Z^{0.43}} \tag{3-68}$$

$$\lambda_3 = \zeta^{0.91} n^{0.55} \lambda_1^{0.27}$$

$$J_{冲} = \lambda_3 Z^{1.57} / Q^{0.36} \Delta S^{0.78} t_{\max}^{0.78} \tag{3-69}$$

参 考 文 献

[1] 焦恩泽,林斌文. 黄河大型水库淤积问题. 见:黄河水利科学研究院科学研究论文集(第二集). 郑州: 河南科学技术出版社,1990

[2] 侯晖昌,等. 水库淤积问题的研究. 北京:水利电力出版社,1959

[3] 武汉水利电力学院河流泥沙工程学教研室. 河流泥沙工程学(上册). 北京:水利出版社,1981

[4] Yalin , M.S. Mechanics of Sediment Transport. 1972

[5] 姜乃迁. 官厅水库淤积上延问题分析. 泥沙研究,1985(1)

[6] 谭颖. 试用模糊分析方法预报水库淤积上延. 泥沙研究,1989(4)

[7] 程龙渊,等. 三门峡库区水文泥沙实验研究. 郑州:黄河水利出版社,1999

[8] 侯素珍,等. 潼关以下黄河三门峡库区汛期冲刷规律分析. 泥沙研究,2002(3)

[9] 武汉水利电力学院. 河流泥沙工程学(下册). 北京:水利出版社,1982

[10] 焦恩泽,林斌文. 水库淤积的简化估算方法. 人民黄河,1982(1)

第四章　高含沙河流水库泥沙

第一节　关于高含沙水流问题

黄河上中游地区的许多支流,发源和流经黄土高原地区,每逢暴雨洪水,土壤侵蚀非常严重,水流含沙浓度高,其中包括高含沙水流。前者暂称为"多沙水流"以资区别于高含沙水流。

顾名思义,多沙水流是指水流中的含沙量很高,如黄河河口镇至潼关区间,许多支流汛期平均含沙量都在 300kg/m^3 以上。7、8 两月的含沙量更高,但并非都是高含沙水流,而高含沙水流可以列入多沙水流之中。有关高含沙水流已有专著论述[1,2]。特别是对 0.01mm 以下的细颗粒泥沙在高含沙水流中的作用,做了详细的论述。

高含沙水流是黄河泥沙的特有现象,什么叫做高含沙水流? 迄今为止,尚无一个完整的科学定义。

钱宁认为:高含沙水流必须有一定含量的细粉沙及黏土做骨架,含沙量增大以后,泥沙沉速大幅度降低,含沙量愈高,水流所挟带的泥沙也愈粗。高含沙水流属于紊流型两相流,当流域中细颗粒泥沙(粒径小于 0.01mm,下同)的来量相当大时,挟沙水流有可能全部转化为中性悬浮液,具有伪一相流的性质,可以将日平均含沙量大于 400kg/m^3 作为高含沙水流含沙量的下限。

张瑞瑾认为:如果挟沙水流的含沙量超出一定的数量(含沙量在 $200\sim300\text{kg/m}^3$),其中又含有一定数量(含沙量大于 5kg/m^3)的细泥沙,且浑水有效雷诺数 Re_m 又小于一定数量时,足以在悬浮质中产生絮凝现象,形成不同网络结构时,会使流体失去牛顿流体性质,并出现宾汉体或半牛顿体半宾汉体的性质,此时的水流称为高含沙水流[3]。

钱意颖等认为:细颗粒含量较多的高含沙水流为非牛顿体,当含沙量小于 $400\sim500\text{kg/m}^3$ 时,仍属于一般挟沙水流。含沙量再高时,由于黏性增大,粗颗粒泥沙不再分选,水沙组成一相均质浑水参于运动,这时不存在水流挟沙问题,只是浑水克服阻力而流动。

王明甫认为:在某一水流强度的挟沙水流中,其含沙量及泥沙颗粒组成,特别是细颗粒所占百分数,使该挟沙水流在物理特性、运动特性和输沙特性等方面,基本上不能再用牛顿流体的规律进行描述,这种挟沙水流可称为高含沙水流[3]。

上述各家的论述,都认为高含沙水流中,必须要具有一定数量的细颗粒泥沙,构成非牛顿流体,同时含沙量要达到 $200\sim300\text{kg/m}^3$ 以上。

在实际应用中,如何判别高含沙水流与多沙水流,两者的分界又如何确定呢? 从我们的工作实践中,初步认为:细颗粒含量在 $70\sim100\text{kg/m}^3$ 以上时,与水组成三维网架结构的基本悬浮液的非牛顿体,才是高含沙水流,否则是一般的多沙水流。下面举例说明。

例一[4]:黄甫川是多沙水流的河流,流域内大部分是风化的砂页岩(俗称砒砂岩),但黄甫川下游和支流十里长川为黄土丘陵,每当暴雨在这个地区出现时,黄甫川也会出现高含沙水流。黄甫川把口站为黄甫水文站,年均径流量为 1.6 亿 m³,输沙量为 0.51 亿 t,汛期输沙量占全年的 98.2%,洪水期输沙量占全年的 92.2%。径流量 W 与输沙量 W_s 的关系很好,见图 4-1。多年洪水期平均含沙量达到 560kg/m³,场次洪水最大含沙量都在 1 000kg/m³ 以上。

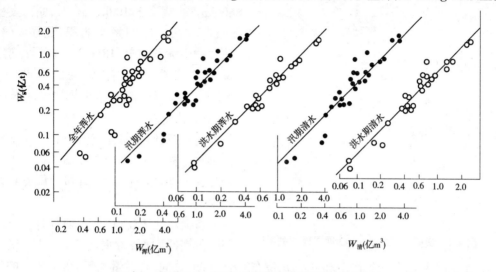

图 4-1　黄甫站年、汛期、洪水期径流量与输沙量关系

1982、1983 年两年,用黄甫站沙样作了流变试验,点绘成极限剪切力 τ_B 与含沙量 S 的关系曲线,见图 4-2。从图 4-2 可以看出,含沙量小于 400kg/m³ 时,τ_B 值趋近于零;含沙量在 600kg/m³ 附近时,τ_B 值突然上升。从颗粒小于 0.01mm 的含沙量 $S_{d<0.01mm}$ 与总含沙量的关系来看,$S_{d<0.01mm}$ 在 100kg/m³ 左右时与总含沙量基本上没有相关关系,见图 4-3。

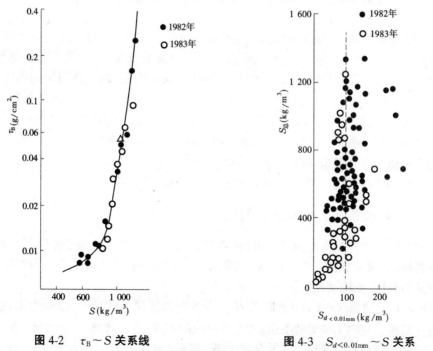

图 4-2　$\tau_B \sim S$ 关系线　　　　　　图 4-3　$S_{d<0.01mm} \sim S$ 关系

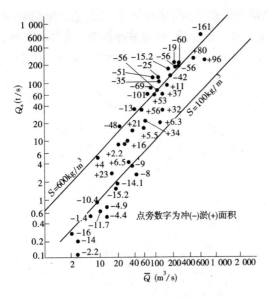

图 4-4　黄甫(二)站 $Q_s \sim \bar{Q}$ 冲淤面积关系

高含沙水流既有极强的输送能力,也有极强的冲刷能力。在分析黄甫站断面(二)冲淤变化时发现,当含沙量大于等于 $600kg/m^3$ 或小于 $100kg/m^3$ 时,断面发生冲刷,在两者之间发生淤积(见图4-4)。最大冲刷面积可达 $181m^2$。由此可确定黄甫站发生高含沙水流的条件是: $S_{d<0.01mm}$ 为 $100kg/m^3$,相应总含沙量在 $600kg/m^3$ 左右。

例二:我们在研究黄河小北干流高含沙洪水与揭底冲刷时发现,$S_{d<0.01mm}$ 的含沙量达到 $70\ kg/m^3$ 以上时即可构成高含沙水流。

黄河小北干流,在洪水期有时会出现强烈揭底冲刷(俗称揭河底)。已有研究认为:在龙门水文站同流量($700m^3/s$)水位在378~382m之间,含沙量大于 $400kg/m^3$ 的历时超过 16 小时,龙门流量 $4\ 000m^3/s$ 的历时在 10 小时以上的三个前提下,就可以发生揭河底。然而从 1977 年到 2001 年,已经满足上述条件,却没有发生揭河底。有关揭河底问题将在第六章第五节做专题讨论。

第二节　高含沙河流水库泥沙问题

黄河上中游地区,有很多支流经常发生高含沙量洪水。高含沙量洪水进入水库以后,库区的水流流态、泥沙运动规律、泥沙沉积以及水库冲淤演变规律、淤积形态和排沙等诸多问题,与其他多沙河流上的水库的泥沙问题迥然不同。因此,高含沙河流的水库泥沙,是黄河上水库所特有的问题。总结这一类水库泥沙、排沙减淤以及如何保持长期可以使用的库容问题,对治理和开发黄河水利资源,是非常重要的也是目前国内外所鲜见的。

巴家嘴水库是一座非常典型的高含沙河流上的一座大型水库。本章将详细地介绍该水库的泥沙运动和水库淤积、排沙等方面的经验教训,为今后在高含沙河流上进行水库规划设计以及建成后的管理运用,提供重要依据。

一、巴家嘴水库以上流域地貌简况

巴家嘴水库位于渭河支流蒲河中游,坝址在甘肃省西峰市后官寨巴家嘴村。坝址以上流域地貌特征,属于黄土高原侵蚀型。就其成因与类型而言,属于堆积—侵蚀类型,可分为四种地貌分区,见图4-5。

(1)轻微切割梁峁区(IV_3)。此区为开阔节奏性的波状起伏地形,以梁为主,由黄土与黄土质土组成。河谷宽而坡度缓,沟谷中稍有基岩出露,此区基本上在河源一带。

(2)中等切割梁峁区(IV_2)。多为梁峁地形,谷坡陡峻(约 50°),由黄土、黄土质土和红

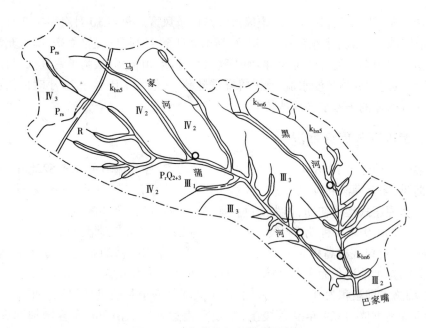

图 4-5　巴家嘴以上流域地貌分区

P$_{rs}$:紫红色砂岩,砾岩;R:黄色土,红色砾岩;P$_r$Q$_{2+3}$:浅黄色、黄褐色黄土;

k$_{bn6}$:灰绿色、紫红色灰质泥岩;k$_{bn5}$:橘红色错层砂岩

黄土组成,河床边缘多有基岩出露。此区范围较大,上接河源区,下至陈家(蒲河干流)及大、小黑河汇合口。

(3)强烈切割黄土高原区(III$_3$)。多为塬梁地形,塬面较破碎,起伏度为 3°～7°,沟谷发育多呈 V 形,由黄土、黄土质土、红黄土及基岩组成。此区呈带状,为东西向,横跨蒲河流域中部,地处巴家嘴水库回水上游。

(4)中等切割黄土高原区(III$_2$)。该区塬上表面平坦完整,起伏度为 1°～4°,由黄土、黄土质土、红黄土及基岩组成。干流河谷呈 U 形及箱型,支流河谷多为 V 形。此区上接 III$_1$,下至蒲河口,东为董志塬,西部与洪河流域相邻。

巴家嘴至河源,河道陡峻,河床坡度约 2.5‰,断面呈梯形,河宽 500～700m。河谷内分布三级阶地:一级阶地分布在河槽两侧,呈橄榄状,一般宽为 200～300m,最大宽度 1 500m,阶地高出河床 5～7m,最高为 15m,系亚砂土及砂砾石组成。该阶地与河漫滩无明显分界线。二级阶地呈条状或椭圆状,宽度一般为 60～100m;最宽达 300m,高出河床 40～50m,最高约 70m。该阶地地面平坦,以 3°～5°倾向河槽,为黄土类亚黏土及砾石层组成,分布在河槽一侧或两侧,不对称。三级阶地高出河床 100m 以上,谷坡一般为 40°～50°。阶地面被流水切割成圆峁或山梁状。主要岩石成分为白垩系砂岩及第四纪亚黏土和黄土组成,分布在河谷两侧。

二、气候特性

蒲河流域面积为 7 484km²,距蒲河河口上游 36km 处设有毛家河水文站。实测多年平均水量为 2.25 亿 m³,多年平均输沙量为 0.46 亿 t,年输沙模数为 6 363t/km²。

本流域属于大陆性气候,为西北季风区和东南季风区。每年10月至翌年3月多西北风,寒冷而干燥;4至6月多东南季风,湿润多雨;7月至9月风向交错而来,雨量充沛且多为暴雨。由于暴雨集中而且强度大,再加上沟坡坡度陡、植被稀少、沟道密度大,每逢暴雨产生洪水,形成泥流或高含沙水流,其洪峰陡涨陡落,一般洪水历时在20小时以内。这些构成了巴家嘴水库的进库水文泥沙特征。

三、水库工程与库区概况[7]

巴家嘴水库始建于1958年9月,1962年7月竣工,控制流域面积3 522km²,水库主要任务是防洪,兼有灌溉和发电任务。大坝左岸设置有泄洪洞(洞径4.0m)和输水洞(洞径2.0m)。水库正式运用初期,作为防洪拦泥试验工程,拦截全部泥沙。

建坝时,坝顶设计高程为1 108.7m,库容为2.57亿m³,泄洪洞进口底槛高程为1 085m,输水洞进口底槛高程为1 083.5m。由于采用蓄水拦沙的运用方式,淤积速率大,至1964年5月,坝前淤积面高程已接近1 080m,全库区淤积量为0.526亿m³,其中1961年12月以前施工期淤积为0.256亿m³。为了大坝的安全和防洪拦泥试验的需要,1964年汛后决定加高坝体,1969年9月竣工,坝顶高程达到1 116.7m,库容增加到3.63亿m³。1969年汛后仍然采用蓄水拦沙运用方式,至1974年初,全库区淤积量已达1.67亿m³,为此,进行第二次加高坝体并改建泄洪洞与输沙洞。改建后的坝顶高程为1 124.7m(参见图4-10),总库容增加到5.25亿m³,泄洪洞进口底槛高程上升到1 085.6m,输水洞进口底槛高程上升到1 087m。设计水位1 118.8m时,最大泄量为102.8m³/s。图4-6是水库工程平面图。

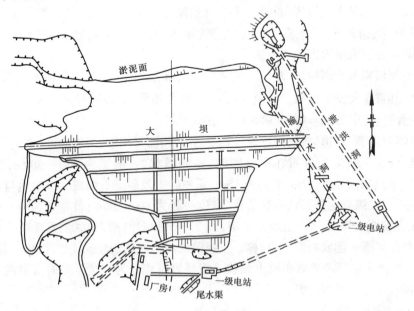

图4-6 巴家嘴水库工程平面图

巴家嘴水库的库区由干、支流两部分组成。干流由坝址向上至进库站姚新庄,共设43个断面;支流黑河设立27个断面,干支流汇流处距坝址8.0km左右。在黑河距坝

23km 处设有兰西坡水文站,后因水库淤积上延影响水文观测,将水文站上移至太白良,距坝址约 35km。

巴家嘴水库为河道型水库,干支流交汇处的宽度不足 800m,其他断面宽度更小。原河道比降较陡约 2.3‰。

四、进库水文泥沙特性

蒲河干流及其支流黑河,同属于一个地貌单元,气候条件相差很小。因此,用姚新庄水文站的水文泥沙特性,可以代表巴家嘴水库进库的水沙特性。表 4-1 为姚新庄水文站水文泥沙特征值。从表 4-1 中可以看出,洪峰水量占全年水量的45.9%,洪峰沙量占全年沙量的 96.3%。只要将洪峰沙量全部排出库外,只剩下 3.7% 的泥沙淤积在库区。如果利用高含沙水流极强的输沙特性,可以进一步减少水库淤积,从而达到长期保持可用库容。

姚新庄站的流量与输沙率的关系,既有高含沙水流的输沙特性(非牛顿流体)又有一般水流的输沙特性,同时还会出现一般水流输沙向高含沙水流输沙过渡的特性。有关高含沙水流特性参见第十章第二节。

根据姚新庄水文站实测输沙率与流量资料,点绘成输沙率与流量的关系线见图 4-7。

从图 4-7 中可以看出:

(1)含沙量小于 100kg/m³ 时,输沙率与流量几乎没有什么关系,这一部分资料都是非汛期或洪水退落以后的资料,此区域属于一般水流输沙区,它属于宾汉流体范畴。从宾汉流体的流变

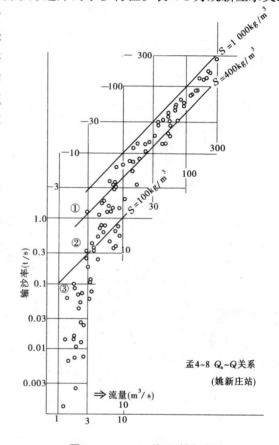

图 4-7 $Q_s \sim Q$ 关系(姚新庄)

参数来看,$\tau_B \leqslant 0.006 \mathrm{g/cm}^2$,受仪器功能的限制其测试精度较低。

(2)当含沙量大于 400kg/m³ 时,属于非牛顿体(宾汉流体)范畴。流量与输沙率关系线的指数为 1.0,可称之为宾汉流体高沙区。

(3)含沙量在 100~400kg/m³ 范围,流量与输沙率关系线的指数小于 2.0 大于 1.0,既有宾汉流体性质,又有一般水流输沙性质。这部分资料处在洪峰退落将至平缓过程,流量很小但含沙量仍在 100~400kg/m³(见图 4-7)。对这一区域的水流输沙关系可称之为宾汉流体低沙区。它虽然有非牛顿流体的特性,但它的输沙能力比高沙区要小,比一般水流输沙能力又大。图 4-7 中的输沙率与流量的通用关系式可写成

表 4-1

巴家嘴水库进库水文泥沙特征值（姚新庄水文站）

年份	年沙量 (万t)	年水量 (亿m³)	年输沙模数 (t/km²)	汛期沙量 (万t)	汛期水量 (亿m³)	洪峰* 沙量 (万t)	洪峰水量 (亿m³)	洪峰平均含沙量 (kg/m³)	最大月沙量 (万t)	最大日沙量 (万t)	汛期沙量占全年全沙量百分比	洪峰沙量占年沙量百分比	最大月沙量占年沙量量百分比	最大日沙量占年沙量量百分比
1964	7 320	1.695	32 332	7 280	1.282	7 218.1	1.214	594.6	5 450.0	2 376.0	99.4	98.6	74.4	32.5
1965	480	0.483	2 120	457	0.212	434.3	0.091	477.7	245.3	111.5	95.2	90.5	51.1	23.2
1966	2 376	0.890	10 495	2 370	0.622	2 279.1	0.457	498.4	981.7	434.6	99.7	95.9	38.7	18.3
1967	1 480	0.722	6 537	1 362	0.384	1 390.5	0.249	516.1	953.5	432.0	92.0	94.0	64.4	29.2
1968	2 940	1.102	12 102	2 896	0.748	2 832.4	0.598	433.8	1 435.6	547.8	98.5	96.3	52.4	20.0
1969	1 390	0.679	6 140	1 167	0.374	1 220.9	0.242	503.5	624.1	177.1	84.0	87.8	44.9	12.7
1970	3 550	1.160	15 680	3 507	0.905	3 480.8	0.716	486.1	2 295.4	735.3	98.8	98.0	64.7	20.7
1971	1 500	0.697	6 625	1 462	0.417	1 437.4	0.286	502.3	583.9	356.0	97.3	95.8	38.9	23.7
1972	641	0.551	2 831	633	0.245	623.6	0.108	579.0	618.7	577.2	98.7	97.3	96.5	90.0
1973	4 710	1.429	20 804	4 590	1.099	4 673.8	0.968	482.9	3 455.0	967.7	97.5	99.2	73.3	20.5
1974	559	0.532	2 469	523	0.222	510.8	0.103	495.4	439.3	159.8	93.6	91.4	78.6	28.6
1975	1 170	0.719	5 168	1 113	0.373	1 113.4	0.244	456.5	741.9	472.6	95.1	95.2	63.4	40.7
1976	585	0.540	2 584	552	0.269	507.9	0.121	418.4	279.9	116.6	94.4	86.8	47.8	19.9
1977	2 620	0.866	11 572	2 592	0.578	2 597.6	0.450	577.6	1 974.0	1 443.0	98.9	99.1	75.3	55.1
1978	1 830	0.850	8 083	1 645	0.517	1 813.8	0.422	430.1	902.6	248.0	89.9	99.1	49.3	13.6
1979	1 230	0.686	5 433	1 198	0.413	1 196.7	0.293	409.1	645.5	182.3	97.4	97.3	52.5	14.8
1980	1 260	0.699	5 563	1 057	0.390	1 093.2	0.249	438.9	554.4	196.1	83.9	86.8	44.0	15.6
1981	1 550	0.769	6 846	1 538	0.504	1 409.7	0.307	458.9	865.1	530.5	99.2	90.9	55.8	34.2
1982	749	0.544	3 308	562	0.235	738.6	0.153	482.1	423.2	203.9	75.0	98.6	56.5	27.2
1983	747	0.712	3 299	690	0.352	675.3	0.161	418.6	347.4	338.7	92.4	90.4	46.5	45.3
1984	2 990	1.12	13 207	2 533	0.741	2 953.6	0.597	494.6	1 985.0	586.7	84.7	98.8	66.4	19.6
1985	2 000	0.933	8 834	1 222	0.480	1 847.4	0.366	465.9	772.6	406.9	61.1	92.4	38.6	20.3
平均	1 985.3	0.835	8 729	1 861.4	0.516	1 911.3	0.383	499.1			93.8	96.3	57.9	28.4

注：* 洪峰沙量中，包括 5 月份之洪峰沙量，故大于汛期沙量。

$$Q_s = \kappa Q^n \tag{4-1}$$

式中,宾汉流体高沙区其 κ 值小于等于 0.4, n 值为 1.0;宾汉流体低沙区,其 κ 值为 0.1~0.4, n 值为 1.0~2.0;一般水流输沙区,其 κ 值小于 0.1, n 值为大于等于 2.0。

图 4-8 是巴家嘴水库的进库洪峰流量和含沙量过程。从图中可以看出,洪峰陡涨陡落,而含沙量大于 200kg/m³ 的历时较长;洪水退落后,大于 200kg/m³ 的含沙量还会延续较长时间。

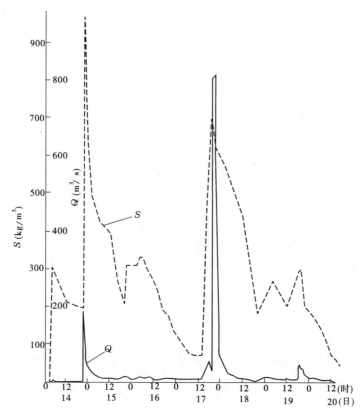

图 4-8 (1973 年 7 月 14~20 日)姚新庄连续洪峰过程线

用水流功率的概念点绘 Q_s 与 $\gamma' QJ$ 的关系(Q_s 为输沙率,t/s; γ' 为浑水重率,t/m³; Q 为流量,m³/s; J 为比降)见图 4-9。$\gamma' QJ$ 的单位与 Q_s 的单位相同,均为 t/s。从图 4-9 中可以看出,宾汉流体高沙区 $Q_s = 210\gamma' QJ$;宾汉流体低沙区 $Q_s = 210(\gamma' QJ)^{1.22}$;一般水流输沙区 $Q_s = 17\,800(\gamma' QJ)^{2.25}$。

巴家嘴水库由于泄流能力不足,管理运用方式经过了多次调整(如以拦泥为主改为泄空冲刷加高坝体,又改为拦泥试验,又改为蓄清排浑)。对管理运用又缺乏经验,每遇洪水库区都会发生淤积,洪峰总水量越大淤积越多。特征值统计见表 4-2。

从表 4-2 可以看出,洪峰的平均含沙量均在 400kg/m³ 以上,多年平均值接近 500 kg/m³。其相应输沙量占全年输沙量的 86% 以上,多年平均值为 96.3%。如何处理好洪峰期的输沙量是解决巴家嘴水库淤积的最主要问题。

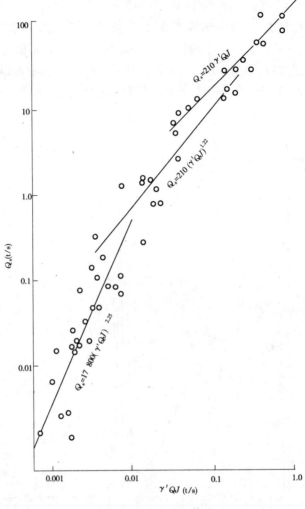

图 4-9 $Q_s \sim \gamma'QJ$ 关系

五、水库泥沙冲淤概况[1]

巴家嘴水库于 1958 年开工兴建, 1962 年 7 月建成, 到 1986 年共经历了三种运用方式五个运用时期, 库区冲淤量有较大差异。不同运用时期库区淤积量见表 4-3。

(一) 汛期水沙条件对库区冲淤作用[6]

在蓄水拦沙运用期, 进库输沙量与库区淤积量相适应。1973 年汛期进库输沙量为 6 863 万 t, 淤积量为 2 618 亿 m³; 1972 年汛期进库输沙量为 740 万 t, 淤积量只有 340 万 m³。在泄空排沙运用期, 遇丰水年因泄流能力不足还有少量淤积, 如 1968 年进库输沙量为 3 468 万 t, 淤积量为 325 万 m³; 1965 年为枯水年份, 进库输沙量为 561 万 t, 库区还冲刷 98 万 m³。

(二) 洪峰水沙量对库区冲淤作用

巴家嘴水库有些年份在 5 月份就出现洪水。多年平均洪水总量为 3 830 万 m³, 最大

表 4-2

姚新庄站历年洪水总沙量特征值统计

年份	洪峰总水量 (万m³)	洪峰总沙量 (万t)	洪峰平均含沙量 (kg/m³)	洪峰输沙量占年沙量 (%)	$Q_{max} \geq$ 140m²/s (次数)	$Q_{max} \geq$ 300m²/s (次数)	$Q_{max} \geq$ 1000m²/s (次数)	$Q_{max} \geq$ 1400m²/s (次数)	库区冲淤量 (万m³)	水库运用方式
1964	12 140	7 218.1	594.6	98.6	10	5	4	2	3 209.1	8月下旬泄空排沙
1973	9 680	4 674.0	482.9	99.2	8	6	6	2	2 618.0	蓄水拦沙
1970	7 160	3 481.0	486.1	98.0	8	5	4	2	2 804.5	蓄水拦沙
1968	5 980	3 832.4	433.8	96.3	7	2	2	0	325.4	泄空排沙
1984	5 970	2 954.0	494.6	98.8	7	7	3	0	597.5	调水调沙
1966	4 570	2 279.1	498.4	95.9	5	3	1	0	1 516.8	泄空排沙
1977	4 500	2 598.0	577.6	99.1	4	2	2	1	559.5	泄空排沙
1978	4 220	1 814.0	430.1	99.1	6	4	1	0	240.8	调水调沙
1985	3 970	1 847.4	465.9	92.4	4	1	1	1	417.7	调水调沙
1981	3 070	1 410.0	458.9	90.9	6	1	1	0	646.5	调水调沙
1980	2 940	1 093.0	438.9	86.8	4	0	0	0	-107.5	调水调沙
1979	2 930	1 197	409.1	97.3	4	1	1	0	182.7	调水调沙
1971	2 860	1 437.4	502.3	95.8	3	2	2	0	1 333.0	蓄水拦沙
1967	2 480	1 391.0	516.1	94.0	3	2	1	1	210.7	泄空排沙
1975	2 440	1 113.4	456.5	95.2	4	2	1	0	513.2	泄空排沙
1969	2 430	1 221.0	503.5	87.8	4	1	0	0	763.6	泄空排沙
1983	1 610	675.3	418.6	90.4	2	1	1	0	358.1	调水调沙
1982	1 530	739.0	482.1	98.6	1	0	0	0	-56.5	调水调沙
1976	1 210	508.0	418.4	86.8	0	0	0	0	164.6	泄空排沙
1972	1 080	624.0	579.0	97.3	1	1	1	0	340.0	蓄水拦沙
1974	1 030	511.0	495.4	91.4	0	0	0	0	133	泄空排沙
1965	910	434.3	477.7	90.5	2	1	0	0	-98.2	泄空排沙
平均值	3 830	1 911.3	499.1	96.3	93	47	32	9		

值为 12 140 万 m^3,最小值为 910 万 m^3;洪水总输沙量多年平均值为 1 911 万 t,最大值为 7 218 万 t,最小值为 434 万 t。洪水期库区多年平均冲淤量 758 万 m^3,最大值为 3 209 万 m^3,最小值为 − 98.2 万 m^3。

表 4-3 　　　　　　　　　　巴家嘴水库不同运用时期库区淤积量(断面法)

项 目		1961 年 5 月~1964 年 5 月	1964 年 5 月~1969 年 9 月	1969 年 9 月~1974 年 1 月	1974 年 1 月~1977 年 9 月	1977 年 9 月~1986 年 10 月
水库运用方式		蓄水拦沙	泄空排沙	蓄水拦沙	泄空排沙	调水调沙
全库区淤积量(万 m^3)		3 390.7	6 251.7	7 082.2	694.0	2 609.8
蒲河部分淤积量(万 m^3)		2 884.8	5 319.9	5 396.3	295.4	2 058.3
全库区累积淤积量(万 m^3)		3 390.7	9 642.4	16 724.6	17 418.6	20 028.4
汛期最高水位(m)		1 093.00	1 093.80	1 105.20	1 105.50	1 105.11
淤积末端高程(m)	最深点	1 089.60	1 094.20	1 105.30	1 104.30	1 104.70
	主槽平均	1 090.50	1 095.60	1 105.80	1 105.50	1 105.30
输水洞底坎高程(m)		1 083.5	1 083.5	1 083.5	1 087.0	1 087.0
泄洪洞底坎高程(m)		1 085.0	1 085.0	1 085.0	1 085.6	1 085.6

(三)非汛期库区冲淤变化

非汛期进库输沙量只占全年输沙量的 6.0%,若扣除 5 月份洪水沙量后,只占全年输沙量的 1.8%;非汛期多年平均总输沙量 262 万 t,扣除洪水输沙量以后只有 29 万 t,它对库区淤积的影响很小。

六、高含沙河流上的水库淤积形态[8]

高含沙水流进入水库壅水区以后,均转化为高含沙异重流。两者都含有很多细颗粒泥沙,它与水组成具有三维网架结构的基本悬浮液体,能够浮托、挟运长距离输送粗颗粒泥沙。在受回水影响时,虽然水力条件(流速、水深、比降)发生改变,但粗颗粒泥沙受基本悬浮液体的浮托没有水力分选现象,在变动回水区也没有尾部段淤积形态。转化成高含沙异重流以后,它可以将粗泥沙带至坝前并排出库外。因此,进库为高含沙水流的水库淤积形态不同于一般水库的淤积形态,呈锥体淤积形态。

(一)水库淤积纵剖面

巴家嘴水库不同时期的淤积纵剖面见图 4-10。

1964 年 5 月以前,因泄洪洞底槛高程过高,水库运用不当,只有少量异重流排出库外,其余全部淤积在库区。高含沙异重流在库区流动时,因主槽淤平,异重流向四周扩散、蠕动,运动时像塑性体一样,形成一个整体,即使在停滞初期也尚能蠕动。淤积结果如图4-10 所示,坝前至淤积末端为一锥体形态,很多高含沙支流上的水库(如十八亩台、黑松林、韭园沟等水库)都是这种淤积形态。

一般少沙河流上的水库,首先在回水末端受回水影响,粗泥沙发生淤积,由于河床自动调整的作用,淤积逐渐向上游延伸,直到水流输沙能力与上游来水来沙相适应之后,河床才趋于稳定,淤积不再上延或上延极其缓慢。当上游水沙条件与淤积末端的输沙能力不相适应时,又开始发生冲淤变化,河床再一次进行调整,这种重复演变现象就是淤积末

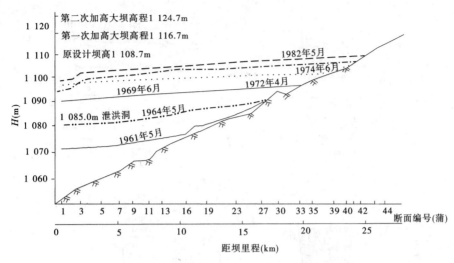

图 4-10 巴家嘴水库各时段平均河床高程纵剖面

端变化的过程。巴家嘴水库受高含沙水流与高含沙异重流的特性的作用,其淤积上延较为轻微。表 4-4 给出了巴家嘴水库不同运用期的冲淤比降。

表 4-4　　　　　　　　　　　　　　　巴家嘴水库不同时期冲淤比降

起讫断面 (蒲淤)	断面间距 (m)	测量日期 (年·月)	两断面 平均河槽高程 (m)	高 差 (m)	河段平均比降 (‰)	水库运用 方 式	备 注
5～27	12 930	1968.5	1 088.31 1 092.63	4.32	3.34	泄空排沙	冲刷
7～33	14 680	1970.4	1 091.89 1 095.17	3.28	2.23	蓄水拦沙	淤积
7～39	17 910	1976.5	1 097.83 1 104.73	6.90	3.85	泄空排沙	冲刷
7～39	17 910	1 982.5	1 099.69 1 104.31	4.62	2.58	调水调沙	冲淤动平衡

从表 4-4 可以看出,蓄水拦沙期比降小,而泄空冲刷期比降大,调水调沙运用期比降略大于淤积期比降。

(二)水库横断面冲淤形态

巴家嘴库区的泥沙运动,主要是高含沙异重流的运动。在两次蓄水运用期,因泄流能力不足,大量异重流泥沙淤积在库内,首先将主槽淤平,然后淤积面呈全断面平行抬升(见图4-11)。

水库在泄空排沙期,特别是在 1974 年 1 月至 1977 年 9 月,因为坝前淤积面高程高于泄洪洞底槛 10m,对溯源冲刷十分有利;其次高含沙洪水自身也能塑造出窄深河槽,以适应输送高含沙水流的需要。因此,在坝前段是以溯源冲刷为主,淤积末端的河槽形态是以高含沙水流塑造为主。在全库区都是窄深河槽,$\sqrt{B}/H$ 在 2.16～11.5 范围。

在蓄水拦沙运用期(1973 年 1 月),水下主槽已淤平,变动回水区的形态为宽浅,淤积末端以上河道的断面仍为窄深形态,$\sqrt{B}/H$ 为 7.88～70.4(此值是在冬季枯水结冰期测量,其值可能偏大)。

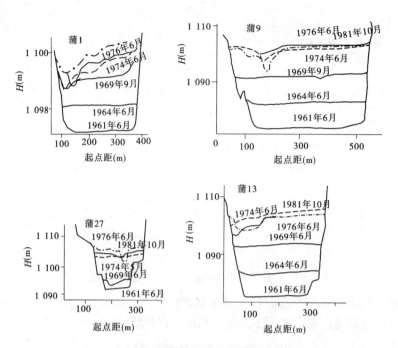

图 4-11　巴家嘴水库不同运用时期横断面淤积形态

在调水调沙运用期,$\sqrt{B}/H$ 值比泄空排沙期要大,比蓄水拦沙运用期要小,一般在 2~6范围。

图 4-12 是巴家嘴水库典型年 $\sqrt{B}/H$ 沿程变化。

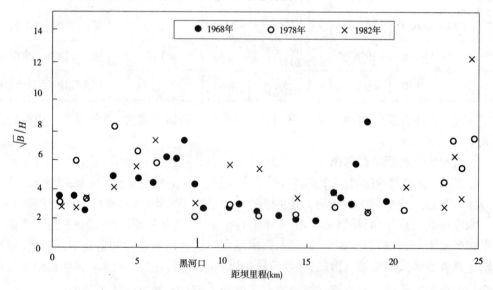

图 4-12　巴家嘴库区典型年 $\sqrt{B}/H$ 沿程变化

(三)水库平滩以下过水面积沿程变化

河槽平滩以下过水面积沿程变化自坝址向上游逐渐减少。1965 年至 1968 年,曾多次进行"拦泥试验",库区冲刷的机会少,冲刷历时短;库区平滩过水面积在 100m² 以下,而且沿程变化不大。1978 年处在滞洪排沙后期,在支流黑河口以下,各断面的平滩水位以下过水面积较大,最大可达到 450m²;黑河口以上干流的河槽面积变化是逐渐减小但幅度不大,接近天然河道的河槽面积。1982 年改为调水调沙运用,近坝段有充分的冲刷时间;加上河槽两侧滩地,在洪水过后出现滑溜现象,部分新滩的淤积物溜向河槽,扩大了平滩水位以下过水面积。越是靠近坝前面积越大,最大可达 850m²,由坝址向上沿程变小。平滩水位下河槽面积见图 4-13。

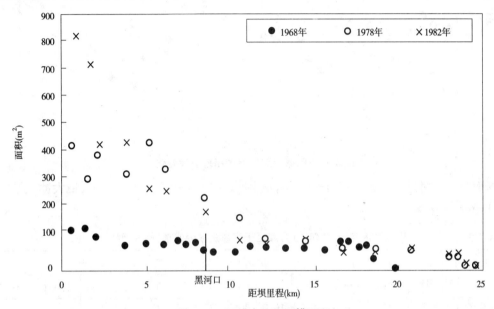

图 4-13　平滩水位下河槽面积

由于水库运用方式不同,库区各断面的滩槽差也有一定差别。相对来讲,1968 年较小,1982 年最大。黑河口至坝址的滩槽差最大,黑河口以上干流各断面的滩槽差较小,各年之间的变化也相对较小,这与图 4-13 及图 4-12 基本上是对应的。滩槽高差沿程变化见图 4-14。

(四)库区淤积物特性

库区泥沙淤积物的特性,取决于水流泥沙特性和水库运用方式。在低含沙河流上的水库,由于壅水作用,沿程水流流速逐渐减小,颗粒较粗泥沙先落淤,进入深水区以后细颗粒泥沙才缓慢沉降。因此,淤积物中数粒径 D_{50} 在沿程分布是自淤积末端向坝前由粗变细。而高含沙河流上水库淤积物的特点是由高含沙水流特性所决定的,它没有水力分选作用使粗泥沙先落淤,而是粗细泥沙混合在一起群体压缩沉降,因而淤积物中的 D_{50} 沿程呈均匀分布。巴家嘴水库调水调沙期的 D_{50} 及干容重和颗粒分析见表 4-5。

巴家嘴水库淤积上延高度很小,在高含沙洪水进库时,还会发生冲刷使淤积末端下移。

1977 年处在滞洪排沙运用期,汛期径流量为 0.578 亿 m³,输沙量为 0.259 亿 t,平均含沙量为 448kg/m³。该年发生一次较大洪水,洪峰流量为 2 200m³/s。用汛期前后两次

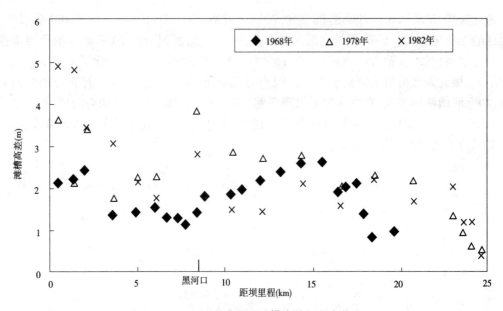

图 4-14 巴家嘴库区滩槽高差沿程变化

大断面观测资料进行对比分析,淤积末端发生冲刷,冲刷长度 8.0km 以上,最大冲刷厚度为 0.7m。

表 4-5 巴家嘴水库 1983 年 10 月库区干容重及颗分成果(调水调沙)

取样日期 (年·月·日)	断面 编号	干容重 (t/m³)	D_{50} (mm)	小于某粒径(mm)的沙重百分数(%)								
				0.007	0.01	0.025	0.05	0.10	0.25	0.50	1.0	2.0
1983.10.13	蒲淤 0	1.21	0.035	7.6	10.2	30.7	72.5	99.2	100			
1983.10.13	1	1.01	0.025	11.7	19.7	49.4	90.0	99.7	100			
1983.10.14	3	1.20	0.033	8.6	12.7	34.5	80.2	99.7	100			
1983.10.4	5	1.23	0.030	9.5	13.7	38.8	81.9	99.8	100			
1983.10.14	7	1.20	0.030	12.2	19.4	40.5	82.7	98.2	99.6	100		
1983.10.25	9	1.21	0.033	11.3	17.0	36.6	77.5	98.0	99.7	100		
1983.10.24	13	1.37	0.037	8.5	13.7	29.7	73.9	98.4	99.9	100		
1983.10.24	16	1.34	0.034	12.4	20.6	40.3	77.7	97.4	99.7	100		
1983.10.24	19	1.43	0.037	9.1	13.4	30.5	69.8	99.6	100			
1983.10.15	23	1.45	0.041	5.4	9.0	22.6	66.4	96.6	99.8	100		
1983.10.25	27	1.53	0.035	7.8	13.9	32.1	77.1	99.1	99.9	100		
1983.10.25	31	1.55	0.046	6.4	10.2	18.5	60.1	95.9	99.8	100		
1983.10.25	35	1.70	0.052	7.4	11.5	21.4	48.2	71.5	89.0	98.2	99.9	100
1983.10.25	39	1.48	0.039	7.2	10.9	28.3	66.6	93.4	98.6	99.9	100	
1983.10.23	40	1.61	0.039	4.3	6.9	23.0	71.9	99.1	99.8	100		
1983.10.23	41	1.60	0.037	5.7	10.3	28.0	73.1	97.1	99.6	100		
1983.10.23	42	1.70	0.042	5.2	9.0	23.5	62.1	88.9	96.8	99.5	100	

注:颗分方法为粒径计法,$D \geqslant 0.05$mm 偏粗。

1981 年处在蓄清排浑运用期，汛期径流量为 0.504 亿 m^3，输沙量为 0.154 亿 t，平均含沙量为 $305kg/m^3$，最大洪峰流量为 $600m^3/s$。对比汛期前后两次大断面测量成果，淤积末端发生冲刷，冲刷范围在 2.0km 以上，最大冲刷厚度约 0.5m。

巴家嘴水库淤积的上延或下移，又与非汛期径流量与输沙量有关。非汛期输沙量较大时，不论哪种运用方式，淤积末端都要上延；若输沙量较少时，淤积末端均下移。非汛期输沙量与淤积高程见表 4-6。

表 4-6　　　　　　　　　　　非汛期输沙量与淤积上延(下移)高程

年份	运用方式	淤积末端变动情况	非汛期水量（万 m^3）	非汛期沙量（万 t）	汛期坝前 H_{max}(m)	淤积末端高程(m)		上延高度下降值(m)
						汛期	汛后	
1969	滞洪排沙	上延	4 120	347	1 093.80	1 095.5	—	
1978	滞洪排沙	上延	3 590	194	1 103.51	1 105.1	—	
1980	蓄清排浑	上延	3 390	221	1 152.01	1 105.2	—	
1968	滞洪排沙	下移	4 550	69	1 092.60	1 095.1	1 095.0	0.10
1977	滞洪排沙	下移	3 160	37	1 105.51	1 105.5	1 104.9	0.60
1981	蓄清排浑	下移	2 910	15	1 105.1	1 105.4	1 105.2	0.20

七、水库槽库容与淤积比降

水库库容可分为两部分，即滩面以上库容(滩库容)和滩面高程以下库容(槽库容)。如果运用得当，水库的槽库容经过淤积—冲刷—再淤积—再冲刷的反复演变，是可以保持长期使用库容的，对调水调沙、防洪、灌溉和发电等，都将发挥很大效益。但是要想长期保持槽库容，对于高含沙河流上的水库来讲，要具备两个条件：①在水库运用方式上应采取非汛期和汛期中的平水期蓄水。从巴家嘴水库来看，这两个时期多年平均输沙量只占全年输沙量的 4.0％，洪水期，尽可能降低水库水位敞泄排沙。②应当有足够的泄流能力，输水洞和排沙洞的进水口底坎高程，应当有利于库区冲刷与排沙。

巴家嘴水库的槽库容，在各种不同运用时期，变化很大。在蓄水拦沙运用时期，高含沙异重流几乎将回水范围内的河槽全部填平，只是在回水末端和坝前附近有一微小的主槽。因此可以认为，蓄水拦沙运用期没有槽库容；滞洪排沙运用时期，除了洪峰时段进库流量大于出库流量，坝前发生壅水以外，其他时间处于泄空冲刷过程，由于冲刷的作用促使槽库容逐年增加。

(一)巴家嘴水库槽库容演变过程

在蓄水期，水库槽库容容易被泥沙淤平；当坝前水位降低以后，库区发生冲刷，坝前段发生溯源冲刷，当冲刷强度减弱到很小时，槽库容接近最大值，即水库槽库容在冲刷接近尾声时最大。由于洪水历时短,洪水过后基流量不足 1.0m³/s,因此沿程冲刷数量很小,对塑造槽库容作用甚小。表 4-7 以第二次泄空排沙期为例,给出了巴家嘴水库的槽库容演变过程。

表 4-7　　　　　　　　第二次泄空排沙期坝前淤积面高程及槽库容

项目	测量日期(年·月)				
	1974.1	1975.5	1976.5	1977.5	1977.8
平滩水位(m)	1 095.0	1 095.0	1 095.4	1 096.0	1 096.0
平均河槽高程(m)	1 090.0	1 091.8	1 092.8	1 092.4	1 091.8
槽库容(万 m³)	219.7	499.1	441.0	469.9	523.6

从表 4-7 可以看出,泄空冲刷初的槽库容只有 219.7 万 m³,经过 3 年多的冲刷,槽库容已增加 2 倍多,达到 523.6 万 m³。

在调水调沙运用期,受运用方式限制,尽管水库只在进库沙量集中的洪水期敞泄排沙,但仍可以冲刷出较大的槽库容,变化过程测量数据见表 4-8。

表 4-8　　　　　　　　　　调水调沙期槽库容变化过程

测量时间(年·月)	1978.5	1978.10	1979.5	1979.10	1980.5	1980.10	1981.5	1982.10
槽库容(万 m³)	540.2	472.0	520.9	437.0	324.3	538.6	525.6	484.9

应当指出,目前巴家嘴水库最大泄量只有 102m³/s,据初步估算,要满足排沙和保持库容的需要,泄流能力最好在 500m³/s 以上。

(二)巴家嘴水库槽库容的计算

一般槽库容计算采用下列公式:

$$V_槽 = B_冲 h_冲 L_冲 + \frac{1}{2} B_冲 L_冲 \Delta H + \frac{m}{3} L_冲 \Delta H^2 \tag{4-2}$$

式中,冲刷宽度 $B_冲$ 和冲刷深度 $h_冲$ 应是定值,但在巴家嘴、恒山、王瑶以及黑松林等类似水库,其宽度不是由水流冲刷决定的,而是由两岸溜泥滑坍形成的。

巴家嘴水库调水调沙运用期的 1982 年 10 月实测大断面见图 4-15。

图 4-16 给出了河槽宽度与累计库容的沿程变化,由图中可以清楚地看出,在坝前段河宽达 150m,而在距坝 15km 处,河宽不足 50m,这说明坝前受泄流影响较大,落差大,主槽两侧滑滩剧烈,造成的河槽较宽。距坝越远,滑滩现象越少,河槽越窄。

累计槽库容在距坝 10km 以上变化缓慢也说明了这一点。

目前计算类似巴家嘴水库的槽库容,可将断面按三角形形态处理。

(三)淤积比降

一般挟沙水流的水库淤积比降,在第三章中已经做了详细论述。它基本上是遵循泥沙运动原理,由泥沙在不同的库段堆积造成的。这种河流的纵剖面或比降以及相应的水库淤积比降,与流域来水来沙以及河床组成密切相关。

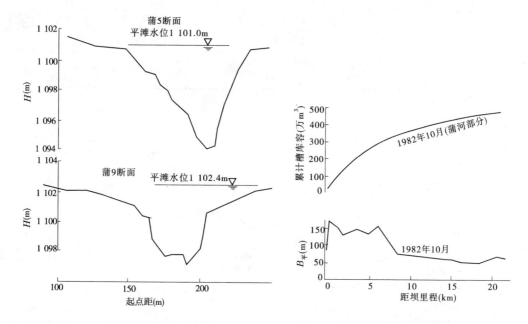

图 4-15　巴家嘴水库调水调沙运用期
（1982 年 10 月）实测大断面

图 4-16　河槽宽度与累计槽库容
沿程与分布(蒲河部分)

从河流地貌学的角度来观察,任何一条河流,其上游河段的流量要小于下游河段的流量,然而与之相应的河流纵剖面,则上游纵剖面要大于下游纵剖面。从河床组成来看,上游河床组成较粗,甚至河床由基岩或孤石、卵石等组成。下游的河床组成较细,特别是冲积平原的河床组成更细,其相应河流纵剖面也非常小。黄河部分干支流河道比降与河床组成关系见图 4-17。

高含沙河流上的水库,它的淤积比降与高含沙水流和异重流的特性密切相关。因此,不能用一般公式计算。高含沙异重流在水库中的运动为层流流态。其阻力关系为

$$\lambda_{\mathrm{m}} = \frac{8ghJ}{u^2} \frac{\Delta\gamma}{\gamma'} = \frac{k}{Re'_{\mathrm{m}}} \tag{4-3}$$

$$Re'_{\mathrm{m}} = \frac{4hu\gamma'}{\frac{\Delta\gamma}{\gamma'}g(\eta + \frac{\tau_{\mathrm{B}}R}{2u})} \tag{4-4}$$

式中:g 为重力加速度;h 为异重流厚度;J 为异重流交界面坡度;u 为异重流流速;η 为流变试验刚度系数;τ_{B} 为极限剪力;R 为异重流水力半径;γ' 为浑水重率,$\Delta\gamma'$ 为清水与浑水密度差;Re'_{m} 为异重流雷诺数;λ_{m} 为阻力系数。其关系见图 4-18。

式(4-4)中的 τ_{B} 和 η 均为含沙量的函数,τ_{B} 随含沙量增大而增加。式(4-4)中的 $\tau_{\mathrm{B}}R/2u$ 一项,当含沙量大于 300kg/m³ 时,$\tau_{\mathrm{B}}/2u$ 值是 η 值的 100 倍。故式(4-4)中的 η 值可忽略不计。同时令 $R \approx h$,则式(4-4)可简化为

$$Re'_{\mathrm{m}} = \frac{8u^2}{g\tau_{\mathrm{B}}} \frac{\gamma'}{\frac{\Delta\gamma}{\gamma}} \tag{4-4'}$$

联解式(4-3)及式(4-4'),可求得高含沙河流水库的淤积比公式为

$$J = C \frac{\tau_{\mathrm{B}}}{\gamma' h} \tag{4-5}$$

$$C = \frac{k}{64}$$

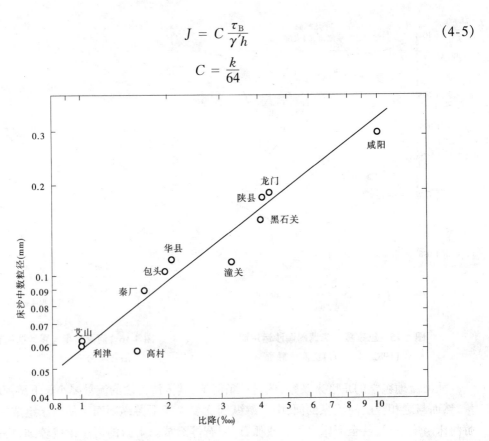

图 4-17　黄河部分干支流河道比降与河床组成 D_{50} 关系

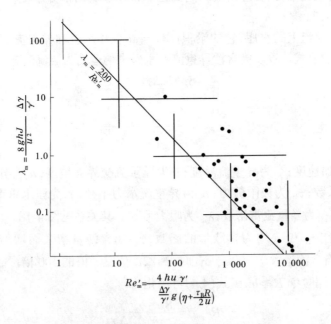

图 4-18　巴家嘴水库异重流 $\lambda_{\mathrm{m}} \sim Re'_{\mathrm{m}}$ 关系

式中,C 为系数;h 在异重流运动过程中难以确定,但是从上述分析中我们知道,高含沙异重流都是高含沙洪水转化而成。因此,可以用进库洪水的多年平均流量 Q 来代替 h。h 与 Q 的关系可以写 $h = \alpha Q^{1/3}$,代入式(4-5)以后,可改写为

$$J = C' \frac{\tau_B}{\gamma' Q^{1/3}} \tag{4-6}$$

$$C' = \frac{C}{\alpha}$$

式中,C' 为待定系数。目前,高含沙河流上的水库观测资料很少,除巴家嘴水库外只有王瑶水库,资料不完整。因此,C' 值无法求得能够普遍应用的确定值,这有待于今后继续研究。

参 考 文 献

[1] 钱宁. 高含沙水流运动. 北京:清华大学出版社,1989
[2] 王明甫. 高含沙水流及泥石流. 北京:中国水利水电出版社,1995
[3] 王明甫. 黄河干支流的高含沙水流. 见:黄河泥沙. 郑州:黄河水利出版社,1996
[4] 焦恩泽. 黄甫川高含沙水流与断面冲淤变化. 人民黄河,1991(4)
[5] 焦恩泽,等. 高含沙洪水与揭底冲刷面向二十一世纪的泥沙研究. 见:第四届全国泥沙基本理论研究学术讨论会论文集. 成都:四川大学出版社,2000
[6] 焦恩泽. 蒲河姚新庄以上流域产沙与输送研究. 泥沙研究,1988(12)
[7] 焦恩泽. 巴家嘴水库泥沙的几个特殊问题. 泥沙研究,1987(2)
[8] 焦恩泽,韩宗孝. 巴家嘴水库高含沙水流淤积与排沙的研究. 见:黄河水利科学院科学研究论文集(第四集). 北京:中国环境科学出版社,1993

第五章　水库变动回水区冲淤演变[●]

在有泥沙的河流上修建水利水电工程以后,坝前水位总是升降不定,引起回水末端上下移动,从而迟早会遇到变动回水区的泥沙淤积问题。在变动回水区范围,从水流条件来分析,它是由天然河道水流流态向库区的水流流态过渡,从紊流过渡到接近层流。受水库水位消涨的影响,有时表现为天然河道特性,有时又会出现壅水水流特性。从泥沙运动来看,在库水位较高的情况下或上涨过程,挟沙水流由不饱和或饱和状态,转向超饱和而发生沿程淤积。在水库水位下降的情况下,部分回水区逐渐脱离回水影响恢复到天然河道状态,此时会出现冲刷过程。从河床调整方面分析,在进库水沙条件与水库水位升降的综合作用下,变动回水区范围内的河床,将发生淤积与冲刷的调整过程。河床调整又使泥沙运动朝冲淤平衡方向发展,水库纵向剖面朝着淤积相对平衡方向演变。其后果就是淤积末端和回水末端同步上延,直到水库淤积终极平衡而后止。

第一节　影响变动回水区冲淤因素

所谓变动回水区,一般是指自最高水库水位的回水曲线与天然河流水面线相切点起,至最低水库水位回水曲线与库区主河槽水面相切点的范围,回水曲线与天然河道水面线应当是相交的,为了简便起见,看做是相切点。受泥沙淤积的影响,变动回水区的范围不是固定不变的,在多年平均流量情况下可用图 5-1 示意。

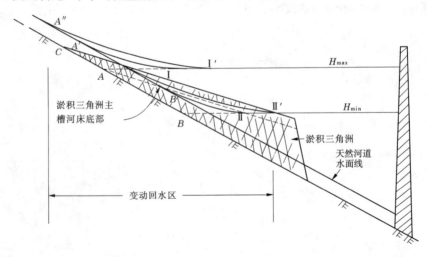

图 5-1　水库变动回水区示意

图 5-1 中给出了水库修建前的天然河流水面线,正常蓄水后最高水位时的回水曲线,

　　❶ 焦恩泽.浅谈变动回水区的淤积问题.黄科院科技第 87061 号,1987 年 9 月

最低水位时的回水曲线,同时还勾画出泥沙淤积发展到某一阶段的回水曲线。

在最高库水位 H_{max} 时,与原河床相交于 A 点,与天然水面线相切于 A' 点,在发生淤积以后,由于河床进行不断的调整,经过一定时期以后,淤积末端和回水末端向上延伸,回水曲线与天然河道水面曲线相切在 A'' 点。

水库水位处在最低(H_{min})时,与原河床平交 B 点,与天然水面线相切于 B' 点。受库区冲淤影响,水库深水区在Ⅱ′点相切。从上述情况可以看出,水库变动回水区的最大范围是自 A'' 点起,至Ⅱ′为止。

一、进库水沙条件的作用

水库以上流域所能提供的径流量与输沙量,特别是汛期的径流量与输沙量,是决定水库淤积上延和冲刷的最主要因素。汛期输沙量较大时,进入水库回水区以后,挟沙水流多为超饱和状态而发生淤积。若遇到丰水枯沙年份,挟沙水流进入回水区以后,在回水变动区,由于存在不饱和的挟沙水流,可能发生冲刷。因此,径流量和输沙量,特别是洪水期的径流量与输沙量的多寡,对水库变动回水区的冲淤作用是极为重要的。

官厅水库自 1955 年汛后正式蓄水运用,经历三个丰水丰沙年(1956、1959 年及 1967 年)。其中,1956 年汛期最高库水位为 478.11m,淤积末端达到永 1046 断面(距坝 28.5km),淤积末端比汛期最高水位平交河床点的长度多 5.0km;1959 年汛期最高水位 478.62m,淤积末端在永 1046 断面上游;1967 年汛期最高水位为 478.46m,淤积末端在 1046 断面以上。图 5-2 是官厅水库变动回水区主要断面的河床高程与库水位变化过程线。在上述各丰水年之间为平、枯水年份,库水位较低,淤积末端没有上延,其中 1970 年至 1975 年,径流量比多年平均值要少,是枯水年份。水库最上游的几个主要断面(永 1046、永 1042 及永 1039+1),发生不同程度的冲刷。表 5-1 是官厅水库主要年份的汛期(6~9 月)进库平均流量、含沙量、输沙率以及两处进库站的悬移质中数粒径和断面淤积物的中数粒径。

从图 5-2 和表 5-1 可以看出,1959 年以后,经过连续的枯水年份,变动回水区范围的河床高程是下降的。然而 1956 年至 1959 年是较丰的水沙年份,变动回水区的河床高程是上升的。1970 年以后,又出现枯水年系列,河床呈下降趋势。

图 5-2 中显示,在 1975 年以后,永 1039 断面以上河床高程呈上升趋势,这是因为,上游支流洋河对河道进行整治,将原河道宽度 2 000m 左右压缩到 400m,引起河道强烈冲刷,冲刷起来的大量泥沙进入水库淤积末端,由于库区纵比降早已变缓,上游冲刷起来的泥沙便堆积在水库末端河段或变动回水区范围。因此,水库上游附近的人类活动,对变动回水区的河道演变,有着不可忽视的作用。

我国很多水库的进库输沙量多集中在汛期,汛期输沙量一般占全年输沙量的 72.8%~98.2%,汛期输沙量又集中在几次洪峰过程,例如巴家嘴水库 1972 年最大日输沙量占全年的 90%。

每座水库的进库水沙条件又非常复杂,年际间变化无常,难以用简单的模式进行概括。其中既有数量上的差异,又有质量上的不同,而且在时空分布上也有不同的特征。我国 32 座水库水沙与库区特征值见表 5-2。

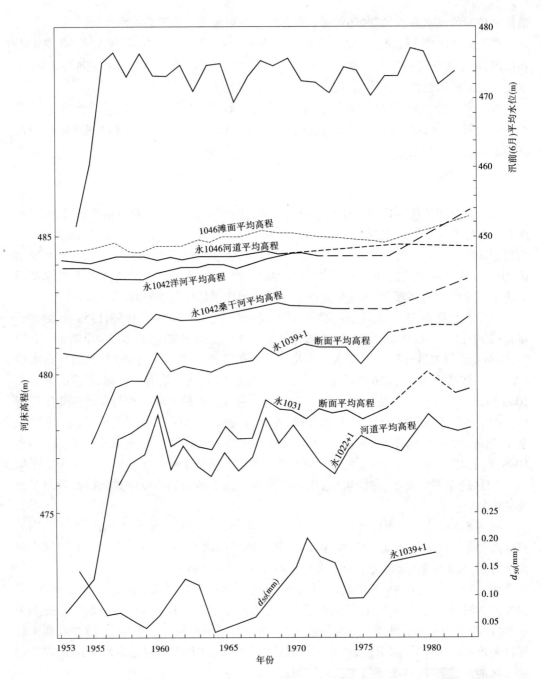

图 5-2　官厅水库主要断面河床高程与库水位变化过程

从流量来看,每座水库的进库多年平均流量 $\overline{Q}$ 与最大流量 Q_{max} 的比值($Q_{max}/\overline{Q}$)相差非常大。黑松林水库达到 288.6,盐锅峡电站只有 3.84(见表 5-2)。

从含沙量来分析,最大含沙量可达到 936kg/m³ ,多年平均最大含沙量为 240kg/m³ 。两者之比值在 4.69~105.4 之间(见表 5-2)。进库的水流所挟带的含沙量大小、泥沙组成的粗细,是水库冲淤演变、冲淤部位等最为敏感的重要因素。如果用含沙量 S 与流量

Q 的比值(S/Q)作为判断冲淤的指标,那么 S/Q 最大值为 139(恒山水库),最小值为 0.000 14(五强溪水库)。在应用 S/Q 指标时,应当考虑水库的边界条件,如水库的比降、河槽形态或河相关系。S/Q 称之为来沙系数,实际上它是"1m^3/s 所挟带的单位体积沙量",更确切的定义是"水沙搭配参数"。对每座水库、每条河流甚至任意一个河段,S/Q 都在不断变化,即使取月平均或年平均值,也是变化较大的。表 5-2 给出的 S/Q 值,只是对某座水库做定性或宏观上的分析。

表 5-1　　　　　官厅水库主要年份进库水沙量及淤积末端各断面淤积物 D_{50}

年份	进库(汛期)			进库悬移质 d_{50} (mm)		主要断面淤积物 D_{50} (mm)			坝前水位 (m)	
	Q (m^3/s)	S (kg/m^3)	Q (t/s)	响水堡	石匣里	1039+1	1042	1046	6月	9月
1954	140.3	83.2	11.7			0.147			451.34	464.08
1956	122.3	53.3	6.52	0.026 9		0.067			474.99	477.80
1957	64.1	50.3	3.22	0.0214	0.030 7	0.069	0.133	0.069	476.62	476.46
1959	138.0	48.0	6.62	0.030 3	0.036 8	0.041	0.070		475.59	478.52
1960	26.2	37.3	0.98	0.024 7	0.037 4	0.066	0.155		473.27	469.75
1962	54.1	25.3	1.37	0.019 2	0.034 0	0.130	0.223	0.540	474.93	471.21
1963	28.8	11.7	0.337	0.027 7	0.034 0	0.121	0.066	0.106	470.96	471.46
1964	65.3	20.2	1.32	0.026 4	0.040 6	0.032	0.071 3	0.104	474.65	477.23
1967	126.2	35.3	4.45	0.013 6	0.017 0	0.062		0.082 5	473.33	478.31
1970	33.4	31.3	1.045	0.019 0	0.007 9	0.150	0.269	0.355 0	475.79	473.48
1971	22.4	18.0	0.403	0.022 8	0.021 5	0.209			472.46	472.40
1972	7.7	7.4	0.057	0.045 0	0.031 4	0.169	0.108		472.31	469.66
1973	43.0	22.5	0.968	0.020 0	0.018 3	0.162	0.224		470.41	476.08
1974	58.6	51.7	3.03	0.025 0	0.014 7	0.093			474.25	477.14
1975	17.4	35.8	0.623	0.029 4	0.011 2	0.096			474.14	471.48
1977	22.8	10.6	0.242	0.031 0	0.025 0	0.161			473.09	473.00
1980	22.7	7.0	0.159	0.041 3	0.027 1	0.177			476.75	473.05

在高含沙河流上的水库,变动回水区的泥沙问题比较简单(如巴家嘴水库)。这是因为高含沙水流有极大的输送能力,可以将粗颗粒泥沙全部带进壅水区,转化成高含沙异重流之后,也能将粗颗粒泥沙排出库外。因此,在这种水沙条件下,进入壅水区以后,粗颗粒泥沙不发生水力拣选,最后形成锥体淤积。山西雁北地区的恒山水库,其上游有两条支流汇流区处在水库回水末端附近,其中一条是清水河流,挟带一些腐殖质进入库区;另外一条支流属土石山区河流,由于流域内的植被异常稀少,每逢暴雨挟带大量泥沙和卵石进

表 5-2

我国 31 座水库水沙与库区特征值

编号	水库名称	所在河流	多年平均流量 (m³/s)	多年平均洪峰流量 (m³/s)	多年平均输沙量 (万t)	多年平均含沙量 (kg/m³)	最大含沙量 (kg/m³)	总库容 (亿m³)	设计水位 (m)	死水位 (m)	设计回水长度 (km)	天然河流 d_{50} (mm)	d_m (mm)	d_{90} (mm)	D_{50} (mm)	D_{max} (mm)
			(1)	(2)	(3)	(4)	(5)	(6)	(7)	(8)	(9)	(10)	(11)	(12)	(13)	(14)
1	官厅	永定河	43.2	1 290	7 200	37.9	436	22.7	483.07	471.47	44.0				0.8	
2	天桥	黄河	820.0	5030	33 600	13.0	1 190	0.673	835.1	828.0	20.0	0.048	0.067	0.12		
3	大伙房	浑河(东北)	52.3	1 720	137	0.90	11.5	22.3	136.0	108.0	35.0	0.027	0.090	0.23	4.5	100
4	桓仁	浑江	144.0	3 650	314	0.71	6.02	34.5	308.7	290.0	76.0	0.015	0.043	0.115	32.5	123
5	丰满	二松花江	434.0	5 690	293	0.21	5.86	107.8	266.2	242.0	150.0	0.042 / 0.015	0.133 / 0.045	0.17 / 0.08		
6	黄坛口	乌溪江	101.0	3 110	41	0.13	2.44	1.03	115.6	105.5	23.0	≤0.04		<0.23	0.19	0.26
7	三门峡	黄河	1 300.0	8 690	136 000	32.3	911	354	—	—	113.2	0.022	0.031	0.068		
7-1	渭河	渭河	255.8	3 900	42 050	52.1	905	—	—	—		0.025			0.202	
8	黄龙滩	堵河	191.0	4 730	858	1.48	45.0	11.8	248.2	222.0	93.0	0.034	0.083		28	170
9	丹江口	汉江	1 200.0	15 700	11 500	2.92	31.1	209.7	160.0	139.0	176.9	0.039	0.083	0.19		
10	白莲河	浠水	36.9	1 900	52.6	0.36	3.96	11.04	106.3	96.0	45.0	0.069	0.115	0.195	0.76	18
11	五强溪	沅水	1 950.0	18 400	1 680	0.27	4.39	42.0	111.25	90.0	152.0	0.021	0.057	0.090		
12	柘溪	资水	621.0	6 900	388	0.18	1.39	35.7	171.2	144.0	150.0	0.013	0.029 8	0.05	9.0	40
13	西津	郁江	1 600.0	10 800	1 110	0.29	1.36	30.0	65.2	59.0	170.0	0.023	0.040	0.092		
14	龚嘴	大渡河	1 360	6 550	3 370	0.70	9.45	3.57	528.3	520.0	42.0	0.057	0.112	0.27	120~200	500
15	碧口	白龙江	295.0	2 200	2 460	2.64	227	5.21	703.3	685.0	36.5	0.044	0.077	0.16	39	150

续表 5-2

编号	水库名称	所在河流	多年平均流量 (m³/s) (1)	多年平均洪峰流量 (m³/s) (2)	多年平均输沙量 (万t) (3)	多年平均含沙量 (kg/m³) (4)	最大含沙量 (kg/m³) (5)	总库容 (亿m³) (6)	设计水位 (m) (7)	死水位 (m) (8)	设计回水长度 (km) (9)	天然河流 d_{50} (mm) (10)	d_m (mm) (11)	d_{90} (mm) (12)	D_{50} (mm) (13)	D_{max} (mm) (14)
16	水槽子	以礼河	19.3	277	142	2.45	75.7	0.096	2 100.0	2 096.0	6.6	0.005 5	0.011 5	0.035		
17	石泉	汉江	342.0	8 050	1 260	1.23	34.4	5.65	410.0	395.0	67.0	0.023	0.05	0.12	14.5	250
18	石门	褒河	43.6	1 250	148	0.93		1.11	618.0	595.0	17.0					
19	刘家峡	黄河	834.0	3 220	8 700	3.31	310	61.5	1 735.0	1 694.0	56.0	0.025	0.061	0.12	0.52	100
20	盐锅峡	黄河	823.0	3 160	7 600	2.94	310	2.65	1 621.4	1 618.5	30.0	0.028		0.142		
21	青铜峡	黄河	1 030.0	3 790	15 400	7.20	413	7.36	1 156.0	1151	46.0	0.032 5	0.049 6	0.11	22.5	
22	巴家嘴	蒲河	3.30	907	2 499.7	240	1 070	4.13	1 118.8			0.023	0.041 4			
23	红山	老哈河	29.2		4 300	46.8	697	8.24	433.8	430.3	28.0	0.02		0.076	0.11	2.0
24	黑松林	冶峪河	0.44	127	69	48.0	801	0.086	764.5	741.5	3.32	0.025			41.0	
25	冯家山	千河	15.4		496	8.76		3.89	708.8	688.5	18.5	0.019		0.063	2.6	
26	阎德海	柳河	12.9		1 561	59.2		2.60			17.6	0.043			0.72	
27	恒山	唐峪河(雁北)	0.42		76.8	58.6	936	0.133	1 236.0		1.39	0.03~0.05				>500
28	镇子梁		2.05		430	66.6		0.494			9.0	0.025				
29	新安江	新安江	357.0	8 990	341	0.27	3.42	218.0	108.0	86.0	140.0	0.028		0.17		
30	上犹江	上犹江	94.2	1 660	85.6	0.16		8.22	198.4	183.0	52.0					
31	八盘峡	黄河	1 000.0	3 940	11 900	3.50	329		1578.5	1576.0	16.7	0.02		0.105		

续表 5-2

编号	水库名称	所在河流	实际运用水位 H_{max} (m) (15)	实际运用水位 $H_{汛平均}$ (m) (16)	淤积最远点高程 (m) (17)	$L_{淤}$ (km) (18)	原河道比降 (‰) (19)	顶坡淤积比降 (‰) (20)	汛期沙量占全年沙量 (%) (21)	汛期水量占全年水量 (%) (22)	(17)-(16) (m) (23)	(17)-(15) (m) (24)	$\bar{Q}_{max}/\bar{Q}$ (2)/(1) (25)	$S_{max}/\bar{S}$ (5)/(4) (26)	$\bar{S}/\bar{Q}$ (4)/(1) (27)	S_{max}/Q_{max} (5)/(2) (28)
1	官厅	永定河	478.83	471.63	484.5	28.5	14.2	3.5	90.0	52.6	12.87	5.67	29.9	11.5	0.877	0.338
2	天桥	黄河	835.2	831.28	833.8	21.77	10.0	2.3	85.4	58.3	2.52	-1.4	6.13	91.5	0.015 9	0.237
3	大伙房	浑河(东北)	131.48	120.55	131.48	350	12.7		90.0	68.4	10.93	0	32.9	12.8	0.017 2	0.006 7
4	桓仁	浑江	303.14	295.3	263.99	18.48	10.0		95.8	69.7	-31.31	-39.15	25.3	8.48	0.004 9	0.001 6
5	丰满	二松花江	266.18	251.81	250.83	128.58	7.5		77.0	60.0	-0.98	-15.35	13.1	27.9	0.000 5	0.001 03
6	黄坛口	乌溪江	116.44			≈22.0	15.0	7.6	92.7	73.0		—	30.8	18.8	0.001 3	0.000 78
7	三门峡	黄河	332.58	318.66	357.2	196	4~5.5	1.5	83.5	58.6	38.54	24.62	6.68	28.2	0.024 8	0.105
7-1		渭河	332.58	318.66	351.6	278	1.11	1.10	90.8	49.4	32.94	19.02	15.2	17.4	0.204	0.232
8	黄龙滩	堵河	251.9	243.5	262.9	110.95	9.3	2.9	98.2	83.0	19.4	11.0	24.8	30.4	0.007 7	0.009 5
9	丹江口	汉江	157.7	151.2	160.4	185.6	6.0		80.0	65.0	9.2	2.70	13.1	10.6	0.002 4	0.002 0
10	白莲河	浠水	106.15	97.24	103.0	41.0	12.0	1.7	82.0	66.7	5.76	-3.15	51.5	11.0	0.009 8	0.002 1
11	五强溪	沅水	108.0	102.8			3.2		90.2	69.5			9.4	16.3	0.000 14	0.000 24
12	柘溪	资水	169.83		157.7	138.81	5.0		86.0	70.0	-1.52	-12.13	11.1	7.72	0.000 29	0.000 20
13	西津	郁江	61.78	59.39	57.87	≈170	1.0		98.0	80.0	-5.52	-3.91	6.75	4.69	0.000 18	0.000 13
14	龚嘴	大渡河	528.26	522.72	517.20	35.0	14.0	1.2	92.0	61.0	-5.52	-11.06	4.28	13.5	0.000 46	0.001 4
15	碧口	白龙江	705.30	685.0	692	30.0	30.0		89.6	64.4	7.0	-13.3	7.46	86.0	0.008 9	0.103 0

续表 5-2

编号	水库名称	所在河流	实际运用水位 H_{max} (m) (15)	实际运用水位 $H_{汛平均}$ (m) (16)	淤积最远点高程 (m) (17)	$L_{淤}$ (km) (18)	原河道比降 (‰) (19)	顶坡淤积比降 (‰) (20)	汛期沙量占全年沙量 (%) (21)	汛期水量占全年水量 (%) (22)	(17)−(16) (m) (23)	(17)−(15) (m) (24)	$\bar{Q}_{max}/\bar{Q}$ (2)/(1) (25)	$S_{max}/\bar{S}$ (5)/(4) (26)	S/Q (4)/(1) (27)	S_{max}/Q_{max} (5)/(2) (28)
16	水槽子	以礼河	2 101.14	2 097.2	≥2 100.0	6.6	46.5	4.7	93.8	80.0	≈2.80	≈−1.14	14.4	30.9	0.127	0.273
17	石泉	汉江	409.89	401.17	418.4	70.0	7.4	5.1	77.9	50.2	17.23	8.51	23.5	28.0	0.003 6	0.004 2
18	石门	褒河	614.62	602.9	611.0	15.7	43.0	30.9	91.0	60.9	8.10	−3.62	28.7		0.0213	
19	刘家峡	黄河	1 735.33	1 717.96	1 729.6	52.5	25.0	3.2	80.6	46.8	11.64	−5.73	3.86	93.7	0.003 9	0.096
20	盐锅峡	黄河	1 619.56	1 616.98	1 616.2	30.2	13.0	2.0	80.0	57.2	−0.78	−3.36	3.84	105.4	0.003 6	0.098
21	青铜峡	黄河	1 156.01	1 154.8	1 159.5	37.5	7.1	1.5	88.2	63.8	4.7	3.49	3.68	57.4	0.007 0	0.109
22	巴家嘴	蒲河	1 105.48		1 105.3	25.8	22.8	3.5	94.0	62.0		−0.18	274.8	4.46	72.7	1.18
23	红山	老哈河	953.3		963.0	33.0	10.5					9.7				
24	黑松林	冶峪河	437.1	426.7	446.0	54.4	6.1	3.2	91.5	74.4	19.3	8.9		14.9	1.60	
25	冯家山	千河	764.0	<755.0	772.0	3.30	100.0		97.1	42.7	≥17.0	8.0	288.6	16.7	109.1	6.31
26	闹德海	柳河	709.57	697.03	709.1	17.6	36.6	2.5	83.0	44.0	12.07	−0.47			0.57	
27	恒山	唐峪河	185.04		194.5	29.0	14.0	5.9	90.8	59.6		9.46			4.59	
28	镇子梁(雁北)	滹沱河(雁北)	1 233.5	1 226.73	1 256	2.00	290.0	40.0	96.5	49.3	29.27	22.5		16.0	139.5	
28	镇子梁(雁北)	滹沱河(雁北)	1 020.2	1 028.0	1 028.0	15.5	12.2	10.0				7.8			32.5	
29	新安江	新安江	106.68		114.87	156.9			84.8	74.0	8.19	8.19	25.2	12.7	0.000 76	0.000 38
30	上犹江	上犹江	200.27	192.06	200.0		10.0		72.8	76.0	7.94	−0.27	17.6		0.0017	
31	八盘峡	黄河	1 578.5	1 576.7	1 574.9	16.0			80.0	78.0	−1.8	−3.6	3.94	94	0.00 35	0.08 35

注：d 代表悬移质粒径；D 代表河床粒径。

入库区,卵石及粗泥沙落淤在水库回水末端,剩余泥沙仍可形成高含沙水流进库。恒山水库总长度不足 1.5km,原河道比降 1.0%,水库宽度不足 100m,泄流能力大于 1 000m³/s,其排泄能力大,可达到冲淤平衡。但是水库末端的粗泥沙与卵石的堆积仍然向上游发展。水库淤积纵横断面见图 5-3。从图 5-3 及表 5-2 可以看出,进入恒山水库的悬移质泥沙较细,d_{50} 在 0.03~0.05mm,然而最大粒径可以达到 500mm 以上。水库淤积上延长度几乎与水库长度相等。据 1986 年 7 月在恒山水库库区及上游查勘时看到:在进库站上下游,卵石遍及滩地和主槽,最大可达 50~70cm。看不出明显主槽,水流散乱,汊流众多。水库平面见图 5-4。从图中可以看出,恒山水库的变动回水区及水库淤积上延现象十分突出,它反映了进入库区的泥沙组成,对变动回水区的作用和对淤积上延的影响是非常严重的。图 5-5 是恒山水库上游附近东坡不同深度淤积物质的颗粒分析图。

云南省水槽子水库,位于金沙江支流以礼河中上游,1959 年建成[1]。多年平均径流量为 6.15 亿 m³,悬移质年均输沙量为 142 万 t,推移质年均输沙量约 50 万 t。其上游的毛家村水库于 1968 年建成,拦截 70% 左右沙量,水槽子水库淤积得到缓解。但是在水库末端有一条多沙粗泥沙支流披戛河没有得到治理,仍有大量泥沙进入库区。即使在春节期间进行敞泄冲沙,水库淤积仍然在发展,距坝 4.0km 以上部分,几乎是平行淤积抬升,水槽子水库纵剖面见图 5-6,淤积物组成分布见图 5-7。从图中可以看出,距坝址 2.0km 以内的淤积物组成很细,平均粒径在 0.02mm 以下;在距坝址 2.0km 以上的淤积物较粗,在 0.025mm 以上,有的甚至为 2.0mm 以上的砾石。

由于淤积物较粗,水库淤积继续上延,沙洲众多,主流摆动频繁。

从上述两座山区性、多沙粗泥沙河流上的水库实例来看,其变动回水区的淤积问题是非常严重的。它不仅丧失库容,而且由于淤积上延又增加了水库的浸没、淹没面积,这一经验教训为今后水库规划设计工作敲响了警钟。因此,在多泥沙河流上进行规划设计水库时,必须高度重视并周密地研究泥沙问题,要预先考虑到它的危害性以及危害程度,不能只考虑防洪、发电和其他兴利的一面,忽视可能带来的严重后果。

二、河流特性对变动回水区冲淤的影响

水库变动回水区的冲淤演变,不仅与水文、泥沙条件有密切关系,它和水库所在地区的地形地貌条件的关系也很重要。水库修建在山区峡谷河流上,或者兴建在平原河流上,其演变特点、淤积上延程度是完全不同的,当然,天然河流的特征也是千差万别的。由于水库泥沙观测工作投资大,观测设备、精度又有一定局限性,特别是变动回水区的观测工作难度更大。因此,很难收集到比较完整的资料,这给研究工作带来很大困难。这里只能粗略地划分出若干个类型,以分析其对变动回水区冲淤的影响。

(一)平原河流

河流出峡谷进入平原以后,河道拓宽,比降逐渐变缓,水流速度减小,水流输沙能力下降,大量泥沙发生沉积构成了冲积平原。在冲积平原上所塑造出来的河床,是由悬移质泥沙中的床沙质以及少部分的冲泻质泥沙所组成的。河流形态是水流经过长时期塑造、调

---

[1] 杜国翰,等.以礼河水槽子水库冲沙试验研究.1989 年 3 月

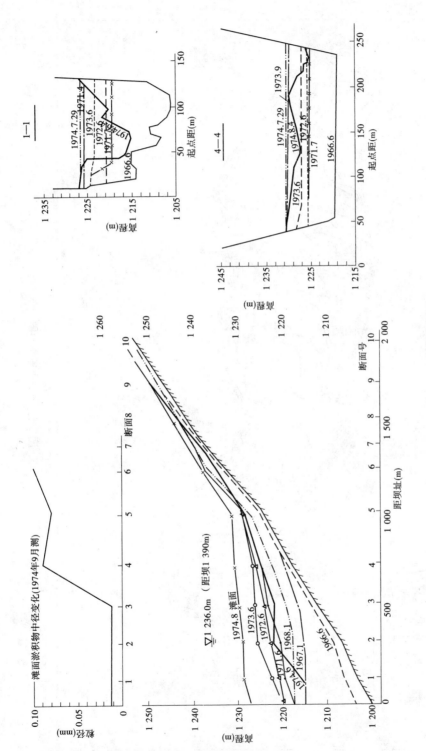

图 5-3　恒山水库淤积纵横断面

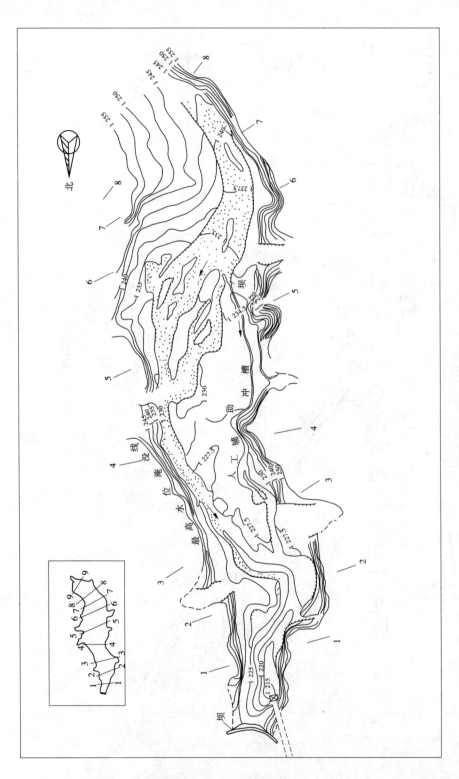

图 5-4 恒山水库平面图

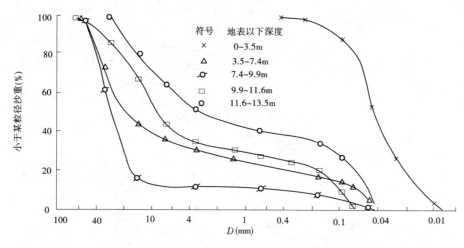

图 5-5 恒山水库上游附近地表以下泥沙组成垂线分布

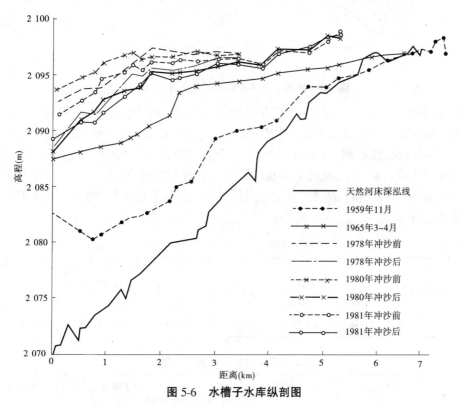

图 5-6 水槽子水库纵剖图

整而后逐渐趋向稳定。对多泥沙的平原河流来讲,其形态只能相对稳定甚至不稳定,由于流量和含沙量的过程是极其不恒定的,因此河流形态也随之改变。

一般讲,平原河流以淤积为主,如果在平原河流上修建水库,其变动回水区的淤积非常严重,淤积上延的范围也会很远。下面举出几个实例进行分析。

1.三盛公水利枢组

三盛公水利枢组是一座低水头灌溉引水工程,位于黄河上游的下段内蒙古河套地区。

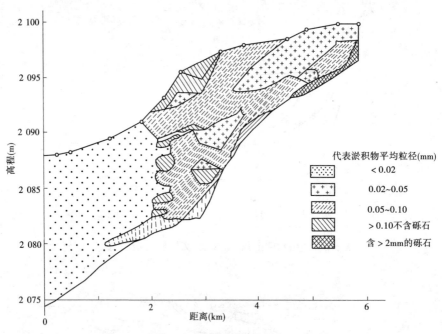

图 5-7 水槽子水库淤积物组成分布（1964 年）

属于平原河流上的水库。原河床比降为 0.196‰，河床组成为粗泥沙，枢纽修建之前是游荡性与弯曲性之间的过渡性河流。水库建成以后，回水长度约 50km，在变动回水区范围内有 2～3 股汊流，江心洲、沙滩分布其上，主流极易摆动，摆动幅度可达 500～4 000m。水库进库站为磴口水文站，同流量（1 000m³/s）水位逐年抬高，见表 5-3。水库沿程水位也是逐年上升的，见表 5-4。从表中可以看出，水库淤积几乎是平行抬高，这是平原水库非常显著的特征。

表 5-3　　　　　　　　　　　三盛公进库站(磴口)同流量水位变化

实测时期	1962 年6 月 20 日	1962 年10 月 31 日	1963 年11 月 2 日	1964 年11 月 10 日	1965 年5 月 21 日	1968 年6 月 28 日	1970 年6 月 7 日	1970 年8 月 5 日
$Q(\text{m}^3/\text{s})$	1 010	1 020	990	1 010	1 010	1 020	1 020	1 000
$H(\text{m})$	1 059.97	1 060.04	1 059.81	1 060.00	1 060.14	1 060.15	1 060.79	1 060.39

表 5-4　　　　　　　　　　　三盛公库区沿程同流量水位变化

日　期(年·月·日)	磴口流量(m³/s)	磴口水位(m)	16 断面(m)	12－2 断面水位(m)	闸上水位(m)
1966.11.6	1 000	1 060.06	1 056.73	1 055.93	1 053.72
1967.5.17	1 010	1 060.29	1 056.90	1 055.94	1 053.69
1968.11.24	1 010	1 059.85	1 056.47	1 055.51	1 050.97
1969.7.22	1 010	1 060.34	1 056.20	1 056.12	1 054.05
1970.8.5	1 000	1 060.35	1 057.09	1 056.04	1 054.05

2. 镇子梁水库

镇子梁水库位于桑干河支流浑河的下游,属于平原性河流。原河床比降为1.3‰,淤积以后的比降为1.16‰。原设计回水长度为9.0km,经过几十年的运用,到1983年,淤积上延达到15.5km。由于淤积异常严重,先后进行三次改建与增建,其费用为原来投资的3.9倍。

1962年以后,改变了运用方式,虽然淤积有很大缓和,但是原河道在建库前就是微淤的,即使改变运用方式,仍然避免不了继续淤积。水库修建之前其河床组成是悬移质中的床沙质和少部分冲泻质。水库修建后,库区淤积物仍然是以悬移质为主,部分细颗粒泥沙排出库外。因此,原河床组成与淤积以后的河床组成比较接近。

水库淤积比降J_s与淤积物组成D_{50}有比较好的相关关系,天然的冲积性河流就是如此。如果在水库修建前的河床组成D_0与建库后淤积物组成D_s相差较小时,原河床比降J_0与淤积以后的比降J_s也不会相差很大。表5-5是国内21座水库J_s/J_0比值与D_s/D_0比值对照表。从表中可以看出,在建库前原河床组成D_0与建库后淤积物组成D_s比较接近时,则建库前后的纵比降也很接近。如沣河、滴河、河口及新桥等水库,J_s/J_0比值在0.8以上,D_s/D_0比值也在0.8以上。如果D_0与D_s相差较大时,则J_s/J_0的比值很小,如龚嘴、青铜峡、巴家嘴、官厅和水槽子等水库,D_s/D_0比值都在0.05以下,其J_s/J_0比值都在0.4以下。从表5-5中可以推测,在平原河流上修建水库,因原河床物质组成与淤积后的组成接近,其建库前比降与建库后的比降也是接近的。因此,纵向淤积势必呈平行抬高,使淤积上延的长度增大,进而会引起变动回水区范围扩大。图5-8是镇子梁水库纵剖面图。

表5-5   21座水库J_s/J_0与D_s/D_0对照

水库名称	J_s/J_0	D_s/D_0	水库名称	J_s/J_0	D_s/D_0
红山	0.49	0.59	泹河	0.12	0.005
龚嘴	0.16	0.011	浍河	0.38	0.054
沣河	0.88	0.80	汾河二坝	0.66	0.66
滴河	0.97	1.0	册田	0.45	0.45
石峁	0.64	0.46	水槽子	0.10	0.003
青铜峡	0.24	0.01	三盛公	0.74	0.77
河口	0.85	0.89	三门峡	0.48	0.40
新桥	0.95	0.87	张家湾	0.40	0.035
旧城	0.68	0.67	黑松林	0.16	0.002
巴家嘴	0.09	0.014	闹德海	0.50	0.60
官厅	0.28	0.054			

(二)山区河流

山区河流的明显特点是:河谷狭窄,河道坡陡流急,汇流历时短,洪水猛涨猛落,水库水位在年内涨落幅度大,河床由基岩、卵石、砾石和粗泥沙组成。上面已经介绍过的恒山水库便是其中一例。

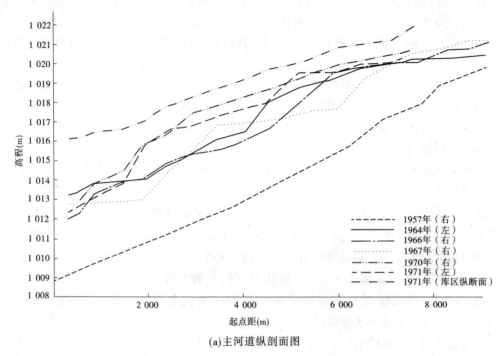

(a)主河道纵剖面图

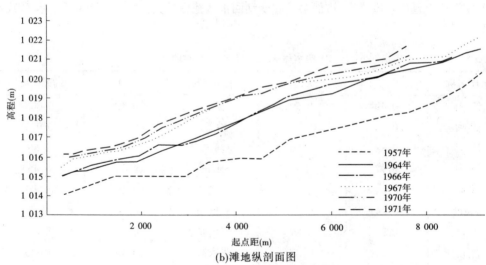

(b)滩地纵剖面图

图 5-8　镇子梁水库纵剖面图

1. 大伙房水库

大伙房水库位于辽宁省抚顺市境内的浑河上游,河道窄深穿行于深山峡谷之中,原河道坡度为 1.27‰,汛期输沙量占全年输沙量 137 万 t 的 90%以上,推移质输沙量约 13.7 万 t。进入水库的泥沙主要在夏、秋两季。7、8 两月输沙量占汛期输沙量的 95%,此时正是库水位较低时期,变动回水区 10km 左右。水库回水末端的淤积物中数粒径约

6.0mm。由于泥沙数量较少,加上变动回水区处在狭窄河段,淤积末端长度为 35.6km,与设计回水长度 35km 相同(见表 5-2)。

2. 丹江口水库

丹江口水库位于汉江中上游,变动回水区范围达 90km,汛期悬移质输沙量约 11 500 万 t。推移质输沙量约 133 万 t,其中粒径大于 10mm 的沙量约 110 万 t。变动回水区范围的河道为窄深峡谷,水面宽度为 300~500m,河床由卵石、砾石和基岩组成,在天然情况下水流挟沙处于不饱和状态。水库建成后,由于推移质输沙量较大,变动回水区有:卵石淤积段约 15km、卵石挟沙淤积段约 11km、小砂石和粗泥沙淤积段约 24km、中细泥沙淤积段约 12km、悬移质淤积段约 25km。卵石淤积段已经淤积 200 万 m³ 左右,淤积数虽然不大,但是卵石淤积容易而冲刷起来特别困难,对淤积上延的作用非常大。卵石挟沙淤积段其粒径在 0.6~60mm,已淤 820 万 m³。中、粗泥沙淤积段的淤积量约 3 020 万 m³,淤积物的中数粒径约 0.4mm,最大可达 4.0mm。根据文献❶报道,截至 1972 年底,变动回水区淤积量已经达到 1.93 亿 m³。由于汛期主槽单宽流量大(4.0~6.5m³/(s·m)),卵石容易推移,然而随着下游库段淤积、比降调平,势必会影响变动回水区淤积向上游传递,进而加快了淤积末端上延。特别是卵石与粗泥沙相互交错层层淤积,卵石会形成难以冲动的抗冲层,图 5-9 是丹江口汉江部分水库淤积纵剖面以及河宽沿程变化。

(三)湖泊型水库

官厅水库属于湖泊型水库,库区平面见图 5-10。永定河库区最宽处为 4.0km。泥沙主要来自永定河支流的洋河和桑干河,妫水河不论是径流量还是输沙量都很小。所以水库淤积几

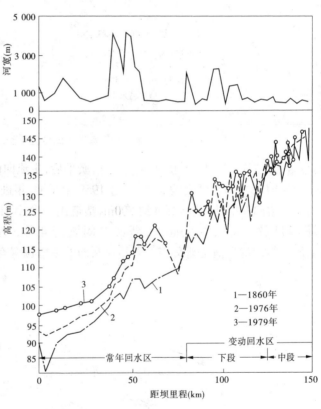

图 5-9 丹江口水库(汉江库区)淤积纵剖面、河宽沿程变化

乎全部在永定河库区,变动回水区的冲淤变化也在此间演变。由异重流向妫水河库区倒灌,构成妫水河库区拦门沙坎淤积。

官厅水库变动回水区在 1012 断面至 1039 断面范围,其冲淤变化非常迅速。在变动回水区的 1012+2 断面,主河槽摆幅在 2 000m 左右,见图 5-11。龙毓骞对此做出概括性

---

❶ 韩其为,等.丹江口濮江库区变动回水区冲淤特性初步分析.1979 年 6 月

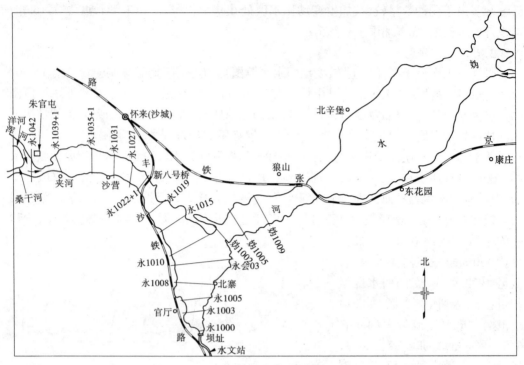

图 5-10 官厅水库库区平面图

的总结为:主流在哪里,淤积在哪里,主槽淤平后,主流向两侧摆动。从图 5-11 可以看出,1958 年 10 月主槽在断面的右侧,经过 1959 年汛期(年进库输沙量 7 849 万 t)将主河槽淤平;主河槽向左摆动,摆动幅度约 800m,塑造出一个小而深的槽;至 1961 年汛后,小深槽淤积厚度约 3.0m,与此同时,断面左侧淤高 4.0m 左右,在中部冲出一个小河槽。1012+2 断面的主槽摆动又与上游相邻断面的主槽位置有关。

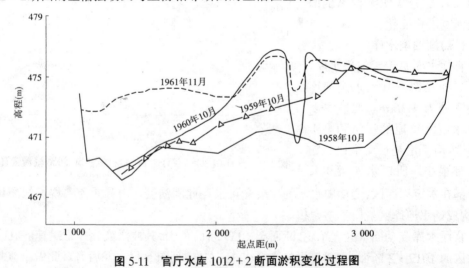

图 5-11　官厅水库 1012+2 断面淤积变化过程图

1957 年汛期,官厅水库泥沙实验站在变动回水区做了专项观测,主流摆动见图 5-12。

由于主流左右摆动不止,汛初主流在右岸,经过一场洪水进库之后(约 10 天时间),主流摆向左岸。8 月上旬一场洪水之后,主流又向右岸摆去。又经过一次洪水,主流向左岸摆动,其中有一小股仍流向右岸。从另一个断面(1019)的测量结果(见图 5-13)可以看出,其摆动过程与图 5-12 是相似的。汛前(5 月)主槽在左岸,经过一场洪水淤积,主槽摆向右岸。8 月 5 日向左岸摆动,但原主槽没有全部淤平仍剩下一个小河槽。再经过一场洪水,断面的左侧发生大量淤积以后,主槽又回到右侧。至汛后,全断面接近水平淤积。

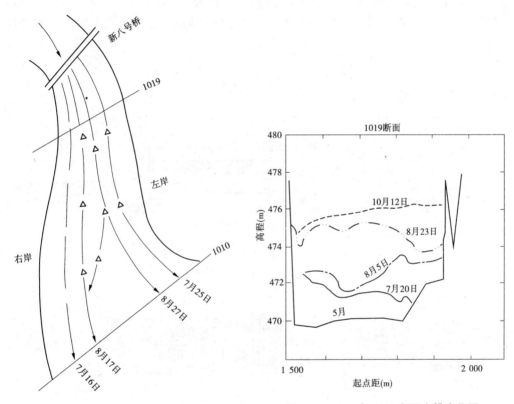

图 5-12　1957 年变动回水区主流摆动图　　图 5-13　1957 年 1019 断面主槽变化图

从图 5-13 可以看出,主流经过的地方,挟沙水流受壅水作用处于超饱和状态而发生沉积,主槽过水面积逐渐减小,洪水漫溢流向主槽两侧低洼之处,主槽淤积促使过水面积很小以后,主流将向低处流动,形成"改道"局面,出现新的主槽。由此反复变动就形成图5-11 及图 5-12 所示的情况。

第二节　水库运用与泄流设置的作用

在多沙河流上修建水利水电工程时,必须考虑如何处理泥沙问题。黄河之害是泥沙,黄河之所以难以治理也是泥沙问题。如果能够对泥沙处理较好,其他问题就比较好解决。国内已有很多水库的成功经验和失败教训。

一、天桥水电站[1]

天桥水电站位于黄河中游上段,上距河口镇199km,在陕西省府谷县天桥处。天桥水电站为一低水头电站,回水范围内为峡谷河道,最大河宽为1 000m,在天然条件下河道处在冲淤平衡状态。水电站各种设施的布局见图5-14,水库库区平面见图5-15。水电站坝址处原河床平均高程为811m;发电机组下层的排沙孔底坎高程为809.5m;排沙孔洞底坎高程为811m,与原河床高程相同。水电站最大泄量为14 800m³/s,与设计的百年一遇洪水15 600m³/s相近。因此,即使遇到特大洪水,不会造成严重的回水上延而引起淹没面积扩大。

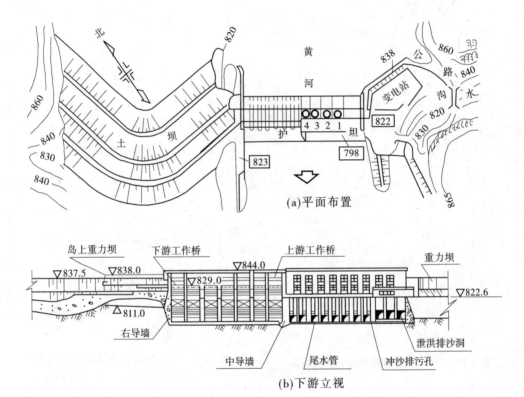

(a)平面布置

(b)下游立视

图5-14　天桥水电站立视示意图

天桥电站多年平均入库径流量为239亿m³,入库输沙量为2.53亿t,其中汛期为2.13亿t。在坝址上游20km处有黄甫川汇入。黄甫川年均输沙量为0.509亿t,汛期为0.472亿t,7、8两月为0.433亿t。黄甫川是一条多沙粗泥沙河流,最大含沙量达1 570kg/m³,对天桥库区的淤积影响极大。

1979年8月,黄甫川发生洪水早于黄河干流洪水,黄甫水文站最大流量为4 960m³/s,最大含沙量为1 400kg/m³,汇入黄河后使汇入处黄河干流的上下游形成沙坝,上庄

---

[1]　黄委会设计院规划处.天桥水电站水库冲淤特性分析.1985年10月

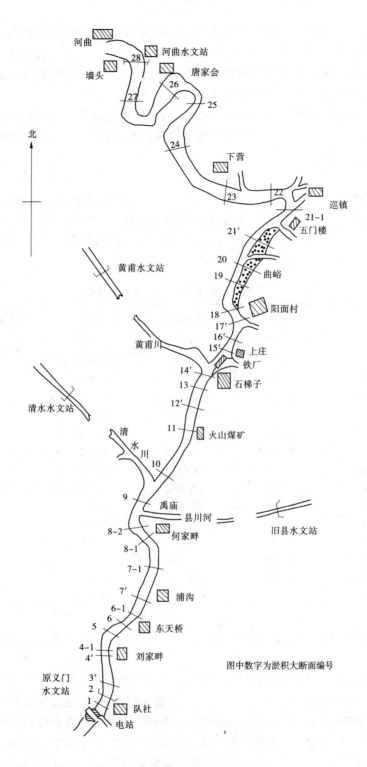

图中数字为淤积大断面编号

图 5-15 天桥水电站库区平面图

的河床淤高1.5m左右,石梯子河床淤高 2.5m 左右,14 断面淤高 2.5m 左右(参见图 5-15),使淤积上延距坝 28km(21 断面)。黄甫川洪水过后,黄河干流发生大水,日平均流量在 2 000～3 000m³/s,日平均含沙量为 6.0～14kg/m³,水库持续 20 天敞泄排沙,经过 37 天,上庄、石梯子以及 14 断面河床高程才恢复到原来状态。

从上述情况可以看出,若泄流闸和排沙孔很低,泄流能力大,即使水库变动回水区发生严重淤积,也会在黄河干流出现较大流量过程,将淤积泥沙全部冲刷起来并带向下游。

二、闹德海水库

闹德海水库位于辽河支流柳河下游,建于 1942 年,在靠近原河床高程布设 5 个泄流排沙底孔,另外还布设 2 个中层泄流孔和坝顶溢流堰。1970 年以前,全部泄流设施无闸门控制,水库只起到滞洪排沙作用。经过近 30 年运用,仍保留 76.4%库容,库容变化见表 5-6。

表 5-6　　　　　　　　　　　　　　闹德海水库 1942～1967 年库容变化

时 间 (年·月)	库 容 (亿 m³)	冲淤量 (亿 m³)	累积淤积量 (亿 m³)	损失库容占总库容 (%)
1942.7	1.683	0	0	
1950.7	0.971	0.712	0.712	42.3
1952.12	1.119	−0.148	0.564	33.5
1956.6	1.153	−0.024	0.540	32.1
1957.2	1.196	−0.023	0.517	20.7
1957.12	1.216	−0.020	0.497	29.5
1958.11	1.201	0.051	0.512	30.4
1963.6	1.203	−0.002	0.510	30.3
1963.12	1.009	0.194	0.704	41.7
1964.5	1.076	−0.067	0.637	37.8
1966.10	1.174	−0.098	0.537	32.0
1967.10	1.205	−0.031	0.508	30.2
1968.10	1.245	−0.038	0.470	27.9
1969.10	1.286	−0.043	0.427	25.4

闹德海水库的库容损失主要是因为 1949 年和 1963 年的两次特大洪水,使库区发生严重淤积。

根据 1950 年 7 月测量资料计算,1949 年大洪水造成库区淤积量达到 0.712 亿 m³(未考虑 1942～1949 年汛前淤积量),经十几年冲刷,库容得到恢复。恢复部位主要是河槽库容,滩地部分难以恢复,即所谓"淤积一大片,冲刷一条线",形成相对的高滩深槽。

1963 年 8 月发生一次百年一遇洪水,在高滩深槽的边界条件下,滩地淤积相对较少,主槽淤积较多。经过几年冲刷之后,河槽库容恢复较快,至 1969 年 10 月总库容恢复到 1.286 亿 m³。

上述两座水库的演变全过程给我们的启示是:①泄流排沙设施的底坎高程应尽可能

地放在较低高程上;②泄流排沙孔的布局以分散为好,这样对冲刷或恢复河槽库容有利;③泄流规模要大,可在洪水期减少壅水历时多排沙;④制定水库运用方式时,应当有利于水库排沙减淤。

第三节　三门峡渭河库区冲淤演变

三门峡水库按地形可分为潼关以下库区、黄河小北干流库区和渭河库区。渭河库区处在渭河口以上100km范围,距潼关上游20km范围以内的渭河部分又与黄河小干流下段形成汇流区。其中黄河库区部分的河床坡度大于0.3‰,而渭河库区部分的河床坡度为0.1‰~0.13‰。当黄河来水较大,渭河来水较小时,黄河洪水倒灌渭河,容易出现拦门沙坎淤积形态;之后若渭河出现洪水而黄河来水不大时,拦门沙坎可以冲开。拦门沙坎对渭河下游河道的冲淤变化有一定影响。

渭河下游河道冲淤变化,来自两个方面的作用:一是渭河自身的来水来沙条件与河道形态不相适应带来的冲淤变化;二是潼关河床升降对渭河下游河床冲淤演变的影响。

有关渭河下游在三门峡水库修建之前的淤积,潼关高程演变与渭河下游河道冲淤变化的关系,将在第七章介绍,在此不再讨论。

一、渭河水沙特性

渭河华县站于1934年设立并开始观测。依据黄委会水文资料整编,根据陕县水文站资料进行对照插补,将水沙量向前延伸到1919年。华县站的径流量、输沙量1919~1999年的80年系列平均值,见表5-7。从表中可以看出,汛期7、8两月含沙量最大,其次是6月份,其水沙搭配参数 S/Q 只有6、7、8三个月大于 $0.2\text{kg}\cdot\text{s}/\text{m}^6$ 以上,其他月份均小于 $0.1\text{kg}\cdot\text{s}/\text{m}^6$,11、12、1、2四个月的 S/Q 值均在 $0.015\text{kg}\cdot\text{s}/\text{m}^6$ 以下。

表 5-7　　　　　　　　　渭河华县站多年水沙特征值

月份	水量(亿 m³)	沙量(亿 t)	含沙量(kg/m³)	$\overline{Q}$(m³/s)	S/Q(kg·s/m⁶)
7	10.88	1.310	120	408	0.294
8	12.13	1.520	125	453	0.276
9	13.23	0.567	42.9	510	0.084 1
10	10.02	0.105	10.5	374	0.028 1
11	5.134	0.015 1	2.95	198	0.014 9
12	2.531	0.003 2	1.28	94.5	0.013 5
1	1.972	0.001 8	0.89	73.6	0.012 1
2	2.024	0.002 2	1.11	83.0	0.013 4
3	2.820	0.007 9	2.81	105	0.026 8
4	4.135	0.032 8	7.92	160	0.049 5
5	5.445	0.092 7	17.0	203	0.083 7
6	4.776	0.207	43.4	184	0.236
7~10月	46.26	3.530	76.6	435	0.176
11~6月	28.84	0.366	12.8	138	0.092 8
全年	75.09	3.890	52.2	238	0.219

渭河下游几乎每年在6、7、8月份都发生高含沙洪水。若出现高含沙小洪水时,则渭河下游自泾河口至渭河口全线都发生淤积,当高含沙洪水的平均流量大于500m³/s以上时,会出现全河段冲刷。渭河泥沙主要来自支流泾河,其次是葫芦河和散渡河。华县站34年(1957~1990)悬移质泥沙级配平均值见表5-8。

表5-8 渭河华县站悬移质泥沙级配

粒径级	平均小于某粒径(mm)的沙重百分数(%)								d_{50}(mm)	平均粒径(mm)
	0.005	0.010	0.025	0.05	0.10	0.25	0.50	1.00		
(%)	24.0	36.8	64.2	88.9	97.8	99.3	99.9	100	0.016	0.026

二、三门峡水库建成后冲淤变化

渭河下游河道各时段冲淤量见表5-9。

表5-9 渭河断面法冲淤量(断面法)

时 段 (年·月·日)	不同时期分段冲淤量(亿 m³)					渭拦—渭 37 累积淤积量 (亿 m³)
	渭拦—渭 1	渭 1—渭 10	渭 10—渭 26	渭 26—渭 37	渭拦—渭 37	
1960.4.30~1962.5.20	0	0.728 0	0.018 7	0	0.746 7	0.746 7
1962.5.20~1964.10.11	0.179 1	0.704 2	0.136 4	-0.153 2	0.687 4	1.434 1
1964.10.11~1968.6.16	0.165 6	3.586 1	0.899 6	0.045 8	4.530 7	5.964 8
1968.6.16~1973.10.14	0.051 6	1.612 4	2.013 8	0.087 3	3.713 5	9.678 3
1973.10.14~1978.10.7	0.122 3	-0.042 2	-0.338 7	0.067 5	-0.313 4	9.364 9
1978.10.7~1986.10.20	-0.042 7	0.107 0	-0.124 6	0.016 5	-0.001 1	9.363 8
1986.10.20~1990.9.23	0.023 8	0.248 0	0.254 2	0.090 9	0.578 7	9.942 5
1990.9.23~2001.10.29	0.073 3	1.482 9	0.877 1	0.126 2	2.486 2	12.428 7

注:1960~1962年,渭河每年汛前、汛末实测断面数不等,所以每年按二次计算的冲淤量偏小。历年资料审查时均用长时段、长河段计算冲淤量,渭河改大淤积量0.259 8亿 m³,并分配到有关时段。

渭26为渭淤26断面,在临潼水文站上游800m处,渭37为渭淤37断面,在咸阳水文站基本水尺断面上。从表5-9中可以看出,1964年10月至1968年6月淤积最为严重,主要是1966年及1967年为丰水丰沙年,加上潼关高程不断上升所致。1968年6月至1973年10月,淤积重心上延,影响到渭淤26断面。1973年10月以后,三门峡二期工程改建与增建完成之后,潼关高程由328.65m下降到326.64m,渭河下游发生冲刷,其中渭淤1断面到渭淤26断面,至1986年10月共冲刷0.505 6亿 m³。经过13年的冲刷,前期淤积上延的作用基本消除。然而渭淤26断面以上仍然发生淤积,共淤积0.0838亿 m³。特别是1978年10月至1986年10月,仅淤积0.016 5亿 m³。我们认为,1973年10月以后,在潼关高程比较稳定的情况下,这一河段的淤积是上游来水来沙与河流自动调整发生的,与三门峡水库的关系甚微。

也可以用同流量(200m³/s)水位法,来表示渭河下游河床高程的变化。自临潼(渭淤

26 断面）起至吊桥止，每年汛前沿程各水位站的变化见表 5-10。表中潼关水文站为 1 000m³/s 流量水位。从表 5-10 可以看出，潼关站同流量水位于 1969 年达到最高值，三门峡枢纽工程二期改建完成后，潼关河床高程于 1973 年汛后下降到 326.64m，与 1969 年相比，下降 2.0m 左右。表 5-11 为各站汛后同流量水位值，与表 5-10 是相对应的。从表 5-11

表 5-10 　　　　　　　　　　　　**渭河汛前 200m³/s 流量水位**[6]　　　　　　　　　（单位：m）

年份	临潼 (155.4)	交口 (131.5)	渭南 (116.0)	詹家 (96.6)	华县 (76.6)	陈村 (44.3)	华阴 (20.8)	吊桥 (7.8)	潼关 (0)
1960					333.39				323.50
1961	353.34				333.22				326.56
1962	353.65				334.39		329.87	328.49	325.90
1963	353.83				334.43	330.66	329.19	325.47	325.29
1964	354.02				334.57	331.00	327.60	326.69	326.02
1965	353.13	345.25			334.38	331.08	328.34	328.65	327.79
1966	353.49	345.90			334.79	331.00	328.75	329.05	327.97
1967	352.97	344.80	342.00	338.57	335.27	330.60	328.64	328.10	327.74
1968	353.47	345.00	342.55		336.17	334.21		329.35	328.68
1969	353.20	345.10	342.29		335.55	331.87		328.97	328.70
1970	353.48	345.89	343.06	339.95	336.29	332.80		329.98	328.55
1971	353.05	345.58	343.20	339.75	335.83	331.56		328.37	327.66
1972	353.25	345.76	342.78	339.92	336.21	332.61		327.92	327.41
1973	353.44	345.97	342.61	340.11	335.24	332.70		328.56	328.07
1974	353.55	345.85	342.73	339.96	336.01	331.31		327.15	327.20
1975	353.53	345.22	342.94	339.83	335.90	331.12	328.17	327.65	327.18
1976	353.83	345.95	342.82	339.29	335.61	330.74	327.67	326.86	326.66
1977	353.76	344.73	342.95	339.20	335.53	330.09	328.58	328.31	327.32
1978	353.02	343.71	340.23	337.10	334.01	330.85	328.62	327.52	327.31
1979	353.00	343.95	341.47	337.97	334.75	329.94	329.07	328.93	327.86
1980	353.06	344.62	342.24	339.12	335.53	331.13	329.21	328.29	327.90
1981	353.24	344.48	341.37	338.42	334.73	330.55	329.52	328.93	327.75
1982	353.55	345.28	342.43	339.12	335.44	330.80	327.96	327.57	327.43
1983	353.55	345.91	342.84	339.62	335.77	331.34	328.65	327.70	327.36
1984	353.81	346.18	342.76	339.37	335.82	331.35	328.16	327.52	327.19
1985	353.97	346.12	343.22	339.90	335.70	331.39	328.72	328.51	327.04
1986	354.02	345.61	342.87	339.65	335.83	331.16	328.47	328.04	327.04
1987			343.07	339.92	336.07	331.76	328.58	328.00	327.25
1988	353.64	346.21	343.04	339.58	335.82	331.68	329.08	328.78	327.63
1989	353.53	346.02	342.75	339.68	335.76	331.73	328.88	328.54	327.72
1990	354.13	346.36	342.95	339.86	336.23	332.10	329.56	328.87	327.60
1991	353.86	346.67	342.84	340.02	336.79	332.26	329.36	328.50	328.05
1992	354.05	346.44		340.23	336.43	332.62	330.30	328.05	328.40
1993					336.07		329.50		327.70
1994	353.48				336.24		330.32		327.99
1995	353.02				336.46		330.57		328.10

注：表中括号内数字为距潼关里程，单位为 km，下同。

表 5-11　　　　　　　　　渭河汛后 200m³/s 流量水位[6]　　　　　　　（单位:m）

年份	临潼 (155.4)	交口 (131.5)	渭南 (116.0)	詹家 (96.6)	华县 (76.6)	陈村 (44.3)	华阴 (20.8)	吊桥 (7.8)	潼关 (0)
1960					333.34				
1961	353.63				334.22				
1962	353.89				334.67		326.84	325.85	325.18
1963	353.94				334.47	331.52	327.48	326.79	326.05
1964	353.12				334.50	331.10	328.39	328.28	328.07
1965	353.50	345.43			334.58	331.06	328.41	328.14	327.65
1966	352.77	344.57			335.22	331.50	328.44	328.01	327.77
1967	353.20	345.04	342.64	339.15	336.31	334.24	329.49	328.51	328.38
1968	353.27	345.35	342.70		336.12	332.87		328.98	328.11
1969	353.55	345.70	343.08		336.53	332.95		329.14	328.30
1970	353.10	345.55	342.46	339.51	335.98	331.66		328.15	327.77
1971	353.17	345.30	342.41	339.81	335.90	332.92		328.89	327.50
1972	353.28	346.17	343.09	340.16	336.28	332.61		328.04	327.52
1973	353.50	345.78	342.75	340.04	335.95	331.17		327.54	326.64
1974	353.80	345.87	342.99	339.78	336.02	331.39		327.53	326.68
1975	353.75	345.94	342.75	339.52	335.65	330.69	327.54	326.57	326.02
1976	353.92	346.07	343.01	339.40	335.62	330.72	328.04	327.45	326.23
1977	353.08	344.12	340.72	337.25	334.49	331.69	329.18	328.31	326.68
1978	353.18	344.58	341.59	338.35	335.11	331.18	329.00	328.31	327.27
1979	353.17	344.87	341.76	338.80	335.54	331.79	329.60	329.03	327.62
1980	353.26	345.03	342.10	339.20	335.42	331.17	328.82	328.23	327.37
1981	353.54	345.45	342.52	339.18	335.44	330.75	328.68	328.45	326.95
1982	353.73	345.94	342.81	339.57	335.77	331.51	329.06	328.65	327.06
1983	353.89	345.95	342.52	339.37	335.65	331.16	328.26	327.75	326.65
1984	353.79	346.00	342.92	339.69	335.62	331.45	328.61	328.84	326.71
1985	354.02	346.35	342.99	340.06	336.09	331.88	328.85	327.69	326.57
1986	353.58	346.16	342.90	339.68	335.98	331.81	328.83	328.16	327.04
1987			343.36	339.98	336.12	332.01	329.38	328.28	327.23
1988	353.63	346.28	342.91	339.77	335.84	331.63	328.88	327.65	327.00
1989	353.79	346.61	343.15	339.92	336.10	332.22	329.19	328.44	327.30
1990	354.10	346.80	343.53	340.27	336.75	332.81	329.72	328.73	327.57
1991	353.87	346.67	343.18	340.17	336.42	332.31	329.61	328.58	327.90
1992				340.55	335.92	332.67	329.12	328.56	327.37
1993					336.32		330.01		327.78
1994	353.06				337.75		330.60		327.94
1995	353.21				337.05		330.94		328.34

表 5-12

各单位分析确定渭河淤积末端位置（断面号）统计[6]

单位	方法	1961 年 10 月	1962 年 10 月	1964 年 10 月	1965 年 10 月	1967 年 10 月	1968 年 10 月	1970 年 10 月	1973 年 10 月	1976 年 10 月	1977 年 10 月	说明
陕西省水科所	全断面冲淤量法	18	19	18	18	18	21	22	26			全断面
中国水利水电第十一工程局	洪水位法	12	15	17	17	18	18	18				滩地
清华大学	主河槽断面法	15	22	24	17	21	20	21	23			主河槽
黄委会水科院	淤积量法	15~17	18~19	17~18	17~18	18~19	21~22	21~22	23~24	24~25	24~25	全断面
黄委会水科院	淤积量法			15~16	15~16	18~19	18~19	18~19	21~22	23~24	24~25	滩地
中科院地理研究所	沉积物法（>2cm）								21~22			主河槽
中科院地理研究所	沉积物法（0.05mm）								21			主河槽
中科院地理研究所	抛物线法	18	17~18	18	20~21	20	20	20~21	21	18	15~16	主河槽

中可以看出,渭河下游各水文(水位)站,受潼关河床高程下降的影响,加上渭河 1975 年为丰水年(全年径流量为 121.2 亿 m³,输沙量为 3.84 亿 t),上自临潼下至吊桥,同流量水位与 1969 年相比都下降到接近最低值,1976 年渭河为平水枯沙年,使 1977 年汛前的同流量水位同期下降到最低值;潼关高程下降以后,渭河下游溯源冲刷与沿程冲刷同步进行,上段冲刷幅度小,下段冲刷幅度大;渭河库区的淤积末端受潼关河床高程的升降以及渭河的有利水沙条件的综合作用,向下移动(表 5-12)。从各家对淤积末端点的分析成果来看,淤积末端最远点在渭淤 26 断面(距潼关 156km)。综合各家的成果,淤积末端的范围在渭淤 15 断面(距潼关 113km)至渭淤 26 断面。

　　渭河下游淤积末端的变化,是三门峡水库蓄水以后出现严重淤积的后果,回水末端以下均会发生淤积,而淤积又引起回水末端上延,淤积末端又随着新的回水末端上移,出现恶性循环。然而对渭河下游来讲,它的原河床比降很缓,因此所带来淤积上延就更加严重。这也是三门峡水库淤积问题的特殊现象。图 5-16 是渭河下游典型断面和纵剖面历年变化图。从图中可看出,渭淤 21 断面以下,河槽或滩地几乎是平行抬高的。这是因为渭河下游河道的中段与下段属于平原性河流,淤积前后的河床组成变化很小所致。渭河下游在出现高含沙大洪水时,会发生强烈冲刷,使淤积末端迅速下移,最大下移距离达到 63km 左右(见表 5-13)。

表 5-13　　　　　　　　　　　　　**渭河下游淤积末端下移速度**[7]

序号	起讫时间		冲刷时段	起讫断面号(渭淤)		起讫里程(km)		冲刷下移距离(km)
	起	讫		起	讫	起	讫	
1	1964 年汛前	1964 年汛后	一个汛期两个洪峰	23~24	15~16	232.36	192.12	40.24
2	1966 年汛前	1966 年汛后	一个汛期一个洪峰	21~22	13~14	223.12	185.38	37.74
3	1970 年汛前	1970 年汛后	一个汛期一个洪峰	22~23	21~22	228.21	223.12	5.09
4	1977 年汛前	1977 年汛后	一个汛期一个洪峰	25	11	238.11	175.60	62.73

　　通过上述分析可以看出,渭河库区的冲淤演变受三个方面作用:一是潼关河床升降引起回水与淤积末端上下移动;二是渭河自身的水沙条件作用,丰水年份或发生高含沙大洪水时,淤积末端向下移动;三是渭河下游的中下段属于平原河流性质,淤积以后呈平行抬高。

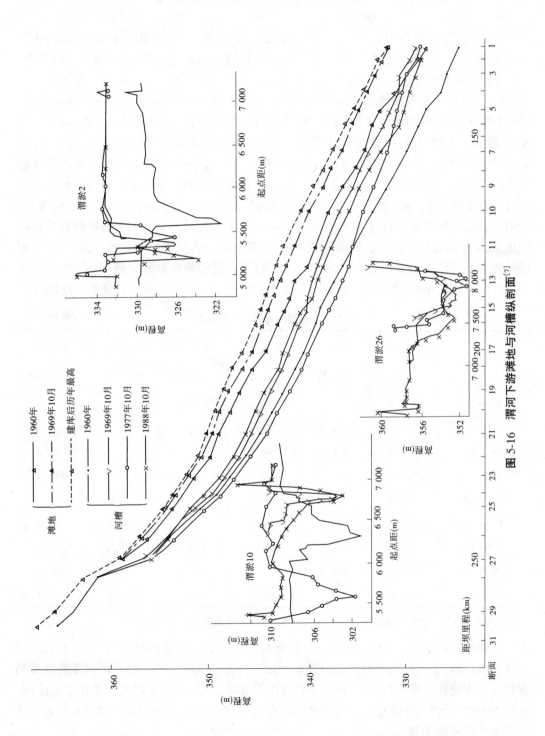

图 5-16　渭河下游滩地与河槽纵剖面[7]

第四节　三门峡小北干流库区冲淤演变

　　黄河小北干流可分为上、中、下三段。上段(禹门口至北赵)河道比降为 0.54‰；中段(北赵至夹马口)河道比降为 0.4‰；下段(夹马口至潼关)河道比降为 0.35‰。按 335m 高程界定库区范围小北干流库区在老永济(黄淤 49 断面)以下。由于小北干流的河道比降比较大，淤积上延范围较短，发展速度较慢。从典型断面的河槽平均高程的变化来看，淤积末端在黄淤 49 断面至黄淤 54 断面之间，1990 年以后淤积末端上移(见表 5-14)。黄淤 54 断面以上的冲淤变化主要是上游来水来沙的作用所造成的，我们选用 1 000m³/s 流量，查出小北干流沿程水位站的相应水位(见表 5-15)。潼关与上源头两站的同流量水位最高值，出现在 1969 年汛前。老永济水位站在 1965 年汛前为335.62m；1967 年至 1978 年因河势变化等原因缺测；至 1979 年汛前同流量水位为 335.95m，冲淤变化幅度很小；1980 年以后的同流量水位在 335.77m 至 336.05m 上下波动。龙门和大石嘴两站的冲淤变化，除年际间水沙条件不同外，更主要的是受高含沙大洪水产生的揭底冲刷，以及冲刷后回淤过程的影响。如 1977 年汛期龙门水文站洪水揭底冲刷深度达到 9.0m，龙门以下河道均发生揭底冲刷，直至上源头断面。从表 5-15 中也可以看出各水位站的变化幅度。

表 5-14　　　　　　　　　　小北干流典型断面河槽平均高程　　　　　　　　(单位：m)

时间 (年·月)	黄淤 41 (0.0)	黄淤 45 (14.3)	黄淤 49 (29.41)	黄淤 54 (53.47)	黄淤 61 (89.20)	黄淤 68 (127.60)
1960.5	323.3	328.8	334.6	343.9		
1962.5	327.0	329.2	334.5			
1964.10	327.0	330.8	334.0			
1968.5	327.4	330.1	333.8	343.1	357.1	378.4
1973.10	325.8	331.4	334.8	344.6	358.8	377.8
1978.10	326.0	331.2	334.1	343.0	355.4	374.6
1986.10	326.5	330.8	334.4	344.4	358.6	379.7
1990.10	327.1	331.4	334.9	345.2	358.9	380.4
1995.10	327.3	332.0	337.0	345.8	359.6	381.7

　　注：表中括号内数字为按 340m 高程水库淹没中心线量出的长度，单位为 km，下同。

　　小北干流的上段和下段，河谷宽阔、流路散乱，汊流众多、沙洲林立，属于典型的游荡性堆积型河道，主流在横断面上左右摆动不定。1970 年以后，两岸为了保护滩地以及确保抽水站靠流稳定等问题，修建许多防洪堤坝和导流工程，压缩了河槽摆动幅度和范围，出现滩槽差，致使河床高程高于两侧滩地高程，但河槽仍然在固定堤距之间摆动。各断面历年套绘图见图 5-17。

表 5-15 黄河小北干流汛后 1 000m³/s 同流量水位 （单位:m）

站名	龙门	大石嘴	庙前	太里	王村	尊村	老永济	上源头	潼关
1960	380.35							330.32	323.40
1961	381.27							331.52	329.06
1962	381.45							330.32	325.11
1963	381.19							329.68	325.76
1964	380.36							331.26	328.09
1965	380.91						335.70	330.70	327.64
1966	377.10				347.77			331.14	327.13
1967	379.26							331.76	328.35
1968	380.35							331.67	328.11
1969	379.75				348.78			332.10	328.65
1970	374.56				349.03			331.89	327.71
1971	377.49				348.92				327.50
1972	378.21				348.95				327.55
1973	379.02				348.50			330.76	326.64
1974	379.64				349.22			331.43	326.70
1975	380.22				348.65			330.92	326.04
1976	381.20				348.62			330.71	326.12
1977	374.80				347.53			331.57	326.79
1978	376.21	374.31	358.01		348.20	342.78		331.77	327.09
1979	377.80	375.74	358.42			343.27	335.98	332.04	327.62
1980	378.85	376.13	358.77		348.88	343.55	336.19	331.63	327.38
1981	379.60	377.00	358.83		348.66	343.58	335.20	331.53	326.94
1982	380.47	377.34	358.91		348.80	343.82	335.98	331.76	327.06
1983	380.81	377.40	358.89	350.89		343.95	335.95	331.25	326.57
1984	381.14	377.76	358.90	351.45		344.02	335.71	331.58	326.75
1985	381.24	377.91	359.15	351.25		343.93	335.80	331.25	326.64
1986	381.79	378.40	359.06	351.57		343.84	335.56	331.07	327.18
1987	381.53	378.30	359.48						327.16
1988	381.50	378.43	359.24	351.88		344.29	336.03	331.51	327.08
1989	381.46	378.10	359.47	351.55		344.46	336.16	330.65	327.36
1990	382.37		359.94	351.81		344.04	335.90	331.85	327.60
1991	382.26			351.80		344.23	335.94	331.53	327.90
1992	382.55			351.90			335.82	331.84	327.30
1993	383.05			351.92			335.94	331.70	327.78
1994	382.88			351.78		344.47	335.69	332.25	327.69
1995	383.04			352.24		344.45	336.34	332.52	328.28
1996	382.84			351.95			336.22		328.07
1997	383.28						336.66	332.73	328.05
1998	383.40						336.45	332.35	328.28
1999	383.61								328.12
2000	383.60					344.72	337.01	332.42	328.33
2001	383.64							332.22	328.23

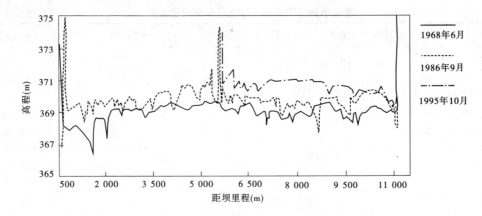

图 5-17-1　黄淤 65 断面历年套绘图

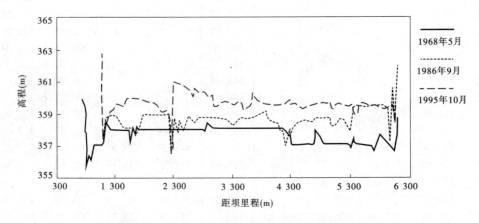

图 5-17-2　黄淤 61 断面历年套绘图

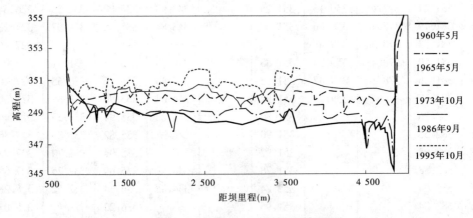

图 5-17-3　黄淤 56 断面历年套绘图

　　从图 5-17-1、图 5-17-2 可以看出，小北干流上段的断面，主槽左右摆动较大，滩地淤积近似平行抬高；图 5-17-3 为小北干流中段的代表断面黄淤 56，主槽先在右岸，至 1986 年摆向左岸，滩地淤积比较均匀；图 5-17-4、图 5-17-5 为下段，主槽位置在小范围内摆动，然而河槽宽浅，分汊较多。

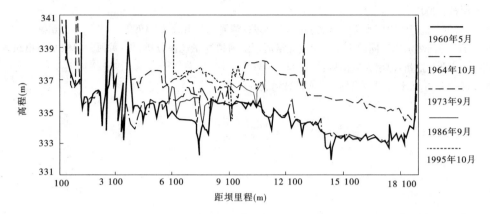

图 5-17-4　黄淤 49 断面历年套绘图

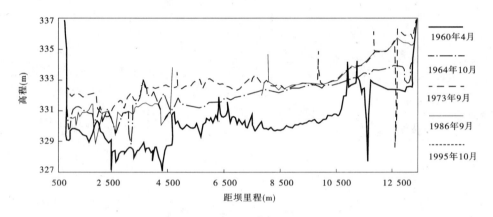

图 5-17-5　黄淤 45 断面历年套绘图

　　综上所述,三门峡小北干流库区淤积末端的演变受制于潼关高程的升降作用,如 1970 年以前,潼关高程是上升过程,小北干流淤积末端上延;1973 年以后,小北干流淤积末端略有下移或处于稳定状态。

　　小北干流河道在三门峡水库修建之前就是淤积上升的,年均淤积量约 0.5 亿 m^3 [8]。因此,三门峡水库建成后,小北干流上段的冲淤变化是自然河道演变规律;高含沙大洪水时不仅仅是发生揭底冲刷,在冲刷过程的同时,由河床揭起来的泥沙翻向两侧滩地上,因此滩地发生严重淤积,而且高含沙水流又重新塑出流路、新河槽,加快了淤积末端的河床演变进程,并且改变了原河道的平面形态、流路以及主槽位置。

参 考 文 献

[1] 郭志刚,凌来文. 恒山与镇子梁两库联合调度处理泥沙问题的探讨. 山西水利科技,1985(3)
[2] 韩其为,等. 从已建水库的对比看三峡水库变动回水区的航道问题. 人民长江,1986(12)
[3] 姜乃森. 官厅水库淤积上延问题的初步分析. 泥沙研究,1985(1)
[4] 焦恩泽. 三门峡水库建库前渭河下游淤积状况分析. 人民黄河,2001(5)
[5] 焦恩泽. 潼关高程演变规律及其成因分析. 见:三门峡水利枢纽运用四十周年论文集. 郑州:黄河水

利出版社，2001

[6] 程龙渊,等. 三门峡库区水文泥沙实验研究. 郑州:黄河水利出版社, 1999

[7] 杜殿勋. 三门峡水库不同运用期渭河及北洛河下游河道冲淤规律分析.见:黄河三门峡水利枢纽运用研究文集. 郑州:河南人民出版社,1994

[8] 焦恩泽,等. 小北干流淤积量估算. 人民黄河,1988(4)

第六章 水库泥沙几个特殊问题

黄河的泥沙问题是非常复杂的,其治理难度闻名于世,黄河干支流的水库泥沙也是如此。有些问题极其特殊,本章就这些问题分述如下。

第一节 富余输沙能力[1,2]

在 20 世纪 60 年代末 70 年代初,在进行三门峡水利枢纽工程第二次改建规划设计工作中,发现潼关以下库区,洪水期出库输沙量大于进库,库区发生强烈冲刷。与建库前对比,在河道比降变缓的条件下,同流量的输沙能力增加,对此称之为富余输沙能力。

70 年代末,经过多方面探讨和分析,用三门峡库区的实测资料做了研究,认为富余输沙能力在三门峡潼关以下库区确实存在。

一、建库前后水流输沙能力对比分析

三门峡水库建库前,有陕县水文站(相当于建库后库区黄淤 15 断面的位置),距坝址 21km,测流河段和断面形态比较稳定,河床组成为粗砂和卵石。河段比降约 0.35‰,水面比降在 0.25‰～0.8‰范围。其中小于 0.3‰的占 24%,大于 0.4‰的占 62%。

水库建成后,在北村设立水文站(与黄淤 22 断面重合),距坝址 42km,水文站观测河段和断面形态比较稳定,水库淤积后,河床比降约 0.17‰,水面比降多为 0.1‰左右,大于 0.2‰的比降占 23%,冲刷比降为 0.23‰。当溯源冲刷发展到北村以上时,冲刷比降最大可达 0.35‰,但历时较短。

采用 1958 年陕县水文站和 1966 年北村水文站的实测输沙率资料进行对比,后者在 1966 年已经接近冲淤平衡,有可比性。

水流为了输送泥沙,需要付出一定的能量或水流功率,设单位水体在单位时间内,流经单位长度所能提供的水流功率,可用流量 Q、浑水容重 γ'、水力坡度 J 之乘积 $\gamma'QJ$ 来表示。水流在单位时间内能够输送的泥沙量用 Q_s 表示,则水流输沙能力可以用下式表达:

$$Q_s = f(\gamma'QJ)^n \tag{6-1}$$

式中: Q 为流量,m³/s; γ' 为浑水容重,t/m³; J 为水力坡度,‰; Q_s 为输沙率,t/s。

根据陕县和北村两水文站的实测资料点绘 $Q_s \sim \gamma'QJ$ 关系,如图 6-1 所示。

从图 6-1 可以看出:在相同的水流能量功率条件下,建库后的北村站输沙率,要比建库前的陕县站大 10 倍左右。图 6-1 证明:三门峡水库确实存在富余输沙能力,它给三门峡水库调水调沙运用提供了科学依据。

二、建库前后河床糙率分析

为了研究富余输沙能力的形成机理,我们从河流输沙能力来分析。用式(6-2)表达输

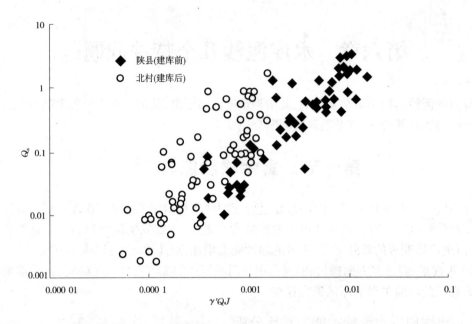

图 6-1　三门峡水库建成前后 $Q_s \sim \gamma' QJ$ 相关关系

沙能力：

$$q_s = \varphi \frac{q^{1.6} J^{1.2}}{D^{2/5} \omega_0} \mathrm{e}^{6.72 S_V} \tag{6-2}$$

从式(6-2)可以看出,决定输沙能力的参数有单宽流量 q、水力坡度 J、体积含沙量 S_V、河床质平均粒径 D(表征河床糙率 n),以及悬移质泥沙沉降速度 ω_0。其中变化最大的参数是水力坡度 J 和河床糙率 n。表 6-1 列出了建库前后河床质平均粒径 D_m 的改变情况。从表 6-1 中可以看出:建库前后的河床质 D_m 比值相差近 50%。建库后的河床组成细化很多。

表 6-1　　　　　三门峡水库修建前后河床质平均粒径(mm)对比

站　名	2 月	4 月	6 月	10 月	12 月
陕县	0.218	0.172	0.182	0.229	0.241
北村	0.096 4	0.103	0.107	0.073 2	0.118
$D_北 / D_陕$	0.442	0.599	0.590	0.320	0.490

从实测的流量和糙率来看,在流量相等的条件下,建库后的糙率变小,见图 6-2。从图 6-2 可知:流量在 1 000m³/s 以下,糙率 n 值改变不太明显,随着流量的增大,建库后的糙率 n 值减小得越多。

综合上述分析,富余输沙能力的产生,主要是由于河床组成细化引起糙率减小进而增加了输沙能力。水流挟沙能力可用下式表示:

$$S_* = f\left(\frac{u^2}{gh} - \frac{u}{\omega}\right) \tag{6-3}$$

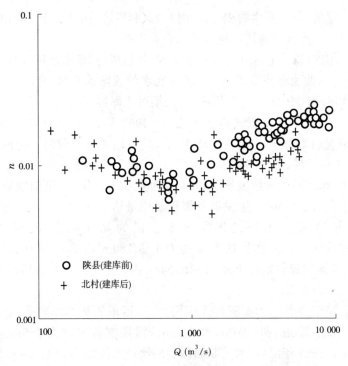

图 6-2　三门峡水库修建前后 $n \sim Q$ 变化

式(6-3)中符号的含义见第三章第二节。

从长时段来分析,可以认为,流域所能提供的径流量、输沙量和泥沙组成是一常数值,则式中的流速 u 项可改写为

$$u = \frac{1}{n}h^{2/3}J^{1/2} \tag{6-4}$$

其中 n 的指数为 1.0,J 的指数为 0.5。当河床糙率减小时,在相同的水力参数条件下,水流输沙能力增加;而水力坡度减小则水流挟沙能力下降。因糙率与水力坡度的指数不同,对水流挟沙能力的影响也不相同。

修建水库后,水力坡度减小所损失的能量,若小于因糙率减小而获得的能量,则在相等的水力参数条件下,水流输沙能力将增加。因此,就产生了富余输沙能力。但并不是所有水库都存在富余输沙能力。有关这方面的问题将在"长期可用库容"一节中做专题讨论。

第二节　长期可用库容[1]

在多泥沙河流上修建水库以后,泥沙淤积是不可避免的,而且又是主要矛盾。它与保持库容发生对立。因此,在水库运用上创新地提出了"调水调沙"的运用方式。这样既可以在一定程度上发挥水库综合兴利效益,又可以保持部分库容供长期使用。

一、长期可用库容的由来

我国在 20 世纪 50 年代,各地开始大量兴建水库,它们都采用蓄水运用方式。在北方

的多泥沙河流上修建的水库,发生淤积过快而侵占兴利库容,同时由于水库淤积向上游延伸,致使淹没面积扩大,严重危害周边地区的工农业生产。

陕西省黑松林水库,总库容 860 万 m³,于 1959 年建成后,蓄水运用只有 3 年,库容损失 162 万 m³。1962 年改为非汛期蓄水,汛期降低水位或敞泄排沙,年均库容损失仅 10 万 m³。最终还可以保留 250 万～300 万 m³ 的长期可用库容。

三门峡水库于 1960 年 9 月正式蓄水运用,至 1962 年 3 月,库区淤积量达 17.5 亿 m³。潼关断面同流量(1 000m³/s)水位抬高 4.5m,严重地威胁了渭河下游两岸的工农业生产。自 1962 年 4 月以后,改为滞洪排沙运用,由于水利枢纽泄流能力不足,在洪水期,坝前仍有较高壅水,库区淤积继续发展。1964 年为丰水丰沙年份,汛期坝前平均水位达到 320.3m,最高水位为 325.9m。潼关以下累积淤积量达到 36.52 亿 m³,全库区淤积量达到 45.4 亿 m³,占 335m 高程以下总库容 98.5 亿 m³ 的 46.1%,淤积上延得不到控制。

经过两次工程改建,315m 高程的泄流能力由 3 180m³/s 提高到 9 100m³/s[3]。至 1973 年汛后,潼关断面同流量水位下降到 326.64m,潼关以下河槽库容增加 10 亿 m³,库区形成高滩深槽的断面形态。

1973 年 12 月 26 日开始改为蓄清排浑运用,水库运用的基本原则是:非汛期除防凌蓄水(坝前水位不超过 326m)外,310m 水位发电;汛期坝前水位为 305m,必要时降到 300m,径流发电。至 1985 年汛后,潼关断面(六)同流量水位维持在 326.6m 上下,潼关以下库区基本上保持冲淤平衡,总库容维持在 32.2 亿～32.5 亿 m³ 之间。

通过三门峡水库的运用实践,不断地进行总结与研究,在 1977 年首次提出水沙调节的概念,进而称这种运用形式为调水调沙运用[3]。

二、保持可用库容的基本条件

这里所指的可用库容,是在库区基本上达到冲淤平衡以后,在水库泄流规模和水库运用的合理条件下,可以保存原始的河槽部分库容对水沙进行反复调节,能够长期使用。实践证明,只有河槽部分的库容(以下简称槽库容)才是长期可以使用的库容。

保持长期可用库容,应当具备的条件有:库区要有富余输沙能力,地质地貌与河流形态,河床比降,上游来水来沙条件以及具备一定的泄流能力。关于富余输沙能力问题已经在前一节中论述。

(一)地质地貌与河流形态

水库的调水调沙运用方式,是非汛期蓄水发生淤积;汛期降低水位冲刷前期非汛期淤积物质或敞泄排沙,由库区发生冲刷来维持冲淤基本平衡。然而这种运用还远远达不到取得最大可用库容的目的。而地质地貌和河流形态是构成可用库容的必要条件。

河流流经高山深谷、丘陵盆地或冲积平原等不同的地质地貌单元,边界条件相差悬殊而又极为复杂。大体上可分为侵蚀型、过渡型和堆积型。在不同类型的河道上修建水库以后,它们所能够保持的可用库容却完全不同。

(1)侵蚀型河流。受到构造运动的作用,地块大面积隆起,水流切割其上,久而久之形成了深沟峡谷,河床床面孤石峥嵘、碛石连绵、基岩毕露,两侧岸壁岩石参差不齐。水流湍急,多属不饱和挟沙水流。纵剖面陡峻,横断面窄深。在这种河流上修建水库,悬移质泥沙淤积以后,塑造出来的河床与原河床相比,有了大幅度的调整,不论是河床阻力还是纵剖面相差都极大。如黄河上游的上中段和中游北干流河段就属于这种类型。

(2)过渡型河流。多处在侵蚀型与堆积型河道之间,河床形态受两个方面的作用:一是上游来水来沙的作用,二是地貌形态作用。挟沙水流处在不饱和与饱和状态之间,河床组成由上游输送下来的粗泥沙间或有小卵石和悬移质中的床沙质共同组成。修建水库以后,由于库区以悬移质泥沙淤积为主引起床面发生细化,河床纵横剖面也作了调整。

(3)堆积型河流。流经冲积平原之上,河床由上游输送下来的大量悬移质泥沙中的床沙质和小部分推移质泥沙塑造而成。因此,堆积型河床的组成,基本上是悬移质中的床沙质和少部分冲泻质泥沙。水库修建后,上游来沙组成变化很小,水库淤积物组成与原河床组成相接近。河床纵横剖面虽然有调整,但其调整的幅度比较小。如果用河床质中数粒径 D_0、D_s 代表水库修建前后的河床组成,J_0、J_s 代表水库修建前后的纵剖面,它们之间有一定的相关性,见图6-3。

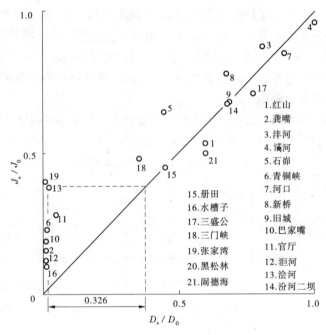

图6-3 $J_s/J_0 \sim D_s/D_0$ **相关关系**

从图6-3可以看出:新桥、三盛公、河口等水库是修建在冲积平原河流上的水库,D_s/D_0 和 J_s/J_0 比值较大,即水库修建前后河床组成与纵比降的调整幅度很小,官厅、水槽子、龚嘴等水库是修建在过渡型和侵蚀型河流上的水库,河床组成和纵剖面的调整幅度很大。

河床纵剖面和河床组成的调整直接影响到可用库容的大小。

(二)可用库容演变过程

就黄河干支流上的水库来讲,不论何种运用方式,经过若干年淤积以后在库区都有滩地与河槽之分。泥沙淤积在滩地上,一般讲淤了之后,随着洪水漫滩,滩面逐渐抬高。河槽部分,在淤积三角洲形成之后,可以保存河槽形态。采用调水调沙运用的水库,河槽在非汛期发生淤积,汛期发生冲刷。随着时间的推移,形成高滩深槽的格局。若将总库容分割成滩地库容(简称滩库容,下同)和河槽库容(简称槽库容,下同),则滩库容淤完之后难以恢复,而槽库容经过冲刷是可以恢复的,进而演变成为长期可以使用库容。

对峡谷河流或窄深断面的水库来讲,滩地宽度很窄甚至没有滩地,当河宽等于或小于造床流量的宽度时,其槽库容所占比例很大,亦即河道型水库具有较大的槽库容。小浪底水库八里胡同以上库段就是如此。湖泊型水库,其滩地宽度很大,槽库容所占比例要小得多。

因此,在分析水库的长期可用库容时,应当首先考虑是属于哪一种形态的水库。

冲积平原河流上的水库,淤积前后的纵剖面变化很小,淤积纵剖面几乎呈水平抬高,受周边条件所限,大坝又不能修筑太高,其槽库容比原来河槽容积大得有限。

(三)水库冲淤比降

长期可用库容,在前期淤积的条件下,采取降低库水位,使库区发生冲刷而得到的扩大槽库容,用以调节水沙。因而淤积比降与冲刷比降之比值越大,表明槽库容也越大。

冲刷过程是泥沙从床面上由静止到起动进而扬动到悬浮运动的全过程。它所需要的能量,要大于泥沙淤积过程水流输沙的能量,它反映了在冲刷过程中需要较大的水力坡度,因此冲刷比降要大于淤积比降。

水库经过长时段的冲刷,也可以达到冲刷平衡状态。如果不受侵蚀基面抬高的影响,如泄水闸或排沙闸的底坎高程在原河床床面上,还可以恢复到原河床比降,见表6-2。

表6-2　　　　　　　　原河床比降、冲刷比降、淤积比降对比

水库名称	原河床比降 J_0(‰)	冲刷比降 $J_冲$(‰)	淤积比降 J_s(‰)	$J_冲/J_0$	$J_冲/J_s$	J_s/J_0	备注
三门峡	0.35	0.23	0.17	0.657	1.353	0.486	水库水位下降冲刷
张家湾	0.945	0.941	0.38	0.996	2.476	0.402	垮坝后冲刷
三盛公	0.17	0.17	0.13	1.000	1.321	0.765	闸门底坎与原河床平衡
位山	0.12	0.12	0.102	1.000	0.850	1.176	扒坝以后冲刷

从表6-2不难看出:$J_冲/J_0$值越小或$J_冲/J_s$值越大,其河槽冲刷深度越大,相应槽库容也越大;相反,$J_冲/J_0$值越大或$J_冲/J_s$值越小,其河槽平均深度,建库前后也非常接近。因此,$J_冲/J_0$值越大的水库其槽库容实际上是建库后壅水所及河段的河槽槽蓄量。

三盛公水利枢纽修建在冲积型河道上,原河道坡度约0.17‰,修建前该河段基本上处于冲淤平衡状态。该工程属于低水头引水灌溉枢纽,泄水闸门底槛高程与原河道平均高程基本持平。修建之前,渡口堂水文站可作为建库前代表站,建库后在库区12断面(距坝24.2km)设一水力因子观测站,可代表建库后的水沙因子观测情况,将两处的输沙率Q_s与水流功率$\gamma'QJ$点绘关系图,见图6-4。从图中可以看出:在相同的$\gamma'QJ$条件下,修建前的输沙率Q_s略大于修建后的Q_s。它说明在平原河流上修建水库以后,虽然也是悬

移质泥沙淤积再造床,但河床组成细化很有限,此时水力坡度减小起主导作用,在同样水力因素条件下,输沙能力下降。又因为水力坡度调整较小,输沙能力减小的幅度也不大。

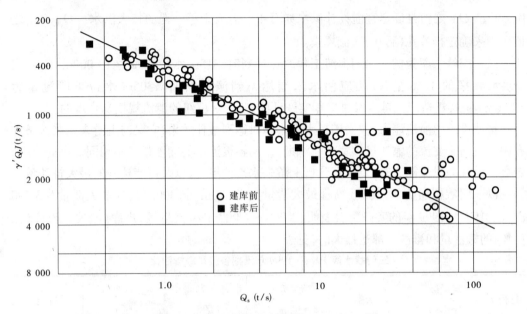

图6-4 三盛公枢纽建库前后 $Q_s \sim \gamma'QJ$ 对比

已有研究成果表明,三盛公汛期停灌冲刷效果不大,3天冲刷量为400万t,6天冲刷效果为600万t。虽然敞泄冲刷,但其冲刷数量有限。

(四)泄流规模与排沙设施

修建在黄河干支流上的水库,要想长期保持可用库容,必须有足够的泄流能量和设有排沙孔(洞)。在某一特定的库水位条件下(如正常蓄水位、汛限水位和死水位),能够宣泄洪水期流量,使其控制回水末端不上延。如万家寨水库的回水末端不能超过喇嘛湾;天桥水电站的回水末端不能超过黄甫川河口。所设置排沙孔(洞)应满足库区冲刷时的泄流能力,达到库区冲淤基本平衡。表6-3是几座水库泄流能力与坝前不同水位流量与多年平均流量比值表。

表6-3 泄流规模与各种流量对比

工程名称	汛限水位 (m)	相应汛限 水位总泄量 (m³/s)	多年平均 洪峰流量 (m³/s)	死水位 (m)	相应死 水位总泄量 (m³/s)	多年汛期 平均流量 (m³/s)	$Q_限/Q_汛$	$Q_死/Q_汛$
盐锅峡	1 619	4 590	3 160	1 618.5	4 245	1 440	3.19	2.95
青铜峡	1 156	8 250	3 790	1 151.0	7 805	1 847	4.47	4.23
万家寨	952	5 410	—	952.0	5 410	848	—	6.38
天桥	830	9 570	—	828.0	—	1 421	6.74	
三门峡	315	9 418	8 880	305.0	5 070	2 430	3.88	2.09
碧口	695	3 890	2 200	685	3 170	453	8.59	7.00

注:$Q_限$:汛限水位总泄量;$Q_汛$:多年汛期平均流量;$Q_死$:相应死水位总泄量。

从表 6-3 中可以看出:相应汛限水位总泄量 $Q_限$ 与多年汛期平均流量 $Q_汛$ 之比值在 3.2~8.6 范围;相应死水位总泄量 $Q_死$ 与多年汛期平均流量 $Q_汛$ 之比值在 2.1~7.0 范围。$Q_限/Q_汛$ 之值是确定宣泄设计洪水如百年一遇或千年一遇的特大洪水。$Q_死/Q_汛$ 之值可用来确定排沙孔(洞)的泄流规模。

以三门峡水库为例。二期枢纽工程改建规划时,315m 水位泄量为 10 000m³/s,相当于洪水频率的 10% 左右,相应回水末端达不到潼关断面。305m 水位下泄流量为 5 070m³/s,接近造床流量。经过多年实践证明,三门峡枢纽的泄流规模是合理的。

排沙设施的泄流能力,应当满足水库排沙时达到最佳效果,它又与上游来水来沙条件有关。黄河干支流的输沙量多集中在汛期,汛期各级流量的输沙量又不相同。因此,在确定排沙设施的泄流能力时,要认真分析上游来水来沙组合,以及可能达到的最大排沙量。

以三门峡枢纽为例,305m 高程最大泄量为 5 070m³/s,300m 高程最大泄量为 3 590 m³/s。1974~1999 年的实测资料表明,2 000~4 000m³/s 流量级,进库(潼关)、出库(三门峡)的输沙量和排沙比都是最大的,见表 6-4。

表 6-4　　　　　　　　　　三门峡水库 1974~1999 年汛期各流量级排沙比

月份	流量级 (m³/s)	天数	潼关水量 (亿 m³)	潼关沙量 (亿 t)	三门峡沙量 (亿 t)	排沙比
7	<1 000	13.5	6.04	0.175	0.250	1.43
	1 000~2 000	11.0	13.77	0.744	1.075	1.44
	2 000~3 000	4.4	9.13	0.682	1.083	1.59
	3 000~4 000	1.5	4.53	0.185	0.279	1.51
	≥4 000	0.6	2.45	0.432	0.298	0.69
8	<1 000	7.1	4.23	0.119	0.148	1.24
	1 000~2 000	11.8	14.29	0.687	0.889	1.29
	2 000~3 000	7.1	14.97	0.902	1.165	1.29
	3 000~4 000	3.3	9.85	0.652	0.877	1.35
	≥4 000	1.7	7.66	0.756	0.590	0.78
9	<1 000	8.0	4.763	0.068	0.056	0.82
	1 000~2 000	12.0	14.71	0.362	0.371	1.02
	2 000~3 000	4.0	8.60	0.298	0.378	1.27
	3 000~4 000	3.1	9.16	0.290	0.336	1.16
	≥4 000	2.9	11.51	0.316	0.412	1.30
10	<1 000	15.2	7.62	0.074	0.041	0.55
	1 000~2 000	8.2	9.78	0.132	0.152	1.15
	2 000~3 000	4.3	8.68	0.139	0.190	1.37
	3 000~4 000	2.2	6.69	0.114	0.149	1.31
	≥4 000	1.15	4.73	0.099	0.111	1.12

从表 6-4 中可以得到,三门峡排沙泄量在 2 000~4 000m³/s 范围是合理的。从潼关以下库区的冲淤情况来讲,基本上达到冲淤平衡。

三、排沙建筑物布局

为了保持长期可用库容,库容 V 与年均输沙量 W_s 之比值小于 50 的水利枢纽,要设置排沙洞(孔), V/W_s 小于 15 的水利枢纽必须设置排沙洞(孔),而且泄流能力要大。

设置排沙洞,一是为了排沙和保持长期可用库容,二是减少泥沙对其他泄流部件的磨损。因此,排沙洞在水利枢纽中的位置就显得十分重要。

闹德海大坝的泄流建筑物的布局比较合理。见图 6-5。

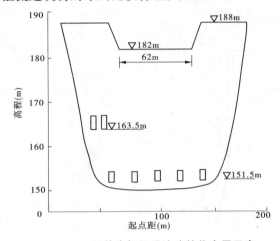

图 6-5　闹德海枢纽泄流建筑物布局示意

从图中可知:泄流设备分为高、中、低 3 层,最底层为 5 孔,既可泄流又能排沙。闹德海坝址原河宽不足 200m,而最低层 5 孔泄流排沙孔占据河宽约 100m,发挥了充分排沙的作用。孔口底坎高程接近原河床床面高程,有利库区冲刷。最上层为溢流堰,可宣泄较大洪水。中层设 2 孔泄流孔,可控制一般洪水不漫滩,对保持滩库容有利。闹德海自 1942年运用以来,近 60 年,仍保持总库容的 50% 以上。

三门峡水利枢纽二期工程改建完成以后,泄流建筑物也分为 3 层:最上层是 12 孔深水孔,中层为两条泄洪排沙隧洞,底层为施工期导流底孔共 12 孔。见图 6-6。

从三门峡枢纽的泄流能力来看,枢纽泄流布局,可以满足排沙流量和冲刷库区泥沙的要求。见表 6-5。

四川省龚嘴水电站,在规划设计过程中,认真分析了上游来水来沙特性,吸取国内已建水库泥沙问题的经验教训,在建筑物布局方面,充分体现了"排沙减淤,保护长期可用库容,减少进入机组和过流部件的含沙量,降低磨损"的设计思想。为了保护水电站,在电站坝段设置了 4 个排沙孔,见图 6-7。图 6-7 中,在电站坝段右侧设置了 3 孔排沙底孔,底坎高程很低,接近原河床床面,孔口截面为 $30m^2$。三个排沙孔可以冲刷出坝前相互连接的冲刷漏斗,从而减少进入泄水建筑物的含沙量,减少对过流部件的磨损。

综合上述几座水库情况,排沙孔在枢纽总体布局上,应当考虑以下几个方面:首先应当把排沙孔布设在最低的高程上,同时应摆设在主流位置;其次应当多设置几孔排沙洞,排沙孔分布要均匀,泄量应与库区冲刷流量相适应;第三,排沙洞内要埋设含沙量取样管,有利于掌握排沙数量与泥沙组成的变化情况。

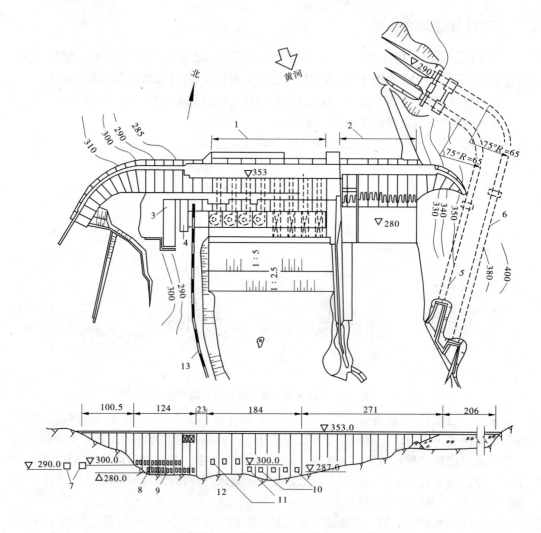

图 6-6　三门峡枢纽泄流孔示意(上游高程图)(单位:m)

1—电站坝段;2—溢流坝段;3—110kV 变电站;4—副厂房;5—1 号隧洞;6—2 号隧洞;
7—泄流排沙隧洞;8—12 个 3m×8m 深水孔;9—12 个 3m×8m 底孔;10—电站进水口;
11—排沙钢管;12—内长玢岩;13—进厂铁路

表 6-5　　　　　　　　　　　　**三门峡水利枢纽泄流能力**

库水位(m)	285	290	295	300	305	310	315	320
泄流能力(m³/s)	630	1 130	2 460	3 590	5 070	7 147	9 054	10 454

四、可用库容计算

可用库容是水库冲刷的结果,因此要用水库冲刷纵剖面或冲刷比降,冲刷宽度和冲刷水深来计算。

冲刷宽度可用式(3-68)计算,冲刷面积可用式(3-45)计算。冲刷比降可由式(3-69)解

· 182 ·

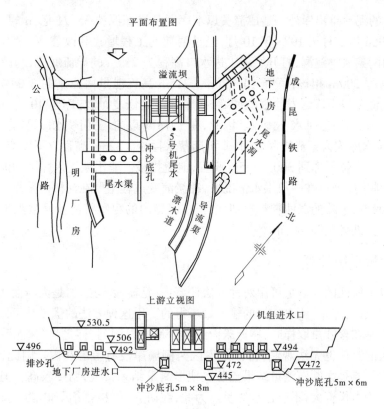

图 6-7　龚嘴水电站工程平面布置及上游立视图

出,冲刷比降为

$$J_{冲} = \lambda_3 \frac{Z^{1.57}}{Q^{0.36} \Delta S^{0.78} t^{0.78}}$$

也可以参照表6-2的冲淤比降对比,用经验类比法确定。

第三节　水库"拦粗排细"与"拦细排粗"[4]

黄河干支流上的任何一座水库都存在泥沙淤积问题。水库运用初期,库容和库区各断面过水面积增大,与天然河道相比,流速减缓,水流输沙能力下降,进入库区悬移质泥沙中的粗颗粒泥沙先发生沉降、淤积。细颗粒泥沙可能由产生的异重流排出库外,或因库水位下降以明流形式将泥沙输送出库(泄空冲刷运用除外)。在这样的全过程,水库将进库全部的粗颗粒泥沙拦截在库内,部分细颗粒泥沙排出库外,称之为"拦粗排细"。

三门峡水库已经运用 40 多年,经历了各种运用方式,以它为例,研究水库"拦粗排细"和"拦细排粗"具有代表性。

一、水库淤积概况

三门峡水库自 1960 年 9 月~1962 年 3 月为蓄水运用,只有少部分细泥沙以异重流的形式排沙,大部分泥沙都淤积在库内。1962 年 4 月改为滞洪排沙运用,库水位相对较低,有66%的泥沙排出库外。造成潼关以下库区已淤积泥沙35.71亿 m^3,形成高滩深槽的格局。1966年7月至1973年10月,经过两期的工程增建和改建,左岸有进水口高程为290m的两条泄洪隧洞,打开原施工进水口高程为280m的导流底孔,与改建前的深水孔进水口高程300m相比,下降10～20m。315m高程泄量由原来的3 084m^3/s增加到9 910m^3/s。潼关以下库区发生强烈冲刷,槽库容得到恢复,增加库容10亿 m^3,形成高滩深槽的断面形态,一般洪水不漫滩。因此,在1973年以前,三门峡水库是"拦粗排细"。

1974年水库改为蓄清排浑运用,非汛期蓄水拦沙。326m高程以下库容为19亿～20亿 m^3,汛期库水位下降到300～305m高程,泄流排沙。非汛期进入库区的泥沙淤积在河槽内,汛期排出库外。在一般洪水情况下,冲淤演变过程主要在河槽内重复交替。较大洪水时,轻微漫滩,上滩的泥沙颗粒较细,淤积在河槽内的粗颗粒泥沙又被洪水冲走排出库外,形成了"拦细排粗"的局面。

二、沙量平衡计算

潼关以下库区的冲淤量可用两种方法计算:一是输沙率法,二是大断面法。前者是用潼关和三门峡(出库站)两水文站的输沙量求得的。用这种方法的优点是可以逐日连续计算。其缺点是在含沙量取样时,靠近床面的含沙量难以测到,称之为"漏测";其次两站之间支沟加入的沙量也无法观测;再次是库区两侧塌岸没有考虑在内。因此,影响计算精度。后者的优点是大断面测量结果与各次地形测量结果接近,精度较高。但它的观测历时长,人力、物力投资大,不能连续测量。为此,在研究"拦粗排细"和"拦细排粗"时,只能用输沙率法,同时考虑了漏测、区间加沙和库岸变形等因素。

进入潼关以下库区的沙量有潼关断面输沙量和临近床面漏测沙量。程龙渊认为,潼关断面漏测沙量约占全年沙量的1.6%。潼关断面河道型异重流在1968年以前占断面输沙率约0.7%[5];潼关至大坝区间面积为6 280km^2,有众多支沟的沙量进入库区;潼关以下库区两岸为黄土地层,受高水位浸泡、波浪冲击以及河势摆动而发生塌岸,增加淤积量。上述几方面的总和为进库总沙量,在相同时段内,减去出库沙量,除以淤积物干容重所得的体积为冲淤量。计算结果与断面法测量基本相等。

把 $d \geqslant 0.05$mm 的颗粒的泥沙界定为粗泥沙,$d < 0.05$mm 为细泥沙。

漏测量按60%计算粗泥沙量,区间加入的沙量以及塌岸沙量按20%计算粗泥沙量。根据三门峡水库水文泥沙资料数据集❶的资料,计算了1960年9月至1990年12月的潼关以下库区冲淤量,见表6-6。

三、对"拦粗排细"与"拦细排粗"的分析

从表6-6中所给出的数据可以看出:1960～1966年,处在蓄水和滞洪排沙运用时期,潼关以下库区处于淤积过程,泥沙沉积环境广阔,粗颗粒泥沙首先发生淤积,淤积量占进库粗泥沙总量的53.4%;其中1960～1964年期间,粗泥沙累积淤积量占进库粗泥沙的81.1%。见图6-8。

---

❶　三门峡运用经验总结项目.三门峡水库水文泥沙资料数据集.1993年

表6-6 　　　　**三门峡水库潼关以下库区全沙、粗泥沙沙量平衡计算**

时段(年)	潼关沙量(亿t)			塌岸量(亿t)		区间来沙量(亿t)		总来沙量(亿t)		出库沙量(亿t)		库区冲淤量(亿t)	
	实测沙量	漏测沙量	粗沙量	全沙量	粗沙量	全沙量	粗沙量	全沙量	粗沙量	全沙量	粗沙量	全沙量	粗沙量
	(1)	(2)	(3)	(4)	(5)	(6)	(7)	(8)	(9)	(10)	(11)	(8)−(10)	(9)−(11)
1960~1966	85.89	1.98	19.75	5.07	1.01	0.90	0.18	93.84	20.94	55.52	9.75	38.32	11.19
1967~1970	68.00	1.35	14.73	0.06	0.01	0.45	0.09	69.86	14.83	72.90	19.89	−3.04	−5.06
1971~1973	35.71	0.57	9.08	0.33	0.07	0.32	0.06	36.93	9.21	40.51	11.65	−3.58	−2.44
1974~1990	162.42	2.60	33.63	1.88	0.38	2.00	0.40	168.90	34.41	170.11	36.04	−1.21	−1.63
1960~1990	352.02	6.50	77.19	7.34	1.47	3.67	0.73	369.53	79.39	339.04	77.33	30.49	2.06

注：(1)+(2)+(4)+(6)=(8)；(3)+(5)+(7)=(9)。

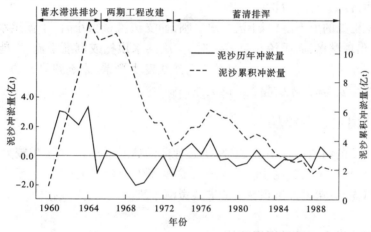

图6-8　三门峡潼关以下库区 $d > 0.05$mm 冲淤过程线

从表6-6中还可以看出,1967年以后粗颗粒泥沙的出库沙量大于进库沙量,水库不但没有拦截粗颗粒泥沙,反而从原来淤积的粗颗粒泥沙中冲起排出库外。1967年至1990年库区全沙冲刷量为7.83亿t,而粗颗粒泥沙冲刷量为9.13亿t,已经是"拦细排粗"了。

四、"拦粗排细"的普遍性与特殊性

从表6-6中可知,在水库蓄水运用和滞洪排沙运用初期,有足够的库容可以作为"沉沙池",沉积环境优越,水库有"拦粗排细"的条件,对下游河道起到减淤作用。

当水库淤积发展到形成高滩深槽以后,泥沙沉积环境发生质的改变,水库只有槽库容为主的局面,水流泥沙基本上全部在主槽内运行时,为了保持长期可使用库容而采用蓄清排浑运用的情况下,水库已经失去"拦粗排细"的作用。在大洪水漫滩后,反而细颗粒泥沙拦截在滩地上不易排出,形成"拦细"格局。因此,从水库淤积全过程来看,"拦粗排细"和"拦细排粗"具有普遍性或者说是共性。

对三门峡水库来讲,它是通过两次工程增建与改建,降低泄流建筑物的进水口高程,

增加冲刷力度,使"拦细排粗"提前实现,又具有特殊性。

在多沙河流上的水库,其运用方式确定为"蓄清排浑"或调水调沙模式,也具有普遍性。三门峡水库这一经验已为许多水库所采纳,如黄河小浪底水库、长江三峡水库等。

但是,有的水库因下游有重要都市,不允许大量排沙,只能是蓄清拦沙,库容不够则再加高大坝增加库容。如官厅水库,下游有首都北京市引用其下泄的清水,用于工业生产和人民生活用水,不允许多排沙,这又具有特殊性。由此可知,"拦粗排细"是有一定条件的,转化为"拦细排粗"是必然的。这一点对于多沙河流上的水库,在编制运用方案时,应切实注意。

第四节　拦门沙坎

天然河流进入海洋,受潮汐作用,出现河口段,挟沙水流在河口段受海水顶托,水流速度减缓甚至出现负流量,水流输沙呈现超饱和状态,使较粗颗粒泥沙沉积,久而久之在河口段或河口附近形成拦门沙坎。

干支流交汇处的上下游,当干流洪水来临,而支流流量很小时,干流洪水向支流顶托或倒灌;支流出现洪水,而干流流量较小时,支流洪水顶托或倒灌干流,均能形成拦门沙坎。这种现象在黄河上屡见不鲜。只是拦门沙坎发生严重,影响到附近的工农业生产或威胁到当地社会安全时,才引起人们的关注。

一、黄河河道拦门沙坎

在黄河干流的河道比降小于支流的河道比降的情况下,当支流发生较大洪水,而黄河干流流量较小时,挟带大量泥沙的洪水进入黄河,断面突然扩宽,水流速度减缓,水流输沙出现超饱和状态,大量泥沙沉积在支流进入黄河干流河段时,形成拦门沙坎,有时会发生洪水灾害。

(一)西柳沟洪水构成的拦门沙坎

西柳沟是内蒙古八大"孔兑"之一,位于内蒙古自治区的达拉特旗境内。河道全长106km,河道比降35.7‰,西柳沟进入黄河干流河段的比降约0.11‰。西柳沟所发生的洪水曾多次在昭君坟水文站下游构成拦门沙坎淤堵黄河河道,见图6-9。

1961年8月21~23日,西柳沟流域连续3天降雨量达到240mm。西柳沟龙头拐水文站的洪峰流量为3 180m³/s,最大含沙量为1 200kg/m³,21日输沙量为2 970万t。洪水进入黄河以后,黄河流量为1 450m³/s。由于黄河干流河道坡度很缓,大量泥沙落淤,在黄河河道上堆积成一条沙坝,使黄河河水倒流,以致达拉特旗的昭君坟对岸的包头钢铁公司的水源地被淹。洪水过后,黄河来水较大,才逐渐将拦门沙坎冲开,直至9月2日逐步恢复到受阻前的状态。受阻后的河道情况见图6-10。

1966年8月13日,西柳沟流域降雨137mm,龙头拐水文站洪峰流量3 660m³/s,最大含沙量1 380kg/m³,日输沙量1 650万t。洪水进入黄河以后,构成拦门沙坎,使昭君坟水文站水位抬高2.33m,直到同年9月10日,经过近1个月的时间,黄河来水才逐渐将拦门沙坎冲开,恢复到原来的河床形态。

1989年7月21日,八大"孔兑"上游骤降暴雨。青达门降雨量达到186mm,八大"孔

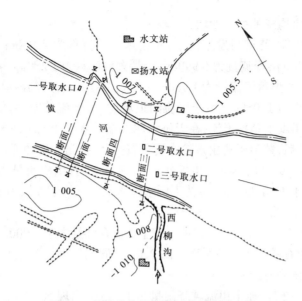

图 6-9　昭君坟水文站附近黄河河道形势

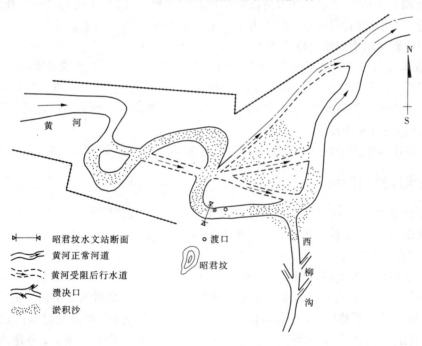

昭君坟水文站断面
黄河正常河道
黄河受阻后行水道
溃决口
淤积沙

图 6-10　受阻后河道情况

（注：此图系 1961 年 8 月 22 日现场调查测量所绘）

兑"同时发生洪水。黄河的昭君坟河段堆积成长 7.0km、宽 600～1 000m、高 2.0m 的拦门沙坎,总堆积量一般为 1 400 万～2 300 万 m³,当时黄河 1 000m³/s 流量的水位达到 1 010.22m,超过 1981 年 5 450m³/s 的相应水位 0.52m。昭君坟水文站站房四周的水深在 1.0m 以上,包头市的黄河公园一片汪洋。直到同年 8 月 15 日,拦门沙坎才被全部冲开,历时 25 天。

(二)黄甫川洪水构成的拦门沙坎

1979年8月10日,黄甫川发生洪水,黄甫水文站流量为4 960m³/s,最大含沙量为1 400kg/m³,8月12日洪峰流量为5 990m³/s,最大含沙量为1 280kg/m³。黄甫川入黄处上游的河曲水文站,实测黄河流量为1 980～3 120m³/s。黄甫川的河口段比降为2.88‰,入黄处的黄河的比降为1.05‰。由于支流河道坡度大,干流坡度小,使大量泥沙在黄河干流上沉积。黄甫川洪水顶托干流,在天桥水库末端的水位上升0.5～1.5m。引起淤积上延达27.7km。此后,黄河干流出现较大流量,逐渐将拦门沙坎冲开。

1981年7～8月,黄甫川连续发生5次洪水,7月21日洪峰流量为5 120m³/s。5次洪水的含沙量均大于1 100kg/m³,致使天桥水库末端的石梯子左股河槽淤堵,石梯子、上庄水位站水位上升1～2m。参见图5-15。

1982年7月29日至8月8日,黄甫川发生3次含沙量大于1 000kg/m³的洪水,对黄河干流产生顶托,使石梯子水位站断面淤高2.0m。同流量水位上升1.0～1.5m。

(三)孤山川洪水构成的拦门沙坎

1977年8月1～2日,孤山川流域降雨量为144mm,出现10 300m³/s的大洪水,最大含沙量为817kg/m³。洪水进入黄河以后构成拦门沙坎,黄河来水受到严重顶托,孤山川川口上游府谷水文站,同流量水位上升1.9m,回水上溯6.0km左右。

(四)窟野河洪水构成的拦门沙坎

1976年8月2日,窟野河上游降雨量达到248mm,温家川水文站洪峰流量达到14 000m³/s。洪水总沙量为1.76亿t,洪水挟带大量巨石、煤炭、卵石进入黄河以后堆积在黄河河道内构成拦门沙坎,迫使黄河河道壅水,回水溯向上游约12km,之后黄河出现较大流量,将拦门沙坝冲开。

如上所述,黄河支流倒灌干流的事例很多,每次倒灌均会在干流河道上构成拦门沙坎。

二、水库拦门沙坎

水库修建之前,库区若有多沙支流进入库区,也会出现拦门沙坎。其实,只是这样的拦门沙坎形成之后,又被大水冲开并逐渐消失,对工农业生产和人民的生活造成的灾害非常微小,如官厅水库的妫水河口的拦门沙坎,没有引起人们的关注而已。

(一)三门峡水库的渭河口拦门沙坎

渭河尾闾处在黄河干流的潼关断面上游附近,潼关断面是渭河下游河道的准侵蚀基面,渭河与黄河交汇地区,又称黄渭汇流区。汇流区地形宽阔,黄河河道宽度在5km以上,干支流汇合后进入潼关断面时,河谷突然缩窄不足1.0km。因此,每逢流量大于2 000～3 000m³/s时,潼关断面便会起卡水作用并有壅水现象。

黄河在潼关以上附近的河道比降为0.3‰～0.35‰,北洛河下游比降为0.25‰,渭河河口段附近的比降为0.11‰。当黄河发生3 000m³/s以上洪水,又遇渭河枯水的情况时,则黄河洪水倒灌渭河,渭河河口段出现负流量或停止平静。此时若黄河洪水含沙量很高,在河口段堆积成拦门沙坎。与此同时,若北洛河出现高含沙洪水,会使拦门沙坎的范围增大,河床高程上升幅度加大。

三门峡水库修建前,1932、1942、1954、1959年,由于黄河倒灌渭河,都产生过拦门沙坎。如 1954 年 7 月 13 日,潼关洪峰流量 11 600m³/s,华县流量只有 176m³/s,两者比值为 66。1959 年 7 月 22 日,潼关洪峰流量 10 000m³/s,华县流量 422m³/s,两者比值为 23。这两次黄河洪水都倒灌渭河,也产生过拦门沙坎。拦门沙坎形成以后,渭河出现较大洪水,将拦门沙坎冲开,恢复到河道原来状态。水库修建后,由于生产上的需要,测站布局合理,再加上潼关断面河床高程不断抬升,黄河倒灌的实测资料较多。除黄河洪水倒灌渭河以外,还有黄河洪水顶托渭河水流,阻碍其畅流下泄。以往的研究表明,潼关流量与华县流量之比值 $Q_潼/Q_华$ 小于 3 时,黄河对渭河不发生顶托;当 $Q_潼/Q_华$ 为 3~20 时,华阴以下受顶托、倒灌影响;当 $Q_潼/Q_华$ 大于 20 时,黄河倒灌渭河影响至华县。发生顶托时,拦门沙坎河段淤积不严重,随渭河出现洪水就可以消失。发生倒灌时,极易形成拦门沙坎,甚至淤堵主槽成灾。表 6-7 为黄河倒灌渭河流量特征值。

表 6-7　　　　　　　　　　　　黄河倒灌渭河流量特征值

日期 (年·月·日)	流量(m³/s)			$Q_潼/Q_华$
	潼关	华县	华阴	
1964.7.7	9 240	355	—	26.0
1966.7.18	5 130	98	−220	52.3
1967.8	9 300	53	−220	175.4
1976.8.3	7 030	70	−178	100
1977.7.7	9 800	340	−450	28.8
1977.8.3	11 900	250	−955	47.6
1977.8.6	6 760	62	−485	109
1977.8.7	15 400	60	−810	256.7
1979.8.12	11 100	25	−414	444.0
1979.8.14	6 980	27.3	−308	255.7
1980.7.26	1 700	40	−20	42
1982.7.31	4 100	86	−20	47
1987.8.27	5 450	90	−107	60.6

注:华阴距潼关断面 20.6km,华县距潼关断面 84.2km。

拦门沙坎的部位及其顶点位置对渭河下游河道冲淤的影响程度在河口段边界条件制约下,随着水库的不同运用方式,黄、渭、洛河来水来沙强度对比及洪峰的遭遇不同,经常发生上下移动,其演变过程可分为两种类型:

(1)特殊年份。黄河洪峰流量大,含沙量高,渭河又无大水。黄河倒灌渭河后形成拦门沙坎,与此同时又遇北洛河高含沙小洪水,则渭河河口段发生严重淤积,如 1953、1959、1967、1979 年等年份。其中 1967 年最为严重。8 月份黄河龙门站经常出现大于 5 000m³/s 的洪水,11 日洪峰流量达到 21 000m³/s,相应潼关流量 9 530m³/s,潼关水位一直维持在 328m 以上,渭河华县站流量很小,日平均流量在 25~394m³/s 范围内变化。潼关流量与华县流量比值大于 100,黄河洪水倒灌渭河历时长达 29 天。在此期间,北洛河出现高含沙洪水,朝邑站日平均流量为 95~250m³/s,最大流量为 766m³/s,最大含沙量为 950kg/m³,洪水输沙量为 0.846 亿 t。北洛河洪水进入渭河河口段以后,受黄河洪水倒灌顶托作用,全部来沙淤积在渭河河口段,使三河口—仓西河段主槽被淤堵。8 月 23 日以后,华阴站(仓西)附近水位不断上升,达到 333m 左右。渭河河口段主河槽淤平,洪水全部漫流。9 月,渭河华县输沙量为 1.04 亿 t。因河段被淤堵,渭河来沙又沿主槽自仓西溯源而上发生淤积,直至西阳断面(渭淤4)主槽全部淤塞,水流多股分流进入二华夹槽。10月初,潼关水位下降至329m以下,在仓西以下南北分流逐渐归槽发生溯源冲刷,但仓西至西阳长8.8km河段仍被淤堵。其纵向淤积形态和淤积分布见图6-11及图6-12。

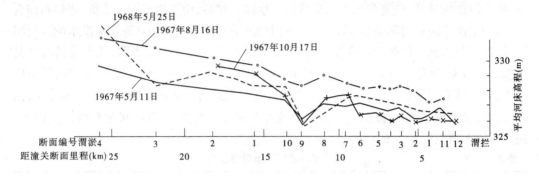

图6-11　1967年渭河拦门沙坎各时期平均河床高程

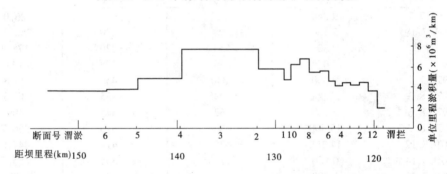

图6-12　1967年5月11日~8月16日拦门沙坎淤积分布

图6-12可知,本次黄河倒灌渭河形成的拦门沙坎的淤积重心在渭淤2—渭淤4断面(仓西—西阳),距潼关20~30km,高出潼关河床10m,在同流量(200m³/s)水位情况下,华县上升1.0m,陈村上升2.0m,西阳附近上升3.0m。1968年汛前,人工开挖引河,经汛期洪水冲刷,至10月,河底最深点才达到1967年汛前水平,但过水断面面积只恢复到1967年汛前的60%左右。

(2)一般水沙年份。黄河洪水倒灌或顶托渭河后形成拦门沙坎,随后渭河出现洪水,冲开拦门沙坎,虽有影响但不严重,如1964、1966年。其中1966年7月18日,龙门洪峰流量7 460m³/s,相应华县流量98.2m³/s,潼关与华县流量之比为52。华阴在7月19日负流量为220m³/s。拦门沙坎河段河床平均抬升2.0m左右。7月24日和28日、9月16日,渭河先后出现3 550m³/s、5 180m³/s、4 470m³/s洪水,拦门沙坎被冲开,并恢复到倒灌前的河床高程。

(二)刘家峡水库洮河口拦门沙坎❶

刘家峡水库库区地形特征和水利枢纽布设,已在第二章作了详细介绍,这里仅讨论该

---

❶ 吴孝仁.黄河刘家峡水电站水库泥沙设计与现状(初稿).电力部第二水电工程局设计院,1982年3月

水库坝址上游 1.5km 处的拦门沙坎问题。

　　洮河于坝址上游 1.5km 处汇入库区,洮河多年平均径流量为 46.32 亿 m³,输沙量为 0.263 亿 t。径流量占刘家峡入库的 17.1%,输沙量占 48.3%。洮河库区库容占总库容 57 亿 m³ 的 2.0%,仅为 1.14 亿 m³。

　　刘家峡水库的运用过程,一般是 7 月份库水位由 1 700m 左右逐渐蓄水,到 10 月底上升到 1 735m,11 月至翌年 6 月,库水位逐渐下降到 1 694m。由于主汛期(7、8 两月)库水位较低,洮河 洪水输沙量比较容易输送到黄河干流库区。与洮河来沙量相比,洮河库容只有 1.14 亿 m³,很 快就会淤满,并且向黄河干流库区发展。其结果,在坝址上游 1.5km 处形成拦门沙坎,见图 6-13。受拦门沙坎的阻挡,黄河干流及其支流大夏河来沙均淤积在黄河干流库区。受拦门沙坎 的作用,洮河进入库区的泥沙,一部分输送到坝前,通过泄水道等排泄出库,另一部分由拦门沙 坎向上游呈倒灌而输送到拦门沙坎上游黄河库区。至 1977 年汛后,拦门沙坎(黄淤 3 断面)高 程已达到 1 678.6m,见表 6-8。从表中可以看出,刘家峡水库的洮河口拦门沙坎的发展过程。 其基本成因是地形条件、洮河的水沙条件和水库运用等综合作用的结果。

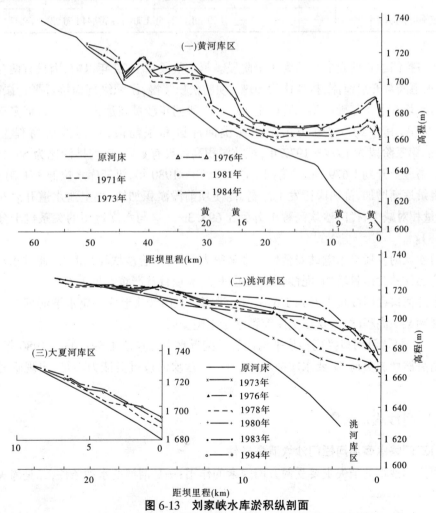

图 6-13　刘家峡水库淤积纵剖面

表 6-8　　　　　　　洮河拦门沙坎高程、进出库沙量、排沙比及坝前水位

年份		1969	1970	1971	1972	1973	1974	1975	1976	1977	1978	1980
年进库沙量(万t)		557	2 540	1 520	1 180	5 230	977	1 420	3 760	2 180	4 230	760
年出库沙量(万t)		142	639	521	591	1 480	233	511	2 270	1 660	2 840	668
年排沙比(%)		25.5	25.1	34.3	50.1	28.3	28.8	36.0	60.0	76.1	67.1	87.9
洮河库区淤积量(万 m³)		—	—	1 170	990	840	620	420	390	210	74	4.0
死库容损失率(%)		—	—	41.2	50.3	57.8	68.8	78.9	80.4	89.4	96.5	99.8
坝前淤积面高程 (m)	平均	1 640.0	—	1 660.8	1 660.2	1 669.0	1 669.2	1 668.1	1 670.5	1 669.2	1 676.8	1 680.4
	最深点	1 640.0	1 655.5	1 660.1	1 660.0	1 667.6	1 668.0	1 666.6	1 668.7	1 667.0	1 672.5	1 677.8
洮河拦门沙坎(黄 3断面)高程(m)	平均	1 635.0	—	1 658.8	1 659.3	1 670.5	1 672.5	1 673.2	1 676.0	1 679.5	1 688.4	1 693.3
	最深点	1 635.0	1 655.7	1 658.6	1 659.1	1 666.7	1 672.0	1 672.6	1 673.4	1 678.6	1 686.5	1 690.7
5~6月坝前平均水位(m)		—	—	—	—	1 702.01	1 704.51	1 704.1	1 709.44	1 707.34	1 699.17	1 701.67

洮河口拦门沙坎的发展可分为 4 个阶段。第一阶段在 1972 年以前,因只有两台机组运行,泄水道经常开启泄流,排沙比为 50%,坝前淤积缓慢,淤积纵剖面接近平行淤高,为形成拦门沙坎打下了基础。第二阶段是 1973 年,洮河年沙量高达 5 230 万 t,是多年平均值的 1.99 倍,其中约 3 750 万 t 淤积在洮河库区和坝前段,拦门沙坎高程上升到 1 670.5m。第三阶段为 1974~1977 年,坝前淤积高程没有上升,年均排沙比为 56.1%,但拦门沙坎高程上升到 1 679.5m。第四阶段为 1978~1980 年,汛期库水位低于 1 700m,洮河入库流量逐渐增加,洮河库区发生冲刷,促使坝前段淤积加快,加上泄水道开启时间较短,排沙量相对减少,拦门沙坎高程上升到 1 693.3m。这与水库运用的关系也十分密切(见表 6-8)。

拦门沙坎的发展给水电站安全生产带来很大麻烦,随着沙坎高程上升,通过水轮机及其他过流部件的含沙量增加,泥沙颗粒变粗,机组磨损日益严重。见表 6-9。

由于洮河口拦门沙坎上升到 1 693.3m,洮河口拦门沙坎形成一座水下潜坝。当坝前水位下降到某一高程时,沙坎以上库容蓄水量下泄受阻。

1979 年汛后,洮河口拦门沙坎平均高程已接近水库死水位 1 694.0m。1980 年 6 月,由于电站突然增加负荷,需要水库补水,但因拦门沙坎河段过流能力不足,出现临时阻水现象。

三、拦门沙坎消失[❶]

(一)三门峡水库渭河拦门沙坎消失条件

渭河拦门沙坎的消失主要受两方面因素的作用:一是渭河的水沙条件,二是潼关河床

---

❶　焦恩泽.渭河口拦门沙坎疏浚可行性分析.黄科技 97072 号.黄河水利科学研究院,1997 年 12 月

高程水位。

表 6-9　　　　　　　　　　　　2 号机组过机沙量与粒径

年份	过机沙量（万 t）	5~7月过机沙量		过机泥沙粒径		出库泥沙粒径	
		（万 t）	占年沙量（%）	d_{50}（mm）	$d>0.05$mm沙量（%）	d_{50}（mm）	$d>0.05$mm沙量（%）
1974	14.1	10.8	73			0.024	
1975	28.7	5.7	21	0.014	8.2	0.030	
1976	127	77.5	60	0.015	14.5	0.026	
1977	180	133	74	0.025	16.2	0.016	
1978	1 160	925	80	0.026	20.7	0.025	19.8
1979	1 190	950	80	0.028	22.4	0.029	28.4
1980	584			0.037	27.8		

　　渭河洪水特别是高含沙洪水,对冲刷拦门沙坎和潼关河床高程的作用非常突出。根据已有的实测资料,渭河口拦门沙坎的消失特征值如表 6-10 所示。

表 6-10　　　　　　　　　　　　渭河口拦门沙坎的消失特征值

倒灌日期（年·月·日）	冲开时段（月·日~月·日）	潼关平均水位（m）	华县流量（m³/s）	330m 高程以下主槽库容(亿 m³)		
				倒灌前	消失后	增减库容
1966.7.18	7.20~8.7	328.45	1 159	0.062	0.076	0.014
1977.7.7	7.8~7.20	325.37	613	0.066	0.139	0.073
1978.9.1	9.2~9.24	328.06	580	0.051	0.052	0.001
1979.8.12	8.15~10.11	328.11	223	0.042	0.038	−0.004
1980.7.26	7.27~9.24	327.62	428	0.068	0.056	−0.012
1981.7.4	7.5~7.27	327.93	530	0.049	0.060	0.011
1981.8.16	8.17~8.30	328.17	2 030	0.060	0.132	0.072
1982.7.31	8.1~8.13	327.59	591	0.095	0.070	−0.025
1997.8.27	8.28~9.22	326.84	142	0.074	0.054	−0.020

　　在表 6-10 中,倒灌日期是指起始时间;冲开时段为倒灌停止日期至拦门沙坎基本冲刷完毕的时间;潼关平均水位是与冲开时段相应时段的潼关断面(六)的平均水位;华县流量为冲刷时段的渭河平均流量;330m 高程以下库容是指渭拦 2—渭拦 10 断面,在倒灌前与冲刷后的河槽容积。从表 6-10 中还可以看出,在潼关平均水位值相近的时段,华县流量大,其冲刷效果也明显,反之,拦门沙坎淤积量尚未冲完。如 1979 年 8 月 15 日~10 月 11 日,潼关平均水位为 328.11m,华县平均流量为 223m³/s,拦门沙坎尚有 40 万 m³ 沙量没有冲完。而 1981 年 8 月 17~30 日,潼关水位为 328.17m,华县流量为 2 030m³/s,不仅

将倒灌时所淤积下来的泥沙全部冲走,还多冲 720 万 m³。当华县流量与黄河流量接近时,潼关水位越低,其冲刷量越多。如 1977 年 7 月 8～20 日,华县流量为 613m³/s,潼关水位为 325.37m,拦门沙坎河段多冲 730 万 m³ 沙。而 1978 年 9 月 2～24 日,华县流量为 580m³/s,潼关水位为 328.06m,拦门沙坎河段只多冲了 10 万 m³ 沙。

渭河高含沙洪水对渭河河口及潼关高程冲刷极为有利。一般来讲,华县渭河悬移泥沙较细,华县水文站泥沙颗粒小于 0.01mm 的沙重百分数为 36.1,小于 0.005mm 的沙重百分数为 23.7%。因此,洪峰平均含沙量大于 250kg/m³ 时,就已经构成非牛顿流体。具备的流量条件是,洪峰平均流量在 500m³/s 以上时,它才具有极强的冲刷能力。在这种条件下,潼关高程可以下降,拦门沙坎河段也同时发生冲刷。华县高含沙洪水对潼关河床的冲刷作用见表 6-11。

表 6-11　　　　　　　　　华县高含沙洪水对潼关河床的冲刷作用

时段 (年·月·日)	渭河华县站		潼关 1 000m³/s 水位		潼关高程 升降值(m)
	平均流量(m³/s)	平均含沙量(kg/m³)	起始	终了	
1964.8.20～8.27	1 480	427	327.51	327.10	-0.41
1966.7.26～8.6	1 400	341	328.20	327.21	-0.99
1970.8.3～8.7	1 383	373	328.60	326.88	-1.72
1971.8.19～8.24	311	404	327.60	326.88	-0.72
1973.8.20～8.24	387	300	327.70	327.05	-0.65
1973.8.26～9.3	1 822	365	327.05	325.37	-1.68
1977.7.5～7.10	1 280	501	327.31	324.70	-2.61
1978.7.21～7.26	876	275	326.95	326.58	-0.37
1979.7.29～8.2	508	405	327.61	327.00	-0.61
1988.8.9～8.13	1 621	394	328.30	327.48	-0.82
1992.8.9～8.16	1 202	342	327.80	326.40	-1.40
1996.7.21～8.1	910	395	328.32	326.60	-1.72

从上述情况可知,三门峡水库渭河口的拦门沙坎的产生是黄河洪水倒灌造成的。拦门沙坎的消失,主要靠渭河洪水,特别是高含沙洪水来消除。

(二)刘家峡水库洮河拦门沙坎消失条件[1]

刘家峡水电站在 1980 年 6 月初突然增加负荷时,坝前水位在短时间内发生急剧下降。见表 6-12。此种现象威胁了水电站的安全运行。刘家峡水电站于 1981、1984、1985、1988 年共进行了 4 次降低库水位冲刷拦门沙坎,取得一定效果。1981、1984、1985 年三年的拦门沙坎冲刷成果见表 6-13。

1988 年 5 月,坝前水位下降到 1 700.78m。由于水位下降幅度较大,洮河库区发生冲刷,泄水道、泄洪洞及排沙洞等闸门前淤积面高程上升到 1 684.9～1 686.4m,过机含沙量达到 6.24～6.38kg/m³,对水电站的安全运行构成严重威胁。决定进行一次降低库水

---

❶　吴孝仁.黄河刘家峡水库泥沙冲淤规律与水库运用方式.西北水电技术,1986 年

位冲刷拦门沙坎和坝前淤积泥沙。

表 6-12 　　　　　　　　　　刘家峡电站增加负荷与坝前水位骤降情况

日期 (年·月·日·时:分)	8时坝前水位 (m)	负荷增值 (×10³ kW)	水位骤降值 (m)
1980.6.11　8:00～9:00	1 697.35	115	0.65
14:00～18:00		170	0.70
20:00～22:00		235	0.90
6.16　20:00～22:00	1 696.50	180	0.96
6.18　20:00～21:00	1 697.25	190	0.60

表 6-13 　　　　　　　　　　刘家峡水库洮河口拦门沙坎冲刷成果

年份			1981	1984	1985
冲沙起止日期(月·日)			6.26～7.3	6.21～6.29	6.29～7.5
冲沙历时(h)			171	185	142.1
冲沙期间坝前水位变幅(m)			1 700.6～1 695.4	1 700.3～1 709.2	1 699.5～1 695.0
平均入库流量(m³/s)			1 470	2 800	1 590
平均出库流量(m³/s)			2 150	1 690	1 660
洮河平均流量(m³/s)			230	904	292
洮河入库沙量(万 t)			276	715	38
出库(小川站)沙量(万 t)			585	1 640	857
库区 冲淤 沙量	总计	(万 t)	−309	−925	−819
		(万 m³)	−281	−841	−630
	坝前段(万 m³)		−110	+87	−520
	洮河库区(万 m³)		−171	−928	−110
冲沙前后沙坎 平均高程(m)	黄3号断面		1 693.1～1 687.0	1 694.4～1 691.9	1 695.0～1 693.0
	临2号断面		1 694.1～1 690.5	1 685.1～1 694.8	1 694.2～1 693.4
沙坎高程升降值 (m)	黄3号断面		−6.1	−2.5	−2.0
	临2号断面		−3.6	+9.7	−0.8
冲沙时段泄水量 (亿 m³)	总计		14.4	11.9	10.0
	其中	发电	6.2	5.2	4.0
		弃水	8.2	6.7	6.0
冲沙耗水率(m³/t)			246	73	91
坝前冲淤状况			冲刷	淤积	冲刷

　　6月末,库水位已降到1 699.7m,采用减少刘家峡水电站发电蓄水的办法,增加蓄水量,使库水位上升,到7月8日坝前水位上升到1 703.0m。于7月8日8时,开始降低水位冲刷拦门沙坎及坝前淤积泥沙。

　　在吸取前3次冲沙运用经验的基础上,本次冲刷拦门沙坎排沙的运用原则是:①尽可能减少泄水道闸门启闭次数;②停机不发电期间,泄水道、泄洪洞的所有闸门全部开启泄水排沙;③机组运用时,关闭泄水道1号闸门,以免泄水道出口水流倒灌水电站出口,发生闷孔。

降低水位冲刷拦门沙坎起于 1988 年 7 月 8 日 8 时 30 分,于同年 7 月 12 日 15 时 5 分结束,总历时 102.6 小时。日平均库水位由 1 702.55m 下降到 1 696.6m,最低水位下降到 1 695.23m,水位下降幅度为 5.95m。下降最大幅度为 7.32m。总排沙量为 819 万 t,净冲刷量为 565 万 t,其中 $d \geqslant 0.05$mm 的沙量为 225 万 t。泄洪洞和泄水道的底坎高程较低,分别为 1 675m、1 665m。因此,排沙量大,泄水道排沙量为 441 万 t,泄洪洞排沙量为 289 万 t,两者排沙量之和为 730 万 t,占总排沙量的 89%。冲刷前后对比,黄 1 断面平均冲深 5.5m。坝前冲刷出小漏斗。泄水道闸门前淤积面高程由 1 684.9m 下降到 1 668.0m,下降 16.9m;泄洪洞闸门前淤积面高程由 1 684.9m 下降到 1 680.0m,下降 4.9m;排沙洞闸门前淤积面高程由 1 686.4m 下降到 1 667.5m,下降 18.9m。这对清除闸门前的淤沙效果显著。1988 年洮河口拦门河坎冲刷前后变化见表 6-14。

表 6-14　　　　　　　　　1988 年洮河口拦门沙坎冲刷前后变化 ❶

断面号		黄 1 断面	黄 2 断面	黄 3 断面	黄 4 断面
平均高程(m)	冲刷前	1 691.5	1 695.8	1 697.8	1 693.2
	冲刷后	1 686.0	1 692.9	1 695.8	1 692.6
冲刷深度(m)		5.5	2.9	2.0	0.6

第五节　揭底冲刷问题

黄河小北干流和渭河下游,在遭遇高含沙量较大洪水时,河道常出现强烈冲刷,而且冲刷深度和长度很大,群众称之为"揭河底",又叫做"揭底冲刷"。这是高含沙水流运动的特有现象。

从黄河小北干流发生揭底冲刷的情况可知,揭底冲刷从龙门水文站上游开始向下游推进,河出禹门口以后,高含沙洪水在多数河段不走原来的主河道,直冲滩地,重新塑造河槽,取直裁弯,淤滩刷槽。因此,对两侧护滩、控导工程和险工造成很大损失,使两岸引水工程悬空。另外也有有利的一面,即河道变成顺直,断面形态变得窄深,过水面积增加,行洪能力加大。

一、小北干流揭底冲刷研究概况

1970 年在进行"三门峡水库经验总结"时,杜殿勖对黄河小北干流揭底冲刷做了系统分析,总结出龙门水文站 700m³/s 流量的水位在 377.6~382m、含沙量在 400kg/m³ 以上的历时超过 16 小时、流量大于 4 000m³/s 的历时持续 10 小时以上就会发生揭底冲刷。1970 年程龙渊曾经在龙门附近观察到揭底冲刷现象[6]。调查表明,揭河底起点位于禹门口以上 33km 处宁家碛是陕晋峡谷最后一道石碛。距禹门口上游 30km 处的万宝山,开始

❶ 刘家峡水力发电厂.刘家峡水库 1988 年低水位排沙技术报告.泥沙会议交流材料.1989 年 2 月

发生揭底,时间为 8 月 2 日 18 时左右,揭底深度为 1~2m;距禹门口上游 20km 处的石坪子于 8 月 2 日 19 时发生揭底,持续时间约 3.5 小时,掀起的泥块高出水面 3~7m,泥块宽7~10m,并揭出大冰块,在禹门口上游 15km 处的狮子滩,揭底较深;在禹门口上游 9km处的船窝,揭深在 10m 以上,揭起的泥块高出水面 4m 多,宽约 10m,揭底时有大冰块流过;马王庙断面同流量水位降低 6.6m。

万兆惠认为,揭底冲刷应满足 $[\gamma_m HJ/(\gamma'-\gamma_m)]>0.01$ 的条件[6]。式中,γ_m 为浑水容重;γ' 为淤积物的饱和容重;H 为平均水深;J 为水面比降。

赵文林用渭河临潼水文站实测资料验证了万兆惠的公式,认为符合实际情况[7]。

缪凤举对小北干流揭底冲刷做了详细分析[8],对龙门水文站流量大于 6 000m³/s,含沙量大于 400kg/m³ 的洪水特征进行了统计,见表 6-15。

表 6-15　　龙门站流量大于 6 000m³/s、含沙量大于 400kg/m³ 洪水统计[8]

年份	日期 (月·日)	最大流量 (m³/s)	最大含沙量 (kg/m³)	大于 6 000m³/s 流量历时 (h)	大于 400kg/m³ 含沙量历时 (h)	揭底深度 (m)	6 000m³/s 相应水位 (m)
1954	9.3	16 400	605	28.0	16	3.5	384.51
1959	8.23	9 860	424	4.5	3	—	383.48
1961	7.22	6 930	476	3.5	4	—	383.96
1963	8.29	6 220	475	3.0	8	—	383.06
1964	7.7	10 200	695	8.0	21	3.5	383.02
1964	7.16	8 500	418	4.0	1	—	381.13
1964	8.13	17 300	401	12.0	1	—	381.57
1966	7.18	7 460	933	5.0	46	7.5	383.20
1966	7.29	10 100	434	6.5	2	—	377.05
1966	8.17	9 260	515	13.0	3	—	378.0
1967	7.18	8 080	447	5.0	3	—	380.38
1967	8.11	21 000	464	16.0	7	—	380.89
1969	7.27	8 860	752	6.0	31	3.0	382.30
1970	8.2	13 800	826	10.0	48	9.0	382.30
1971	7.26	14 300	509	10.0	25	—	381.10
1974	8.1	4 000	533	5.0	9	—	382.00
1977	7.6	14 500	690	10.0	30	4.0	383.10
1977	8.3	13 600	551	6.0	18	—	379.00
1977	8.5	11 400	821	27.0	29	2.0	380.90

各家的研究结论,均采用龙门、临潼及华县水文站的实测资料求得。

二、揭河底条件分析

正如前面已经介绍的,黄河小北干流揭底冲刷的起始断面是在禹门口以上 30~33km河段。龙门水文站实测的含沙量和泥沙组成,已经是河床被揭起之后的资料,因此泥沙组成偏粗,含沙量偏大,不能反映揭底冲刷初始水沙条件。因此,需要重新组合揭底冲刷接近实际的水沙条件。

（一）水沙条件组合

黄河河口镇至禹门口区间，属黄土丘陵区，是黄河中游暴雨洪水和水土流失频繁发生地区，其间有细泥沙来源区（如无定河赵石窑以下、清涧河、延水等）和粗泥沙来源区（如黄甫川、窟野河、秃尾河等）。一般来讲，细泥沙来源区每逢暴雨容易发生高含沙洪水。在粗泥沙来源区中也有细泥沙地区，如窟野河支流牛栏沟，1970年8月暴雨中心在牛栏沟，构成窟野河温家川水文站实测最大含沙量为 1 040kg/m³，粒径小于 0.01mm 的沙重百分数为 23.5%，粒径小于 0.01mm 的含沙量达到 161kg/m³。

为此，要分析龙门水文站发生较大洪水时期，粗略统计河口镇至龙门区间各支流进入黄河干流水量、沙量及泥沙组成，汇集到宁家碛，组成该断面的水沙特征值，与此同时标出小北干流是否发生揭河底，归纳成表 6-16。

表 6-16　　　　　　　　　　　　有关揭底冲刷水沙特征统计

编号	时间(年·月·日)	Q_m(m³/s)	Q(m³/s)	S(kg/m³)	$S_{d<0.01}$(kg/m³)	$H_{1\,000}$(m)	揭底情况
1	1964.7.6~7.08	10 200	2 898	338	73	383.62	揭底
2	1966.7.18~7.20	7 460	1 934	533	98	383.30	揭底
3	1969.7.27~7.29	8 860	1 637	344	102	382.30	揭底
4	1970.8.2~8.3	13 800	2 433	565	98	382.30	揭底
5	1977.7.5~7.8	14 500	2 713	312	79	383.10	揭底
6	1977.8.5~8.8	12 700	2 935	325	90	380.90	没有
7	1964.7.16~7.18	8 500	2 642	154	39	381.13	没有
8	1964.8.13~8.15	17 300	5 957	170	42	381.57	没有
9	1966.7.26~7.28	9 150	2 249	305	61	377.05	没有
10	1966.7.29~7.31	10 100	2 440	215	71	377.05	没有
11	1966.8.16~8.20	9 260	4 860	234	58	378.07	没有
12	1967.7.18~7.20	8 080	2 762	151	34	380.38	没有
13	1967.8.6~8.8	15 300	4 340	225	61	377.94	没有
14	1967.8.11~8.13	21 000	5 240	248	74	378.82	没有
15	1967.8.20~8.24	14 900	4 820	165	37	378.77	没有
16	1970.8.9~8.11	5 750	2 064	441	138	374.32	没有
17	1971.7.25~7.27	14 300	3 851	461	104	373.72	没有
18	1974.7.31~8.2	9 000	1 989	342	85	377.79	没有
19	1977.8.3~8.5	13 600	3 117	328	102	374.72	没有
20	1988.8.4~8.8	10 200	2 240	294	57	379.72	没有

（二）发生揭底冲刷条件

如前所述，发生揭底冲刷必须是高含沙较大洪水，其次是龙门水文站日平均流量1 000 m³/s，水位在380m高程以上，它反映出龙门水文站上下游河道已淤积到足够的厚度才具有揭底冲刷的物质条件。表 6-16 中编号 1~5 的资料满足上述条件发生揭底冲刷；编号 10、14、16~19，虽然粒径小于 0.01mm 的含沙量已经超过 70kg/m³，但龙门水文站 1 000m³/s水位均在 380m 高程以下，所以没有发生揭底冲刷；编号 7、8、12 洪水不符合高含沙洪水条件，虽然龙门水文站1 000m³/s水位已经超过380m高程,仍然没有发生揭底冲刷。

自1977年以后,由于黄河中游地区大力开展水利水保工作,细泥沙来量减少,小于0.01mm的含沙量达不到70kg/m³。因此,在1978年以后几乎没有出现揭河底现象。

高含沙洪水为什么有如此强大的能量?根据表6-16中的数据,用平均流量Q,将含沙量S变换成浑水容重γ',假定能坡J为常数,可组成水流功率$\gamma'QJ$。用Q与S乘积求出平均输沙率Q_s,点绘成Q_s与$\gamma'QJ$相关图如图6-14所示。

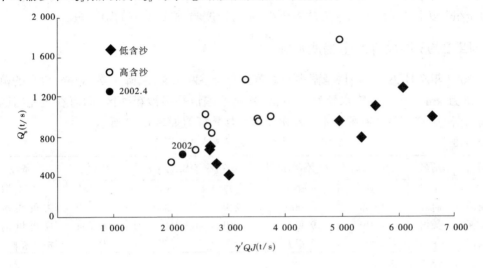

图6-14 Q_s～$\gamma'QJ$关系

从图6-15中可以看出,属于高含沙洪水的点据在上方,而一般含沙洪水的点据在下方,在相同的水流功率条件下,输沙率相差1.0倍左右,它说明高含沙洪水具有强烈的输沙与冲刷能力。

三、2002年7月洪水发生揭底冲刷

2002年7月4~6日,黄河中游吴堡至龙门右岸各支流普降暴雨,暴雨中心分布在清涧河、延水等地区。其中清涧河子长水文站日降雨量达到168mm,受暴雨作用,各支流相继发生一次高含沙洪水过程,清涧河延川水文站洪峰流量为5 540m³/s,最大含沙量为743 kg/m³,延水甘谷驿水文站洪峰流量为1 880m³/s,最大含沙量为799kg/m³。龙门水文站洪峰流量为4 600m³/s,最大含沙量为1 050kg/m³,吴堡以下主要支流水沙特征值如表6-17所示。

表6-17 2002年洪水小北干流揭底冲刷期来水来沙特征值

河名	站名	W(亿 m³)	W_s(亿 t)	S(kg/m³)	$d<0.01$(%)	$W_{sd<0.01}$(亿 t)	$S_{d<0.01}$(kg/m³)
黄河	吴堡	2.194 6	0.021 4	9.77	53.5	0.011 45	5.22
无定河	白家川	0.383 6	0.158 5	413.3	23.0	0.036 45	95.0
延水	甘谷驿	0.684 0	0.389 3	569.2	25.0	0.097 3	142.3
清涧河	延川	1.162 2	0.764 6	657.9	22.0	0.168 2	145.0
合计		4.424 4	1.333 8	301.5	23.5	0.313 4	70.8

将各主要支流水沙特征值汇集到壶口附近,平均流量为 1 710m³/s,平均含沙量为 301.5kg/m³,粒径小于 0.01mm 的含沙量为 70.8kg/m³,属于高含沙洪水,水流功率 $\gamma'QJ$ 约 2 030t/s,相应输沙率 Q_s 为 516t/s,见图 6-14 中点据。7 月初洪水之前龙门站 1 000 m³/s 水位约为 383.7m,由此可知,粒径小于 0.01mm 的含沙量和河床条件均满足上述揭底冲刷条件。实际观测表明,本场洪水期小北干流发生了局部揭底冲刷,洪水前后龙门站 1 000m³/s 水位下降 1.0m 以上。由于 4 000m³/s 以上流量持续时间仅 1 小时,含沙量在 400kg/m³ 以上约 10 小时,水流功率较小,水力强度弱,揭底冲刷的距离短。

四、2003 年没有发生揭底冲刷

2003 年 7 月 29～30 日,暴雨中心在黄甫与府谷两水文站,降水量 50mm 以上的范围约 1.6 万 km²。面平均降水量为 69mm。暴雨范围恰是多沙粗沙区,而府谷至龙门区间降水量不多,产沙量亦有限。本次暴雨洪水水沙特征值如表 6-18 所示。

表 6-18 　　　　　　　　2003 年 7 月洪水小北干流水沙特征值*

河名	站名	$Q(m³/s)$	$Q_m(m³/s)$	$S(kg/m³)$	$S_m(kg/m³)$	$W_s(亿 t)$	备注
黄甫川	黄甫	598	6 500	277	517	0.143	表中数据
黄河	府谷	1 660	13 000	249	344	0.357	为黄委水文
黄河	吴堡	1 810	9 400	110	169	0.264	局提供的月
黄河	龙门	2 520	7 230	67	98	0.146	报表资料

* 为月报表资料欠准,供参考。

从表 6-18 中可知,黄河干流府谷、吴堡及龙门水文站,日平均流量在 1 660～2 520 m³/s,龙门站 4 000m³/s 以上历时约 6 小时;含沙量沿程从府谷站的 249kg/m³ 抵达龙门站日平均含沙量减至 67kg/m³。龙门站最大含沙量为 133kg/m³ 而且是发生在洪水消落期,不是高含沙洪水,这种水沙条件难以满足揭底冲刷的下限要求。虽然 1 000m³/s 水位已经达到 383.65m 高程,满足揭底冲刷的河床条件,但水流不是高含沙洪水,且洪峰尖瘦水流功率很小。因此,不可能发生揭底冲刷。由于来沙组成较粗,龙门水文站 1 000m³/s 水位在洪峰前后相差无几,只出现微冲 0.05m。

五、结语

黄河小北干流发生揭底冲刷的必要条件是高含沙较大洪水,河床条件淤积到一定高程。在满足上述条件时可以发生揭底冲刷,如果在同一汛期已经发生揭底冲刷,若继续出现高含沙洪水,因前期已经发生揭河底冲刷,河床条件发生改变,也不会发生揭底冲刷。

三门峡水库潼关高程问题又是一个非常特殊的泥沙问题,它涉及到各方面的非常复杂的问题,故专门列为第七章进行详细讨论。

参 考 文 献

[1] 焦恩泽. 可用库容问题的研究. 泥沙研究,1981(3)

[2] 焦恩泽,等. 潼关高程演变规律及其成因分析. 见:三门峡水利枢纽运用四十周年论文集. 郑州:黄

河水利出版社,2001

[3] 龙毓骞,等. 三门峡工程的改建和运用. 人民黄河,1979(3)

[4] 焦恩泽. 三门峡水库蓄清排浑运用的"拦粗排细模式质疑". 人民黄河,1995(7)

[5] 程龙渊,等. 三门峡库区水文泥沙实验研究. 郑州:黄河水利出版社,1999

[6] 万兆惠. "揭河底"冲刷现象的分析. 泥沙研究,1991(3)

[7] 赵文林. 渭河下游河槽调整及输沙特性. 见:黄河水科院科学研究论文集(第四集).北京:中国环境科学出版社,1993

[8] 缪凤举. 揭河底冲刷现象机理探讨. 人民黄河,1984(1)

第七章　潼关河床高程演变

潼关高程自三门峡水库运用以来是社会各界非常关注的热点问题,它又是极为复杂的敏感问题。近40年来,围绕着三门峡枢纽运用、改建和潼关高程演变等问题,进行过多次重大会议讨论、决策。许多专家学者不断地进行研究和探索;各科研院所和高等院校进行了大量分析研究工作。由于潼关高程问题涉及到方方面面,即有社会科学问题又有自然科学问题,有人类活动的作用又有自然界的多变因素的作用。

在各种因素相互作用又相互制约的情况下,潼关高程既是难度非常大的实际问题,又是水库泥沙中的极其特殊的问题。

潼关水文站于1929年设立,下距三门峡坝址113.5km(库区340m高程几何中心线)和125.6km(1973年主河槽中心线),距原陕县水文站93.6～93.9km。潼关水文站基本断面的上游是黄河与渭河汇流区。

黄河出禹门口南下,流经132.5km至潼关,潼关以上河道宽阔,最大宽度达19km。黄河行至潼关断面缩窄成1 000m左右。

三门峡水库建成后,潼关断面在水库淹没线(335m)以内。从库区形态来看,潼关以下库区基本上属于河道型水库。个别河段介于河道型与湖泊型之间,河道宽度2～4km,如黄淤37—黄淤39断面与黄淤30—黄淤35断面。潼关以上库区基本上属于湖泊型水库。

三门峡水库于1960年9月开始运用以后,由于泥沙大量淤积,潼关河床高程迅速上升,引起渭河河口段的拦门沙坎扩大、发展与抬升,给渭河下游的防洪、两岸淹没与浸没带来了诸多问题。引起各界极为重视,也是科研、高等院校研究的重要课题。

潼关高程演变的成因非常复杂,既有人为因素(水库运用影响)又有自然界的水文泥沙变化的作用。就其演变总的趋势而言,汛期冲刷下降,非汛期淤积上升。但是在汛期只有洪水过程是冲刷下降的。又由于洪水来源的地区不同,其冲刷下降幅度各异。如果来自渭河(主要是泾河)高含沙大洪水,潼关河床可冲刷下降2.0m左右。若是高含沙小洪水,潼关河床反而淤积上升。来自渭河咸阳以上的洪水,潼关河床一般都发生冲刷,但幅度不大。来自黄河龙门以上的洪水,一般也会发生冲刷下降,其幅度也比较小。洪水过后都会出现回淤上升。就全汛期而言是冲刷下降。在非汛期中的桃汛是冲刷下降,其他时段是淤积上升的。尤其是5、6月份,泾河、北洛河以及河口镇以下右岸各支流,常常出现一两次短时间的暴雨,形成“麦黄汛”小洪水,洪峰流量小而含沙量很高,促使潼关河床上升。

潼关水文站的基本断面自1929年至1960年先后变动6次,据《黄河流域特征值资料》(黄河水利委员会刊印,1977)记载,潼关断面(一)与潼关断面(六)的范围为300m。按河道比降0.3‰计算,对水位的影响在0.1m左右。

潼关水文站多年年平均流量为1 250m³/s,此流量的水位处在中水河槽,它可以反映或代表平均河床高程,为方便计,采用日平均1 000m³/s流量的相应水位表征潼关河床高程。

潼关高程的升降不是孤立的,它与上下游河床演变是相关的。特别是在三门峡水库修建之前与上游河床演变的关系更为密切。

第一节　小北干流冲淤与潼关高程关系

黄河出禹门口流至潼关,河长132.5km,平均宽度8.5km,河道面积1 107km²。河道在禹门口处宽度是不足百米的峡谷,出禹门口以后,突然扩宽数公里,向南偏西方向流向潼关,两岸台塬高出河床10～200m,流至潼关,河宽仅850m,使得小北干流河道成为自然的滞洪滞沙区。

全河段呈藕节状形态。上段:禹门口至庙前,长42.5km,河宽在3.5km以上,最大河宽为13km,河势摆动较强;中段:庙前至夹马口,河长30km,为全河段最窄,河宽在3.5～6.6km范围,两岸有红土出露,抗冲能力较强,河势较为稳定;下段:夹马口至潼关,河长60km,平均宽度10km,最大宽度约19km,河势摆动幅度大而且频繁。河道形态特征见表7-1。

表7-1　　　　　　　　　　　　小北干流河道形态特征值

河段	长度(km)	宽度(km)			平均比降(‰)
		最宽	最窄	平均	
禹门口—庙前	42.5	13.0	3.5	6.6	0.57
庙前—夹马口	30.0	6.6	3.5	4.7	0.47
夹马口—潼关	60.5	18.8	3.5	11.6	0.31
禹门口—潼关	132.5	18.8	3.5	8.9	0.41

小北干流是典型的游荡型堆积性河道,水流分散,汊流众多,沙洲林立,河槽摆动频繁。汛期洪水过程经常处于超饱和输沙状态,削峰滞沙作用强,最大削峰率达到60%,最小削峰率约5%。削峰率与峰型、平滩流量、含沙量大小都有关系。在一般情况下,洪峰尖瘦削峰率大,反之则小;平滩流量大削峰率小,反之则大;含沙量大时削峰率大,反之则小;发生揭河底时其冲刷强度很大,主槽冲深,过流面积增大,若再次出现大流量时,削峰率会出现负值,如1977年两次揭河底之后就是如此,见表7-2。

黄河的河口镇至禹门口河段称为黄河北干流,河长725km,平均比降0.84‰。黄河穿行于晋陕峡谷之间,有390条大小支沟汇入。河道窄深,河宽在500m以内,最窄处仅50m。两侧山石峭壁陡立,河道冲淤变化很小,基本上处于冲淤平衡状态[1]。由于河型和河性与小北干流相差悬殊,故称之为黄河北干流,以示与后者的区别。

一、历史时期小北干流河道演变[2~4]

(一)黄土高原侵蚀对小北干流河道的作用

黄土高原的侵蚀早于3 000～6 000年前就发生了,当时的人类活动轻微,侵蚀数量很小。秦汉以后,人口增加,加之战事的影响,加剧了侵蚀。

据史料记载,秦始皇派蒙恬驻守上群(今陕西榆林到鱼河堡)"移民实边"、开荒种地。《汉书》记载:"汉武帝元朔二年(公元前127年)募民徒朔方10万人;元狩三年(公元前

120前)徒关东贫民70余万于陇西、西河、朔方诸地;元鼎六年(公元前111年)遣卒60万

表7-2 黄河小北干流洪峰削减率

时间 (年·月·日)	$Q_龙$ (m³/s)	$Q_潼$ (m³/s)	$Q_华$ (m³/s)	$Q_河$ (m³/s)	$Q_㳘$ (m³/s)	(2)－[(3)+(4)+(5)] (m³/s)	龙门1日 流量$\overline{W}_1$ (亿m³)	$K=\dfrac{Q_龙}{\overline{W}_1}$	$\dfrac{(1)-(6)}{(1)}$ (%)
	(1)	(2)	(3)	(4)	(5)	(6)	(7)	(8)	(9)
1951.08.15	13 700	10 000	56	39	50	9 855	3.69	3 710	28.1
1953.08.26	15 500	12 000	40	68	14	11 900	7.29	2 130	23.2
1954.07.13	13 100	11 600	315	73	2	11 400	5.28	2 481	13.1
1954.09.03	16 400	13 400	861	88	44	11 600	4.78	3 430	29.3
1959.07.21	12 400	11 900	96	26	2	11 800	7.20	1 720	4.8
1964.08.13	17 300	12 400	355	109	104	11 800	7.00	2 470	31.8
1966.07.29	10 100	7 830	2 560	533	1	4 717	4.17	2 420	53.3
1967.08.07	15 300	8 020	225	35	10	7 750	5.96	2 567	49.3
1967.08.11	21 000	9 550	253	64	27	9 186	9.15	2 290	56.3
1967.08.20	14 900	6 950	107	36	3	6 804	4.78	3 117	54.3
1967.08.22	14 000	6 500	79	74	3	6 344	5.17	2 707	54.7
1967.09.02	14 800	6 290	124	258	43	5 865	5.87	2 521	60.4
1969.07.27	8 860	5 660	286	263	163	5 131	2.72	3 260	42.1
1970.08.02	13 800	8 420	210	13	24	8 172	3.08	4 480	40.8
1971.07.26	14 300	10 200	469	66	14	9 651	5.64	2 540	32.5
1972.07.20	10 900	8 600	79	11	13	8 500	3.84	2 840	22.0
1974.08.10	9 000	7 040	297	16	73	6 643	3.54	2 540	26.2
1976.08.03	10 600	7 030	71	34	21	6 411	3.80	2 790	39.5
1977.07.06	14 500	15 400	161	68	412	14 760	6.57	2 600	－1.8
1977.08.03	13 600	12 000	499	146	98	11 560	4.69	2 900	15.0
1977.08.06	12 700	15 400	64	231	298	14 810	6.85	1 850	－16.6
1978.09.18	6 470	6 460	604	123	40	5 693	4.26	1 520	12.0
1979.08.12	13 000	11 100	27	29	3	11 042	5.80	2 240	15.1
1981.07.08	6 400	6 430	396	121	63	5 880	3.74	1 710	8.1
1985.08.06	6 720	4 990	106	8.8	5.5	4 870	2.32	2 892	27.5
1987.08.26	6 840	5 450	84.4	0.83	37.6	5 327	2.44	2 808	22.1
1988.08.06	10 200	8 260	467	181	244	7 368	5.80	1 760	27.8
1988.07.23	9 200	7 280	274	17.3	29.8	6 691	4.36	2 113	27.3
1991.07.28	4 590	3 310	60.0	0	0	3 250	2.12	2 168	29.2
1992.08.09	7 740	3 620	157	0.28	0	3 463	2.68	2 890	55.3
1993.08.04	4 600	4 010	214	40.5	232	3 524	2.27	2 025	23.4
1994.08.05	10 600	7 360	4.11	2.05	2.72	7 351	4.50	2 355	30.7
1995.07.30	7 860	4 160	55.3	9.98	13.6	4 081	3.58	2 197	48.1

于上群、朔方等地斥塞。"这些大规模移民实边、垦荒种田,破坏了黄土高原的生态环境。秦汉时期,小北干流河道尚属稳定。汉武帝(公元前113年)刘彻携随员多人乘龙舟,由渭河入黄河小北干流上溯,再入汾河,巡视河东……证明当时的河道稳定可以行舟。唐开元十二年(公元724年)修蒲津桥时,河宽200步,从出土的蒲津渡遗址考证❶:当时,河岸险陡,水势急湍,为防止水浸桥头,在地锚铁牛前约3m处,筑有护岸石堤。石堤内有石条踏步,可从桥道通向桥上木引道。桥头东51m处有坚固、高耸的砖城墙。由此可推测,唐开元十二年,河势尚属稳定,河道仍维持窄深河槽,是陕晋间水路交通运输要冲。

唐代后期至北宋时期,人口大增,森林采伐扩大。中唐时期修长城取良材于岚(今山西岚县)胜(今内蒙古准格尔旗)二州。北宋时期,为巩固北部边防,在泾、洛、渭以及无定河上游地区屯垦,最北达到神木境内窟野河中上游,大肆开荒破坏了森林和草原,使黄土高原侵蚀加剧。陈永宗认为这是黄土高原遭受到的第二次大破坏[5]。在此时期,小北干流出现堆积,每遇洪水,水溢出槽,泛滥成灾。如唐光启三年(公元887年)河水溢于蒲州(《永济县志》)。宋乾德三年(公元965年),黄河涨,坏军营民舍数百区(《蒲州志》)。

明清时期,军垦、商垦和大量移民以及清代中叶解除不准在长城以外耕垦的禁令。明洪武三年(公元1370年)规定北方荒地召民垦辟。清康熙时期,提出奖励垦荒;州县以劝垦多寡为优劣,道府以督促勤惰为殿最的办法。陈永宗认为这是第三次对黄土高原大破坏,也是最为彻底的破坏[5]。在此时期,黄河小北干流河道已经不稳定,洪水泛滥成灾,愈演愈烈。

明隆庆四年(公元1570年)"夏河大涨高丈余浸没蒲州"(《永济旧志·黄河堤》)。"河溢高数丈流杀人民浮尸盈野生者攀树而居数日不火食,三十里不见水端"(《朝邑志·纪事志》)。朝邑人张公朴考证"朝邑赵渡镇南有西仓村,1570年被淹没,沙淤平其村又重建,挖沙五尺见原城墙"(《朝邑志》)。清康熙三十七年(公元1698年)小北干流西摆二十里。"连岁河又大决向西顶冲塌岸,崩毁朝邑严天村等二十余村庄,人无宁日土无立锥坟域尽挖积尸遍野",(《朝邑县志》)清乾隆三十八年(公元1773年)《行水金鉴》记载:"黄河大涨冲毁朝邑八里庄等村。"陕西巡抚毕沅奏文:"五月二十一日朝邑黄河水涨高一丈至二丈五尺,沿河堤岸村庄尽被淹没,黄河在陕西此涨溢甚少。"光绪二年(公元1876年)"六月二十七日河水大涨水势急水头高泥沙滚滚来势十分可怕"(《朝邑县志》)。类似上述水患实例还很多,不一一摘录。从中可以看出,自明代隆庆四年起已记载了小北干流河道东西摆动达"三十里"之多,泥沙之多达到"泥沙滚滚来势十分可怕"的严重程度。故有"三十年河东,三十年河西"之说。

(二)小北干流淤积与潼关高程

小北干流属于强烈的堆积性河道,洪水期水流输沙处于超饱和状态,水流漫溢,大量泥沙堆积在滩地上。主槽淤积使河槽左右摆动,全断面呈上升趋势。许多学者对此已作了较多研究。本文吸取诸家之长,进行对比分析,意在给出尽可能接近实际的定性论据。

1. 叶青超的成果[6]

叶青超采用地质沉积结构资料,对黄河小北干流河道进行过详细分析,他将小北干流

---

❶ 旺林,等.黄河古蒲津桥论考(内部资料)

分成上、中、下3段。其成果见表7-3。

表7-3   220~1960年小北干流淤积估算

河段	河道面积 （km²）	地层剖面地点	河床淤积厚度 （m）	年均淤积量 （亿 m³）	年均淤积厚度 （m）
禹门口—北赵	340	河津	31.9	0.064 6	0.018
北赵—夹马口	140	安昌	30.7	0.026 6	0.017
夹马口—潼关	650	朝邑—潼关	37.6	0.156 0	0.021
禹门口—潼关	1 130		33.4	0.247 2	0.019

2.潼关地质剖面

铁道部西安铁路局在潼关断面(六)修建铁路桥之前,进行了地质剖面钻探。原图的纵坐标比例尺较小,为了更形象起见,在计算机上进行处理,使纵坐标放大,横坐标缩短,形成图 7-1。有的学者取其全断面(约 1 100m)宽度,求得淤积厚度平均值为 14m。从图中可以看出,在历史长时段的演变过程,均有主河槽与滩地之分。如果采用主河槽计算其淤积厚度,为 20m 左右。从三国时期(公元 220 年)至 1960 年的 1 740 年,其年均淤积厚度约 0.011 5m,与表7-3 中夹马口—潼关段的淤积厚度 0.021m 相比,前者为后者的 0.548 倍。

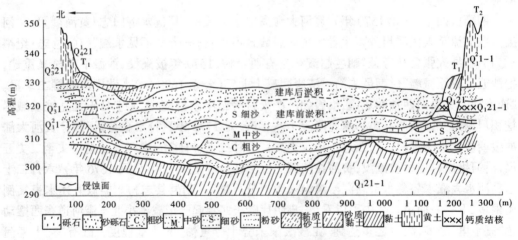

图 7-1　黄河附近黄河河床地貌结构剖面

(据西安铁路局 1966 年钻探资料)

3.古遗址推断淤积量

1972 年,农民在山西省永济县旧蒲州城西滩地上打井,挖到 12m 深处,打到明万历年间修建的防洪石堤堤顶。据史料记载:"万历八年(公元 1580 年)黄河水涨,蒲州城房屋浸崩入水,居民迁徙散住。"(《永济县志》)[2]。又:明神宗万历八年(公元 1580 年)夏,黄河涨水,蒲州段向东冲塌,河东道王基等奏请山西巡抚,由平阳府筹银 26 000 两,历时 4 年,修石堤长 13 190 尺,高 12 尺,底宽 4 尺,顶宽 2 尺(《重修黄河石堤记》为 3 尺)。万历石堤修成之后,兵部尚书王崇古返乡,专门撰写《重修黄河石堤记》[2]。"……肇工于历万庚辰

(1580)、历辛巳(1581)、壬午(1582)、癸未(1583)越四载"。从上述文字记载中可推测,石堤修建年代为1580～1583年期间,完成时间为1583年[2]。

石堤顶距地面为12m,石堤高4m,扣除水库修建后滩地抬高2.4m,则1583～1960年377年间共淤厚13.6m。从一般常识来分析,石堤应建在高滩之上,一般要高出河面3～4m,甚至更高,暂以3.0m计。据地形资料测量队认为,汾渭地堑每年下沉量为3mm,则1583～1960年共下沉1.13m。那么1583～1960年净上升15.47m。以此估算夹马口至潼关河段平均年淤积厚度为0.041m。见表7-4。

表7-4 万历年间至建库前小北干流淤积量

时段	河段	区间面积 (km²)	平均淤积厚度 (m)	年均淤积厚度 (m)	年均淤积量 (亿 m³)
1583～1960年	禹门口—夹马口	480	12.14	0.032 2	0.154 3
	夹马口—潼关	650	15.47	0.041 0	0.266 7
	禹门口—潼关	1 130	14.06	0.037 3	0.421 0

220～1960年,夹马口至潼关河段年平均淤积厚度为0.021m,从潼关断面地质剖面求得该断面年平均上升0.011 5m,两者比值为1.83。

1583～1960年,夹马口至潼关河段年平均淤积厚度为0.041m,假定潼关断面在此时期上升率与夹马口至潼关河段上升率的比值为1.83,则潼关断面在本时段内年平均淤积厚度为0.022 4m。

4.输沙率、地形和野外调查估算淤积量[3]

1)输沙率法

以水文站实测资料为依据,求得年均淤积量。用1919～1960年水沙系列,由四站(龙门、华县、河津、洑头四水文站简称,下同)多年平均输沙量减陕县水文站的多年平均输沙量求得年均淤积量为0.2亿t。又采用1949～1959年水沙系列,用四站多年平均输沙量减陕县多年平均输沙量求得年均淤积量为0.47亿t。

考虑了潼关至陕县区间面积4 800km²,四站到潼关区间面积为11 565km²,龙门至潼关区间沙量按支流宏农河沙量估算,其多年平均输沙量约0.38亿t。

根据上述三个来沙区及两个系列估算,四站至陕县多年平均淤积量为0.52亿～0.85亿t。

2)地形法

依据1950年和1960年两次小北干流地形测量图(1/10 000),按三门峡库区淤积大断面相应的坐标,切取横断面,求得断面冲淤量,得出水库修建前小北干流在天然状态下1950～1960年的淤积量,年均淤积量为0.51亿 m³。输沙率法淤积量,若取干容重为1.4t/m³,其淤积量为0.371亿～0.61亿 m³,取其平均值则为0.489亿 m³。地形法与输沙率法基本相当。

为了推估近期(1950～1960年)潼关高程上升率,这里采用对比法作了估算。

令夹马口至潼关河段年均淤积厚度:220～1960年为 Z_1, 1583～1960年为 Z_2, 1950～1960年为 Z_3,则 $Z_2/Z_1 = 1.952$, $Z_3/Z_2 = 1.488$。

令潼关高程上升率:220～1960年为 ΔH_1, 1583～1960年为 ΔH_2, $\Delta H_2/\Delta H_1 =$

1.948,可以看出 Z_2/Z_1 与 $\Delta H_2/\Delta H_1$ 基本相同。因此,用 Z_3/Z_2 比值,求得 1950~1960 年潼关上升率 ΔH_3,则

$$\Delta H_3 = 1.488Z_2 = 0.033\text{m}$$

从上述三个不同系列可归纳成表 7-5。从表 7-5 中可以看出,时段越长潼关高程平均上升率越小,反之越大,是合理的。

表 7-5　　　　　　　　　　　　不同时期小北干流淤积量估算

时段 （年）	全河段淤积量 （亿 m³）	夹马口—潼关段		潼关高程上升率 （m/年）
		淤积量 （亿 m³/年）	淤积厚度 （m/年）	
220~1960	0.247	0.156	0.021	0.011 5
1583~1960	0.421	0.267	0.041	0.022 4
1950~1960	0.510	0.380	0.061	0.033 0

二、小北干流河道演变基本规律

黄河小北干流的进口站为龙门水文站,据已有水文整编的资料[1],龙门站水沙特征值如表 7-6 所示。从表中可以看出,汛期输沙量占全年输沙量的 88.9%,7、8 两月的输沙量

表 7-6　　　　　　　　　　　　1952~1990 年龙门站水沙特征值

月份	W（亿 m³）	W_s（亿 t）	Q（m³/s）	S（kg/m³）	S/Q（kg·s/m⁶）
7	35.78	2.72	1 340	76.0	0.056 7
8	49.37	3.70	1 840	74.9	0.040 7
9	45.90	1.19	1 770	25.9	0.014 6
10	38.64	0.449	1 440	11.6	0.008 1
11	21.76	0.167	839	7.67	0.009 1
12	13.17	0.056 8	492	4.31	0.008 8
1	12.32	0.028 3	460	2.30	0.005 0
2	13.52	0.050 5	554	3.74	0.006 8
3	21.54	0.161	805	7.47	0.009 3
4	20.24	0.151	781	7.46	0.009 6
5	14.82	0.124	553	8.37	0.015 0
6	13.60	0.265	525	19.5	0.037 1
7~10	169.7	8.06	1 597	47.5	0.029 7
11~6	131.3	1.004	628	7.84	0.012 5
全年	301.0	9.064	954	30.2	0.031 7

占全年的 70.8%;汛期径流量占全年径流量的 56.4%,7、8 两月的径流量占全年径流量的 28.3%。黄河龙门以上有两处径流量来源区:一是兰州以上地区,汛期多年(39 年)年均径流量为 183 亿 m³,但输沙量相对较少,只有 0.678 亿 t,平均含沙量仅为 3.7kg/m³;

❶ 水利部黄河水利委员会.1952~1990 年黄河流域主要水文站实测水沙特性值统计.1997 年 8 月

二是河口镇至龙门区间,汛期加入径流量约 30 亿 m^3,而加入的输沙量约 7.0 亿 t,相应平均含沙量高达 $233kg/m^3$。河口镇至龙门区间,汛期多为暴雨洪水,发生的时间多在 7、8 两月。从表中可以看到,龙门站 7、8 两月多年月平均含沙量在 $75kg/m^3$ 左右,其他月份均在 $26kg/m^3$ 以下,11 月至翌年 4 月的含沙量均在 $10kg/m^3$ 以下,如果用水沙搭配参数 S/Q 来分析,10 月至翌年 4 月,均在 $0.01kg\cdot s/m^6$ 以下,其他月份在 $0.01kg\cdot s/m^6$ 以上。与小北干流河道游荡特性相似的黄河下游河道作对比,当 S/Q 在 $0.015kg\cdot s/m^6$ 左右时发生冲刷,大于 $0.015kg\cdot s/m^6$ 时发生淤积。

　　从来水来沙的情况来看,小北干流在 7、8 月份以及 9 月上中旬,多暴雨洪水,有些年份的 6 月中下旬也发生局部暴雨洪水。河口镇至龙门河段的坡度陡,河道窄深,从多年平均情况来看处于冲淤平衡状态,对流域产沙与输沙基本上没有调节作用,全部沙量通过龙门下泄到小北干流。因小北干流有削峰滞沙作用,水流输沙处于超饱和状态,引起小北干流发生强烈堆积。在洪水漫滩以后,泥沙沉降,水流变清,逐段归入主槽,水流由不饱和状态逐渐恢复到饱和状态,流至潼关附近河段收缩,因而在潼关断面上下游发生冲刷。如果小北干流的洪水发生在吴堡以上地区时,泥沙组成较粗,潼关断面会出现淤积;若洪水在吴堡以下产生,其泥沙组成较细,潼关断面将发生冲刷。一般情况其冲淤幅度较小。若遇高含沙大洪水,小北干流会出现揭底强烈冲刷,其冲刷范围与来水来沙条件、河床边界条件有关,详见第六章。

　　非汛期,河口镇以上来水,以及河口镇至龙门区间的两侧支流、支沟来水,含沙量很低,月输沙率甚至为零,呈不饱和状态。黄河北干流河道没有多少泥沙补给,河出禹门口,沿主槽流动。处于不饱和条件下的水流,沿程冲刷逐渐恢复饱和。及至潼关上游附近,河床坡度减缓,在相同的水沙条件下,因为比降变小,水流能量下降,水流输沙呈饱和或超饱和状态。小北干流河床淤积物较粗,一般 D_{50} 均在 0.1mm 以上,冲刷起来的粗泥沙输送到潼关附近河道将发生淤积。

　　除黄河干流以外,汇入小北干流的支流有汾河(在禹门口以下约 30km 汇入)、渭河(在潼关断面上游附近汇入)和北洛河(汇入渭河,距潼关约 13km)。因此,对小北干流冲淤变化起决定性作用的是黄河干流的水沙条件。虽然汾河入汇处在小北干流上段,但汾河水沙量较少,按 1952~1990 年系列统计,黄河龙门水文站年均汛期径流量为 169.7 亿 m^3,非汛期为 131.3 亿 m^3;汾河的河津站,汛期径流量为 7.94 亿 m^3,非汛期为 4.88 亿 m^3。输沙量:龙门站汛期为 8.06 亿 t,非汛期为 1.03 亿 t;河津站汛期为 0.279 亿 t,非汛期为 0.028 亿 t。为此,假定渭河、北洛河和汾河的水沙条件对小北干流冲淤作用甚小,主要考虑黄河的水沙作用,用月平均资料,将潼关沙量与四站沙量的差值,与龙门站水沙搭配参数 (S/Q) 建立关系,如图 7-2 所示。从图中可以看出,龙门站水沙搭配参数在 0.015 $kg\cdot s/m^6$ 以下时,小北干流发生冲刷;当水沙搭配参数超过 0.015 $kg\cdot s/m^6$ 以上时,小北干流发生淤积。由于没有考虑渭河、北洛河和汾河对小北干流的冲淤作用,图 7-2 只能是定性的,但它反映出小北干流的冲淤与黄河干流水沙特性有关。顺便指出,非汛期月平均含沙量均小于 $10kg/m^3$,汛期 7、8、9 月均大于 $20kg/m^3$(见表7-6)。然而非汛期的 6 月份,在有些年份均大于 $20kg/m^3$,使小北干流也发生淤积。

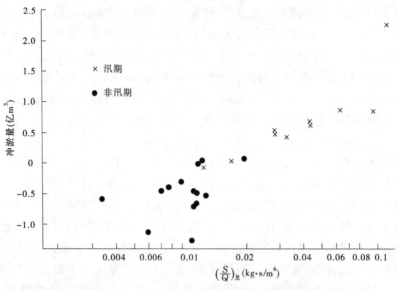

图 7-2 冲淤量与 $(\frac{S}{Q})_龙$ 关系

第二节 建库前潼关高程演变概况

潼关河床高程在历史时期的概况,在第一节中已有论述。本节将着重分析有水文观测资料以来潼关河床高程的演变过程。

潼关水文站于 1929 年开始观测,由于日本侵略中国期间,占领潼关北岸的日伪军经常袭击南岸,水文观测工作受阻而停测若干年。解放战争时期,因战事频繁,也停测若干年。其他年份的观测资料较为完整,可以供分析之用。

按日平均流量 1 000m³/s 推求汛前(6 月 30 日)和汛后(11 月 1 日)的相应水位表征潼关河床高程,见表 7-7 及表 7-8。从表中可以看出,1933 年是特大洪水年,泾河张家山站最大洪峰流量为 9 200m²/s,最大含沙量为 704kg/m³,属于高含沙大洪水,对潼关高程起巨大的冲刷作用。全汛期冲刷深度达 1.51m,如果考虑洪峰过后河床回淤厚度,其最大冲深可能超过 3.0m 左右。1930 年为枯水年,洪峰流量大于 3 000m³/s 的只有两次,汛期水量为 177 亿 m³。各月平均流量较均匀,在 1 400～1 900m³/s 范围,主要来自黄河干流龙门站(见表 7-9),潼关高程上升 0.53m。由于流量分布均匀,只出现两次中小洪水,潼关高程不仅没有下降,反而上升。

一、陕县水文站河床高程变化

陕县水文站上距潼关 93.6km,河床由砂与卵石组成。该站于 1919 年开始观测。采用同流量(1 000m³/s)水位代表河床高程变化,见表 7-10。

从表 7-10 中可知,除了 1944～1945 年及 1947～1948 年两时段以外,基本上是连续观测共 35 年。其中最高值为 291.78m(1954 年),最低值为 290.96m(1932 年),多年算术平均值为 291.39m。由此可以认为,陕县水文站河床高程冲淤变化很小,比较稳定。

表 7-7 建库前汛期潼关高程升降值

| 年份 | $H_{1\,000}$ | | 升降值 (m) |
	6 月 30 日	11 月 1 日	
1929	321.28	321.14	− 0.14
1930	321.08	321.61	+ 0.53
1933	322.37	320.86	− 1.51
1934	321.29	321.20	− 0.09
1935	322.19	321.83	− 0.36
1936	322.45	322.30	− 0.15
1937	322.34	321.64	− 0.70
1938	322.23	321.96	− 0.27
1939	322.26	322.04	− 0.22
1950	323.20	323.19	− 0.01
1951	323.70	323.08	− 0.62
1952	323.27	322.80	− 0.47
1953	323.08	322.70	− 0.38
1954	323.16	322.68	− 0.48
1955	323.04	322.82	− 0.22
1956	323.48	323.46	− 0.02
1957	323.46	323.64	+ 0.18
1958	323.83	323.26	− 0.57
1959	323.33	323.45	+ 0.12

表 7-8 建库前非汛期潼关高程升降值

| 时段 (年) | $H_{1\,000}$ | | 升降值 (m) |
	11 月 1 日	6 月 30 日	
1929～1930	321.14	321.28	0.14
1933～1934	320.86	321.29	0.43
1934～1935	321.20	322.19	0.99
1935～1936	321.83	322.45	0.62
1936～1937	322.30	322.34	0.04
1937～1938	321.64	322.23	0.59
1938～1939	321.96	322.26	0.30
1949～1950	323.02	323.20	0.18
1950～1951	323.19	323.70	0.51
1951～1952	323.08	323.27	0.19
1952～1953	322.80	323.08	0.28
1953～1954	322.70	323.16	0.46
1954～1955	322.68	323.04	0.36
1955～1956	322.82	323.48	0.66
1956～1957	323.46	323.46	0.00
1957～1958	323.64	323.83	0.19
1958～1959	323.26	323.33	0.07

表 7-9　　　　　　　　　　1930 年汛期干支流流量　　　　　　　　　（单位:m³/s）

站名	7 月	8 月	9 月	10 月
龙门	1 450	1 630	1 390	1 180
华县	317	268	235	205
潼关	1 710	1 930	1 640	1 400

陕县以下至三门峡河道为卵石夹砂河床,至三门峡为岩石河床。陕县至三门峡河段,平均河床比降约为 0.55‰。由于三门峡是岩石岛屿组成,是一处准侵蚀基准面。

表 7-10　　　　　　　　陕县水文站汛后 1 000m³/s 水位统计

日期 (年·月·日)	流量 (m³/s)	水位 (m)	日期 (年·月·日)	流量 (m³/s)	水位 (m)
1919.11.11	1 006	291.27	1937.11.27	940	291.16
1920.12.16	1 016	291.24	1938.12.14	970	291.32
1921.11.18	1 009	291.46	1939.11.2	970	291.55
1922.11.10	999	291.37	1940.11.28	980	291.37
1923.11.19	999	291.38	1941.11.27	1 020	291.49
1924.11.14	1 044	291.44	1942.11.19	1 010	291.56
1925.11.13	1 015	291.40	1943.11.22	980	291.47
1926.11.16	970	291.34	1946.12.11	1 010	291.49
1927.11.14	1 008	291.39	1949.12.1	1 010	291.54
1928.11.4	1 024	291.39	1951.11.25	980	291.28
1929.11.15	1 008	291.37	1952.11.5	1 000	291.55
1930.11.14	999	291.38	1953.11.24	1 000	291.37
1931.10.31	960	291.28	1954.12.5	1 020	291.78
1932.11.9	1 000	290.96	1955.12.10	1 000	291.34
1933.11.15	996	291.30	1956.10.16	1 020	291.44
1934.12.2	1 040	291.12	1957.10.28	1 000	291.63
1935.12.7	1 060	291.48	1958.12.10	947	291.42
1936.11.14	995	291.30			

陕县以上至老灵宝城(黄淤 26 断面)为一峡谷河道,受秦岭北坡支流宏农河输送大量粗砂及卵石的作用,使黄河向北岸作一大弯。而南岸堆积大量砂卵石,三门峡枢纽工程的砂石料即取自于此。因此,这段河道为砂及卵石组成的河床,冲淤变化较小,河道平均比降约 0.35‰。

老灵宝城以上至潼关河段,为冲淤性微淤河道,并且有两处宽浅河道。河道平均比降约 0.3‰。

二、潼关、陕县两站水位差与流量关系

如前所述,陕县水文站河床高程比较稳定,陕县至老灵宝河段,冲淤变化微小,而老灵宝以上河道是微淤的。这势必反映出潼关高程上升的现象。这里采用月平均水位,求得潼关站与陕县站月平均水位差,以此与陕县相应的月平均流量点绘关系图。见图7-3。

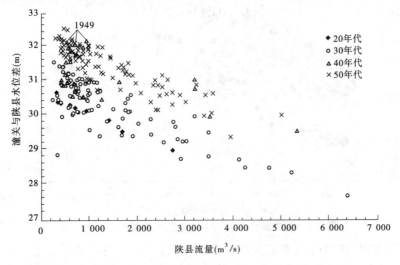

图 7-3　潼关与陕县水位差与陕县流量关系

从图7-3中可以看出,在同流量情况下,20年代的点群在下面,50年代的点群在上面,30年代与40年代的点群居中。从定性上看,潼关与陕县500m³/s水位差逐渐增大,最大接近4.0m,表7-10已经证明陕县河床高程比较稳定,只有潼关河床上升,才能造成潼关与陕县的水位差增大。由此可以推断,潼关高程在三门峡水库建库前的天然状态情况时,是逐渐上升的。图7-3中的1 000m³/s流量相应水位上升总幅度为2.6～2.7m,年均上升率约0.065m。表7-7中汛期多年平均冲刷下降值为0.293m,表7-8非汛期年均淤积上升率为0.354m,两者之差为0.070 5m。这与图7-3的估算是接近的。上述讨论,至少在定性上是合理的。

三、潼关站水位面积关系

潼关水文站的上下游河段及测流断面为粗细泥沙组成的河床,受上游来水来沙的作用,经常发生冲淤变化。测站的水位与之相应的过水面积也随之发生变化。如果河床比较稳定,或其平均河床高程变化幅度较小时,水位与过水面积的相关曲线,一般来讲是比较稳定的。这里点绘了潼关水文站实测水位与过水面积的相关图,见图7-4。

从图7-4可以看出,各级过水面积的相应水位随着年代不同相差较大。这里粗略地统计了500m²、1 500m²和2 500m²的过水面积与相应水位范围,见表7-11。从图7-4及表7-11中可以看出,1934年相同的过水面积的水位是最低的。如前所述,1933年发生近百年一遇高含沙大洪水,潼关高程在该年汛期下降1.51m,1933年汛后至1934年年底发

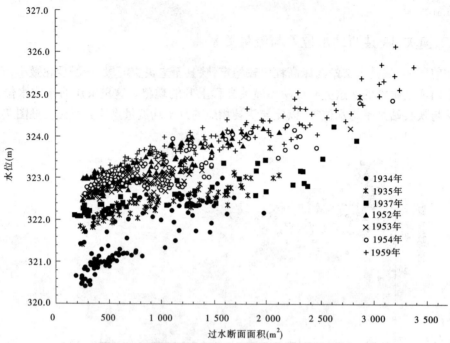

图 7-4　潼关断面典型年水位与过水断面面积关系

生回淤。因此,图中 1934 年的点群范围较大,相同过水面积的水位相差 1.0m 左右。至 1935 年,相同过水面积的水位变幅较小。这表明,断面大冲之后,回淤不到两年时间,已接近大冲刷之前的状态。从表 7-11 中还可以看出,各级过水面积,其相应水位的上升幅度为 1.0~1.6m,这与图 7-3 估算的上升值基本一致。1954 年发生 13 400m³/s 洪水,1959 年发生 11 900m³/s 洪水,相应水位均不超过 326.5m。1933 年大水,最高水位为 325.14m。因此,图 7-4 可以包括建库前的所有过水面积和与之相应的水位,能够代表建库前的所有流量级的水位与过水面积的关系以及最大过水面积和相应的最高水位。

表 7-11　　　　　　　潼关断面各级过水面积相应水位变化　　　　　（单位:m）

年份	500m² 水位	1 500m² 水位	2 500m² 水位
1934	321.0~322.0	322.0~322.4	322.7~323.7
1935	322.0~322.2	322.5~322.8	323.5~323.8
1937	322.4~322.5	322.5~323.0	323.2~324.0
1952	322.6~323.0	323.4~324.0	—
1953	322.8~323.3	323.2~323.8	323.8~324.0
1954	322.8~323.3	323.0~323.8	324.0~324.6
1959	323.1~323.4	323.6~324.3	324.2~325.2

四、渭河下游河道冲淤变化[10]

建库前渭河下游河道是否淤积,从两个方面进行分析,一是沿程各水文站同流量水位变化,二是输沙平衡法估算河道淤积量。

(一)渭河下游水文站同流量水位变化

1.咸阳水文站同流量水位变化

咸阳水文站于 1934 年设站,取其同流量($Q=150\text{m}^3/\text{s}$)观察历年水位变化,见表 7-12。其中 1934 年 11 月 10 日至 1940 年 11 月 19 日上升 0.29m,年均上升率 0.0483m;1940 年 11 月 19 日至 1950 年 11 月 13 日上升 0.64m,年均上升率 0.064m;1950 年 11 月 13 日至 1960 年 11 月 4 日上升 0.9m,年均上升率 0.09m;1934 年 11 月 10 日至 1960 年 11 月 4 日上升 1.83m,年均上升率为 0.070 4m。由此可知,在自然河道条件下,咸阳水文站同流量水位年均上升率为 0.048~0.09m,长系列上升率为 0.07m/年。说明河道在自然条件下咸阳河床是淤积上升的。

表 7-12   **咸阳水文站 150m³/s 水位变化**

时间(年·月·日)	Q(m³/s)	H(m)	时间(年·月·日)	Q(m³/s)	H(m)
1934.11.10	151	382.83	1947.11.2	149	383.64
1935.11.4	146	383.00	1948.11.29	152	383.61
1936.10.14	153	382.83	1950.11.13	151	383.76
1937.11.22	153	383.91	1951.11.19	147	383.44
1938.11.15	155	382.90	1952.10.27	150	383.64
1939.10.25	147	383.11	1953.11.12	153	383.80
1940.11.19	150	383.12	1954.11.29	152	383.26
1941.11.17	155	383.23	1955.11.7	146	383.18
1942.10.17	149	383.56	1956.10.5	151	383.62
1943.11.14	150	383.34	1958.11.28	151	384.10
1944.12.6	146	383.24	1959.11.3	151	384.45
1945.11.5	148	383.42	1960.11.4	151	384.66
1946.11.22	151	383.39			

2.道口水文站同流量水位变化

道口水文站位于西安市东,坝河口附近,在泾河口上游。其同流量($Q=150\text{m}^3/\text{s}$)水位,见表 7-13。道口水文站历时只有 8 年,同流量水位上升 0.9m,年均上升率为 0.11m,均比咸阳、华县上升率高。因而在定性上是淤积上升的。

表 7-13   **道口水文站 150m³/s 水位变化**

时间(年·月·日)	Q(m³/s)	H(m)	时间(年·月·日)	Q(m³/s)	H(m)
1952.11.7	152	364.15	1956.10.18	146	364.11
1953.11.6	149	364.74	1958.12.4	148	364.40
1954.11.25	149	364.19	1959.11.8	150	364.77
1955.11.14	148	364.64	1960.11.10	149	365.05

3.华县水文站同流量水位变化

华县水文站于 1934 年设站,1935 年开始观测,取其同流量($Q=200\text{m}^3/\text{s}$)水位,其变化见表 7-14。其中 1935 年至 1940 年上升 1.14m,年均上升率为 0.228m;1940 年至 1960 年上升 0.25m,年均上升率为 0.012 5m;1935 年至 1960 年上升 1.39m,年均上升率为

0.055 6m。

表 7-14　　　　　　　　　　　华县水文站 200 m^3/s 水位变化

时间(年·月·日)	$Q(m^3/s)$	$H(m)$	时间(年·月·日)	$Q(m^3/s)$	$H(m)$
1935.11.21	199	331.95	1951.11.14	199	333.30
1936.10.7	205	332.25	1952.11.20	199	333.93
1937.12.2	195	332.35	1953.11.12	200	334.49
1938.12.2	200	333.04	1955.11.11	200	333.36
1940.12.19	199	333.09	1955.11.11	196	333.74
1941.11.23	197	332.45	1956.10.19	205	333.22
1942.10.21	205	333.04	1958.12.6	197	333.74
1943.12.7	199	333.61	1959.11.14	202	333.46
1950.11.20	203	333.15	1960.11.10	201	333.34

从上述三站的同流量水位变化可以看出,渭河下游河道在三门峡水库修建之前是淤积上升过程,而且上游淤积多,下游淤积少,淤积是由上向下发展延伸的。

(二)输沙平衡法估算河道淤积

渭河咸阳水文站控制流域面积 4.683 万 km^2,泾河张家山水文站控制流域面积 4.322 万 km^2,华县水文站控制流域面积 10.65 万 km^2,三站之间的未控区面积为 1.645 万 km^2。根据水文资料整编后的统计结果见表 7-15。从表中得知,两个系列年多年年均淤积量 0.08 亿 t,取干容重 1.4t/m^3,折合年均淤积量为 0.057 1 亿 m^3。泾河张家山断面至泾河口流路短(58km)、坡度陡(12.7‰),河谷相对窄深,冲淤变化不大。

表 7-15　　　　　　　咸阳、张家山、华县多年输沙量统计　　　　　　　(单位:亿 t)

系列年	咸阳	张家山	咸+张	华县	(咸+张)-华县
1919~1960	1.63	2.65	4.28	4.20	0.08
1949~1960	1.64	2.64	4.28	4.20	0.08

渭河咸阳断面至华县断面河长 127km,咸阳至华县河段坡度为:咸阳至道口 7.0‰,道口至临潼 6.6‰,临潼至沙王 2.1‰,沙王至华县 1.5‰。河槽宽度平均为 400m 左右。

按年均淤积量 0.057 1 亿 m^3(未包括咸、张至华县区间来沙量)、河长 129.9km、河宽 0.4km 计算,咸阳至华县河道年均淤积厚度约 0.11m,因洪水漫滩,假定滩地淤积量占总淤积量的 1/2,则河槽淤积厚度为 0.055m。

由此可以看出,在三门峡水库修建之前,渭河下游河道是淤积上升的,而且是由上向下发展,上段淤得多,下段淤得少,呈所谓沿程淤积状态。

五、小北干流冲淤与潼关高程关系

三门峡水库修建前,潼关高程是上升的。对此有不同看法:有的学者认为"处于相对稳定";也有学者认为"处于动态平均状态",历史时期是微升的;叶青超根据地质剖面估算年均上升率约 0.008m;有学者赞同"潼关河床高程近期处于微淤状态"的结论。

引起潼关河床高程上升的原因,对此也有不同观点。有的学者认为潼关上下各河段是不同地质构造的河段,由于地壳升降活动性差异,下陷地段相对潼关地段河床的沉积与侵蚀是不同的,所以小北干流的沉积不能移至潼关。也有学者认为"在小北干流长时期的累积性堆积抬高过程中,必然会调整比降并沿程向下延伸促使潼关河床上升"。但值得注意的是,"一段时间内河道冲淤趋势不能作为长期趋势来对待。不能认为一段时间潼关水位升高了,以后就都会以这样的速度持续抬升。一个河段的河床冲淤演变与上游来水来沙条件、河床边界条件以及下游侵蚀基准面三个方面因素有关。其中任何一个因素的改变都会引起河床的重新调整,向着新的平衡方向发展"。

我们认为,潼关高程的演变与上游来水来沙条件有密切关系。黄河水沙条件的改变受人类活动影响最为严重。历史时期人口逐渐增加,特别是明、清以来人口骤增,黄土高原大范围的毁林毁草开荒,大量泥沙注入黄河,黄河逐渐变成多沙河流。20世纪50年代以后,黄河上游兴修多座大型水利水电工程,将年内水量调节得更趋均匀。沿黄河工农业和城市用水不断增加,来水量大减。而黄河中游地区,特别是三门峡以上地区,开展了大规模小型水利工程和水土保持工程建设。然而这些措施并没有使单位水体的含沙量减少,反而增加了。从绝对值来看,水沙量都有减少,然而实际情况是,水量减少得多,尤其是洪水水量减少得更多。洪水期沙量减少的幅度小,使含沙量大增。如果说水沙条件改变,更确切地说是水沙条件恶化,这对河床调整不是向平衡方向发展,而是造成河道淤积将更加严重。

三门峡库区范围内确实存在着不同的地质构造和地壳升降区域。但是地质构造和运动是以百万年为单元来描述的。其年均升降超过1mm已经是强烈运动速率。就水利与泥沙的学科而言,能预估百年的历时已经是很难得的事情。就目前已有的资料来看,已有50余年。用50年的资料分析研究河床演变可以论证演变基本规律,也可以预估未来发展趋势。

(一)建库前小北干流河道冲淤特性

三门峡水库修建以前,黄河小北干流河道冲淤变化可以分为非汛期与汛期两个时段。从多年资料分析得知,非汛期为冲刷,汛期为淤积。如果将非汛期各月分开研究,其中6月份多数年份为淤积,少数年份为冲刷,5月份有冲有淤,其他月份均为冲刷,又以11月份冲刷量最多,见表7-16。最大冲刷量可达0.5亿t以上。

在这里需要说明的是,表7-16的统计是用四站的总沙量减去潼关的沙量而得出的冲淤数量,没有包括四站至潼关区间的未控区加入的沙量,影响冲淤量偏少(多)。但是对输沙率的观测,对靠近床面的部分因仪器性能限制而出现漏测,因此用表7-16数据进行定性分析是可以的。

小北干流河道的冲淤变化,主要由黄河和汾河的水沙条件与河道边界条件所决定。渭河和北洛河在潼关上游附近汇入黄河,对小北干流冲淤数量影响甚微。此外,渭河华县以下河道和北洛河下游河段属于弯曲性窄深河槽,冲淤变化幅度较小。因此,表7-16的冲淤数量基本上反映了小北干流河道的冲淤演变特性。

小北干流河道为什么有如此的冲淤变化呢?在一个水文年内,汛期降水的一部分渗入地表以下,河水水位相对较高,向河道两侧渗水,使地表以下储蓄大量水量,汛期过后河道水位下降,河槽两侧地下水开始向河道渗流。非汛期黄河干支流汇集渗流形成河道的基流,进入河槽的基本上是清水,在汇流过程又是不饱和挟沙水流。

黄河河口镇至龙门河段,河床多由卵石、砾石和岩石组成,处于冲淤平衡状态。基流流经这一河段仍然是不饱和挟沙水流。

表 7-16 　　　　　　1951～1959年非汛期小北干流冲淤量估算(水文年)　　(单位:亿 t)

年份	11月	12月	1月	2月	3月	4月	5月	6月
1951	−0.351 7	−0.139 6	−0.073 9	−0.078 6	−0.101 6	−0.145 3	−0.043 6	0.020 0
1952	−0.145 4	−0.085 1	−0.083 7	−0.064 0	−0.153 6	−0.031 2	0.010 8	0.087 5
1953	−0.182 9	−0.103 6	−0.080 6	−0.071 3	−0.089 3	−0.040 3	0.013 4	0.417 2
1954	−0.328 8	−0.119 2	−0.090 0	−0.104 4	−0.088 7	−0.118 3	−0.103 0	−0.017 3
1955	−0.418 0	−0.143 8	−0.065 2	−0.091 8	−0.028 2	−0.165 5	−0.037 3	0.237 6
1956	−0.198 1	−0.092 6	−0.104 3	−0.136 0	−0.158 3	−0.159 7	−0.065 4	−0.036 4
1957	−0.187 5	−0.135 9	−0.084 2	−0.103 3	−0.071 3	−0.037 5	−0.111 7	0.231 6
1958	−0.525 2	−0.267 9	−0.076 3	−0.145 9	−0.095 1	−0.203 8	−0.057 4	0.346 9
1959	−0.134 4	−0.087 3	−0.083 2	−0.059 8	−0.103 4	−0.057 1	−0.050 8	0.012 0
Σ	−2.472	−1.175	−0.741 4	−0.855 1	−0.889 9	−0.958 7	−0.445	1.299 1
平均	−0.274 7	−0.130 5	−0.082 4	−0.095 0	−0.098 9	−0.106 5	−0.049 4	0.144 3

河出禹门口以后,水流对河床开始冲刷。小北干流上段(禹门口至庙前)平均坡度约0.57‰,在同样水流条件下,水流功率($\gamma'QJ$)大;下段(夹马口至潼关)平均坡度为0.35‰,不仅水流功率小,而且由于在上中段已经发生冲刷,水流在沿程逐渐恢复饱和,所增加含沙量组成较粗,而对浑水重率 γ' 增加有限,但是坡度 J 下降很多。及至潼关上游附近,水流挟沙达到饱和或超饱和状态,不仅不能冲刷反而发生淤积。图 7-5 是水库蓄水前 1959 年非汛期潼关站水位—流量关系线。从图中可以看出,潼关站各月水位—流量关系各自成为一条曲线,从 11 月起,同流量水位逐渐上升,3 月下旬至 4 月上旬为桃汛,桃汛洪水期,潼关断面均发生冲刷,同流量水位略有下降,其后又有上升。这与表 7-16 小北干流冲淤量是相对应的。在图中 12 月份有些点据靠上,根据水文刊印资料说明得知,该时段为流凌结冰期,迫使同流量水位偏高。

6 月份小北干流都是淤积的。河口镇至潼关区间,在 6 月份甚至 5 月下旬,几乎每年都会发生一两场高含沙小洪水,含沙量一般都在 400kg/m³ 以上,汇入龙门站虽然含沙量减小,仍然处于超饱和状态,月平均水沙搭配参数(S/Q)为 0.03～0.068kg·s/m⁶,只有个别年份在 0.01kg·s/m⁶ 以下,见表 7-17。因此,小北干流发生淤积。

进入汛期,7、8 两月是河口镇至龙门区间暴雨频发季节,河口镇至吴堡区间为多泥沙粗泥沙来源区。在这一区间发生洪水时,不仅含沙量高,而且泥沙组成粗,进入小北干流的洪水,大量粗泥沙落淤。这是该河段出现累积性淤积的主要原因,表 7-18 给出了历年汛期冲淤量统计值。从表中可以看出,除个别年份外,7、8 两月均为淤积。进入 9、10 两月,河口镇至龙门区间,除少数年份发生暴雨洪水外,一般来讲,水量来自黄河上游地区。9、10 两月兰州以上地区,几乎每年都有大面积降雨,形成历时长、峰低量大的洪水过程,含沙量较低,一般均为不饱和挟沙水流,出禹门口以后,河道发生冲刷。及至潼关附近,已

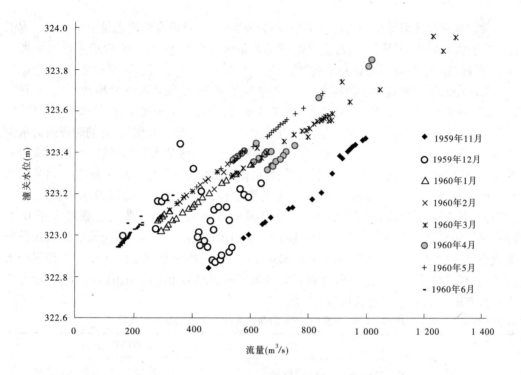

图 7-5　潼关站 1959 年非汛期水位—流量关系

呈现饱和挟沙水流,会促使潼关河床淤积上升。

表 7-17　　　　　　　　1952~1959 年 6 月份龙门、河津站水沙搭配参数

站名	项目	1952 年	1953 年	1954 年	1955 年	1956 年	1957 年	1958 年	1959 年	1960 年
龙门	$Q(\text{m}^3/\text{s})$	647	356	519	990	636	487	495	820	178
	$S(\text{kg}/\text{m}^3)$	6.06	22.1	66.6	11.2	27.6	16.4	34.1	32.3	6.52
	$S/Q(\text{kg·s}/\text{m}^6)$	0.009 4	0.062	0.128	0.011 3	0.043 4	0.033 7	0.068 9	0.101	0.036 6
河津	$Q(\text{m}^3/\text{s})$	0.25	0.83	0.94	0.29	2.20	1.14	0.43	1.34	0.08
	$S(\text{kg}/\text{m}^3)$	1.86	16.9	22.8	1.40	36.5	22.9	5.04	29.9	0.40
	$S/Q(\text{kg·s}/\text{m}^6)$	7.44	20.4	24.3	4.83	16.6	20.1	11.7	22.3	5.00

表 7-18　　　　　　　　**建库前、潼关至四站汛期各月冲淤量**　　　　　　（单位:亿 t）

月份	1952 年	1953 年	1954 年	1955 年	1956 年	1957 年	1958 年	1959 年	1960 年
7	0.949	1.284	2.308	0.354	1.528	0.103	2.449	1.183	−0.160
8	−0.273	3.552	1.121	0.704	0.085	0.566	−0.964	2.169	0.044
9	0.013	−0.032	−1.380	−0.344	−0.228	−0.351	−1.080	−0.423	−0.121
10	−0.272	−0.093	−0.439	−0.580	−0.057	−0.375	−0.737	−0.145	−0.097

(二)小北干流淤积对潼关高程的影响

黄河小北干流多年累积性淤积以后,对其下游的潼关河段有无作用或影响? 有的学

者认为,"这一地区因地质构造运动不同,不会有影响,或者说有影响也是很小。更不能依此来推断以后的作用"[1]。"从河流纵剖面的调整理论来看,纵剖面的塑造总是向平衡方向发展,经过若干年以后会达到平衡"[2]。

黄河小北干流和黄河下游河道,从多年平均值来看,是属于超饱和输沙水流。当然,在1919~1999年的80年系列中,有丰水丰沙年份,也有丰水平沙年份、枯水平沙年份,各年份的水沙搭配不尽相同。水沙搭配较好的时段,对河道起冲刷作用,有的时段因为水少沙多,河道将发生严重淤积。但从多年平均情况来看,仍然是水量相对较少,而沙量相对较多。所以必然带来河床累积性淤积,致使河床不断地或间断地上升。表7-19是龙门和花园口两水文站1919~1999年的80年的流量(Q)、含沙量(S)以及水沙搭配参数(S/Q)。从表中可以看出,龙门站7、8、9月及4、5、6月的水沙搭配参数均大于0.01 $kg \cdot s/m^6$,汛期和非汛期分别为0.028 4$kg \cdot s/m^6$、0.014 2$kg \cdot s/m^6$。而花园口站水沙搭配参数小于0.013$kg \cdot s/m^6$,汛期为0.016 5$kg \cdot s/m^6$,非汛期为0.012 8$kg \cdot s/m^6$。如果用水沙搭配参数划分冲淤界线,根据已有研究认为其分界值在0.01~0.013$kg \cdot s/m^6$较为合理。当然用(S/Q)来判断也只是定性的。

表7-19 　　　　　　　　1919~1999年龙门、花园口两水文站水沙搭配参数年均值

月份	龙门站			花园口站		
	$Q(m^3/s)$	$S(kg/m^3)$	$S/Q(kg \cdot s/m^6)$	$Q(m^3/s)$	$S(kg/m^3)$	$S/Q(kg \cdot s/m^6)$
7	1 430	67.3	0.047 1	2 090	44.4	0.021 2
8	1 890	74.4	0.039 4	2 850	59.6	0.020 9
9	1 730	23.3	0.013 5	2 620	34.0	0.014 1
10	1 440	14.0	0.009 7	2 160	19.6	0.009 1
11	865	7.52	0.008 7	1 270	13.5	0.010 6
12	462	4.12	0.008 9	691	94.9	0.013 7
1	404	2.47	0.006 1	532	7.07	0.013 3
2	503	3.56	0.007 1	573	7.71	0.013 5
3	751	7.25	0.009 7	928	9.47	0.010 2
4	720	8.08	0.011 2	971	9.16	0.009 4
5	569	9.80	0.017 2	946	9.47	0.010 0
6	658	23.1	0.035 1	989	18.5	0.018 7
7~10	1 635	46.4	0.028 4	2 444	40.4	0.016 5
11~6	617	8.79	0.014 2	864	11.1	0.012 8

从表7-19中不难看出,小北干流和黄河下游就多年情况而言,是淤积不止,除非有人类活动的重大参与,如1960~1964年三门峡水库大量拦截泥沙,否则难以改变黄河下游河道淤积的局面。表7-20是黄河下游1950~1997年同流量水位变化表。表中有两段时间的3 000m^3/s水位是下降的:一是1960~1964年,三门峡水库拦沙的作用;二是1981~

[1][2] 吴保生.三门峡水库建库前潼关高程变化研究成果的比较分析.2003年4月

1985 年,是水多沙少系列。各月及汛期、非汛期的水沙搭配参数,只有少数月份大于 $0.01\mathrm{kg\cdot s/m}^6$,多数小于 $0.01\,\mathrm{kg\cdot s/m}^6$。因此,下游河道全程发生冲刷,同流量($3\,000\mathrm{m}^3/\mathrm{s}$)水位是下降的。从多年平均值来看是上升的。一般平均上升值在 $0.1\mathrm{m}$ 左右。

艾山附近河道为窄深河槽,并不因为河道由宽浅演变为窄深,同流量水位不上升。见表 7-20。

表 7-20 　　　　　　　　　黄河下游各站 $3\,000\mathrm{m}^3/\mathrm{s}$ 水位年均升降值 　　　　　（单位:m）

站名	1950~1959 年	1960~1964 年	1965~1973 年	1974~1980 年	1981~1985 年	1986~1997 年	1950~1997 年	
							含 1960~1964 年	不含 1960~1964 年
花园口	0.12	-0.33	0.21	-0.02	-0.11	0.111	0.042	0.086
夹河滩	0.14	-0.33	0.22	0.02	-0.41	0.284	0.091	0.142
高村	0.12	-0.33	0.26	0.06	-0.07	0.089	0.063	0.109
孙口	0.22	-0.39	0.21	0.05	-0.06	0.121	0.075	0.130
艾山	0.056	-0.19	0.25	0.04	-0.06	0.148	0.068	0.098
泺口	0.026	-0.17	0.20	0.05	-0.09	0.170	0.063	0.091

图 7-6 是黄河下游纵剖面图(以同流量水位代表),从图中可以看到,不因为河床的宽窄而发生突然变化,仍然是一条较好的下凹形曲线。表 7-21 是黄河下游主要断面的河相关系,其 $\sqrt{B}/H$ 值最大达到 67.6,最小仅为 4.49。$\sqrt{B}/H$ 值自上游向下游变小,然而河床仍然是上升的。

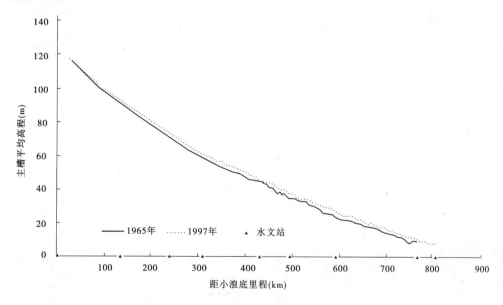

图 7-6　黄河下游河道主槽河床平均高程纵剖面

表 7-21 **1980 年汛期前后各级流量下断面特征值**

站名	$Q=1\,000\text{m}^3/\text{s}$				$Q=3\,000\text{m}^3/\text{s}$			
	7 月		10 月		7 月		10 月	
	$B(\text{m})$	$\sqrt{B}/H$	$B(\text{m})$	$\sqrt{B}/H$	$B(\text{m})$	$\sqrt{B}/H$	$B(\text{m})$	$\sqrt{B}/H$
裴峪	1 708	59.50	1 000	42.20	2 350	56.70	2 968	67.60
花园口	458	43.40	420	48.10	1 652	62.40	1 200	57.70
夹河滩	1 608	55.90	1 200	43.40	1 968	37.00	1 968	43.10
高村	656	24.60	700	29.10	1 753	40.90	1 804	40.60
苏泗庄	440	17.30	468	13.70	556	12.40	573	12.10
孙口	447	16.10	509	16.90	730	15.50	828	16.80
南桥	587	22.60	375	12.40	655	11.61	650	12.40
艾山	341	10.60	323	5.73	408	7.77	380	5.11
泺口	214	5.99	269	6.26	302	5.53	302	4.49
道旭	336	7.77	333	7.75	365	5.72	347	5.34
利津	350	10.60	354	7.96	433	8.52	416	6.72

　　黄河小北干流的河道特性与下游河道特性基本相同,而且潼关以下河道也有宽浅河段,如黄淤 39 断面(距潼关 7.1km)至黄淤 37 断面(距潼关 16.6km)及黄淤 34 断面(距潼关 30.4km)至黄淤 31 断面(距潼关 44.8km),均为宽浅河道。自黄淤 68 断面(在禹门口下游 1.0km)至黄淤 29 断面也是一条连续的下凹形纵剖面,它并没有因为潼关断面狭窄、小北干流严重淤积而出现突然变化,尽管地质构造不同但并没有影响其纵剖面变形。潼关河床升降与小北干流淤积下延有密切关系。如果假定小北干流淤积不能向下游延伸,那么纵剖面形状在潼关上游某一处会出现突变甚至形成跌水曲线,见图 7-7。

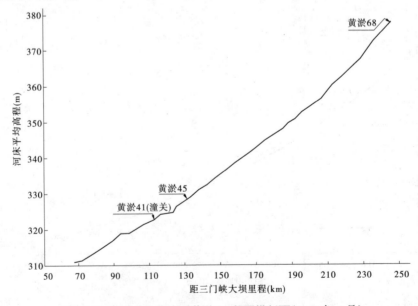

图 7-7　黄河小北干流至黄淤 29 断面纵剖面(1960 年 4 月)

第三节　建库后水库冲淤概况

潼关高程的演变与流域来水来沙条件、水库运用、枢纽泄流能力以及潼关河段上下游淤积有直接关系。

三门峡水库自1960年9月正式运用以来,已经有43年的历程。其中经历了蓄水运用期、滞洪排沙运用期、一期工程改建与增建期、二期工程改建期和"蓄清排浑"调水调沙运用期等5个阶段。库区各库段(小北干流、渭河库区、北洛河库区、潼关以下库区)的冲淤量、潼关高程变化都是不相同的。这种变化又与上游来水来沙条件有密切关系。

一、蓄水运用期

1960年9月至1962年3月为蓄水运用期,最高库水位达到332.58m,黄河回水末端达到黄淤49断面(距潼关33.5km),渭河回水末端达到赤水河口(距潼关71.6km)。1961年汛期,水库平均水位为324.02m。在蓄水运用期的淤积量:潼关以下为15.08亿 m^3 ,黄河小北干流库区为2.87亿 m^3 ,渭河下游库区为0.741亿 m^3 ,北洛河库区为0.215 2亿 m^3 。全库区共淤积18.9亿 m^3 ,只经历了19个月的蓄水运用,库区淤积如此严重,为各方所关注。不仅如此,潼关高程由建库前的323.5m上升到326.29m,净上升2.79m,渭河华县站同流量(200 m^3 /s)水位由1960年汛前的333.39m上升到334.39m(1962年汛前),净上升1.0m。在如此严峻的形势下,水库运用被迫改为滞洪排沙运用。

二、滞洪排沙运用期

1962年4月至1966年汛前为滞洪排沙运用期,枢纽工程没有增建和改建,泄流能力维持原状,315m高程泄量为3 084 m^3 /s。在此期间共度过了4个水文年,各站水沙量见表7-22。表中三门峡为出库站,潼关为库区中间站,其他为进库站。

表7-22　　　　　1962~1965年各站径流量与输沙量

站名		龙门	河津	华县	状头	潼关	三门峡
径流量	汛期	746.2	45.12	231.87	21.47	1 032.4	1 016.5
(亿 m^3)	全年	1 242.0	86.31	441.90	40.92	1 800.8	1 804.0
输沙量	汛期	29.24	1.316	15.47	2.627	40.32	18.96
(亿 t)	全年	34.33	1.682	18.30	3.384	50.01	33.67

从表7-22中可以看出,按输沙率法计算的4年间库区淤积量为24.03亿 t。大断面测量的淤积量:小北干流为2.288亿 m^3 ,渭河库区为1.226亿 m^3 ,北洛河库区为0.313亿 m^3 ,潼关以下库区为10.06亿 m^3 ,全库区总淤积量为13.887亿 m^3 。

库水位最高达到325.90m,汛期平均水位为312.8m。1962年5月,330m高程以下尚有库容43.6亿 m^3 ,320m高程以下库容为16.1亿 m^3 。

1964年为丰水丰沙年,汛期潼关站输沙量达到21.3亿 t,潼关以下库区淤积量为11.56亿 m^3 。

潼关高程由 326.29m 上升到 1966 年汛前 327.99m,与 1962 年汛前相比,上升 1.7m。渭河华县站同流量水位上升到 334.79m,与 1962 年汛前相比,上升 0.4m。

三、一期工程改建与增建期

1966 年 6 月至 1970 年 6 月为一期工程改建与增建期,将原发电引水钢管中的 4 条改为泄洪排沙管道,于 1966 年 7 月投入运用。在左岸增建两条泄洪排沙隧洞,进口底坎高程为 290m,分别于 1968 年 8 月和 1969 年 4 月投入运用。

1966 年 7 月至 1969 年 6 月,进出库水沙量见表 7-23。

表 7-23　　　　　　　　　　　　　1966～1969 年各站径流量与输沙量

站名		龙门	河津	华县	洑头	潼关	三门峡
径流量 (亿 m³)	汛期	890.6	44.6	207.2	21.7	1 098.5	1 110.5
	全年	1 408.3	67.5	374.9	36.1	1 893.6	1 944.7
输沙量 (亿 t)	汛期	56.56	1.428	18.72	5.40	60.73	59.00
	全年	65.74	1.595	20.66	5.43	71.50	73.50

在本时段内,1966 年及 1967 年两年为丰水丰沙年,潼关站两年的径流量分别为 509 亿 m³ 及 636 亿 m³,输沙量分别为 22.7 亿 t 及 21.4 亿 t。

库区淤积量:小北干流为 7.665 亿 m³,其中黄淤 50 断面至潼关库段为 5.19 亿 m³;潼关以下库区为 0.110 6 亿 m³,其中潼关至坩垍段为 0.102 亿 m³。它反映出潼关上下游淤积异常严重,尽管最高库水位为 320.1m,汛期平均水位为 310m,泄流能力增加到 6 178m³/s(315m),潼关高程仍然继续上升到 328.46m。

渭河库区淤积量为 6.812 亿 m³,主要发生在 1966、1967 年和 1968 年,分别为 2.69 亿 m³、1.75 亿 m³ 和 1.91 亿 m³,占时段内总淤积量的 93.2%,三年汛期来沙量:华县站为 16.4 亿 t,洑头站为 4.38 亿 t,分别占同期总来沙量的 87.6% 和 81%,这是造成渭河库区严重淤积的重要原因之一。其次是 1967 年 8 月,龙门发生 21 000m³/s 洪水,而华县流量只有 53m³/s,黄河洪水倒灌渭河,华阴站出现负流量 220m³/s。与此同时,北洛河出现 660m³/s 高含沙洪水,最大含沙量达到 1 060kg/m³。致使渭河下游三河口至渭淤 3 断面 8.8km 河段全部淤堵。9 月份华县站输沙量为 1.04 亿 t,泥沙全部淤积在渭河下游。华县同流量水位上升到 336.3m,与 1966 年汛前相比较,净上升 1.5m,是华县同流量水位上升值最大的时期。同时潼关高程上升到 328.55m。

四、二期工程改建期

1970 年 6 月～1973 年 12 月为二期工程改建期,打开原施工导流底孔,进口底坎高程为 280m。促使 315m 高程泄量增加到 9 040m³/s,潼关以下库区发生强烈冲刷。本时段的水沙量见表 7-24。

表 7-24　　　　　　　　　　　1970～1973 年各站径流量与输沙量

站名		龙门	河津	华县	洑头	潼关	三门峡
径流量 （亿 m³）	汛期	454.8	28.1	133.1	11.39	608.9	607.8
	全年	965.7	42.7	216.0	18.22	1 229.2	1 239.6
输沙量 （亿 t）	汛期	31.91	0.808	16.68	3.00	44.95	51.55
	全年	35.50	0.875	17.79	3.16	53.78	59.47

在此期间库区冲淤情况:潼关以下库区冲刷 4.095 亿 m³,北洛河库区淤积 0.015 5 亿 m³,渭河库区淤积 1.311 亿 m³。其中 1973 年为丰水丰沙年,华县站汛期径流量为 46.12 亿 m³,输沙量为 7.69 亿 t,平均含沙量高达 167kg/m³,洪水漫滩,造成大量淤积,达到 1.0 亿 m³。主槽发生冲刷,华县同流量水位在 1973 年汛后下降到 335.95m,净下降 0.58m。陈村同流量水位为 331.17m,下降 1.78m;吊桥水位为 327.54m,下降 1.60m。渭河 1969～1973 年汛后同流量水位见表 7-25。

表 7-25　　　　　　　　　　渭河各站汛后同流量水位　　　　　　　　　（单位:m）

年份	华县	陈村	吊桥	潼关	备注
1969	336.53	332.95	329.14	328.30	1. 华县—吊桥同流量为 200m³/s;
1970	335.98	331.66	328.15	327.77	
1971	335.90	332.92	328.89	327.50	
1972	336.28	332.61	328.04	327.52	2. 潼关同流量为 1 000m³/s
1973	335.95	331.17	327.54	326.64	

渭河的临潼水文站于 1961 年开始观测,1961 年汛后同流量（200m³/s）水位为 353.63m,1973 年汛后为 353.50m,基本上维持冲淤平衡的稳定状态,河床没有上升。

五、"蓄清排浑"调水调沙运用期

三门峡水库自 1973 年 12 月 26 日起开始采用"蓄清排浑"运用以来,已经度过 30 个春秋,在这个过程中既取得了丰富的经验,也有过教训值得借鉴。同时,由于流域来水来沙条件不断变化,又出现了新的问题。故此,将本时期又分为 4 个时段进行分析。

(一)"蓄清排浑"运用初期

1974～1980 年为"蓄清排浑"运用初期。三门峡枢纽工程第二期改建工作基本上完成之后,潼关高程下降约 2.0m,潼关以下库区恢复槽库容近 10 亿 m³。渭河华县水文站同流量水位由 1969 年汛后的 336.53m 下降到 1973 年汛后的 335.95m。除了丰水丰沙年份外,库区各段均出现不同程度的冲刷。在这种新形势下,同时对水库运用方式又缺乏经验,因此在非汛期库水位较高,引起潼关高程上升。时段内水沙量(日历年)见表 7-26。

从表 7-26 中可以看出,1974～1980 年运用年,上游来水来沙条件比较有利。除 1977 年 7、8 两月发生高含沙洪水外,含沙量均比较小,对潼关高程极为有利。然而对水库冲淤变化的成因和部位没有作及时而详细的分析研究,致使非汛期蓄水过多,库水位较高,水位超过 320m 高程的历时过长,引起淤积部位偏上,见表 7-27 及表 7-28。

表 7-26　　　　　　　　　1974~1980 年各站径流量与输沙量

年份	龙门				华县				狱头				潼关			
	径流量 (亿 m³)		输沙量 (亿 t)		径流量 (亿 m³)		输沙量 (亿 t)		径流量 (亿 m³)		输沙量 (亿 t)		径流量 (亿 m³)		输沙量 (亿 t)	
	汛期	全年	汛期	全年	汛期	全年	汛期	全年	汛期	全年	汛期	全年	汛期	全年	汛期	全年
1974	92.7	221.0	3.47	4.19	28.1	45.4	1.50	1.62	1.57	2.97	0.294	0.294	121.8	275.3	5.52	7.54
1975	215.0	347.0	3.02	3.76	78.2	99.0	3.67	3.74	7.80	9.49	1.010	1.014	302.2	460.4	10.30	12.39
1976	250.6	419.0	4.80	5.48	53.3	96.3	2.66	2.83	7.11	10.5	0.392	0.393	319.2	538.7	8.45	10.60
1977	131.9	278.4	5.39	6.10	19.2	38.3	5.48	5.68	3.79	5.59	1.59	1.613	167.0	334.2	20.92	22.32
1978	171.0	274.8	4.19	4.73	43.1	51.8	4.26	4.42	5.20	6.44	0.749	0.759	223.1	345.4	12.38	13.58
1979	189.4	323.1	5.12	5.71	24.0	37.5	2.10	2.12	3.23	4.70	0.712	0.712	217.1	366.9	9.59	10.97
1980	86.9	217.3	1.14	1.75	41.1	50.8	2.85	2.98	2.31	3.25	0.199	0.240	134.0	276.5	4.66	6.02

表 7-27　　　　　　　　1974~1980 年非汛期水位与潼关高程特征值

年份	最高库水位(m)			H>320m 天数(天)	潼关高程(m)	
	防凌	桃汛	春灌		汛前	汛后
1974	324.81	322.44	324.33	121	327.19	326.70
1975	312.98	312.52	324.03	72	327.23	326.04
1976	315.03	320.76	324.53	74	326.71	326.12
1977	325.99	324.50	325.33	118	327.37	326.79
1978	320.81	323.63	324.26	101	327.30	327.09
1979	322.98	323.30	324.56	132	327.76	327.62
1980	321.25	321.88	324.03	100	327.82	327.38

表 7-28　　　　　　　　　1974~1980 年非汛期淤积分布　　　　　　　(单位:亿 m³)

库段 (断面编号)	1973~ 1974 年	1974~ 1975 年	1975~ 1976 年	1976~ 1977 年	1977~ 1978 年	1978~ 1979 年	1979~ 1980 年
36—41	0.170 9	0.140 5	0.041 9	0.389 1	0.149 4	0.133 8	0.125 0
30—41	0.909 8	0.595 6	0.566 0	0.763 2	0.569 6	0.961 4	0.975 3
1—41	1.379 9	1.831 7	1.410 8	1.141 1	1.303 6	1.614 1	1.582 7
(36—41)/(1—41)	12.4%	7.7%	3.0%	34.1%	11.4%	8.3%	7.9%
(30—41)/(1—41)	65.9%	32.5%	40.1%	66.9%	43.7%	59.6%	61.6%

综合分析表 7-26~表 7-28,可以看出,1975 年及 1976 年两年汛期水量较大,沙量较

少,防凌和桃汛期库水位较低,库水位超过320m的天数在74天以内,坩埚至潼关淤积量相对较少,占潼关以下库区淤积量的百分数为3.3%～7.7%。通过调水调沙运用,可以将非汛期淤积物基本上冲完,汛期的潼关高程维持在326.7m。

1977年非汛期蓄水位最高达到325.99m,库水位超过320m的天数达到118天。潼关至坩埚河段的淤积量占潼关以下库区淤积量的34.1%。1977年汛期水量偏枯,沙量又大,致使潼关高程上升到326.79m,1978、1979、1980年三年的非汛期,库水位高,超过320m的天数在100天以上。潼坩段淤积量偏大,加上前期淤积物没有被全部冲走,引起潼关高程持续上升,至1980年汛前达到327.82m。

小北干流在1974～1980年运用期间,初期发生了冲刷而后又出现严重淤积,见表7-29。

表7-29　　　　　　　　　1974～1980年小北干流淤积量分布　　　　　　　　（单位:亿m³）

时段 (年·月)	库段		
	41—45	45—50	50—59
1974～1976	−0.384 2	−0.937 5	−0.487 8
1977.5～1978.5	0.820 3	0.840 8	0.365 4
1978.5～1980.5	0.585 2	0.571 9	0.205 5

从表7-29中可以看出,1974～1976年期间,上游来水来沙条件有利,潼关高程下降,小北干流河段发生冲刷。1977年汛期发生两次高含沙较大洪水,小北干流出现揭河底冲刷,改变了原河道流路,主槽冲刷很深,冲起来的泥沙翻向两侧滩地,因此造成小北干流河道发生严重淤积,淤积量高达2.027亿m³。这里应当说明的是,至1980年汛前,黄淤58断面平均河床高程为351.9m,与1965年汛前是一致的,表明小北干流淤积末端在黄淤59断面以下,故本次统计的冲淤量以黄淤59断面以下库段为准。其上游冲淤变化应属于自然河道演变范畴。1978年至1980年汛前,虽然潼关高程上升0.68m,龙门站的水沙条件较为有利,但小北干流仍然在不断冲刷。

在本时段内渭河库区也出现相应的冲淤变化,1974年至1977年汛前,只有渭拦河段出现淤积,渭淤1至渭淤26均发生较大冲刷。渭淤1至渭淤10断面冲刷0.723亿m³,渭淤10至渭淤26断面冲刷0.460亿m³。1977年汛期发生洪峰流量为4 470m³/s的高含沙洪水,最大含沙量为795kg/m³,洪水水量为6.63亿m³,沙量为3.32亿t,平均含沙量为500kg/m³。渭河下游河道主槽发生强烈冲刷,同流量水位变化见表7-30。揭底冲出来的大量泥沙翻到两侧滩地上面,结果出现严重淤积。渭淤1至渭淤10断面淤积0.63亿m³,渭淤10至渭淤26断面淤积0.028亿m³。因此,1977年揭底冲刷出来的河槽,而后主河槽又逐渐回淤,但数量较小,1977年10月至1980年5月渭淤1至渭淤10断面淤积0.175亿m³,渭淤10至渭淤26断面淤积0.151亿m³。

在本时段内,渭河拦门沙河段均为淤积,这与黄河洪水倒灌渭河河口密切相关。

北洛河全时段内冲刷0.065 5亿m³,其中1975年汛期水量较丰,为7.8亿m³,淤积0.158 2亿m³。1977年汛期出现高含沙洪水,汛期平均含沙量为419kg/m³,因为北洛河下游为窄深的河槽,洪水漫滩历时短,引起北洛河库区主河槽大冲,冲刷量达到0.027 8

亿 m³。

表 7-30　　　　　　　　　1977 年渭河下游各站同流量水位变化

临潼			渭南			华县		
日期 （月·日）	Q （m³/s）	H （m）	日期 （月·日）	Q （m³/s）	H （m）	日期 （月·日）	Q （m³/s）	H （m）
5.28	198	353.99	5.28	197	342.97	5.27	199	335.93
9.14	206	353.17	9.14	196	340.31	9.14	195	334.22
下降值（m）		−0.82			−2.66			−1.71

(二)"蓄清排浑"运用第二阶段

1981～1986 年为"蓄清排浑"运用第二阶段。在此时段内,吸取前一时段的经验,完善了水库运用方案,非汛期库水位下降较多,库水位超过 320m 的天数在 101 天以内,见表 7-31。此外,上游来水来沙条件也非常有利,见表 7-32。

表 7-31　　　　　　　　　1980～1986 年非汛期库水位特征值

时段 （年）	最高水位(m)			$H>320m$ 天数（天）	潼关高程	
	防凌	桃汛	春灌		汛前	汛后
1980～1981	322.56	321.13	323.59	94	327.82	326.94
1981～1982	322.91	321.78	323.99	101	327.95	327.06
1982～1983	320.42	322.20	323.73	80	327.44	326.57
1983～1984	324.58	321.36	323.36	93	327.39	326.71
1984～1985	324.94	318.57	320.39	49	327.18	326.64
1985～1986	322.63	319.81	319.99	25	326.96	327.18

表 7-32　　　　　　　　　1981～1986 年各站径流量与输沙量

年份	龙门				华县				㳇头				潼关			
	径流量 （亿 m³）		输沙量 （亿 t）		径流量 （亿 m³）		输沙量 （亿 t）		径流量 （亿 m³）		输沙量 （亿 t）		径流量 （亿 m³）		输沙量 （亿 t）	
	汛期	全年	汛期	全年	汛期	全年	汛期	全年	汛期	全年	汛期	全年	汛期	全年	汛期	全年
1981	248.7	354.1	6.14	6.913	82.45	94.51	3.32	3.614	5.08	6.57	0.296	0.512	338.8	453.1	10.60	11.79
1982	140.7	289.7	3.53	4.267	32.65	56.00	1.37	1.510	3.19	4.92	0.154	0.155	183.7	365.4	4.34	5.82
1983	211.4	353.6	3.10	3.913	87.20	121.26	2.10	2.504	6.03	10.12	0.179	0.232	313.6	495.1	5.86	7.61
1984	173.9	335.9	2.82	3.819	87.47	131.16	3.59	4.207	5.15	9.75	0.386	0.399	281.9	492.2	7.01	9.01
1985	169.2	296.4	4.02	4.817	43.07	85.88	2.23	2.557	6.09	10.25	0.892	1.00	233.1	408.0	6.88	8.19
1986	109.3	251.3	1.54	2.396	20.45	45.36	0.602	1.622	1.61	4.89	0.086	0.251	134.3	306.0	2.11	4.18

从表 7-32 中可以看出,潼关站年均径流量近 420 亿 m³,年均输沙量为 7.77 亿 t,年均含沙量只有 18.5kg/m³。其中汛期平均径流量为 247.5 亿 m³,输沙量为 6.13 亿 t,汛

期平均含沙量为 24.8kg/m³。在这种非常有利的水沙条件下,对潼关高程极为有利。

从小北干流库区平均河床高程变化来判断,黄淤 58 断面在 1986 年汛后为 325.5m,与 1965 年相比上升 0.6m,黄淤 59 断面平均河床高程,在 1973 年汛前为 353.8m,至 1986 年的汛前汛后仍维持在 353.8m。由此可以推断,小北干流受三门峡水库淤积的影响,最远在黄淤 59 断面。

在本时段内,小北干流黄淤 59 断面以下共冲刷 0.191 7 亿 m³,黄淤 50 断面至潼关冲刷 0.593 3 亿 m³,黄淤 50 至黄淤 59 断面淤积 0.401 6 亿 m³。黄淤 59 断面以上淤积 0.411 亿 m³,上游河段淤积下延,引起黄淤 50~59 断面也发生淤积。

渭河库区冲淤量:渭拦河段冲刷 0.035 亿 m³,渭淤 1 至渭淤 10 断面冲刷 0.069 4 亿 m³,渭淤 10 至渭淤 26 断面冲刷 0.127 9 亿 m³。

1981 年至 1986 年汛期,黄河龙门站洪峰流量相对较小,发生洪水时,渭河流量较大,因此倒灌渭河机会少。而且渭河水大沙少,所以渭拦河段发生冲刷。

潼关以下库区冲刷 0.922 6 亿 m³,其中潼关至坩垭河段冲刷 0.306 亿 m³,这对稳定潼关高程极为有利。在本时段内,水库运用方案有所改进,但是更重要的是有利的水沙条件起到重要作用。

(三)"蓄清排浑"运用第三阶段

1987~1995 年为"蓄清排浑"运用第三阶段,龙羊峡水库于 1986 年汛后关闸蓄水,将贵德站以上径流量全部截留。自此以后,改变了三门峡水库龙门站径流量在年内的分配,也影响到潼关站径流量在年内的分配。1986~1995 年与 1950~1967 年相比较,河口镇、龙门和潼关站的径流量分别减小 81 亿 m³、113 亿 m³ 和 165 亿 m³,相应减小百分比为 31%、34% 和 37%。20 世纪 80 年代,黄河上游工农业和沿河城镇用水达到 118 亿 m³,占黄河上游来水量的 31.9%,因而降低了水流输沙能力,对潼关高程非常不利。表 7-33 为本时段水沙特征值。

表 7-33　　　　　　　　　　　　　1987~1995 年各站径流量与输沙量

年份	龙门				华县				狱头				潼关			
	径流量 (亿 m³)		输沙量 (亿 t)		径流量 (亿 m³)		输沙量 (亿 t)		径流量 (亿 m³)		输沙量 (亿 t)		径流量 (亿 m³)		输沙量 (亿 t)	
	汛期	全年	汛期	全年	汛期	全年	汛期	全年	汛期	全年	汛期	全年	汛期	全年	汛期	全年
1987	50.79	140.3	2.16	2.61	22.11	50.86	0.727	1.182	1.975	3.758	0.392	0.399 1	75.4	193.1	2.08	3.22
1988	101.9	203.4	8.43	9.00	61.99	84.40	5.27	5.554	8.965	11.05	1.110	1.321	187.1	309.2	12.5	13.63
1989	173.5	309.6	5.10	6.21	33.79	67.64	1.62	1.846	2.236	5.164	0.261	0.264	205.0	376.8	6.59	8.53
1990	90.1	255.9	3.61	4.63	45.12	77.08	2.72	2.693	4.329	6.611	0.839	0.858	139.6	349.9	5.50	7.61
1991	44.5	192.2	2.09	3.82	12.34	49.29	0.65	1.520	6.122	6.578	0.212 6	0.397 7	61.1	248.4	1.99	6.15
1992	80.9	197.5	5.41	6.22	45.65	59.61	4.50	4.845	5.586	8.888	1.458 6	1.466	130.9	251.3	8.06	9.93
1993	96.6	222.5	2.70	3.77	31.85	62.20	1.36	1.495	4.366	6.655	0.460 7	0.465	139.6	294.7	4.08	6.01
1994	116.0	240.0	7.74	8.37	16.84	36.65	3.57	3.81	6.090	10.02	2.593	2.623	133.3	286.6	10.3	12.12
1995	101.5	224.8	6.27	7.05	11.41	22.36	2.36	2.40	2.779	6.987	0.364 9	0.365	113.8	254.6	6.79	8.66

表 7-34 是 1987～1995 年非汛期水库水位及汛前汛后潼关高程特征值。

表 7-34   **1987～1995 年非汛期库水位特征值**

时段 （年）	最高水位（m）			$H>320m$ 天数（天）	潼关高程	
	防凌	桃汛	春灌		汛前	汛后
1987～1988	320.14	323.93	324.09	77	327.37	327.08
1988～1989	319.19	323.92	321.11	66	327.62	327.36
1989～1990	321.25	322.23	323.99	81	327.75	327.60
1990～1991	318.95	322.11	323.84	47	328.02	327.90
1991～1992	323.04	323.86	323.91	90	328.40	327.30
1992～1993	318.25	318.68	321.61	34	327.78	327.78
1993～1994	319.54	321.18	322.66	43	327.95	327.69
1994～1995	316.28	318.28	321.80	23	328.12	328.28

1987～1995 年,全年水量减少,汛期尤甚,而且洪水次数少、历时短,洪水水量占汛期水量的百分比,除 1988 年及 1992 年以外都小于 50%,甚至只占汛期水量的 23%,见表 7-35。

表 7-35   **1987～1995 年潼关站洪水期水沙特征值**

年份	汛期		洪水期					洪水量占 汛期水量 百分比（%）	洪沙量占 汛期沙量 百分比（%）
	水量 （亿 m³）	沙量 （亿 t）	出现 次数	历时 （天）	水量 （亿 m³）	沙量 （亿 t）	含沙量 （kg/m³）		
1987	75.4	2.08	2	16	17.3	1.23	71.1	22.9	59.1
1988	186.6	12.47	4	45	101	10.7	106	54.1	85.8
1989	205.0	6.59	3	27	58.3	3.87	66.4	28.4	58.7
1990	139.6	5.50	6	37	54.2	2.94	54.2	38.8	54.3
1991	61.1	1.99	3	30	18.7	1.27	67.9	30.6	63.8
1992	131.0	8.05	6	49	83.5	7.24	86.7	63.7	89.9
1993	139.6	4.08	4	29	46.3	2.46	53.1	33.2	60.3
1994	133.4	10.30	5	37	64.4	8.83	137.0	48.3	85.7
1995	113.8	6.79	5	31	47.6	4.61	96.8	41.8	67.9

从表 7-35 中可以看出,洪水期平均含沙量较大,其中有 5 年超过 70kg/m³,有两年超过 100kg/m³。这种水沙条件对潼关高程是非常不利的。

由于水沙条件不利,使小北干流和渭河、北洛河的下游也发生强烈的淤积。表 7-36 列出了 1987～1995 年各库区淤积量统计数据。

表 7-36　　　　　　　　　　1987～1995 年各库区淤积量　　　　　　　（单位:亿 m³）

小北干流		渭河		潼关以下	
库段	冲淤量	库段	冲淤量	库段	冲淤量
41—45	0.180 8	渭拦	0.100 5	30—36	0.426 1
45—50	0.449 6	1—10	1.731 7	36—41	0.349 6
50—59	0.546 6	10—26	0.954 9	1—41	1.448 2
59—68	1.566 5	渭拦—26	2.787 1		
41—68	2.743 5				

黄河小北干流共淤积 2.743 5 亿 m³,然而在沙量较多年份,如 1988、1991、1992、1994 年,共淤积 4.208 2 亿 m³,其中汛期淤积 5.875 9 亿 m³,见表 7-37。也就是说,小北干流淤积主要是在泥沙来量较多的年份。从表 7-35 可以看出,这几年水量偏少,全年水量均小于 250 亿 m³,洪水水量均小于 100 亿 m³。

表 7-37　　　　　　　黄河小北干流淤积较多年份　　　　　　（单位:亿 m³）

年份	1988	1991	1992	1994
汛期	2.168 0	1.288 7	1.028 4	1.390 8
全年	1.724 0	0.772 4	0.637 0	1.074 8

渭河下游也同样出现这种情况。1987～1995 年共淤积 2.787 1 亿 m³。其中 1992 年淤积 0.913 亿 m³,1994 年淤积 0.856 7 亿 m³,1995 年淤积 0.768 2 亿 m³,3 年总淤积量为 2.537 9 亿 m³,占本时段总淤积量的 91%。从表 7-33 可以看出,1992 年华县站汛期输沙量为 4.50 亿 t,平均含沙量接近 100kg/m³,水沙搭配参数 S/Q 达到 2.38kg·s/m⁶。1994 年及 1995 年两年,汛期水量很小,分别为 16.84 亿 m³ 和 11.41 亿 m³。但输沙量却高达 3.57 亿 t 和 2.36 亿 t,平均含沙量分别达到 212kg/m³ 和 207kg/m³,这是渭河下游河道发生严重淤积的最主要原因。由于径流量小,又多出现中小流量洪水,尤其是 1995 年汛期,渭河连续发生 5 次高含沙小洪水,主河槽淤积更加严重,1996 年汛后平滩流量下降到500～800m³/s。

从淤积量分布来看,小北干流自上而下淤积量逐渐减小,并且向下游延伸。黄淤 59 断面以上淤积量占全河段的 57%,渭河华县以下河段淤积最多,占全河段淤积量的 62%。

在全时段内,非汛期水库运用水位比较合理,高于 320m 高程的天数比前时段要少。由于来水量减少、含沙量增加,小北干流和渭河下游淤积共同向下游延伸;潼关以下库区,因为汛期径流量小,洪水次数少,洪峰流量小,不能够将非汛期淤积泥沙全部冲刷出库,特别是潼关至坫埝段,年均淤积近 400 万 m³,对潼关高程有直接影响。这些情况说明,上游来水来沙条件对水库淤积的影响至关重要,对潼关高程的作用又反映出非汛期水库运用要进一步改善,应严格控制非汛期水库蓄水位。

(四)"蓄清排浑"运用第四阶段

1996～2001 年为"蓄清排浑"运用第四阶段,这一时段内水量进一步减少,潼关站汛期径流量只有 1 年超过 100 亿 m^3，最少年份只有 55.56 亿 m^3（1997 年）。洪水期水量都在 50 亿 m^3 以下，最枯年份只有 10.2 亿 m^3（1997 年）。但洪水期平均含沙量很大，最多达到 168.4kg/m^3。因此，在这一时期是枯水枯沙系列，相对来讲，沙量减少不多，含沙量增大。见表 7-38 及表 7-39。

表 7-38　　　　　　　　　　1996～2001 年各站径流量与输沙量

年份	龙门				华县				狱头				潼关			
	径流量（亿 m^3）		输沙量（亿 t）		径流量（亿 m^3）		输沙量（亿 t）		径流量（亿 m^3）		输沙量（亿 t）		径流量（亿 m^3）		输沙量（亿 t）	
	汛期	全年	汛期	全年	汛期	全年	汛期	全年	汛期	全年	汛期	全年	汛期	全年	汛期	全年
1996	89.9	212.0	6.09	7.44	22.9	31.68	4.034	4.125	4.132	5.424	0.818	0.824	127.80	255.2	9.62	11.64
1997	49.6	132.1	2.10	2.93	6.06	23.67	1.610	1.708	2.221	5.360	0.581	0.581	55.56	160.5	4.11	5.33
1998	55.71	150.5	3.516	4.510	26.70	40.03	1.136	1.870	3.196	6.382	0.403	0.490	86.4	192.1	4.264	6.43
1999	77.54	182.0	1.713	2.328	23.22	37.18	2.178	2.265	3.100	5.890	0.820	0.820	97.0	217.5	3.726	5.354
2000	57.75	163.2	1.678	2.256	22.39	32.59	0.942	1.479	2.406	3.843	0.251	0.346	73.1	987.3	1.969	3.508
2001	48.46	134.4	2.044	2.322	15.77	28.32	1.268	1.295	3.563	4.941	0.701	0.701	61.1	158.0	2.714	3.371

表 7-39　　　　　　　　　1996～2001 年潼关站洪水期水沙特征值

年份	汛期		洪水期					洪水量占汛期水量百分比（%）	洪沙量占汛期沙量百分比（%）
	径流量（亿 m^3）	输沙量（亿 t）	出现次数	历时（天）	径流量（亿 m^3）	输沙量（亿 t）	含沙量（kg/m^3）		
1996	127.8	9.62	5	28	47.2	7.95	168.4	36.9	82.6
1997	55.7	4.11	1	9	10.2	2.99	293.1	18.3	72.7
1998	86.4	4.26	3	25	38.9	3.47	89.2	45.0	81.5
1999	97.0	3.73	2	19	25.6	3.13	122.3	26.4	83.9
2000	73.1	1.97	2	20	18.0	0.64	35.6	24.6	32.5
2001	61.1	2.71	2	21	20.4	1.87	91.7	33.4	69.0

从表 7-39 可以看出，在本时期的洪水水量只占汛期水量的 18%～45%，沙量占 32%～84%。这反映出水沙搭配情况异常，从洪水期的天数来看，各年均小于 30 天，也是历年来所少见。这表明，中小流量历时长，从而使冲刷能力和输沙能力大幅度下降。如前几章所讨论的，输沙能力与水流功率（$\gamma' QJ$）成正比，流量减少势必引起输沙能力下降。因此，在库区各段发生严重淤积。不论是小北干流还是渭河下游，均出现上段淤积多、下段淤积少的现象。从数量上看，淤积量占来沙量的百分比增加。表 7-40 所示为库区各段冲淤量。

北洛河共淤积 0.325 亿 m^3，洛 10～洛 21 淤积 0.218 6 亿 m^3，洛 10 以下淤积 0.106 4 亿 m^3，也是上段淤得多而下段淤得少。这种现象表明，输沙水流在进入水库库区以前就已经处在超饱和状态，自上而下发生沿程淤积，很难理解这是三门峡水库对它们的影响，反倒是干支流淤积向库区延伸，加重水库的淤积，进而造成潼关高程上升。

表 7-40　　　　　　　　　　　1996～2001 年各库区淤积量

小北干流		渭河库区		潼关以下库区	
库段	冲淤量(亿 m³)	库段	冲淤量(亿 m³)	库段	冲淤量(亿 m³)
41—45	0.083 6	渭拦	−0.003 4	30—36	0.273 2
45—50	0.197 3	渭淤 1—10	−0.000 8	36—41	0.109 5
50—59	0.492 0	渭淤 10—26	0.176 4	1—41	0.951 2
59—68	0.529 8	渭淤 1—26	0.172 2		
41—68	1.302 7				

非汛期的水库运用更为完善,库水位超过 320m 的天数进一步减少,均控制在 72 天以内,最少的只有 20 天,见表 7-41。由于进入水库的水沙条件极为不利,尽管水库运用方式不断完善,但是潼关高程仍在逐渐上升,见表 7-41。

表 7-41　　　　　　　　　　　1996～2001 年非汛期库水位特征值

时段 (年)	最高水位(m)			$H > 320m$ 天数(天)	潼关高程(m)	
	防凌	桃汛	春灌		汛前	汛后
1995～1996	321.44	321.29	321.21	63	328.42	328.08
1996～1997	321.39	321.66	321.81	61	328.40	328.05
1997～1998	320.88	322.13	323.80	72	328.40	328.28
1998～1999	319.87	319.87	320.78	20	328.43	329.12
1999～2000	319.61	321.93	321.93	37	328.48	328.33
2000～2001	320.30	320.26	320.62	25	328.56	328.23

从表 7-38～表 7-41 可以看出,潼关高程上升主要是由水沙条件恶化造成的,表现在潼关以上发生淤积,并向下游延伸促使潼关高程上升。另一方面是,洪水次数少,洪水水量减少,水流功率下降,潼关高程难以借助水流功率维持冲淤平衡,甚至发生回淤。

第四节　影响潼关高程升降的基本因素

从上述的 3 节中可以看出,潼关高程的升降主要由 4 方面的因素所决定:其一,在三门峡水库修建前的自然河道状态下,汛期(主要是洪水期)是冲刷下降的,非汛期回淤上升,就一个水文年来看,其多年平均上升值大于下降值,处在微淤过程;其二,三门峡水库修建以后,由于潼关以下库区发生严重淤积,因淤积上延引起潼关高程随之上升;其三,在"蓄清排浑"的运用前提下,由于水库运用操作不当,引起潼关高程上升,在改进和完善水库运用方案之后,上游来水来沙条件又是决定潼关高程升降的主要因素;其四,1996 年以后,水沙条件向不利方向发展,水沙搭配失调引起淤积上升。

处在自然条件下,潼关高程演变规律已经在前两节中作了详细论述,本节不再重复。

流域加给某一特定河段的水沙量及其全过程,基本上与该河段的输送能力相适应,就全河而言也是如此。然而对黄河中、下游河道来讲,在很多时候是超饱和输沙,从较长时期的资料(几十年或近百年)进行分析,就造成累积性淤积。流域的来水量是维持河流生存的最重要因素。因此,水沙条件与河流的生存和消失息息相关。所以,研究水沙条件对任何一条河流或者某一河段都是非常重要的。

潼关断面的河床高程是该河段一个特殊的特征值,它的冲淤变化和演变过程的特殊性,有水沙条件的作用又有水库淤积的影响,同时又不能与历史时期的演变割裂开来。除此之外,潼关断面上下游相邻河段的冲淤变化,对潼关高程也是相互制约、相互影响的。因此,在研究潼关高程演变过程中,都必须考虑各种因素的作用,这又构成潼关高程演变过程的复杂性。

一、水沙条件对潼关高程的作用

三门峡水库自 1974 年改为"蓄清排浑"运用以来,其运用方案是:自 11 月起开始蓄水拦沙,11 月末至 12 月初为防凌前蓄水,库水位上升到 317m 左右,在下游河道结冰封冻前期加大泄量,促使下游河道结冰后的冰盖以下过流能力增大,减少凌汛冰盖以上过水;翌年 1 月中下旬至 2 月上中旬为防凌蓄水,在这个时期,下游正值凌汛,尽可能控制下泄流量不超过冰盖以下过流量。凌汛过后,水库加大泄量,库水位仍然维持在 315m 高程以上;3 月中下旬至 4 月上旬是桃汛期,桃汛历时一般为 10 天左右,水量约 11 亿 m³;桃汛过后开始春灌蓄水,4 月末向下游补水,至 6 月中旬库水位回落,至 6 月末库水位下降到 305m 高程。各时段水库水位变化过程见图 7-8。

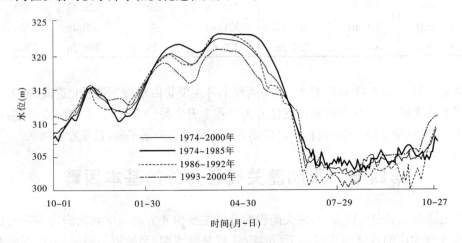

图 7-8 各时期水库日均水位过程线

从已有资料分析得知:水库水位达到 320m 高程时会影响到垆埝(黄淤 36 断面);库水位达到 315m 高程时会影响到大禹渡(黄淤 30 断面);库水位达到 308m 高程时会影响到北村(黄淤 22 断面)。对于每一年度而言,受不同条件的水沙作用,上述影响各断面的水位又有一些差异,但是就其多年平均值而言是可信的。也可以将上述各高程作为影响各断面的临界水位。如果长期维持较高水位(318m 高程),也会出现淤积增大而影响潼关高程上升。

坩堦至潼关河长约20km,当水库水位高于320m高程时,坩堦以上河段受水库水位影响而产生淤积,可认为影响了潼关高程。水库水位低于320m高程时,可认为对潼关高程没有影响,或影响甚微。此时潼关高程的升降主要受上游来水来沙的作用,与水库运用关系不大。

坩堦至大禹渡河段,在非汛期若发生大量淤积,其淤积体上延到坩堦以上时,也会间接影响潼关高程上升。因此,对大禹渡至坩堦河段在非汛期的淤积量应当进行有效的调控。在制订水库运用方案时要特别注意,尽可能使非汛期重心部位下移到大禹渡以下库区。

汛期水库水位经常处在305m高程左右,相应最大泄量为5 070m³/s。洪水期可下降到300m高程以下。潼关至北村库段处于自然河道状态,库区发生冲刷(溯源与沿程冲刷),从已有资料分析,溯源冲刷可发展到大禹渡以上至坩堦之间。其冲刷量的多少,视来水来沙条件有利或不利而定,同时又取决于前期淤积量。

(一)非汛期水沙条件对潼关高程的作用

潼关高程在非汛期的演变,除了水库水位对它的作用以外,还有前期(汛期)下降幅度、各月的水沙条件以及桃汛期水沙条件的作用。一般桃汛期的水沙条件变化幅度不是很大,对潼关高程的冲刷作用在0~0.3m范围,对此将在另外章节分析研究。

为了理清各种因素对潼关高程的作用,首先分析水沙条件对潼关高程的作用。

众所周知,水流输沙率 Q_s 与流量 Q 的高次方成正比,亦即 $Q_s \sim Q^n$ 的关系。指数 n 一般在2.0左右变动。此外,还可以采用水沙搭配参数 S/Q 来反映河床冲淤的指标。

1974~2001年的28年期间,从水库运用方面来看,由于缺乏经验到逐渐完善。从水沙条件方面看,径流量在年内分配发生巨变,逐步转向水沙条件恶化方向发展,由此可以将28年过程分为5个阶段进行分析。

(1)1974~1980年。1973年汛后,潼关高程由1970年汛前的328.55m下降到326.64m。人们在二期工程改建成功的喜悦的氛围下,没有认真考虑妥善筹划水库在非汛期运用的方案。又加上黄河下游春旱用水紧缺,因此在这一期间,水库水位偏高,超过320m高程的时间年均为102天,1979年曾经达到132天(见表7-27)。潼关以下淤积重心偏上,致使潼关高程逐渐上升,至1980年汛前上升到327.82m。

这一阶段非汛期的水沙条件如表7-42所示,非汛期多年平均流量为760m³/s,含沙量为10.4kg/m³,水沙搭配参数为0.013 7kg·s/m⁶。其中6月份水沙条件不利。由此可以认为,潼关高程上升主要是水库运用不当造成的。

非汛期潼关高程上升过程,11、12月份上升幅度大,其次是1、2月份。2月份由于溜凌或结冰,水位突然上升,开河后又回落到1月份的关系线附近。3、4月份上升幅度小,受桃汛作用,在此期间冲刷下降。4月份以后缓慢上升,见图7-9。图7-9中的11、12月两月的回淤幅度较大,又与1976年汛期潼关高程下降幅度较大有一定关系,1976年汛后潼关高程下降到326.12m。因此,在高蓄水的状态下,回淤空间较大,造成非汛期开始阶段有较大幅度回淤上升。图7-10是历年非汛期潼关高程、流量、含沙量和水沙搭配参数过程线。从图中可以看出,水沙条件相对而言是比较好的,但黄淤36—41断面的淤积较大,引起潼关高程上升。

表7-42

潼关站不同时段水沙量月平均值

月份	1974~1980年			1981~1985年			1986~1990年			1991~1995年			1996~2001年		
	Q (m³/s)	S (kg/m³)	S/Q (kg·s/m⁶)	Q (m³/s)	S (kg/m³)	S/Q (kg·s/m⁶)	Q (m³/s)	S (kg/m³)	S/Q (kg·s/m⁶)	Q (m³/s)	S (kg/m³)	S/Q (kg·s/m⁶)	Q (m³/s)	S (kg/m³)	S/Q (kg·s/m⁶)
11	1 104	12.8	0.011 6	1 066	8.34	0.007 8	737	8.10	0.011 0	702	13.6	0.019 4	461	12.0	0.026 0
12	650	11.7	0.018 0	639	8.19	0.012 8	548	9.22	0.016 8	682	16.5	0.024 2	491	14.9	0.030 3
1	599	11.5	0.019 3	600	7.68	0.012 8	652	9.52	0.014 6	574	12.0	0.020 9	397	12.5	0.031 4
2	778	10.5	0.013 5	823	8.34	0.010 1	715	9.25	0.012 9	775	12.6	0.016 3	565	12.0	0.021 2
3	995	10.6	0.010 7	941	8.35	0.008 9	981	9.12	0.009 3	1 161	14.6	0.012 5	876	15.2	0.017 4
4	947	8.43	0.008 9	1 040	6.99	0.006 7	1 063	8.80	0.008 3	934	9.04	0.009 7	789	9.92	0.012 6
5	655	6.67	0.010 2	726	10.7	0.014 7	642	10.7	0.016 7	396	9.72	0.024 5	342	22.3	0.065 2
6	362	10.2	0.028 2	780	14.2	0.018 2	743	20.5	0.027 6	574	39.2	0.068 2	342	18.6	0.054 4
7	1 416	87.5	0.061 8	1 998	23.9	0.012 0	1 458	55.2	0.037 9	837	65.2	0.077 9	707	95.5	0.135 1
8	2 189	71.5	0.032 7	2 607	37.9	0.014 6	1 730	53.2	0.030 8	1 629	74.0	0.045 4	1 024	75.2	0.073 4
9	2 449	28.4	0.011 6	2 905	26.0	0.008 9	1 554	21.3	0.013 7	1 240	41.9	0.033 8	788	17.5	0.022 2
10	1 937	17.5	0.009 0	2 670	14.5	0.005 4	886	11.9	0.013 4	656	11.9	0.018 1	624	13.5	0.021 6
非汛期	760	10.4	0.013 7	825	8.95	0.010 9	759	10.6	0.013 9	724	15.4	0.021 2	533	14.0	0.026 3
汛期	1 994	48.2	0.024 2	2 542	25.6	0.010 1	1 394	38.4	0.027 5	1 089	53.9	0.049 5	786	53.3	0.067 8

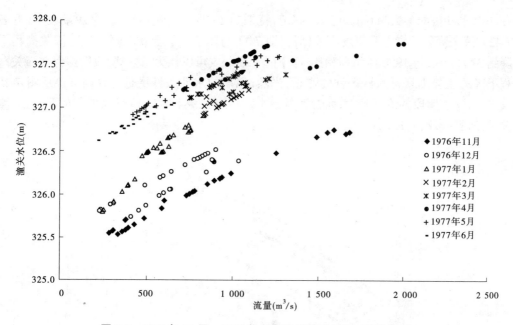

图 7-9　1976 年 11 月～1977 年 6 月潼关断面水位—流量关系

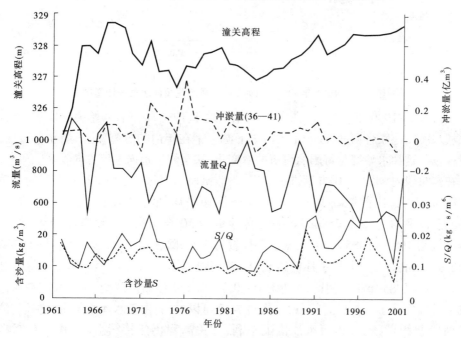

图 7-10　历年非汛期潼关断面 Q、S、S/Q、冲淤量及潼关高程过程线

　　(2)1981～1985 年。此时段内,在详细分析并且吸取 1974～1980 年水库运用经验的基础上,开始逐步改进水库运用方案,尽可能地降低非汛期水库水位,超过 320m 高程天数多年平均为 70 天。使淤积重心下移,控制潼关至垴垞河段淤积量由 1974～1980 年年均淤积量为 0.142 8 亿 m^3 下降到 0.045 亿 m^3。这对控制潼关高程上升非常重要。其次在本时段的非汛期水沙条件非常有利。非汛期多年平均流量为 825m^3/s,含沙量为 8.95

kg/m^3,水沙搭配参数为 0.010 9kg·s/m^6,特别是 11 月份的流量较大,含沙量较小(见表 7-42),潼关高程回淤上升幅度不大(对比图 7-11 与图 7-9)。至 1985 年汛前,潼关高程下降到 326.96m,与 1980 年汛前相比,净下降 0.86m。可以认为,这一阶段能够促使潼关高程下降的主要因素是水沙条件的作用,当然,汛期的水沙条件更是主导因素。从图 7-10 反映出,这一阶段的流量较大,而含沙量最小,而且在 1984 年及 1985 年两年的非汛期,潼关至坫垎河段略有冲刷。

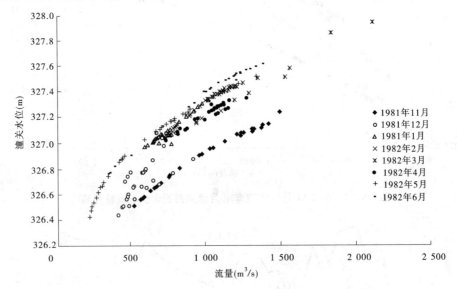

图 7-11 1981 年 11 月～1982 年 6 月潼关断面水位—流量关系

(3)1986～1990 年。黄河上游龙羊峡水电站于 1986 年汛后开始关闸蓄水,并且又与刘家峡水库实施联合调度,改变了黄河中下游水量在年内的分配,非汛期水量增加,汛期水量税减。这种水沙变化将影响河道冲淤变化,甚至使河道向萎缩方向发展。

在本时段内,水库运用方案进一步完善,非汛期水库水位超过 320m 高程的天数多年平均值为 67 天,比前期减少 3 天。多年非汛期平均径流量为 158.5 亿 m^3,输沙量为 1.678 亿 t,平均流量为 759m^3/s,平均含沙量为 10.6kg/m^3,水沙搭配参数为 0.013 9 kg·s/m^6。与 1981～1985 年相比,水沙条件较为不利,除 3、4 月份以外,水沙搭配参数均在 0.012 kg·s/m^6 以上,其中 6 月份达到 0.027 6kg·s/m^6。1990 年汛前潼关高程上升到 327.75m,与 1985 年汛前相比,净上升 0.79m。由于水沙条件改变,潼关高程在非汛期各月的上升幅度略小一些,见图 7-12。从图 7-10 可以看出,由于水库水位得到控制,潼关至坫垎河段淤积量减少,然而水沙搭配不利,潼关高程仍然持续上升,其上升率略小于 1974～1980 年。

(4)1991～1995 年。本时段的来水来沙条件进一步向不利方向发展,非汛期多年平均流量减少到 724m^3/s,而平均含沙量增加到 15.4kg/m^3,水沙搭配参数增加到 0.021 2kg·s/m^6(见表 7-42)。本时段水库水位超过 320m 高程的多年平均天数为 51 天,比前期减少 16 天。潼关至坫垎河段的淤积量年均值为 0.041 4 亿 m^3,然而上游来沙量超过本河段的输沙能力,促使潼关高程迅速上升(见图 7-10),由 1990 年汛前的 327.75m

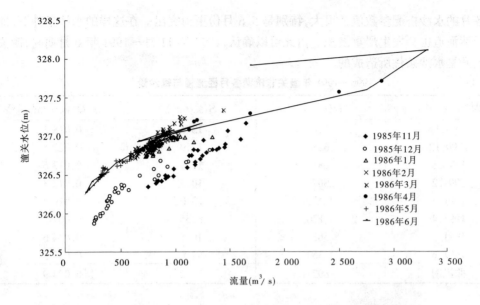

图 7-12 1985 年 11 月～1986 年 6 月潼关断面水位—流量关系

上升到 1995 年汛前的 328.12m。

在非汛期中,水库水位较长时间影响不到坫埝,因此坫埝以上河段淤积量很少,所以潼关至坫埝河段的冲淤变化应当属于天然河床演变。而这种演变主要是由上游来水来沙条件所决定的,水库对它的作用是次要的,所占比例很小。

图 7-13 所示是 1990 年 11 月～1991 年 6 月潼关断面非汛期各月的水位与流量关系。图中显示出,潼关高程($1\,000\text{m}^3/\text{s}$ 水位)是逐月上升的。其各月水沙量及水沙搭配参数见表 7-43。从表 7-43 中可以看出,只有 3、4 月份的水沙搭配参数在 $0.01\text{kg}\cdot\text{s}/\text{m}^6$ 左右,

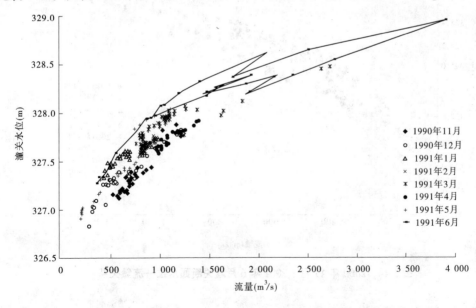

图 7-13 1990 年 11 月～1991 年 6 月潼关断面水位—流量关系

其余各月的水沙搭配参数值都很大,特别是 5、6 月份更为突出。在这样的水沙条件下,即使是天然河道也会发生严重淤积。由此可以确认,1990 年 11 月~1991 年 6 月期间,潼关高程上升是水沙条件所造成的。

表 7-43　　　　　　　　　1990~1991 年潼关非汛期各月径流量与输沙量

时期(年·月)	$Q(\text{m}^3/\text{s})$	$S(\text{kg/m}^3)$	$S/Q(\text{kg·s/m}^6)$
1990.11	742	13.5	0.018 2
1990.12	628	12.9	0.020 5
1991.1	681	12.0	0.017 6
1991.2	867	10.7	0.012 3
1991.3	1 220	13.0	0.010 7
1991.4	1 120	8.35	0.007 5
1991.5	563	19.5	0.034 6
1991.6	1 360	64.6	0.047 5
非汛期	892	22.2	0.024 9

(5)1996~2001 年。为了缓解潼关高程上升,于 1996 年汛期开始,对潼关河段实施清淤工作[1]。直至 2001 年汛后,本时段的来水来沙条件已经恶化,非汛期多年平均流量为 533m³/s,含沙量 14.0kg/m³,水沙搭配参数高达 0.026 4kg·s/m⁶,与前 4 个时段相比较,水沙条件是最不利的(见表 7-38)。从水库运用方面来看,水库水位年均超过 320m 高程的天数只有 46 天。是"蓄清排浑"运用以来各时段中最少的时期。潼关坽垮河段的年均淤积量为 0.045 5 亿 m³。非汛期各月潼关高程几乎是等速上升,见图 7-14 ,整个非汛

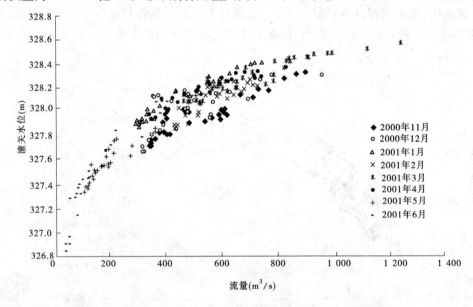

图 7-14　2000 年 11 月~2001 年 6 月潼关断面水位—流量关系

---

❶ 黄河水利科学研究院"九五"国家重点科技攻关项目.潼关河段清淤关键技术研究.2001 年 10 月

期上升幅度不大。从上述各方面分析,这一时期潼关高程上升,应当是属于自然状态下的河床演变。图 7-10 中显示出,在本时段潼关高程上升率较小,由 1995 年汛前的 328.12m 上升到 2001 年汛前的 328.48m。似乎并非水沙条件不利,否则为什么上升速度如此之慢?我们认为,自 1996 年起,在潼关河段实施清淤工程,这对抑制潼关高程有一定作用。1996～2001 年潼关高程上升率比前期上升率小得多。

(二)桃汛对潼关高程的作用

黄河的宁夏至内蒙古河段,在冬季结冰,初春解冻形成桃汛洪水。桃汛受气温的影响,一般出现在每年 3 月中下旬至 4 月中旬期间,历时 10 天左右,洪水量约 11 亿 m^3,平均流量为 1 000～1 600m^3/s。三门峡水库自 1974 年"蓄清排浑"运用以来,历年桃汛期的水沙特征值如表 7-44 所示。

表 7-44　　　　历年桃汛期潼关站流量、含沙量及潼关高程升降值

年份	Q (m^3/s)	S (kg/m^3)	S/Q (kg·s/m^6)	γ' (t/m^3)	J (‰)	$\gamma'QJ$ (10^{-3}t/s)	ΔH (m)	$H_史$>320m 天数(天)	$H_史$ (m)
1974	1 523	15.9	0.010 4	1.009 9	0.19	292	−0.24	10	322.24
1975	1 441	20.2	0.014 0	1.012 6	0.21	306	−0.06	10	321.54
1976	1 261	8.5	0.006 7	1.005 3	0.21	266	−0.09	6	320.81
1977	1 411	9.5	0.006 7	1.005 9	0.14	199	0.12	15	324.18
1978	1 229	15.5	0.012 6	1.009 6	0.14	174	−0.01	12	323.71
1979	1 380	11.2	0.008 1	1.007 0	0.16	222	−0.02	7	323.13
1980	1 371	12.5	0.009 1	1.007 8	0.16	221	0.00	7	321.48
1981	1 340	16.7	0.012 5	1.010 4	0.18	244	−0.10	5	321.16
1982	1 449	14.0	0.009 7	1.008 7	0.19	278	−0.10	10	321.93
1983	1 402	11.2	0.008 0	1.007 0	0.19	268	−0.18	12	320.29
1984	1 456	10.7	0.007 3	1.006 7	0.16	235	0.03	5	321.36
1985	1 241	8.8	0.007 1	1.005 5	0.19	237	−0.10	0	318.65
1986	1 510	10.1	0.006 7	1.006 3	0.20	304	−0.18	0	319.05
1987	1 024	9.14	0.008 9	1.005 7	0.18	185	0.02	9	322.68
1988	1 380	13.8	0.010 0	1.008 6	0.16	223	0.01	12	322.68
1989	1 553	12.4	0.008 0	1.007 7	0.17	266	−0.12	7	322.73
1990	1 718	13.0	0.007 3	1.008 1	0.19	329	−0.14	5	320.54
1991	1 771	17.8	0.010 1	1.011 1	0.19	340	−0.30	3	318.90
1992	1 288	16.5	0.012 8	1.010 3	0.15	195	−0.03	15	322.73
1993	1 841	20.2	0.010 9	1.012 6	0.20	373	−0.24	5	319.26
1994	1 471	13.6	0.009 2	1.008 5	0.21	312	−0.24	5	318.49
1995	1 496	17.5	0.011 7	1.010 9	0.22	333	−0.06	3	317.33
1996	1 577	21.7	0.013 8	1.013 5	0.23	368	−0.44	4	319.17
1997	1 584	21.1	0.013 3	1.013 1	0.21	337	−0.24	6	320.15
1998	1 593	28.3	0.014 8	1.017 6	0.21	340	−0.33	5	320.16
1999	1 197	18.9	0.015 8	1.011 8	0.21	254	0.01	0	318.89

根据表 7-44 可点绘成图 7-15。从表 7-44 中可以看出,受非汛期坝前水位高低的作用,对潼关高程升降有一定影响。图 7-16 所示是用桃汛洪峰流量点绘与潼关高程升降值的关系,并用坝前水位作参数。从图中可以清楚地看出,在相同流量的条件下,坝前水位越低,潼关高程下降幅度越大,反之则小;在坝前水位相同的条件下,流量越大,潼关高程下降幅度越大,反之则小。由于大部分非汛期含沙量很小,水沙搭配参数值很小,因而可以不考虑含沙量对潼关高程升降的的作用。

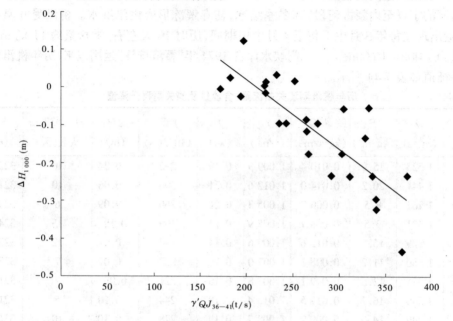

图 7-15　桃汛期潼关站 $\Delta H_{1\,000} \sim \gamma' QJ_{36-41}$ 关系

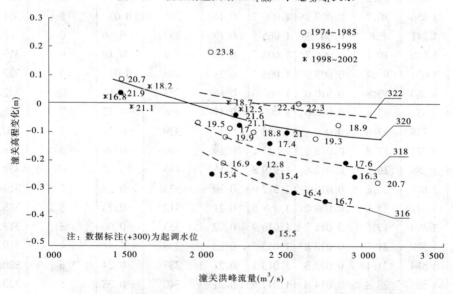

图 7-16　桃汛期潼关高程变化与洪峰流量和起调水位关系

(三)汛期水沙条件对潼关高程的作用

自1974年以后,三门峡水库改为"蓄清排浑"或调水调沙运用以来,汛期坝前水位一般都控制在305m高程左右。一般来讲,7、8月份为主汛期,历年较大洪水均发生在这两月内,同时又是多泥沙水流,也可以说是黄河流域水土侵蚀最严重的时期。为此,在本时段内,水库水位较低,一方面是为了排沙(除洪水自身挟带的泥沙以外,还要将上一年非汛期淤积下来的泥沙冲刷起来排出库外)恢复部分河槽库容;另一方面是为了防洪的需要,预留库容迎接较大洪水,减轻黄河下游防洪压力。表7-45是三门峡水库历年汛期水库水位特征值。

表7-45   三门峡水库历年汛期水库水位特征值

年份	水库水位(m)		年份	水库水位(m)	
	平均	最高		平均	最高
1974	303.58	308.30	1988	302.30	308.90
1975	304.77	318.47	1989	304.21	310.75
1976	306.74	317.97	1990	301.60	308.44
1977	305.53	317.17	1991	302.06	305.85
1978	305.87	311.21	1992	302.73	311.93
1979	304.59	312.20	1993	303.37	310.82
1980	301.87	311.22	1994	306.63	318.29
1981	304.85	310.38	1995	303.75	311.56
1982	303.39	309.92	1996	303.37	306.88
1983	304.64	310.74	1997	303.56	306.86
1984	304.16	315.02	1998	303.60	308.67
1985	304.08	314.73	1999	306.04	318.22
1986	302.44	313.15	2000	305.40	314.74
1987	303.13	309.55	2001	304.45	313.45

从汛期水库运用来看,对潼关高程影响甚小。因此,对潼关高程起决定性作用的是上游来水来沙条件。

汛期水沙过程又可以分为洪水期和非洪水期(平水期)。就一般情况而言,洪水期流量大,富余输沙能力较强,对潼关河床起冲刷下降作用。洪水过后的平水期有回淤现象,潼关河床淤积上升,见表7-46。

表7-46   潼关汛期洪峰特征值及潼关高程变化

年份	历时(天)	洪峰流量(m³/s)	平均流量(m³/s)	含沙量(kg/m³)	潼关高程升降值(m)		
					洪水期	平水期	汛期
1974	30	7 040	1 854	79.0	-1.13	0.64	-0.49
1975	112	5 910	3 127	34.4	-0.73	-0.46	-1.19
1976	72	9 220	3 862	32.1	-0.75	0.16	-0.59
1977	30	15 400	2 768	242.7	-1.77	1.19	-0.58
1978	88	7 300	2 501	59.7	-0.11	-0.10	-0.21
1979	55	11 100	2 828	57.5	0.11	-0.25	-0.14

年份	历时 (天)	洪峰流量 (m³/s)	平均流量 (m³/s)	含沙量 (kg/m³)	潼关高程升降值(m)		
					洪水期	平水期	汛期
1980	65	3 180	1 574	41.9	−0.52	0.08	−0.44
1981	98	6 540	3 545	32.6	−1.01	0.0	−1.01
1982	83	4 760	2 041	26.9	−0.23	−0.15	−0.38
1983	97	6 200	3 295	19.6	−0.76	−0.06	−0.82
1984	94	6 430	3 002	27.3	−0.27	−0.16	−0.43
1985	87	4 990	2 665	32.0	−0.14	−0.18	−0.32
1986	23	3 940	2 469	24.5	−0.65	0.75	0.10
1987	11	5 450	1 585	63.4	−0.04	−0.10	−0.14
1988	42	8 260	2 725	106.9	−0.17	−0.12	−0.29
1989	69	7 280	2 660	35.6	−0.77	0.51	−0.26
1990	33	4 430	1 811	49.0	−0.08	−0.07	−0.15
1991	11	3 310	1 283	68.1	0.16	−0.28	−0.12
1992	53	4 040	1 938	82.3	−1.18	0.08	−1.1
1993	48	4 440	1 967	37.4	−0.19	0.19	0.0
1994	29	7 360	2 166	146.7	−0.55	0.29	−0.26
1995	34	4 160	1 546	99.4	−0.22	0.38	0.16
1996	28	7 400	2 048	135.3	−0.33	−0.02	−0.35
1997	7	4 700	1 712	275.4	−1.76	1.41	−0.35
1998	24	6 500	1 898	85.2	−0.39	0.27	−0.12
1999	23	2 950	1 504	95.8	−0.47	0.16	−0.31
2000	9	2 270	1 413	27.4	−0.15	0.0	−0.15
1974~1985	75.9	7 339	2 849	42.0	−0.61	0.06	−0.55
1986~1995	35.3	5 267	2 149	68.0	−0.37	0.16	−0.21
1996~2000	18.2	4 764	1 782	114.7	−0.62	0.36	−0.26

潼关断面上游附近有黄河干流及其支流渭河汇入。由于黄河干流与支流渭河的水沙特性不同,对潼关河床的作用也不尽相同。渭河的洪水若是来自其支流的泾河,则经常发生高含沙洪水。高含沙洪水在某一平均流量级以上时,渭河下游河道会发生长距离冲刷。若小于某一平均流量级以下时,又会出现较长河段的淤积。这里选用临潼水文站与华阴水文站的实测资料,求得排沙比,临潼站与华阴站两水文站相距145km。用华阴站输沙量与临潼站输沙量 $W_{临}$ 之比值($W_{华}/W_{临}$)与临潼站洪水平均流量 $\overline{Q}_{临}$ 建立关系,如图7-17所示。从图7-17中可以看出,当洪水平均流量在500m³/s左右时,临潼至华阴河道排沙比接近于100%;当平均流量小于500m³/s时,排沙比小于100%,河道将发生淤积;当平均流量大于500m³/s时,排沙比大于100%,河道将发生冲刷。

黄河高含沙洪水多来自黄河北干流吴堡以下地区,当边界条件具备时,小北干流发生强烈冲刷,俗称"揭河底"。小北干流揭河底强烈冲刷的过程从河道平面图中可以看出,它是重新再造床过程,见图7-18。高含沙水流通过揭河底冲刷已脱离原河道主槽,另外冲刷出新的主槽。根据几次揭河底过程中沿程水位站资料分析得知,上源头水位站(距龙门水文站114km)的同流量水位,在揭底冲刷后的水位高于揭底前的水位。这说明,揭底冲刷最长的距离没有达到上源头。由此可以认为,黄河高含沙洪水发生揭底冲刷过程,对潼

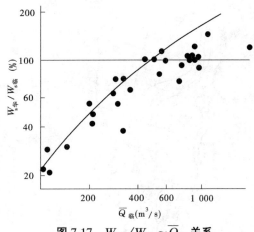

图 7-17　$W_{s华}/W_{s临} \sim \overline{Q}_{临}$ 关系

关河床高程没有起冲刷作用。由于冲起大量泥沙,而且冲起的泥沙组成较粗,潼关断面附近上游的干流河段比降变缓,引起水流输沙达到超饱和状态,至潼关附近反而发生淤积。

1.渭河水沙条件对潼关高程的作用

渭河洪水可分为多沙洪水、高含沙洪水和一般洪水3种情况。

1)多沙洪水对潼关高程的作用

所谓多沙洪水是指渭河洪水的水沙搭配参数 S/Q 大于 $0.10 kg \cdot s/m^6$ 的洪水,同时洪水平均流量不超过 $500 m^3/s$。这一类洪水不仅在渭河下游发生淤积,而且淤积体可以延伸到潼关断面以下,进而引起潼关河床上升,见图7-19。由于资料不多,还难以找出较好的相关关系。图7-19中纵坐标 ΔH_{1000} 代表潼关断面(六)$1000 m^3/s$ 水位升降值;横坐标中 γ' 为该次潼关洪水的密度(t/m^3),$\overline{Q}$ 为该次洪水潼关站平均流量(m^3/s),J_{36-41} 为该次洪水潼关至坩埚平均水面比降(‰),$\gamma'QJ$ 为该次洪水水流功率(t/s)(以下同)。

2)高含沙洪水对潼关高程的作用

有关高含沙洪水的定义在前面已经论述。根据定义,将华县水文站洪水平均含沙量超过 $250 kg/m^3$,$d < 0.01 mm$ 含沙量大于 $70 kg/m^3$ 时,定为高含沙洪水。采用 $\Delta H_{1000} \sim \gamma' QJ_{36-41}$ 的相关概念,点绘成图7-20。从图中可以看出,渭河高含沙洪水对潼关河床高程的冲刷下降起很大作用,ΔH_{1000} 随着 $\gamma'QJ_{36-41}$ 的增大成反比,ΔH_{1000} 最大值可达到 $2.61 m$。

3)一般洪水对潼关高程的作用

所谓一般洪水是指渭河洪水水沙搭配参数 S/Q 值小于 $0.10 kg \cdot s/m^6$ 的洪水。由于 S/Q 值相差较大,最小时仅为 $0.005 kg \cdot s/m^6$,最大值可接近 $0.10 kg \cdot s/m^6$。限于场次洪水不多,还不能对 S/Q 值进行分级处理。然而在一般洪水情况下,潼关高程升降值 ΔH_{1000} 仍然与水流功率 $\gamma'QJ_{36-41}$ 有一定相关关系,见图7-21。这一部分洪水,对潼关高程的作用也比较明显,多数场次洪水对潼关高程的作用在 $-0.10 \sim -0.40 m$ 范围。

2.黄河洪水对潼关高程的作用

黄河小北干流是非常典型的游荡性河流(见图7-18),河道长 $132.5 km$,平均宽度约 $8.9 km$,最大宽度约 $19 km$,最窄处也有 $3.5 km$。河道常年游荡不止,故有"三十年河东,三

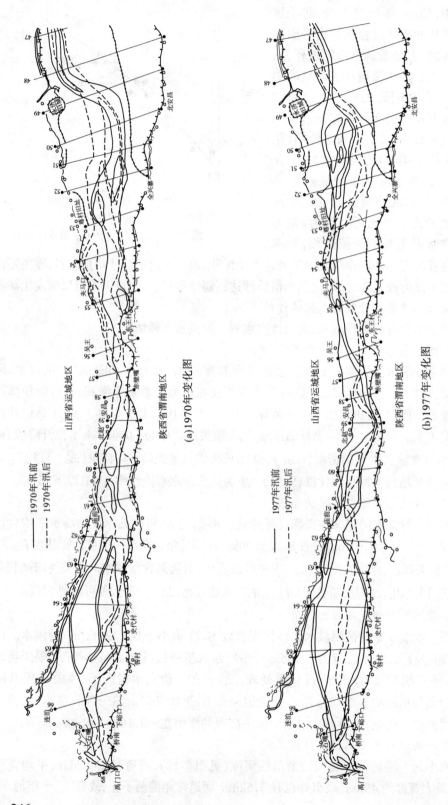

图 7-18 黄河禹门口—潼关段河势变化

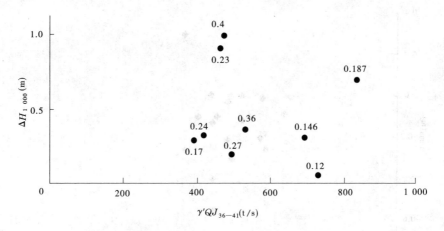

图 7-19　渭河为主 $S/Q>0.10\text{kg}\cdot\text{s}/\text{m}^6$ 洪水 $\gamma'QJ\sim\Delta H_{1\,000}$ 关系

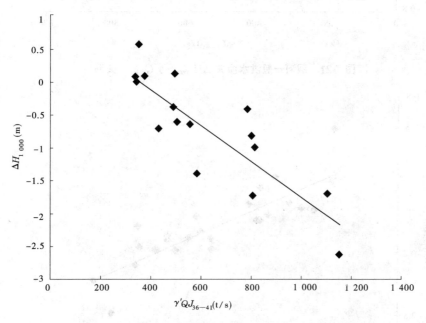

图 7-20　渭河高含沙洪水潼关 $\Delta H_{1\,000}\sim\gamma'QJ_{36-41}$ 关系

十年河西"之说。由于河道宽浅对洪水的削峰作用异常显著(见表 7-2)。2003 年 7 月 30 日龙门水文站最大流量 7 230m³/s,相应水位 386.31m,洪水传递到潼关水文站时,最大流量为 2 150m³/s,削峰率达到 70%。在洪水削峰的同时,有大量泥沙落淤在河床之上,削峰与滞沙同步出现。

黄河上游地区,在 9、10 月份一般会出现两次较大范围的降雨,常常出现峰低量大的洪水,进入黄河北干流以后,恰值黄河中游少雨,因而含沙量较低,水流呈不饱和输沙状态。河出禹门口以后,虽然冲起部分泥沙,仍然有部分洪水的水沙搭配参数值不大。而 7、8 月份洪水水沙搭配参数值较大(不包括高含沙水流)。前者对潼关高程起冲刷作用,后者起淤积作用。见图 7-22。

从图 7-22 中可以看出,潼关高程升降值 $\Delta H_{1\,000}$ 与水流功率有较好的关系。

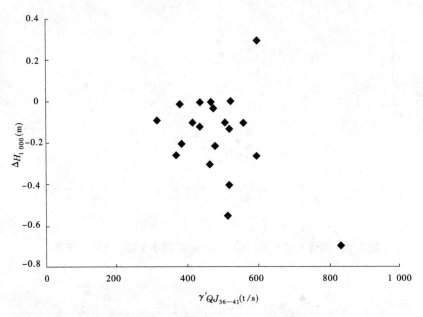

图 7-21　渭河一般洪水潼关 $\Delta H_{1\,000} \sim \gamma' QJ_{36-41}$ 关系

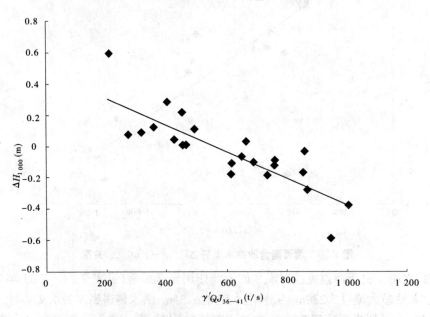

图 7-22　龙门为主洪水 $\Delta H_{1\,000} \sim \gamma' QJ_{36-41}$ 关系

3.汛期水流功率与潼关高程

黄河及渭河的不同类型洪水对潼关高程的作用已如上述所分析。然而从预估今后可能发生的趋势来看,用全汛期的数据进行预估是比较适用的。为此,我们采用潼关断面全汛期的水沙特征值对潼关高程的作用进行分析。这里仍然采用水流功率 $\gamma' QJ_{36-41}$ 与潼关高程升降值 $\Delta H_{1\,000}$ 进行相关。将 28 年的资料分为 3 类:第一类是潼关汛期水沙搭配参数 $S/Q \leqslant 0.03 \mathrm{kg} \cdot \mathrm{s/m^6}$;第二类是水沙搭配参数 $S/Q > 0.03 \mathrm{kg} \cdot \mathrm{s/m^6}$;第三类是通过清淤工程试验。见表 7-47。根据表 7-47，按分类原则可以点绘成图 7-23、图 7-24 及图 7-25。

表 7-47　　　　　　　　　汛期潼关高程升降值、水沙因子和水流功率

年份	W (亿 m³)	W_s (亿 t)	Q (m³/s)	S (kg/m³)	S/Q (kg·s/m⁶)	J_{36-41} (‰)	$\gamma'QJ$ (t/s)	$\Delta H_{1\,000}$ (m)
1974	121.8	5.52	1 146	45.3	0.039 5	0.267 3	315	−0.49
1975	302.2	10.3	2 844	34.1	0.012 0	0.246 0	714	−1.19
1976	319.2	8.45	3 004	26.5	0.008 8	0.217	662	−0.59
1977	167.0	20.65	1 571	123.7	0.078 7	0.232	392	−0.58
1978	223.1	12.37	2 099	55.4	0.026 4	0.224	487	−0.21
1979	217.1	9.59	2 043	44.2	0.021 6	0.213	447	−0.14
1980	134.0	4.66	1 261	34.8	0.027 6	0.201	259	−0.44
1981	338.8	10.56	3 188	31.2	0.009 8	0.204	663	−1.01
1982	183.7	4.33	1 729	23.6	0.013 6	0.215	377	−0.38
1983	313.6	5.86	2 951	18.9	0.006 4	0.189	564	−0.82
1984	281.9	7.00	2 653	24.8	0.009 3	0.188	507	−0.43
1985	233.1	6.88	2 193	29.5	0.013 5	0.194	433	−0.32
1986	134.3	2.11	1 264	15.7	0.012 4	0.202	258	0.10
1987	75.4	2.08	710	27.6	0.038 9	0.191	138	−0.14
1988	186.6	12.47	1 756	66.8	0.038 0	0.203	371	−0.29
1989	205.0	6.59	1 929	32.1	0.016 6	0.202	397	−0.26
1990	139.6	5.50	1 314	39.4	0.029 98	0.197	265	−0.15
1991	61.1	1.99	574	32.7	0.056 9	0.203	119	−0.12
1992	131.0	8.05	1 233	57.7	0.046 8	0.204	261	−1.10
1993	139.6	4.08	1 314	29.2	0.022 2	0.205	274	0.0
1994	133.4	10.30	1 255	77.2	0.061 5	0.204	268	−0.26
1995	113.8	6.79	1 071	59.7	0.055 7	0.213	237	0.16
1996	127.8	9.62	1 203	75.3	0.062 6	0.213	268	−0.35
1997	55.7	4.11	524	73.8	0.140 8	0.198	108	−0.35
1998	86.4	4.26	813	49.3	0.060 6	0.213	178	−0.12
1999	97.0	3.73	913	38.5	0.042 2	0.200	187	−0.31
2000	73.1	1.97	688	26.9	0.039 1	0.195	136	−0.15
2001	61.1	2.71	575	44.4	0.077 2	0.194	115	−0.33

从图 7-23 可以看出，汛期潼关断面（六）的升降值 $\Delta H_{1\,000}$ 在水沙搭配参数小于 0.03 kg·s/m⁶ 的条件下，与水流功率 $\gamma'QJ_{36-41}$ 的关系是比较好的。即水流功率越大，潼关高程下降值也越大，反之则小。当潼关断面水沙搭配参数大于 0.03kg·s/m⁶ 时的点据中，有渭河高含沙大洪水起作用，如 1977、1988、1992 年。另外，1995 年汛期渭河发生 5 场高含沙小洪水，造成渭河下游河道发生严重淤积，渭淤 26 断面以下共淤积 0.780 1 亿

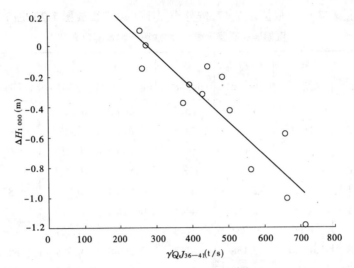

图 7-23　汛期潼关 $\Delta H_{1\,000} \sim \gamma' Q J_{36-41}$ **关系** $\left(\left(\dfrac{S}{Q} \right)_{潼} < 0.03 \text{kg·s/m}^6 \right)$

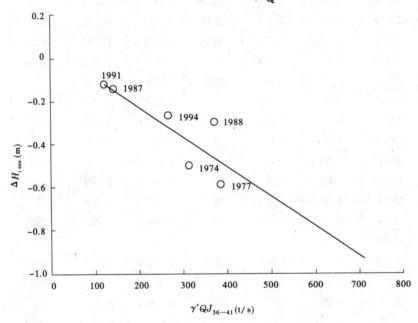

图 7-24　汛期潼关 $\Delta H_{1\,000} \sim \gamma' Q J_{36-41}$ **关系** $\left(\left(\dfrac{S}{Q} \right)_{潼} > 0.03 \text{kg·s/m}^6 \right)$

m^3,其中渭淤 10 断面以下淤积 0.346 4 亿 m^3。同期黄河干流水量较枯,汛期水量只有 101.5 亿 m^3,而沙量相对较大,为 6.26 亿 t。因此,在渭河淤积向下延伸影响潼关高程上升,黄河水沙条件又不利的情况下,共同引起潼关高程在汛期上升 0.16m。图 7-25 所示为潼关河段实施清淤工程试验的点据。对比图 7-23 及图 7-25 可以看出,尽管清淤年份的汛期水沙搭配参数均大于 0.03kg·s/m^6,但是在相同的水流功率条件下,清淤措施促使潼关高程下降值 $\Delta H_{1\,000}$ 大于不清淤年份的 $\Delta H_{1\,000}$($S/Q < 0.03$kg·s/m^6)。由此可以认为,至少在定性方面实施清淤工程是有效的。

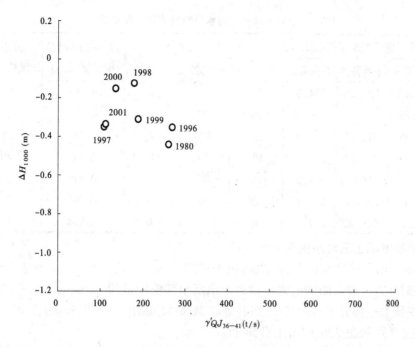

图 7-25 汛期潼关 $\Delta H_{1\,000} \sim \gamma' QJ_{36-41}$ 关系(实施清淤工程)

图 7-23 可以写出经验关系式为：$\Delta H_{1\,000} = 0.632\,1 - 0.002\,3\gamma'QJ$。相关系数为 0.894，图 7-24 可以写出经验关系式：

$$\Delta H_{1\,000} = 0.045\,2 - 0.001\,3\gamma'QJ$$

二、水库运用对潼关高程的作用

三门峡水库建成以后，到 1970 年汛前，由于库区发生了严重淤积，尤其是潼关以下库区淤积量高达 31.23 亿 m³，造成潼关高程上升约 5.0m。1974 年"蓄清排浑"运用以后（1973 年 12 月 26 日开始关闸蓄水），水库运用年内的库水位变化是，非汛期蓄水，汛期径流发电和排沙（见图 7-8），汛期水位一般不超过 310m。因此，非汛期水库水位是影响潼关高程上升的主要因素。

非汛期水库水位对潼关断面的影响表现在两个方面，一是库水位直接影响，二是蓄水期淤积上延对潼关高程的作用。

(一)运用年最高水位直接影响潼关高程

1974～1980 年非汛期最高水位均超过 324.0m。尤其是春灌蓄水期间，水库水位较长时期超过 320m，大量泥沙淤积在坩埚（黄淤 36 断面）以上，势必引起潼关高程上升。表 7-48 所示为 1974～1980 年非汛期各时段水库水位特征值以及库水位超过 320m 的天数及同期潼关断面输沙量。

从表 7-48 中可以看出，春灌蓄水期平均水位多数年份均超过 320.0m，超过 324m 高程的天数最多达到 77 天。从一般常识可以知道，坝前水位达到某一高程时，该水位并不是呈水平线平交于某一断面，而是呈下凹形回水曲线向上游延伸若干距离与上游某一断面水面相切。因此，库水位超过 324m 时，其回水末端已经影响到潼关断面。

表 7-48　　　　　　1974～1980 年非汛期库水位特征值及入库沙量

年份	非汛期平均库水位(m)			各级水位天数(d)			$H>320m$ 时段输沙量(亿 t)	占非汛期沙量百分比(%)
	凌前蓄水	防凌蓄水	春灌蓄水	$H>320m$	$H>322m$	$H>324m$		
1974	311.05	317.03	214.24	72	61	0	1.062	52.6
1975	320.06	—	319.48	74	32	17	0.575	27.5
1976	317.98	312.77	320.16	118	108	77	0.453	21.1
1977	317.23	321.13	322.40	101	59	12	0.695	49.6
1978	320.09	316.83	321.51	132	105	44	0.539	44.5
1979	321.07	320.10	322.79	100	51	0	0.786	57.0
1980	317.17	315.90	321.44	94	55	0	0.534	39.3

（二）泥沙淤积上延对潼关高程的作用

表 7-48 中给出了库水位超过 320m 时段的进入潼关断面的输沙量。从表 7-48 中可以看到,该时段进入潼关断面的输沙量占非汛期全部输沙量的 21%～57%,平均值达到40%。其中很大一部分泥沙落淤在坩埪(黄淤 36 断面)以上,其淤积末端上延到潼关断面以上,促使潼关高程由 326.64m 上升到 327.38m。

1980 年以后,吸取水库运用不当的经验,进一步完善了水库运用方案。特别是控制春灌蓄水期的蓄水位以及减少 320m 高程以上的蓄水天数。1981～1985 年,潼关高程得到控制,至 1985 年汛后下降到 326.64m。

1986 年以后,随着进库水沙条件不利甚至恶化,水库运用方案也在不断改善(见表7-34、表 7-41),然而水库运用方案的不断完善仍然跟不上水沙条件恶化发展的趋势。潼关高程间断上升,至 2000 年汛后上升到 328.33m。

另外,1996 年以后情况分析,每年非汛期的 11 月份和 5 月份,进库沙量较大,水沙搭配参数大,容易发生淤积。因此,在这两个月份,水库水位应当下降到 315m 高程以下较为适宜。

三、潼关断面上下游冲淤对潼关高程的作用

任何一河段,它的冲淤变化都不是孤立的,除了流域来水来沙条件之外,又与上下游相邻河段的演变息息相关。这是因为河床演变的过程受制于上游来水来沙条件及人类活动对河道边界的作用,河床自身随着客观因素的变化而自动调整,调整的过程就是逐渐适应客观条件的过程,而任何一段河床调整又与相邻上下淤积河床调整是分不开的。

潼关河床高程的升降也是不断地适应客观条件而不断改变的结果。除了受水沙条件的作用外,又受到相邻上下游河段冲淤变化的作用。

相邻河段冲淤变化,在不受水库水位影响的前提下,又是河道水流输沙能力与上游来水不相适应的反映或表现。

这里主要考虑了潼关以上河段黄淤 41 断面(潼关)至黄淤 45 断面(上源头),以及潼关以下河段黄淤 41 断面至黄淤 36 断面(坩埪),两段河道冲淤变化对潼关高程的作用。采用 1973 年汛后大断面测量的淤积量 ΔW_s(亿 m³),进行累加后与潼关断面(六)1 000

m^3/s 水位建立相关关系。

图 7-26 所示为黄淤 41—45 断面自 1973 年 10 月起累积淤积量 $\sum \Delta W_{s\,41-45}$ 与历年汛末潼关断面（六）$H_{1\,000}$ 之相关关系。其经验式为

$$H_{1\,000} = 3.11 \sum \Delta W_{s41-45} + 327.0 \text{m} \tag{7-1}$$

$$R = 0.93$$

式中，$H_{1\,000}$ 单位为 m，$\sum \Delta W_{s41-45}$ 单位为亿 m^3。

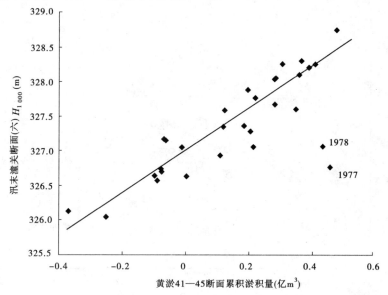

图 7-26 $H_{1\,000} \sim \sum \Delta W_{s41-45}$ **相关关系**

采用同样方法，建立了黄淤 36—41 断面的累积淤积量与历年汛末潼关断面（六）$H_{1\,000}$ 之关系，如图 7-27 所示。

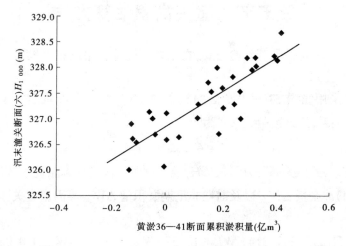

图 7-27 $H_{1\,000} \sim \sum \Delta W_{s36-41}$ **相关关系**

图 7-27 的经验式为

$$H_{1\,000} = 3.516 \sum \Delta W_{s36-41} + 326.91 \qquad (7\text{-}2)$$

$$R = 0.713$$

如果采用历年汛期和非汛期冲淤量(亿 m³)之和与之相应的潼关高程升降值(m)点绘相关关系,其相关程度也比较好见图7-28。

从图7-26、图7-27中可以清楚地看出,潼关断面相邻上下游河段对潼关高程的升降作用非常显著。

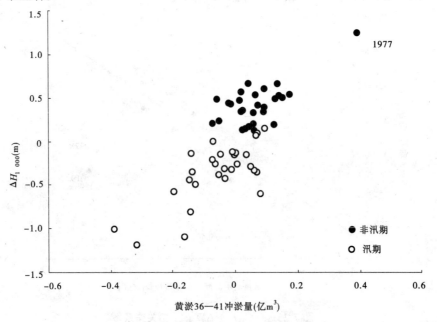

图 7-28 $H_{1\,000} \sim \sum \Delta W_{s36-41}$ **相关关系**

第五节 潼关高程估算方法

有关潼关高程升降的估算经验公式,在很多研究论文中已相继发表。这里给出几种有代表性的经验公式。

(1)孙绵惠采用黄淤 31—41 断面的淤积量 ΔW_s 与潼关断面(六)1 000m³/s 水位 $H_{1\,000}$ 建立相关关系,给出经验关系式为[8]

$$H_{1\,000} = 4.28 \Delta W_s + 326.63 \qquad (7\text{-}3)$$

(2)侯素珍认为,潼关高程升降值 $\Delta H_{1\,000}$ 与潼关河段的水流能量 $\gamma' WJ$、潼关河段(黄淤 36—41 断面)冲淤量 $\Delta W_{s汛}$ 以及前期非汛期淤积量 $\Delta W_{s非}$ 等因素有关。从而得出经验公式❶

$$\Delta H_{1\,000} = -7.314 \gamma' WJ + 1.657 \Delta W_{s汛} - 0.267 \Delta W_{s非} + 0.051 \qquad (7\text{-}4)$$

---

❶ 黄河水利科学研究院."九五"国家重点科技攻关项目第 928 次潼关河段清淤关键技术研究.2001 年 10 月

式中：W 为汛期水量，亿 m^3；J 为黄淤 31—41 断面平均水面比降，‰。

（相关系数 $R=0.81$）

（3）本书作者在研究潼关河床演变问题时，通过资料分析，将汛期影响潼关高程的因素分别归类[9]。

①以渭河来水为主组成的潼关断面洪水，渭河华县站洪峰平均流量大于 $500m^3/s$ 以上时对潼关高程的作用，其经验关系式为

$$\Delta H_{1\,000} = -0.1 - 0.006\,67\,\gamma' WJ \tag{7-5}$$

②以黄河干流为主组成的潼关断面洪水，其中华县站平均流量小于 $200m^3/s$ 时对潼关高程的作用，其经验公式为

$$\Delta H_{1\,000} = 0.23 - 0.006\,6\gamma' WJ \tag{7-6}$$

③以黄河干流为主组成的潼关断面洪水，其中华县站平均流量在 $200\sim500m^3/s$ 之间时对潼关高程的作用，其经验关系式为

$$\Delta H_{1\,000} = 0.45 - 0.007\,5\gamma' WJ \tag{7-7}$$

④以黄河干流为主组成的潼关断面洪水，其中华县站平均流量大于 $500m^3/s$ 时对潼关高程的作用，其经验关系式为

$$\Delta H_{1\,000} = 0.55 - 0.007\,6\gamma' WJ \tag{7-8}$$

上述各关系式中：$\Delta H_{1\,000}$ 为潼关高程升降值，m；γ' 为浑水重度，t/m^3；W 为时段总水量，亿 m^3；J 为黄淤 $36\sim41$ 断面平均水面比降，‰。

非汛期处于水库蓄水运用时期。除了进入潼关断面的水沙条件以外，水库水位对潼关的作用也非常重要。因此，采用 H' 表示水库水位（$H' =$ 史家滩水位 $-310m$），用水流功率 $\gamma' QJ$ 表示对泥沙输送的能量，用 Q_s 表示进入潼关断面的沙量，它代表泥沙对潼关高程的负作用。由此组合成经验公式为

$$\Delta H_{1\,000} = 0.25\frac{Q_s H'}{\gamma' QJ^{1/2}} \tag{7-9}$$

潼关高程的演变是一个非常复杂的问题，其上升与下降也不是哪一个因素单独决定的，而且各独立因素之间又相互影响。因此，需要在分析各种作用因素的综合作用的同时，又要侧重各因素中起主要作用的变量。为此，我们对潼关断面以上的来水来沙条件进行分类，将黄河与渭河来水来沙进行分别处理。

一、桃汛关系式

依据表 7-44 的资料，点绘成图 7-15。用水流功率 $\gamma' QJ_{36-41}$ 与潼关高程升降值 $\Delta H_{1\,000}$ 建立经验关系式如下：

$$\Delta H_{1\,000} = -0.001\,9\gamma' QJ_{36-41} + 0.391\,3 \tag{7-10}$$

相关系数 $R=0.82$。

式中各符号的含义同前。

二、渭河洪水关系式

渭河洪水的水沙搭配参数 S/Q 小于 $0.1kg\cdot s/m^6$ 时，与潼关高程升降值 $\Delta H_{1\,000}$ 的经

验关系为

$$\Delta H_{1\,000} = -0.001\,48\gamma'QJ_{36-41} + 0.54 \tag{7-11}$$

渭河高含沙洪水与潼关高程升降值 $\Delta H_{1\,000}$ 的经验关系为(见图7-20)

$$\Delta H_{1\,000} = -0.002\,7\gamma'QJ_{36-41} + 0.987 \tag{7-12}$$

相关系数 $R = 0.851$。

三、黄河洪水关系式

以黄河龙门水文站发生的洪水为主时(见图7-22),其经验关系式为

$$\Delta H_{1\,000} = 0.000\,9\gamma'QJ_{36-41} + 0.498\,5 \tag{7-13}$$

相关系数 $R = 0.840$。

四、全汛期关系式

全汛期资料按潼关站的水沙搭配参数 S/Q 分为3组:一是 $S/Q \leqslant 0.03\text{kg}\cdot\text{s}/\text{m}^6$,二是 $S/Q > 0.03\text{kg}\cdot\text{s}/\text{m}^6$,三是潼关河段清淤作用。

(1) $(S/Q)_\text{潼} \leqslant 0.03\text{kg}\cdot\text{s}/\text{m}^6$ 组关系式为

$$\Delta H_{1\,000} = -0.002\,3\gamma'QJ_{36-41} + 0.632\,1 \tag{7-14}$$

相关系数 $R = 0.894$(见图7-23)。

(2) $(S/Q)_\text{潼} > 0.03\text{kg}\cdot\text{s}/\text{m}^6$ 组关系式,在本组资料中有两个特殊年份。其一为1995年,该年汛期出现5次高含沙小洪水,渭河临潼以下共淤积0.780 1亿 m^3,同期华县站输沙量为2.36亿 t。淤积量占来沙量近45%。其淤积体下延促使潼关高程上升。其二是1992年,该年渭河发生高含沙大洪水,潼关以下库区全程发生冲刷。因此,将1995年及1992年的点据舍去,建立相关关系式为

$$\Delta H_{1\,000} = -0.001\,88\gamma'QJ_{36-41} + 0.145 \tag{7-15}$$

相关系数 $R = 0.837$(见图7-24)。

(3)潼关河段清淤作用。图7-25是潼关河段清淤的6年资料,点据略微分散。如果与图7-23相比较,在相同的水流功率条件下,清淤年份的潼关高程下降值均大于不清淤的年份。

上述的经验关系均没有考虑潼关河段的冲淤变化。如前所述,潼关高程的升降不仅是水流功率的作用,同时与汛期黄淤36—41河段的冲淤量 $\Delta W_{s汛}$、非汛期淤积 $\Delta W_{s非}$、汛期水沙搭配参数 (S/Q) 均有关系。

在建立相关关系式时,将1996年以后实施清淤的点据包括在内,其相关经验式为

$$\Delta H_{1\,000} = -9.395\gamma'QJ_{36-41} + 1.689\Delta W_{s汛}$$
$$+ 0.068\Delta W_{s非} - 2.966(S/Q)_\text{潼} + 0.196 \tag{7-16}$$

相关系数 $R = 0.814$。

从式(7-16)中可以看出,潼关高程升降值 $\Delta H_{1\,000}$ 主要决定于水流能量的大小,其次是水沙搭配参数。

在建立式(7-16)时,不再划分是黄河或渭河来水为主,对渭河高含沙洪水也没有考

虑。见图 7-29。

将式(7-16)中右边第一项改为水流功率,则变换为

$$\Delta H_{1\,000} = -9.984\gamma'QJ_{36-41} + 1.689\Delta W_{s汛} + 0.068\Delta W_{s非}$$
$$-2.966(S/Q)_{潼} + 0.196$$

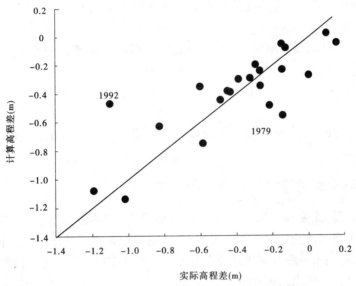

图 7-29　按式(7-16)计算与实测高程差对比

第六节　潼关高程上升成因的分割

如前所述,决定潼关高程上升的成因主要是三门峡水库壅水、进库的水沙条件变化以及在自然情况下淤积上升率。这三方面的因素对潼关高程上升所起的作用是多大,如果能分割开来,可以分别采取措施,以达到综合治理的目的,这对改善潼关高程非常必要。

为此,我们进行了摸索和探讨。

一、自然条件下潼关高程上升值的估算

三门峡水库修建之前,潼关河段处于自然条件下,潼关高程总趋势是上升的,多年平均上升率为 0.033m/a(参见第一节与第二节)。按这个上升率计算,1960 年三门峡开始运用至 1996 年总上升值约 1.19m。

二、水沙条件变化的作用

1986 年以后,黄河上游龙羊峡正式蓄水,刘家峡水库与它联合调度运用。汛期蓄水而非汛期补水,改变了径流量和输沙量在年内的分配。黄河上游地区(河口镇以上河段)工农业和城市用水量增加,支流上的水利水保工程发展迅速,使得进入黄河中游的径流量大减,尤其是汛期表现在洪峰次数减少,洪水水量下降。河口镇至龙门区间,虽然径流量

与输沙量均为减少,相对而言径流量比输沙量减少得多。原本上游来水量进入河口镇以后可稀释洪水含沙量。由于上游人类活动拦截了大量径流量,促使中游黄河干流含沙量增加,进入三门峡库区发生累积性淤积,从而引起潼关高程也随之上升。

1986年汛后至1996年汛前,三门峡水库在非汛期运用水位控制在322m以下,从资料分析得知,对潼关断面已基本上无影响。由于水沙搭配失衡,潼关至坩垲段累积淤积量达到0.426亿m³。

从图7-28中可以看出,潼关至坩垲淤积量($\Delta W_{s36—41}$)与潼关高程上升值(ΔH)有较好的相关关系,其经验公式为

$$\Delta H = 3.119\Delta W_{s36—41} + 0.015 \tag{7-17}$$
$$R = 0.774$$

按式(7-17)可计算出,水沙变化引起潼关河段累积淤积量为0.426亿m³,使潼关高程上升约1.34m。

三、三门峡水库对潼关高程的作用

三门峡建库前,潼关高程为323.5m。水库修建后至1996年汛前达到328.42m,净上升4.92m。其中有水沙变化引起上升值为1.34m;自然条件下约1.19m。扣除这两个因素的作用以后,三门峡水库对潼关高程上升的作用约2.39m。即在潼关高程上升值中,水库对潼关高程上升的作用约占48.6%。上述的估算只是用数字来作定性的分割。

参 考 文 献

[1] 陈霁巍,等.黄河治理与水资源开发利用.郑州:黄河水利出版社,1998
[2] 黄河小北干流山西河务局.山西黄河小北干流志.郑州:黄河水利出版社,2002
[3] 焦恩泽.黄河小北干流冲淤数量估算.人民黄河,1988(4)
[4] 焦恩泽.历史时期潼关高程演变分析.西北水电,1994(3)
[5] 陈永宗.人类活动在黄土高原土壤侵蚀的地位和作用.见:黄河流域环境演变与水沙运行规律研究文集(第一集).北京:地质出版社,1991
[6] 叶青超,等.黄河中游龙门至三门峡河道的冲淤特性与环境演变关系.见:黄河流域环境演变与水沙运行规律研究文集(第一集).北京:地质出版社,1991
[7] 缪凤举.等.揭河底冲刷现象机理探讨.人民黄河,1984(1)
[8] 孙绵惠.等.三门峡水利枢纽运用四十周年论文集.郑州:黄河水利出版社,2001
[9] 焦恩泽,等.潼关河床高程演变规律研究.泥沙研究,1996(3)
[10] 焦恩泽,张金良.三门峡水库建库前渭河下游淤积状况分析.人民黄河,2001(5)
[11] 涂启华,等.三门峡水库未来形势与任务展望.见:三门峡水利枢纽运用四十周年论文集.郑州:黄河水利出版社,2001

第三篇　水库异重流[1]

黄河流域地处黄土高原,黄河干流及其支流流经其上,流域侵蚀严重。进入河道的泥沙组成较细,$d \leqslant 0.01$mm 的沙重百分数一般在 25% 以上(见表 1-9),少数支流如黄甫川、窟野河泥沙组成较粗。在细颗粒泥沙占比例较多的河流上修建水库以后,非常容易产生异重流。对高含沙河流来讲,进库洪水几乎都可以产生高含沙异重流。

根据异重流的产生、运动规律和细颗粒泥沙沉降缓慢的特性,利用异重流将泥沙排出库外,可以减少水库淤积,延长水库寿命。因此,研究水库异重流问题是水利水电工程建设中的一项重要课题。

在这一篇里,从异重流的产生现象讲起,介绍异重流的物理概念、一般特性、基本规律和异重流排沙,最后再详细论述高含沙异重流问题。

异重流的现象在自然界中的很多情况下都存在,从现象上的描述到室内的试验研究、野外观测和分析、生产实践和估算均取得了不同程度的进展❶。

在我们日常生活中也可以感受到异重流的现象,例如,在冬季,打开温暖住房的窗户,室内的暖空气从窗户上部流出,室外的冷空气从窗户下部进入室内,人们很快会感觉到膝盖以下受凉而不舒服。

河水进入水库或湖泊以后,由于河水温度低,不与水库湖泊中的温度较高的水体掺混,潜入湖底部流动,形成一股潜流向前运动。火电厂或热电站在水库(河道)中取水作冷却水,退出来的热水放回水库(河道)以后,它在表面流动,形成上层异重流。所以火电厂的取水口位置一般设置较低,而排水孔的位置较高,否则将会影响冷却的效果。

在多沙河流上修建水库,当洪水进库以后,粗颗粒泥沙在回水末端范围,分选沉降淤积。一部分细颗粒泥沙在一定的含量条件下,形成异重流,潜入库底流到坝前并且可以排沙出库。

第八章　异重流基本概念与实例[1~4]

异重流这种现象,最早是一位瑞典科学家在莱茵河发现的。在 19 世纪末,他注意到莱茵河和罗恩河流进康斯坦湖和日内瓦湖以后,浑浊而又冰冷的河水,没有和温暖的湖水掺混而潜入湖底,自成一股潜流。在 20 世纪初期第一次世界大战以后,当时正在规划开发阿尔帕山区的水力资源,当地居民害怕阿尔帕山区冷水引进到天然湖以后降低水温,影响旅游业——不能游泳,从而减少收入。为了解决这个矛盾,曾经在水力实验室内利用盐水代替寒冷的浑浊河水进行水槽试验,观察到底层异重流运动情况。试验证明,异重流可

---

❶　焦恩泽.水库异重流问题研究与应用.见:西安西北勘测设计院.水电站泥沙研究班讲义.1986 年 9 月

以通过底孔排泄出去,而不至于影响湖水水温下降。

1935年美国米德湖蓄水后,水库底孔排出浑水。从此以后异重流排沙和运动引起了许多学者注意。20世纪40年代开始,美国分别在水利实验室和水库中进行试验与观测。近几十年来,有关异重流方面的研究论文逐渐增多,并有专著问世[1,4]。

异重流在干支流交汇处,由于干流和支流含沙浓度不同,也会产生河道型异重流。黄河与渭河汇流处,黄河来水含沙量低,相对较清,渭河高含沙洪水进入黄河后,形成水流密度差而潜入河底向前运动,不与黄河来水掺混[5]。

在入海河口的河段,河水密度比海水密度小,河水以扇状向海面扩散,而含盐的海水则沿河道底部向上游流动,形成盐水楔运动,这也是异重流。

在给水工程中的泥沙沉淀池,当河水含有一定数量的泥沙时,在某种水流条件下,也会出现异重流。

总之,研究异重流对经济建设具有重要意义。在水文学、河流工程学、河口学、气象学以及水利水电工程、石油化工等方面都会遇到异重流问题。

20世纪50年代初,我们国家开始对异重流问题进行了研究与试验,投入了大量人力和物力。

1953年汛期,官厅水库大坝已经修建到设计高程,上游发生含沙量很高的大洪水,洪峰流量达3 750m³/s,库区发生异重流并排沙出库。此后,官厅水库设置观测队伍,进行系统的观测试验,长达20多年。为黄河三门峡水利枢纽规划设计提供了科学依据,也为长江流域、辽河流域诸多水库的规划设计提供了宝贵资料。

20世纪50年代后期到60年代,兴建了三门峡、巴家嘴、汾河、红山、刘家峡等大型水库,都开展了异重流观测工作,积累了大量资料和研究论文多篇,为水库异重流观测、排沙减淤、水库运用与管理提出了重要依据。

在试验研究方面,中国水利水电科学研究院于1956年开始进行异重流研究,为三门峡水利枢纽规划设计提供了科学依据。1965年南京水利科学研究院对青山运河做了有关异重流的分析研究工作。1980年陕西省水利科学研究所进行了高含沙异重流试验研究[6]。1983年黄河水利科学研究院在室内水槽做了高含沙异重流研究,与此同时,对巴家嘴水库高含沙异重流进行了全面系统的分析研究[7]❶❷。

第一节　水库中的异重流现象

在多沙河流上修建水库,挟沙水流进入水库壅水区以后,因为过水面积增大,水流流速减缓,粗颗粒泥沙受到自身的重力作用不能再继续悬浮,沉积在水库壅水区末端,剩余的细颗粒泥沙被水流带往下游,在一定的水力因子的条件下,与水库内清水相比有密度差,由此产生压力差,开始潜入库底形成异重流。在潜入点附近的水面上,可以看到大量漂浮物,有倒流现象。从水面向下看,有大量横向涡列,俗称"翻花"现象。若潜入点下游

---

❶ 焦恩泽.小浪底水库高含沙异重流的试验研究.黄科院科技第87010号,1978年
❷ 焦恩泽.巴家嘴水库泥沙问题研究(水利技术开发基金).黄科院科技第89016号,1989年3月

为扩散河段,还可以观察到水面回流。异重流发生后,流动在窄深弯道处,也可以看到异重流受弯道作用翻到水面上来。潜入点上下河段截然分明,根据上述现象,可以很容易判断是否发生异重流,如图8-1所示。

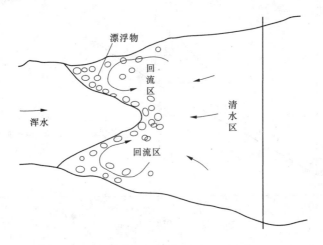

(a)水库异重流潜入点附近现象示意图

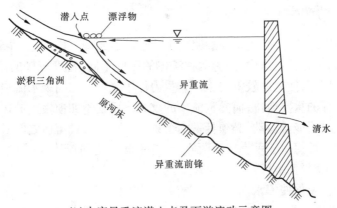

(b)水库异重流潜入点及下游流动示意图

图 8-1

异重流的潜入点呈舌状,它的平面位置是不稳定的,随进库洪水涨落、坝前水位升降而上下移动不止。一般来讲,涨水过程向下移动,落水过程向上移动。

从流速和含沙量在垂线上的分布来看,潜入点及其上游的分布与明渠流相似,潜入点以下则转化为异重流形态,见图8-2。从图中可以看出,异重流潜入点在1027断面,其流速和含沙量在垂线上的分布近似明渠流;异重流到达1019断面,在水面下部的清水层有负流,异重流的流速和含沙量分布不很规整,运动到1010断面时,是典型的异重流流速和含沙量的分布形状。

从上述异重流的现象和特点,可以对水库异重流定义如下:异重流在两种流体存在一定的密度差的条件下,发生相对运动,不因交界面有紊动而掺混,浑水自成一股流体进行运动,这种流体与运动称之为水库泥水异重流。

水库异重流大体上包括产生、运动、淤积和排沙4个方面。

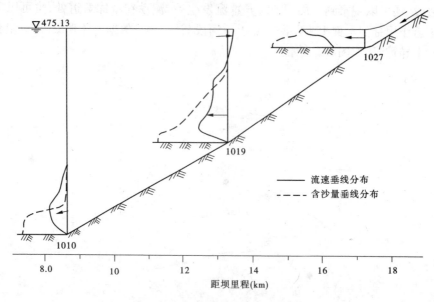

图 8-2　官厅水库异重流主流一线流速、含沙量分布

一、异重流的产生

异重流之所以能够流动,正像一般明渠水流运动的原理一样,产生异重流的作用力也是重力,所不同的是在异重流中,因为两种流体的密度不同,密度较轻的流体对密度较重的流体有浮托作用,致使密度较重的流体其重力作用减轻。在明渠水流中,重力作用与惯性力作用处在同等的重要地位,而异重流中的重力作用就不如惯性力的作用大。

异重流产生以后能够运动,必须具备两个条件:第一,两种流体之间必须有密度差,这是很主要的因素。设想位于垂直交面两侧,具有不同密度的流体,一侧为清水,另一侧为浑水。显而易见,交界面上任意一点所承受的压力是不等的,密度大的浑水比清水一侧的压力大。这种压力差促使浑水向清水一侧流动,如图 8-3 所示。图 8-3(a)是在容器中间安一插板,一侧是密度为 γ 的清水,另一侧是密度为 γ' 的浑水。当插板提起之后,浑水一侧压力为 $\gamma'H$,浑水在底部向清水一侧流动。根据水流连续定理,浑水在底部向清水一侧流动,上层清水必定向浑水一侧流动,如图 8-3(b)所示。经过一段时间以后,出现平静的清浑水交界面,如图 8-3(c)所示。第二,异重流在运动的方向,必须有能量落差,不然重力就无法产生作用。要满足这个条件,就要求清浑水交界面必须沿流动方向有一定的坡度,正像明渠水流能沿着坡度流动一样。

水库异重流一旦产生之后,维持向前流动的动力是重力作用。与明渠流不同的是,浑水是在清水下面运动,运动时为清水所包围,由于受清水的浮托作用,浑水的重力作用减小。

令 g' 代表浑水单位容积上有效重力与单位容积的质量之比,则 g' 与重力加速度 g 之间的关系为

$$g' = g \frac{\Delta\rho}{\rho} = g \frac{\Delta\gamma}{\gamma'} \tag{8-1}$$

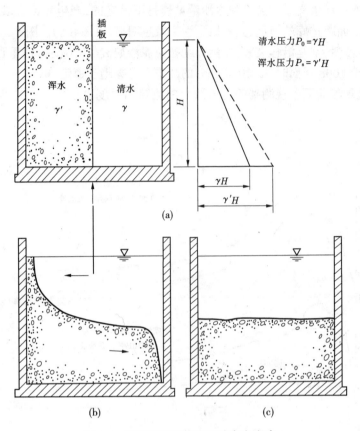

插板

清水压力 $P_0 = \gamma H$

浑水压力 $P_s = \gamma' H$

浑水 γ'

清水 γ

H

γH

$\gamma' H$

(a)

(b)   (c)

图 8-3 不同密度流体因压差产生流动

式中：$\Delta\rho$ 为上层清水与下层浑水的密度差；ρ' 为下层浑水的密度；$\Delta\gamma/\gamma'$ 可称之为修正系数，它表现出异重流区别于普通水流的特性。在很多场合下，用 g' 代替 g 时，许多明渠水流的运动公式都可以在异重流中应用。

由于重力作用减小，惯性力的作用相对地显得非常突出。经常用佛氏数 Fr 来表示惯性力与重力作用的对比关系，令 u 表示异重流流速，h 表示异重流的水深，则异重流佛氏数可写成

$$Fr' = \frac{u}{\sqrt{\dfrac{\Delta\gamma}{\gamma'}gh}} = \frac{u}{\sqrt{g'h}} \tag{8-2}$$

二、异重流运动

天然河道中的洪水过程是不恒定的，因而，洪水进入水库所产生的异重流也具有不恒定性。异重流因阻力作用，并不是全部异重流都能够流动到坝前，只有其中某一时段的异重流可以流抵坝前。这种不恒定的洪水进库以后所产生的异重流也是不恒定的。它表现在两个方面：一方面是流量过程不恒定；另一方面是水流含沙浓度在整个洪水过程也是不恒定的。在实测资料中，从上至下各断面上的异重流，其流量、含沙量和泥沙组成沿程发生变化。图 8-4 是官厅水库异重流实测流量、含沙量和中数粒径 d_{50} 的沿程变化。从图中

可以看到,进库夹河水文站的流量和含沙量过程是不恒定的,产生异重流以后,仍然是不恒定的,观测断面距进库站愈远,其不恒定性衰减越明显(见图8-5)。图8-5表明:不论是流量或者是含沙量,都是沿程衰减的,然而细颗粒泥沙如 $d \leqslant 0.01mm$ 沙重百分数沿程增加;异重流行至1008断面时,$d < 0.01mm$ 的沙重百分数趋于稳定。

从异重流观测断面上观测到的主流线上的流速和厚度也是不稳定的,见图8-6及图8-7。

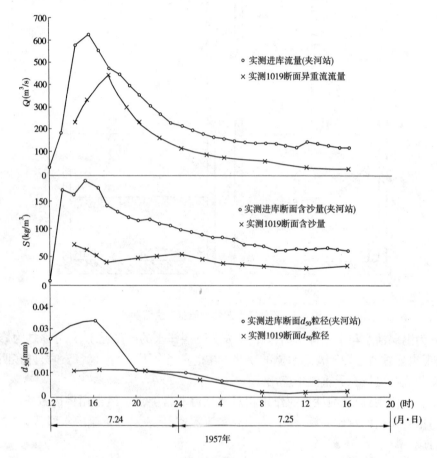

图8-4 官厅水库异重流实测流量、含沙量及 d_{50} 的不恒定过程

三、水库异重流沉积

水库异重流的沉积是水库淤积的组成部分。异重流经过较长时间的沉积而固结以后,具有较强的抗冲力。

水库异重流沉积大体上可分为3种类型。

(一)异重流流动过程发生的沉积

异重流在潜入点以下继续向下游流动过程中,受沿程阻力和局部阻力的作用,损失部分能量,相应使流速降低,进而降低了异重流的输沙能力,其结果是有少部分泥沙沉积下来。从图8-4及图8-5中可以看出,异重流的流量和含沙量沿程递减,泥沙组成变细。它

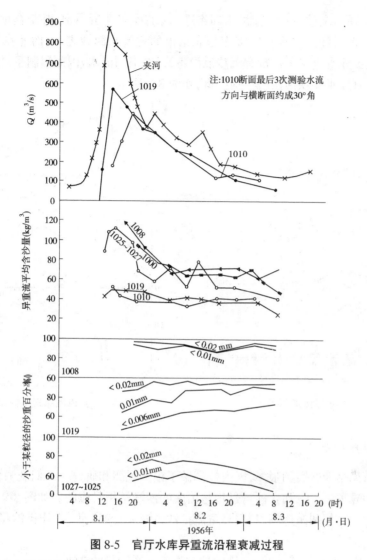

图 8-5　官厅水库异重流沿程衰减过程

反映了异重流在沿程是沉积的。

（二）水库地形对异重流沉积的作用

在水库运用初期尚保持着原来的地形地貌、河流断面形态，沿程断面宽窄不一，有的河段突然扩宽或逐渐扩宽，有的河段突然缩窄或逐渐缩窄。异重流流经这类河段，都会发生能量损失而出现沉积。经过一定时间的沉积，原来的主河槽淤平，则异重流通过的宽度增大，异重流的单宽流量减小。如图 8-6 所示，1010＋2 断面以下库区是水库最宽的地段，使 1010＋2 断面至 1008 断面库段出现大量沉积。

（三）异重流在坝前段沉积

任何一座水利水电工程，其泄流建筑物在挡水坝中的布局，都不可能将排沙洞的泄流量设计得太大，然而在异重流的峰顶附近时段的流量，往往超过排沙洞的泄量。因此，在坝前形成了浑水水库。由于种种原因，排沙洞的闸门开启不及时，甚至不允许开闸排沙。在这种情况下，浑水水库的范围将向上游延伸或扩大，异重流所及之处都将发生沉积。如官厅水库,从上游水文站水情得知洪水即将进入水库会产生异重流,甚至在坝前已经观测到异重流,但不能排沙。因为官厅水库是北京市的重要水源地之一,而北京市区的热电站、制药业、化工业等重要工厂没有沉沙池设备,只能引用清水,因而限制了官厅水库排放异重流。所以官厅水库坝前淤积特别严重,如图 8-8 所示。

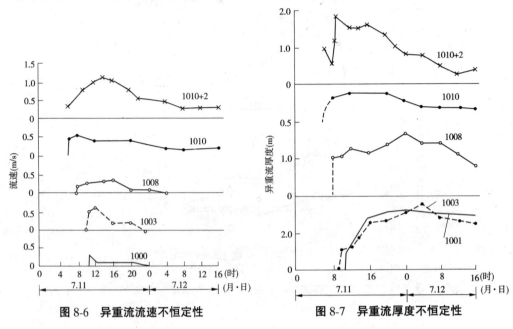

图 8-6　异重流流速不恒定性　　　　　图 8-7　异重流厚度不恒定性

四、水库异重流排沙

水库异重流排沙的实例很多,国内外都做了很多观测和研究。人们观测到,进库洪峰过程所产生的异重流流量和含沙量过程与出库的沙峰是相对应的。如图 8-9 所示。

阿尔及利亚的依利昂达坝,利用异重流排沙,1953～1957 年,年均排沙量达到进库沙量的 47%。

美国米德湖,水库长度 129km,排沙量占进库洪峰沙量的 25%。

我国官厅水库在 1953～1960 年进行了 50 多次异重流排沙,排沙量占进库洪峰总沙量的 25%～30%。

刘家峡水库在 1969～1980 年,洪峰期排沙量占进库沙量的 48.6%。

巴家嘴水库,调水调沙运用期间,排沙比可达 40%～90%。

从上述诸多实例可以看出,多沙河流上的水库,在一定条件下,利用异重流的运动规律排沙,它的排沙效益是相当可观的,也是减少水库淤积的重要措施之一。

利用异重流排沙所要具备的条件是:异重流在库区有持续运动条件,有合理泄量的排沙洞,有合理的水库调度方案。

(一)异重流持续运动条件[2,4,9]

异重流持续运动的条件与产生条件不同,后者是指异重流能否产生,前者是异重流产生以后能否继续向前流动,流动到坝前可以排沙出库。

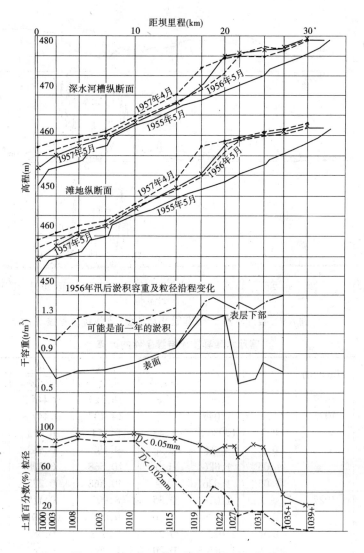

图 8-8 官厅水库淤积纵剖面及淤积物组成

异重流产生以后可以流动一段路程就停滞下来。如官厅水库 1956 年 8 月 23 日和 8 月 28 日两次异重流就没有流动到坝前。从实测资料得知，浑水佛氏数 Fr' 小于某一数值后，就流动不到坝前，见表 8-1。从表中可以看出，在异重流潜入点下游相邻断面的浑水佛氏数 Fr 大于 0.2 时，所产生的异重流都可以流动到坝前，浑水佛氏数小于 0.2 时，异重流难以流动到坝前，无法排沙。官厅水库库面较宽，潜入点距坝址的距离不算太远，其资料可供其他水库参考。

异重流在水库能够持续运动，又与进库的洪峰总水量和含沙量及其泥沙组成密切相关。

1.异重流容积平衡关系式

异重流到达坝前以后，受泄流规模和闸门开启不及时或开启程度不足等因素影响，不能将异重流全部排出库外，在坝前形成浑水水库。根据这种情况，可以写出平衡方程。见

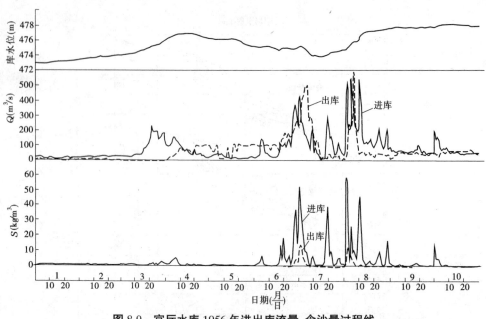

图 8-9　官厅水库 1956 年进出库流量、含沙量过程线

表 8-1　　　　　　　　　　官厅水库异重流持续条件的计算

测验时间 (年·月·日)	测流断面	h (m)	γ'	U (m/s)	$\gamma'hg$ (m²/s²)	$\dfrac{U}{\sqrt{\gamma'gh}}$	是否达到坝前
1956.8.1	1027	1.6	1.040	1.8	16.324	0.445 5	已达到坝前
	1025	1.4	1.049	1.7	14.407	0.447 8	已达到坝前
		0.9	1.036 5	1.43	9.151	0.473	已达到坝前
		0.9	1.04	1.4	9.182	0.462	已达到坝前
		1.05	1.026	1.0	10.568	0.308	已达到坝前
		1.05	1.026	0.9	10.568	0.277	已达到坝前
1956.8.23	1027	0.9	1.019	0.35	8.997	0.116	未达到坝前
		0.9	1.026	0.30	9.059	0.099 7	未达到坝前
		0.9	1.022 5	0.25	9.028	0.083	未达到坝前
		0.9	1.015 5	0.20	8.966	0.067	未达到坝前
1956.8.28	1027	0.8	1.026	0.50	8.052	0.176	未达到坝前
		1.0	1.026	0.45	10.065	0.142	未达到坝前
1957.8.18	1019	0.5	1.067	2.1	5.234	0.917	已达到坝前
		0.6	1.042	0.7	6.133	0.283	已达到坝前
1957.8.27	1019	0.5	1.053	1.0	5.165	0.440	已达到坝前
		0.5	1.077 5	1.3	5.285	0.565	已达到坝前
1957.8.27	1019	0.5	1.029 5	0.6	5.049	0.267	已达到坝前
1958.7.11	1015	0.8	1.05	1.3	8.240	0.453	已达到坝前
		1.0	1.05	2.1	10.301	0.654	已达到坝前
		1.6	1.047	1.3	16.434	0.321	已达到坝前
		1.7	1.048	0.80	17.477	0.191	已达到坝前
		1.5	1.042	0.95	15.333	0.243	已达到坝前
		1.4	1.033	0.70	14.187	0.186	已达到坝前

注：γ' 为浑水比重，无因次量。

图 8-10 及式(8-3)。

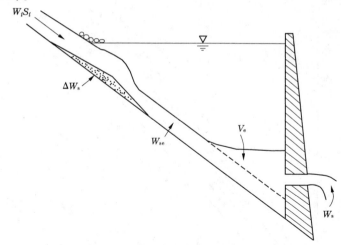

图 8-10　水库异重流容积平衡关系

$$V_i = V_\partial + V_m + V_0 f\left(\frac{S_0}{S_\partial}\right) + V_f \qquad (8\text{-}3)$$

式中：$V_i = \sum\limits_0^{T_i} Q_i \Delta t$，为进库一次洪水的总水量；$V_\partial = \sum\sum\sum \Delta h \Delta B \Delta L$，为异重流容积；$V_m$ 为浑水水库容积；$V_0 = \sum\limits_0^{T_0} Q_0 \Delta t$，为在洪峰时段 T_0 内的出库总水量。因为要折算异重流在水库中浓度的体积，所以乘以 $f\left(\dfrac{S_0}{S_\partial}\right)$ 的函数，其中 S_∂ 为坝前异重流含沙量，S_0 为出库含沙量；V_f 为浑水容积损失。

如果泄流闸门全部关闭，则 $V_0 = 0$，若泄流闸门全部开启而且中途不关闭，则 $V_m = 0$。

同样可以写出泥沙重量的平衡方程如下：

$$W_i = W_\partial + W_m + W_0 + W_\Delta \qquad (8\text{-}4)$$

式中：$W_i = \sum\limits_0^{T_i} Q_i S_i \Delta t$，为一次进库洪水总沙量；$W_\partial$ 为异重流总沙量；W_m 为浑水水库总沙量；W_0 为异重流排出库外总沙量；W_Δ 为该次洪水淤积沙量。

2.异重流出库的延续时间

实测资料证明，异重流出库过程与进库洪峰(沙峰)基本上是相应的，只不过错后一段时间，官厅水库异重流出库历时与异重流潜入点距坝址长度有关。见图 8-11。图中 L 为潜入点距坝长度。

3.水库中不同宽度异重流容积的影响

水库库区的地形宽窄不一，较宽阔地段，可以容纳更多的异重流，相反较窄地段容积较小，这些都会影响异重流流动到坝前的历时。因此，在研究异重流持续运动时，都必须考虑因不同地形影响流动到坝前的历时，进而影响异重流排沙数量。

(二)异重流的容积与持续条件

这里指的异重流容积，是指一场洪水可以产生异重流的总容积 $\sum Q_{se} \Delta t$ 之外，还要扣

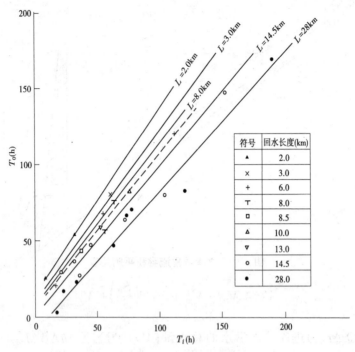

图 8-11　进库洪峰历时 T_i 与异重流持续历时 T_0 关系

除主槽 $B \cdot h \cdot \Delta L$ 蓄满之后才能排沙。另外在洪水退落以后,也会有少部分淤积 ΔW_{so}。若泄流量不足,一部分异重流将形成浑水水库。对于一般含沙异重流,这部分异重流也难以排出。

因此在异重流计算时,对上述几个方面应作较详细的分析。

第二节　黄河流域的水库异重流

黄河干支流上的水库多数在 1970 年以前修建,并且系统地开展了异重流观测工作,积累了大量资料,为水库设计和科学研究工作提供了丰富的宝贵资料。如三门峡、刘家峡、巴家嘴、冯家山等水库,外流域有官厅水库、红山水库和碧口水库。小浪底水库自 2000 年蓄水以来,已经进行了 4 年的观测工作。上述各水库的异重流资料中有一般挟沙水流发生的异重流,也有高含沙水流发生的异重流,又有降低水位,出现冲刷型异重流;有排沙效益较好的经验,也有排沙效果不理想的实例。这些宝贵经验对黄河流域干支流进行水库规划设计有重要的参考价值。为此,下面将分别介绍各水库观测到的异重流情况。

一、三门峡水库异重流

三门峡水库 1961～1964 年共观测到异重流 17 次[5],见表 8-2。

三门峡水库异重流都是在潼关以下库区产生,基本上属于峡谷河道。原河床坡度在 0.27‰～0.4‰范围。最大河槽宽度在 1.0km 左右,最窄河道宽度只有 300m 左右。

三门峡水库 1961～1962 年 3 月为蓄水运用,1962 年 4 月～1964 年 10 月为滞洪排沙

表 8-2　　三门峡水库异重流测验成果统计

时间（年·月·日）	测验情况			进库潼关站					出库三门峡站								
	测验断面个数	测次		最大流量(m³/s)	总水量(亿m³)	最大含沙量(kg/m³)	总输沙量(亿t)	粒径小于0.025mm百分比(%)	最大流量(m³/s)	总水量(亿m³)	最大含沙量(kg/m³)	总输沙量(亿t)	粒径小于0.025mm百分比(%)	坝前平均水位(m)	潜入点距大坝里程(km)	异重流最大厚度(m)	排沙百分比(%)
		断面法(次)	主流线(条)														
1961.7.2～7.7	13		36	3 100	10.93	357	1.13	—	2 160	9.893	0.05	0.000 2	—	318.84	81	2.4	0.02
1961.7.11～7.20	11	2	48	5 000	26.66	100	1.31	32.4	3 980	26.09	7.38	0.057 5	89	319.32	80	3.1	4.4
1961.7.23～7.28	4	13	23	6 660	16.49	216	1.38	—	3 800	18.34	22.5	0.271	—	318.35	81	9.4	19.6
1961.8.1～8.9	2	9	45	7 920	24.37	158	1.73	39.6	2 670	19.89	30.5	0.310	91	318.29	81	16.3	17.9
1961.8.10～8.25	10		65	4 000	30.75	161	2.01	—	2 410	25.08	27.0	0.341	—	318.67	65	11.7	17.0
1961.8.26～9.3	15	24	57	3 340	21.27	55.6	0.77	29.5	1 530	11.13	13.3	0.042	92	322.23	—	8.3	5.4
1962.3.26～3.27	6		7	1 010	1.67	16.2	0.024	—	1 220	2.10	43.3	0.078	—	307.93	32	10.1	320
1962.4.1～4.13	5	1	25	2 060	12.58	28.7	0.25	17.8	1 520	12.25	15.6	0.089	89.8	307.79	31	5.5	35.6
1962.7.13～7.23	5	7	57	4 190	15.54	238	1.15	41.0	1 670	13.13	65.7	0.407	88.3	308.54	—	12.0	35.4
1962.7.25～8.4	7	8	64	4 410	31.26	89.8	1.37	48.6	3 000	25.57	31.2	0.336	89.6	312.95	27	11.1	24.5
1962.8.5～8.11	1	1	6	3 600	17.21	50.8	0.632	45.2	2 920	16.93	12.6	0.146	88.5	313.81	—	3.9	23.1
1962.8.12～8.26	6	19	38	3 480	27.96	73.3	0.907	45.8	2 830	28.61	19.8	0.308	88.5	311.35	18	7.4	34
1962.8.27～9.26	3	7	20	2 400	40.72	84.4	0.957	37.2	1 920	37.89	28.8	0.507	84.4	308.56	8	9.0	53
1962.9.27～10.26	5	3	33	2 960	38.07	62.0	1.20	30.6	2 410	37.39	28.8	0.254	85.4	310.93	8	7.9	21.2
1963.5.24～6.4	2	3	4	4 400	26.07	70.6	0.826	36.6	3 130	25.36	23.2	0.226	73.2	313.18	17	7.5	27.4
1964.8.11～9.3	11	24	55	12 400	92.65	314	5.77	44.5	4 820	88.18	64.7	2.110	88	321.77	38	15.3	36.6
1964.9.5～9.26	2		22	7 050	94.58	86.5	3.23	42.0	4 870	85.85	20.4	0.818	88.9	323.02	—	6.1	25.3

运用。由于运用方式不同,在蓄水运用期,异重流在洪峰期间均会产生。在滞洪排沙运用期,水库壅水位较高时,在洪峰期产生异重流。当库水位下降过程中又产生冲刷型异重流。各年异重流特征值见表8-3。

表 8-3 　　　　　　　　　　　三门峡水库异重流运动特征值

年份	异重流 最大流速 （m/s）	异重流 平均流速 （m/s）	清水 平均流速 （m/s）	异重流 平均含沙量 （kg/m³）	异重流厚度 （m）	异重流 d_{90} （mm）
1961	1.47	0.2～1.28	0.2 左右	40～60	1～9	0.023～0.030
1962	1.08	0.15～0.91	0.15～0.60	15～138	1～7.5	0.025～0.034
1963	0.902	0.115～0.588	0.075～0.82	41.3～85.6	0.8～7.5	0.029～0.038
1964	1.65	0.082～1.33	0.068～0.834	21.1～90.4	0.7～15.3	0.022～0.026

（一）异重流产生条件

三门峡水库的异重流产生条件,与范家骅在室内水槽试验所得出的结果很接近[4]。用式(8-2)表示为 $Fr' = 0.6$。

三门峡水库在 1961 年共观测到 5 次异重流,Fr' 范围为 $0.3～0.9$,平均值为 0.6。1962 年共观测到 9 次异重流,Fr' 范围为 $0.39～0.9$,平均值为 0.54。

应当指出的是,水库中异重流的潜入点是极不稳定的,随着入库流量变化,潜入点上下移动范围很大。加上潜入点附近由洪水带来大量水草、树枝及其他杂物形成的漂浮物,流速大,观测工作异常困难而且非常危险,影响观测精度。因此,Fr' 不可能与室内试验完全一致。

（二）异重流沿程变化

异重流潜入点上游的流速、含沙量在垂线上的分布属明渠流分布形态,潜入点以下水面附近为负流,含沙量为零。沿水深向下,流速、含沙量为零,再向下,流速在垂线上向下游方呈凸形分布,如图 8-12 所示。

该图是根据 1961 年 8 月 16～18 日实测资料点绘的潜入点以下各断面的异重流流速、含沙量垂线分布实况。从图中可以看出,含沙量分布起点一般位于异重流最大值位置,然后含沙量突然增加呈板凳型分布,在异重流底部含沙量突然增大。

（三）异重流排沙

从表 8-2 可知,1961 年第一、二两次异重流排沙百分比仅为 0.02% 和 4.4%。这是因为在坝址上游 13km 处,水库两侧发生大滑坡,在水下形成高 10m 左右的潜坝。异重流被潜坝拦截,造成排沙比偏小。随后 3 次异重流的排沙比接近 20%。最后一次异重流,因进库含沙量少,泥沙组成相对较粗,故产生异重流以后的含沙量也相应较少,其排沙比仅为 5.4%。1961 年是在水库蓄水运用条件下,潜入点距坝里程较长的异重流的排沙情况。

1962 年改为滞洪排沙运用,库水位升降幅度较大,洪峰进库后,库水位上升,产生的异重流类似蓄水运用情况,洪峰退落以后,在前期回水范围内落淤的较细泥沙,受水位降落被冲刷起来又产生异重流,可称之为冲刷型异重流。由于水库水位比 1961 年低,潜入点距坝址里程短,其排沙效果明显,从表 8-2 可看出,一般在 30% 以上,特别在 3、4 月份两

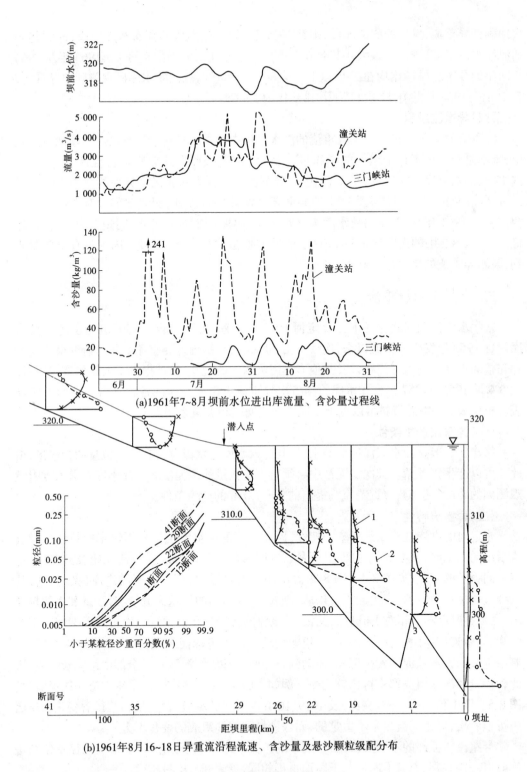

(a)1961年7~8月坝前水位进出库流量、含沙量过程线

(b)1961年8月16~18日异重流沿程流速、含沙量及悬沙颗粒级配分布

图8-12　三门峡水库异重流流速、含沙量垂线分布沿程变化(1961年8月16～18日)

1—流速分布图;2—含沙量分布图;3—由于坍岸形成潜坝

次冲刷型异重流,发生冲刷的库段,正是1961年,异重流形成的浑水水库库段,冲刷起来的泥沙组成很细,排沙比很大。其余6次也在21%以上,最大达到53%。1963年及1964年两年的异重流排沙比均在25%以上。从表8-2中可知,三门峡水库已观测到的异重流,自1961～1964年共有17次,其平均排沙比为25.6%。

（四）异重流淤积

异重流的淤积是指在产生异重流的洪水过程中异重流总输沙量与出库总输沙量的差值,既不是全年更不是全汛期的淤积量。表8-2就是按照上述原则进行统计和计算的。这17次洪水进库总输沙量为24.65亿t,异重流排沙量为6.3亿t,则淤积量为18.35亿t。应当指出的是,三门峡水库产生的异重流次数要大于17次,只是我们没有全部进行观测。例如1961年汛期,三门峡水库为蓄水运用,出库沙量全是异重流排沙,共排沙1.15亿t。而表8-2中的出库沙量为1.02亿t,其差值虽然是异重流排沙,因为没有全部观测到,漏测异重流的排沙量约0.13亿t。

二、官厅水库异重流[2,3]

官厅水库位于河北省怀来县永定河上游,是一座以防洪、供水和发电为主的大型水库。自1953年发生异重流以来,连续观测20余年,是国内外异重流观测与研究最为系统和完整的水库。它为三门峡以及其他多沙河流水库的规划、设计提供了大量的宝贵资料。表8-4是1953～1957年官厅水库历年各次异重流进出库及库区各种水力泥沙因子统计表。根据表8-4中的资料可以点绘不同因子之间的相关关系图。

（一）异重流产生条件

修建在一般挟沙水流河道上的水库,其进入水库的水流应具有一定数量的含沙量,由此才可以产生密度差。其次是泥沙中必须有一定数量的细泥沙。官厅水库在潜入点附近观测到的Fr'为0.54,接近范家骅提出的$Fr'=0.6$的产生条件。

（二）异重流特性[2]

永定河的洪峰具有猛涨猛落的特性,因而产生的异重流也具有不恒定的特性。异重流沿纵向流动时,在不同的时间,其流量、含沙量以及泥沙组成、异重流流速及其厚度,均有不同程度的变化(见图8-4～图8-7)。从图中可以看出,官厅水库的进库(夹河)站,其洪峰过程是不恒定的,产生异重流以后,进入1019断面的异重流流量、含沙量和中数粒径d_{50}也是不恒定的。相对于流量的变化,异重流的含沙量和泥沙组成变化趋于均匀。这是因为,异重流产生之前,受壅水作用,粗颗粒泥沙发生拣选而沉积,异重流潜入库底以后,剩余部分的粗颗粒泥沙发生沉积,流动到1019断面以后,泥沙几乎全部由细颗粒组成,因此含沙量和泥沙组成都变得比较均衡。例如1956年8月1～3日,采用主流一线观测(见图8-5),图中包括进库站(夹河)及1019、1010两断面的流量、含沙量和粒径的变化。从图中可以看出,异重流流量是不恒定的,而含沙量和泥沙组成的变化不大。

异重流所流经的不同库段,由于地形的扩大或缩窄,其流量、含沙量及粒径不仅与进库时有一定差别,而且上断面与下断面也不相同,见表8-5及图8-13。

图中坐标符号参见表8-5。表8-5及图8-13实际上反映了异重流自产生到流动至坝前的损失过程。

表8-4

官厅水库历年各次异重流进出库及库区各种水力泥沙因子统计

编号	发生起讫日期 (年·月·日·时)	坝前水库水位 (m)	回水长度 (km)	洪峰流量 (m³/s)	洪峰含沙量 (kg/m³)	洪峰输沙率 (t/s)	粒径 d d_{50}	粒径 $d<0.01$ %	总量计算 总水量 (×10⁶ m³)	总量计算 总沙量 (×10⁶ t)	进库站水文泥沙因子要素及其总量的计算 T_i (h)	$\bar{Q}$ (m³/s)	$\bar{Q}_s$ (t/s)	异重流传播时间 (h)	平均流量 (m³/s)	平均输沙量 (t/s)	d_{50} 平均 (mm)	T_0 (h)
1	1953.8.25.21~30.4	449~464	20~14.0	3 700	220	685	0.033	23	456.0	59.6	125	1 013	132.2	—	750	47.0	0.007	108
2	1954.7.3.0~5.24	456.0	3.0	625	240	120	0.01	59	66.3	8.04	64	288	34.9	4	180	13.44	0.006	80
3	1954.7.21.12~23.15	458.0	6.0	925	150	98.5	0.018 6	36	67.8	10.12	52	362	54.0	4	200	11.5	0.006	69
4	1954.7.12.16~25.24	459.0	8.0	455	80	55	0.013 2	47	54.5	4.75	57	266	23.2	—	230	7.0	0.004	56
5	1954.7.21.12~25.24	458.0	6.0	925	150	98.5	0.017 3	38	122.3	14.87	109	312	37.9	—	220	9.5	0.005	120
6	1954.7.25.21~27.19	459.5	8.5	630	115	66	0.014	43	42.7	3.4	36	329	26.2	7	300	6.63	0.005	43
7	1954.7.28.18~29.19	458.0	6.0	230	66	13	0.008	57	12.4	0.64	15	230	11.8	9	270	3.2	0.007 5	20
8	1954.7.30.0~8.1.24	459.0	8.0	1 090	190	160	0.018	43	78.1	9.76	63	344	43.0	6	270	13.6	0.005 1	76
9	1954.8.12.0~15.11	461.0	10.0	690	95	65	0.016	44	86.3	5.58	75	320	20.7	—	109	3.16	0.003 2	82
10	1954.8.15.20~17.24	464.0	13.0	690	145	68	0.016	43	62.0	4.43	51	338	24.1	7	55	4.5	0.003	58
11	1954.8.18.0~22.24	465.0	14.5	380	115	34	0.009 8	50.5	88.1	6.42	104	235	17.1	—	65	2.25	0.002 6	80
12	1954.8.24.21~27.24	465.0	14.5	570	80	35	0.01	48	71.5	7.11	72	276	27.5	11	135	3.62	0.002 4	64
13	1954.9.1.14~3.10	465.0	14.5	1 230	195	131	0.012	46.5	54.9	63	43	355	40.7	8	260	18.11	0.004	48
14	1954.9.3.11~4.6	465.0	14.5	660	200	130	0.008 5	53	29.8	4.65	20	414	64.5	9	280	9.9	0.003	30
15	1954.9.4.7~5.12	465.0	14.5	750	125	79	0.013	44	37.7	2.88	30	349	26.7	—	255	10.1	0.002 5	36
16	1954.9.5.12~6.24	465.0	14.5	400	115	37	0.013	45	25.5	3.17	36	197	24.5	—	285	4.3	0.002 5	26
17	1954.9.1.0~7.24	465.0	14.5	1 230	200	131	0.011	48	166.6	23.2	151	307	42.7	—	280	8.94	0.003	146
18	1955.7.1.12~2.10	455.0	2.0	210	95	21	0.007	60	5.99	0.425	9	185	13.1	—	150	5.4	0.002 4	25
19	1955.7.11.18~13	455.0	2.0	310	85	26.5	0.015	40	18.13	0.93	32	157	8.05	—	75	3.3	0.003 3	53
20	1955.8.7.0~9.20	460.0	10.0	520	300	105	0.007	60	37.58	4.68	48	218	27.1	—	—	—	—	—
21	1956.6.17.6~17.23	475.0	28	242	293	68	缺	缺	8.07	0.94	16	140	16.3	32	60	0.03	—	2.5
22	1956.6.18.18~20.4	475.0	28	570	162	83	缺	缺	25.5	2.03	21	337	26.9	20	200	1.0	—	19

· 275 ·

续表8-4

进库站水文泥沙因子要素及其总量的计算

编号	发生起讫日期 (年·月·日·时)	坝前水库水位 (m)	回水长度 (km)	洪峰流量 (m³/s)	洪峰含沙量 (kg/m³)	洪峰输沙率 (t/s)	粒径 d d_{50}	粒径 $d<0.01$ %	总量计算 总水量 (×10⁶m³)	总量计算 总沙量 (×10⁶t)	T_i (h)	$\bar{Q}$ (m³/s)	$\bar{Q}_s$ (t/s)	异重流传播时间 (h)	平均流量 (m³/s)	平均输沙量 (t/s)	d_{50}平均 (mm)	T_0 (h)
23	1956.6.25.0~29.0	475.0	28	520	160	60	0.023	45	88.1	4.60	71	345	18.0	23	280	3.2	—	68
24	1956.6.29.0~7.2.6	475.2	28	660	335	128	0.013	38	93.6	10.4	76	342	38.0	24	290	9.5	—	72
25	1956.6.25.0~7.4.0	475.0	28	660	335	128	0.015 5	39	219.0	18.85	188	323	27.8	20	320	5.46	—	170
26	1956.7.2.7~3.15	475.0	28	381	108	367	0.013	55	26.7	1.94	32	232	16.8	—	400	8.2	—	21
27	1956.7.7.23~9.0	474.0	26.5	209	66	138	0.011	50	12.5	0.7	13	267	14.9	—	200	1.5	—	10
28	1956.7.8.0~11.12	473.8	26.5	330	150	34	0.012	32	73.8	2.98	72	285	11.5	26	90	1.03	—	58
29	1956.7.18.12~20.24	474.0	26.5	770	285	134	0.015	24	48.5	5.12	54	250	26.3	—	—	—	—	—
30	1956.7.21.0~23.0	474.2	26.5	430	140	53	0.011	56.5	24.3	0.975	38	177	7.13	—	—	—	—	—
31	1956.7.18.12~23.0	474.2	26.5	770	285	134	0.015	23.5	70.2	6.34	92	212	19.1	—	—	—	—	—
32	1956.7.31.23~8.3.10	475.0	28	900	135	113	0.011 5	45	68.3	4.53	52	365	24.2	—	174	9.5	0.002	48
33	1956.8.3.10~8.14	475.7	28.5	600	70	40	0.012	48	148	6.45	121	340	14.8	17	400	4.63	0.004	92
34	1956.8.8.14~12.24	476.5	28.5	700	155	94	0.017	38.5	128	8.65	100	355	24.1	—	—	—	—	—
35	1956.8.22.21~24.11	477.5	30	390	105	35	0.012	46	21.9	1.93	28	217	19.2	—	—	—	—	—
36	1956.8.28.0~29.14	477.5	30	510	240	107	0.014 5	42	21.4	1.98	29	205	19.0	—	—	—	—	—
37	1957.7.11.14~12.10	475.3	28	245	153	37.4	0.015	36	8.18	0.60	19	120	8.8	—	—	—	—	—
38	1957.7.12.11~13.6	475.3	28	210	137	28.7	0.01	50	7.73	0.66	17	126	10.8	—	—	—	—	—
39	1957.7.15.3~15.17	475.2	28	288	115	32.5	0.012	42	6.41	0.594	9	198	18.3	—	—	—	—	—
40	1957.7.16.8~18.22	475.4	28	590	210	103	0.016	34	54.12	6.08	60	251	28.1	32	360	25	0.003	40*
41	1957.7.24.12~25.24	475.2	26.5	636	192	122	0.013	47	28.8	3.38	35	229	26.9	24	—	—	—	21*
42	1957.8.17.24~19.6	475.4	26.5	642	184	118	0.015	41	23.6	3.01	30	218	27.9	19	—	—	—	16*
43	1957.8.26.18~29.7	475.6	26.5	420	172	57	0.019	40	40.4	3.58	53	211	18.8	—	—	—	—	—
44	1957.8.29.11~9.2.24	476.0	27.0	327	102	31.5	0.035	25	67.7	3.98	78	241	14.2	14	—	—	—	—

表 8-5 官厅水库进库流量、各断面异重流流量、含沙量、厚度变化统计

测验日期 (年·月·日)	断面	夹河站进库流量 Q_i (m³/s)	异重流流量 Q_a (m³/s)	断面平均流速 (m/s)	主流线平均流速 (m/s)	$\dfrac{Q_i-Q_a}{Q_i}$ (%)	有效过水面积 (m²)	主流线厚度 (m)	主流线平均含沙量 (kg/m³)	全断面平均含沙量 (kg/m³)	Q_{aj} (t/s)	Q_{si} (t/s)	$\dfrac{Q_{si}-Q_{aj}}{Q_{si}}$ (%)	进库含沙量 S_i (kg/m³)	平均单宽流量 (m³/(s·m))
1959.8.9	新 8 号桥	406	279	0.51	0.7	31.3	543	1.0	55	49	13.53	24.0	43.6	58	0.500
1959.8.9	1019	610	440	0.64	0.72	27.9	689	1.3	60	60	26.80	51.0	47.5	83	0.832
1959.8.9	1015	702	544	0.54	0.75	22.5	1 018	1.5	80	75	40.70	78.2	48.0	111	0.803
1959.8.9	1010	693	487	0.35	0.55	29.7	1 412	1.1	85	74	36.22	85.1	57.4	—	0.379
1956.8.10	新 8 号桥	382	260	0.33	0.55	31.9	790	1.4	50	46	11.90	41.7	71.5	105	0.402
1956.8.10	1019	490	327	0.33	0.6	33.3	925	1.8	50	44	14.40	70.2	79.5	146	0.594
1956.8.28	1027	508	201	0.39	0.5	60.4	523	0.8	40	38	7.67	60.1	87.2	199	0.308
1956.8.28	1019	397	89	0.29	0.45	77.6	311	0.8	55	49	4.40	38.0	88.4	96	0.230
1957.7.15	1019	230	93	0.31	0.52	59.5	299	0.65	40	30	2.74	26.0	89.5	114	0.201
1957.7.24	1019	390	220	0.55	0.8	43.6	400	0.6	70	62	13.60	65.0	79.1	169	0.33
1957.7.24	1019	590	334	0.65	0.8	43.4	520	0.7	66	52	17.30	98.0	82.3	166	0.452
1957.7.24	1019	636	450	0.92	0.95	29.2	491	1.0	50	48	21.50	122.0	82.4	192	0.915
1957.7.24	1019	405	240	0.50	0.6	40.7	485	1.0	60	59	14.10	51.4	72.6	127	0.500
1957.7.24	1019	236	117	0.27	0.4	50.4	429	0.6	67	43	7.51	26.1	71.2	96	0.162
1957.7.24	1019	192	83	0.30	0.4	56.8	274	0.65	40	38	3.45	18.2	81.0	90	0.195
1957.7.24	1019	152	73	0.24	0.5	52.0	311	0.6	40	34	2.48	11.7	78.8	74	0.144
1957.7.24	1019	136	42	0.22	0.28	69.1	194	0.3	35	25	1.06	9.8	89.2	74	0.066
1957.7.24	1019	126	37	0.15	0.2	70.6	241	0.35	40	30	1.10	9.3	88.2	70	0.053
1957.8.17	旧 8 号桥	229	122	0.42	0.45	46.7	290	0.8	65	51	6.25	25.6	75.6	112	0.336
1957.8.18	1008	600	236	0.28	0.32	60.7	844	0.65	75	68	15.90	80.5	80.2	140	0.182
1957.8.18	1003	600	148	0.39	0.6	75.3	380	0.85	94	90	13.30	80.5	80.3	140	0.331
1957.8.18	1015	229	63	0.26	0.4	72.5	245	0.5	60	53	3.36	25.6	86.9	112	0.13
1957.8.27	1015	340	260	0.38	0.48	23.5	686	1.0	74	43	11.40	34.0	66.5	110	0.38
1957.8.27	1015	266	80	0.15	0.2	69.9	514	0.8	40	38	3.00	21.5	86.0	81	0.12
1957.8.27	1010	344	177	0.22	0.3	48.5	815	0.7	45	39	6.90	34.0	79.7	100	0.152
1957.8.31	旧 8 号桥	285	245	0.51	0.75	14.4	483	0.9	40	38	9.22	21.9	57.9	83	0.46
1957.8.31	1015	270	95	0.20	0.47	64.8	473	0.8	40	27	2.55	23.2	89.0	60	0.14

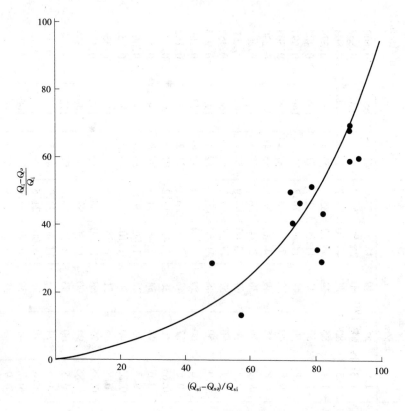

图 8-13 $(Q_i - Q_{\partial})/Q_i \sim (Q_{si} - Q_{s\partial})/Q_{si}$ 关系

(三)异重流排沙

官厅水库虽然在 1953 年汛期已经有异重流排沙,但是 1953～1955 年汛期均为滞洪运用,在洪水退落过程中又出现冲刷型异重流,由于滞洪运用,回水长度短,所以异重流排沙很大。1956 年正式蓄水运用以后,水库回水长度在 20～28km 范围,库水位比较稳定,异重流排沙比相对较小也是合理的。根据 1956 年及 1957 年两年的资料统计,平均排沙比达到 25.8%。

三、巴家嘴水库高含沙异重流

巴家嘴水库的进库洪水均为高含沙水流,洪水进入回水范围以后即转化为高含沙异重流。高含沙异重流有许多特殊现象,然而所产生的异重流也随着洪水的不同时段、水库水位的升降和水库运用以及闸门的启闭而出现不同的现象。有关高含沙量异重流的产生、运动以及排沙等机理问题,将在第十章详细介绍。这里仅将高含沙异重流的一些特性作一些说明。

(一)峰顶附近异重流分布特性

库区异重流观测时段与进库洪峰峰顶附近时间相对应时,异重流的流速分布有流核存在,不仅如此,异重流的含沙量 S、中数粒径 d_{50} 在垂线上呈直线分布,无梯度变化。

1983 年 9 月 7 日,在进库洪水流量为 600～400m³/s 时,进行了异重流观测工作,其流速、含沙量以及中数粒径分布如图8-14所示。从图中可以看出,4个观测断面的流速垂线分布都存在流核。流核厚度为3~5m。含沙量和中数粒径在垂线上的分布,除了顶部停滞层和底部停滞层外,几乎是直线分布而无梯度。

其进库流量与含沙量过程见图8-15。

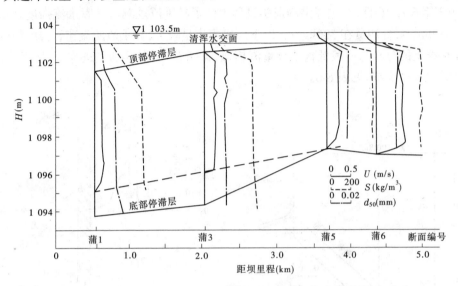

图8-14 巴家嘴水库高含沙异重流(峰顶附近)流速、含沙量及 d_{50} 分布

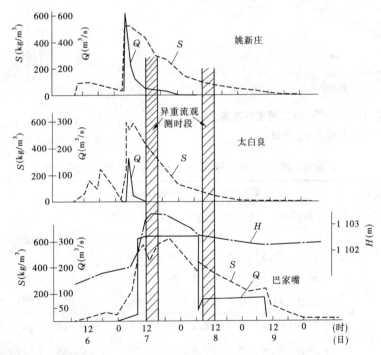

图8-15 巴家嘴水库1983年9月6~9日进出库流量、含沙量及坝前水位过程

从图8-14、图8-15中可以看出,在进库流量大于出库流量的情况下,水库水位处于上

升过程,异重流的流动层是处在中间流动。其顶部和底部出现停滞层,顶部停滞层含沙量较小,而底部停滞层含沙量很大,在这种条件下的高含沙异重流实际上相当于"中层异重流"。这种现象在室内水槽做高含沙水流试验时也出现过。

(二)洪峰退落后异重流分布特性

1983 年 6 月 16 日,在进库洪峰退落过程中做了异重流观测。进库水流强度减弱,流量小于 $4.0 \mathrm{m}^3/\mathrm{s}$,含沙量在 $300 \mathrm{kg/m}^3$ 以下。出库流量较大,异重流的流速、含沙量和中数粒径在垂线上的分布与一般低含沙异重流相似,见图 8-16、图 8-17。进库、库区及出库的泥沙组成也逐渐变细,见表 8-6。

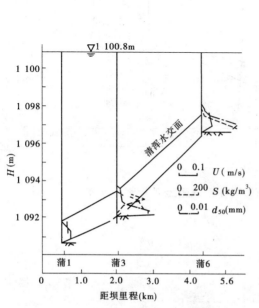

图 8-16　1983 年 6 月 16 日异重流流速、
含沙量及 d_{50} 分布

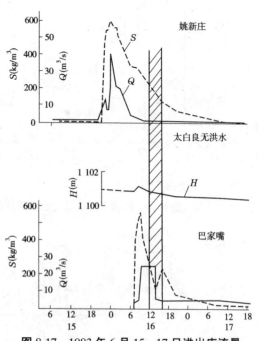

图 8-17　1983 年 6 月 15~17 日进出库流量、
含沙量及库水位过程线

表 8-6　　　　　　巴家嘴水库 1983 年 6 月 16 日进出库及库区异重流泥沙组成

断面		观测日期 (月·日·时)	小于某粒径的沙重百分数(%)							d_{50} (mm)	d_{90} (mm)	备注
			0.005	0.01	0.025	0.05	0.1	0.25	0.5			
姚新庄		6.16.8	19.6	28.7	51.9	83.5	98.8	99.9	100	0.023	0.059	断沙
			25.3	37.5	64.5	88.0	99.8	100		—	—	单沙
库区异重流	蒲6	16.12	20.4	31.8	59.5	90.5	99.9	100		0.019	0.049	取样水深 3.9m
			22.5	34.9	62.5	86.4	99.5	100		0.017	0.055	取样水深 4.1m
	蒲3	16.14	27.4	41.4	70.3	91.7	99.8	100		0.014	0.047	取样水深 7.8m
			25.0	37.8	65.5	89.8	99.9	100		0.016	0.057	取样水深 8.4m
	蒲1	16.15	51.4	71.0	91.2	97.0	99.9	100		0.005	0.023	取样水深 9.5m
巴家嘴		16.14	38.0	56.7	81.3	93.4	100			0.007 8	0.038	单沙

应当指出,高含沙洪水在退落接近尾声的时候,由于水流的能量很小,无法维持强大的输送能力,因而异重流的特性随之改变。

然而,对应洪峰顶部附近所产生的异重流,其泥沙组成从进库到库区直至出库基本保持不变(见表8-7),这与图8-14及图8-15是相对应的。

表8-7　　　　　　巴家嘴水库1983年9月7日进出库及库区异重流泥沙级配组成

断面		观测时间 (月·日·时)	小于某粒径的沙重百分数(%)								d_{50} (mm)	d_{90} (mm)	备注
			0.005	0.01	0.025	0.05	0.1	0.25	0.5	1.0			
姚新庄		9.7.5	18.0	26.4	49.7	83.7	95.6	98.0	99.4	99.8	0.024	0.033	单沙
		9.9.7	17.7	26.4	49.0	81.0	97.6	99.4	100		0.026	0.033	断沙
太白良		9.7.5	19.6	27.7	53.1	85.0	99.4	99.8	100		0.023	0.028	单沙
		9.9.7	20.0	29.9	52.8	83.4	99.4	100			0.023	0.028	断沙
库区异重流	蒲淤6	9.7.11	19.5	28.9	48.4	80.2	99.7	100			0.026	0.062	水深6.0m
			19.4	30.3	55.1	82.4	99.7	100			0.022	0.057	水深4.0m
	蒲淤5	9.7.13	18.3	29.2	55.6	88.9	99.7	100			0.022	0.050	水深2.0m
			21.2	30.7	54.3	85.6	99.7	100			0.022	0.054	水深5.0m
	蒲淤3	9.7.14	20.6	29.8	57.1	88.1	99.8	100			0.021	0.053	水深4.0m
			20.1	29.0	53.5	88.6	99.7	100			0.023	0.053	水深6.0m
	蒲淤1	9.7.10	19.7	29.1	54.6	87.0	99.7	100			0.022	0.054	水深4.0m
			18.7	26.6	52.3	85.3	99.6	100			0.023	0.056	水深7.0m
巴家嘴		9.7.10	18.1	25.2	49.7	79.9	98.4	99.8	100		0.025	0.029	单沙
		9.7.20	20.7	29.8	57.2	89.4	99.7	100			0.025	0.029	单沙
		9.7.20	18.1	26.5	49.9	82.7	99.3	100			0.025	0.059	断沙

根据巴家嘴水库高含沙异重流观测资料,将洪峰过程不同部位相对应的异重流特性列入表8-8。从表8-8中可以看出,异重流观测时间不同,异重流流速、含沙量及d_{50}相差较大,在同一场洪水过程中,在洪水上涨过程以及峰顶、洪峰后腰时,是高含沙异重流分布形式,而在洪峰接近退落之后,则分布形式又与一般异重流相似。因此,值得注意的是,在分析、计算高含沙异重流时,要将与一般异重流相似部分按一般异重流处理。

(三)异重流在横断面上的分布

官厅水库在50年代后期,进行了多次横断面异重流观测工作,在横断面上布设有多条垂线,测量流速与含沙量。图8-18是官厅水库永1015断面一次较为完整的异重流在断面上的流速等值线和各垂线上的含沙量分布图。从图中可看出,在最大流速等值线上缘,是异重流与清水的交界面,含沙量在$10kg/m^3$左右,交界面以上的含沙量均小于3.0 kg/m^3。这是由于异重流与清水发生相对运动引起的掺混作用而出现的。

巴家嘴水库异重流,受水库运用以及泄流能力不足的影响,在库区出现顶部和底部停

表8-8

巴家嘴水库高含沙异重流实测成果特性综合分析

编号	观测时段				观测时段与进库洪峰相应情况						出库流量、含沙量		坝前水位(m)	备注
	年	月	日	时	对应峰型部位	流量范围(m³/s)	流速(m/s)	含沙量(kg/m³)	d_{50}分布形式	d_{50}(mm)	流量范围(m³/s)	含沙量范围(kg/m³)		
1	1983	9	7	11:00~15:00	峰顶附近	600~400	四个断面均有流核	垂直无梯度分布	垂线无梯度分布		63.0	570~590	1 103.3~1 103.5	坝前水位高,洪水出库前后库水位都上升2.5m,进出库流量都大。库区清水厚度仅0.5m,是典型的高含沙异重流。进库流量大,出库流量小,有停滞层
2-1	1984	5	26	10:05~14:31	前峰腰后峰顶	30~60	近坝两断面无流核,其他4个断面有流核	无流核有梯度,断面有流核	垂直无梯度分布		32.0	360	1 103.2	坝前水位高,进出库流量大,有顶部停滞层,但厚度不大,清水层厚度大
2-2	1984	5	26	17:12~18:48	后峰尾	20~10	蒲11断面有流核,面有流核,其他断面无流核	蒲11断面无流核,面有流核,其他断面无梯度			36	300~150	1 103.1	进出库流量相差很小,泄量大,出库含沙量变小,停滞层消失,清水层进一步加厚
3-1	1981	7	30	13:45~17:00	峰顶偏后	200~150	有流核,测验断面仅两个	无梯度	无梯度		8~9	680~800	1 098.2~1 098.4	坝前水位低,出库流量小
3-2	1981	7	31	8:00~10:55	峰尾	4.0~3.0	无流核,清水层厚度仅0.4~0.5m	无梯度	无梯度		12.0	750~740	1 097.7~1 097.9	坝前水位低,出库流量大于进库流量,底部停滞层厚达5.5m。 S = 700kg/m³
4-1	1983	7	26	8:00~10:55	峰顶附近	30~40	有流核	蒲3、5断面无流度,蒲1断面有梯度	同含沙量		2.5~11.5	630	1 097.8~1 098.3	洪峰过程,进库流量小,坝前水位低,异重流流速可达1.0m/s,不稳定
4-2	1983	7	26	14:00~16:00	峰后腰	7~5	无流核	有梯度	有梯度		11.5	580~500	1 098	坝前水位低,出库流量大,排沙比为96.4%,稳定。异重流期间有中雨
5-1	1984	5	11	8:36~14:00	峰后腰偏后	80~50	蒲6.9断面有流核。6断面有流核,其他断面无流核	蒲11.9,断面有梯度,其他断面有梯度	同含沙量		35.5	770~650	1 103.3~1 103.2	坝前水位高,泄量小,异重流以前泄流观测时坝前水位上升1.3m,区间有底部停滞层

续表 8-8

编号	年	月	日	时	观测时段与进库洪峰相应情况		流速、含沙量、d_{50}分布形式			出库流量、含沙量		坝前水位 (m)	备注
					对应峰型部位	流量范围 (m³/s)	流速 (m/s)	含沙量 (kg/m³)	d_{50} (mm)	流量范围 (m³/s)	含沙量范围 (kg/m³)		
5-2	1984	5	11	16:00~20:00	峰尾	15~5	蒲6、9断面介于有流核无其他流核之间,其他断面无流核	蒲6、9断面介于有和无梯度之间,其他断面有梯度	同含沙量	36~62	670~360	1 103.1~1 102.9	出库流量大于进库流量,水位缓慢下降。停滞层消失。清浑水交界面下降
6-1	1981	8	16	9:20~18:00	峰尾,库区有大暴雨	8.0	蒲5、7、9断面有流核,其他断面无流核	蒲5、7、9断面无梯度,其他断面有梯度	同含沙量	80~77	490~270	1 104.5~1 104.2	本次异重流由两部分组成:①洪峰产生异重流;②区间暴雨产生洪涨异重流。洪峰进库时流量小,水涨猛涨,清水层薄13m,停滞层,停滞到蒲7断面,上移到蒲7断面,清水层含沙量一般为150kg/m³
6-2	1981	8	17	10:20~17:00	峰腰峰尾之间,区间有中雨	90~50	介于有流核和无流核之间	同流速	同流速	75左右	530~320	1 103.9~1 103.4	水位缓慢下降,进出库基本相等,前期停滞层尚未消除,漏斗形状上移到蒲7断面
7	1980	7	13	9:36~12:51	峰顶偏后(姚)峰尾(大)	35~10	蒲1、3断面有流核,蒲1断面无流核,其他断面无流核	蒲1、3断面无梯度,蒲1断面有梯度,其他断面有梯度	无梯度	10左右	700左右	1 099.8	除太白站外,无出水要素。进库流量小,出库流量过程前后大,中间小,有停滞层
8	1980	7	19	8:24~12:25	峰后与峰尾之间	30~10	蒲3、5、6断面有流核,蒲1断面无流核,其他断面无流核	蒲3、5、6断面无梯度,蒲1断面有梯度,其他断面有梯度	同含沙量	55	565~330	1 100~1 099	坝前水位下降到1 100m,估计水库进水端有冲刷,出库流量大于进库流量,太白良站发生异重流
9	1982	8	2	15:00~18:30	无洪水入库区间暴雨	—	介于有流核和无流核两者之间	同流速	同流速	13	300~240	1 100.3~1 100.1	坝前水位平稳,坝前水位不稳定,降雨以后,库区间降雨,因区间降雨而发生异重流。7月29日有洪水低进到库1 086.5m,3天以后,水位猛增14m,是典型的区间降雨发生异重流
10	1981	9	16	13:00~17:00	峰尾	25~15	无流核	有梯度	有梯度	68	150~50	1 102.8~1 102.4	高水位稳定。出库流量大,与一般低含沙异重流的分布相似
11	1983	6	15	12:00~16:00	峰尾	4~2	无流核	有梯度	有梯度	25~5	250~90	1 101~1 100.8	水位高且稳定。进库流量小,出库流量大,太白站无洪水。回水距离远,太白站含沙异重流很相似

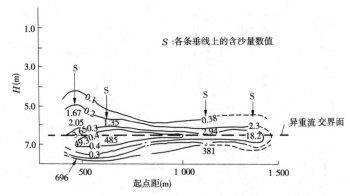

图 8-18　1956 年 7 月 19 日官厅水库含沙量流速在横断面上的分布

滞层,如图 8-14 所表现那种情况。因此,在流速为零的等值线上面,仍然可以出现 200 kg/m³ 以上的含沙量,见图 8-19。

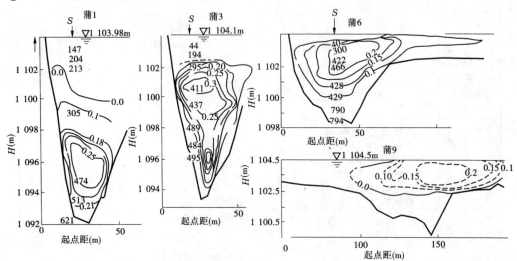

图 8-19　巴家嘴水库异重流等流速及含沙量垂线分布

从图 8-19 可以看出,最大流速等值线所包围的面积就是流核区,基本上呈圆形。蒲 3 断面出现上下两个流核。下流核区的含沙量比上流核区略大一些。这可能是因为含沙浓度不同引起密度差,可以发生的下层异重流。因资料有限,目前还没有办法进行深入研究。蒲 9 断面,相对讲比较宽浅,其流核基本呈椭圆形。这说明异重流横向扩散较缓慢,但扩散范围比较宽阔。当异重流停止流动时,它又可以极其缓慢的速度向四周蠕动、坦化,其结果就会形成一个平坦的横向淤积面。

四、冯家山水库异重流❶

冯家山水库修建在渭河支流汧河下游,控制流域面积 3 232 km²。多年平均径流量为 4.85 亿 m³,其中汛期约占 44%。年平均输沙量为 496 万 t,汛期约占 83%,洪水期输沙量

❶　陕西省宝鸡市冯家山水库管理局枢纽管理处.冯家山水库异重流排沙技术总结.1982 年 5 月

占全年的68%。

水库总库容为3.89亿m³,至1982年汛后,已淤积0.354亿m³,,占总库容的9.2%。

水库自1975年开始观测排沙,排沙比为25.7%,见表8-9。1976年开始异重流观测,至1981年汛后共观测16次,见表8-10。

表8-9　　　　　　　　　　　　　　　冯家山水库历年排沙

年　份	入库洪水次数	入库沙量（万t）	排沙次数	排沙量（万t）	排沙比（%）
1975	10	573	1	101.2	17.7
1976	3	402	3	96.2	23.9
1977	7	251	4	20.6	8.2
1978	9	286	4	67.9	23.7
1979	7	561	4	274.2	48.9
1980	7	341	5	36.1	10.6
1981	3	720	2	210.2	29.2
合　计	46	3 134	23	806.4	25.7

表8-10　　　　　　　　　　　　　　　冯家山水库历年异重流排沙

观测日期（年·月·日）	进库			出库			排沙比（%）	回水长度（km）
	Q_{max}（m³/s）	S_{max}（kg/m³）	W_s（万t）	$\overline{Q}$（m³/s）	$\overline{S}$（kg/m³）	W_s（万t）		
1976.9.6~9.7	331	95.2	86.0	200	46.3	53.3	61.9	12.1
1977.7.3~7.8	298	80.1	45.0	80	317	5.0	11.1	13.4
1977.7.17~7.19	77.8	189.0	24.0	50	113	3.2	13.3	13.9
1977.7.29	121	157	30.0	200	20.8	8.7	29.0	13.8
1977.8.20~8.21	34	341	28.0	50	429	3.7	13.2	13.4
1978.7.27~7.28	64.6	115	11.6	100	162	56.9	491*	14.1
1978.8.6	88.2	199	45.9	50	55.2	10.6	23.1	13.7
1979.7.2~7.3	61.4	65.6	16.1	18.8	92.4	0.6	3.7	13.6
1979.7.11~7.13	77.6	209	34.0	37.3	57.7	7.0	20.6	14.1
1979.7.21~7.23	654	442	279	85	676	190	68.1	14.5
1979.7.25~7.26	287	227	118	85	238	76.7	65.0	14.4
1980.7.2~7.5	70	38.3	22.8	50	674	5.5	24.1	13.7
1980.8.2~8.11	225	87.5	52.5	57	123	7.1	13.5	14.4
1980.8.23~8.27	279	162	90.8	63	97.3	20.7	22.8	15.4
1981.8.21~8.26	1 180	141	474.6	300	514	205	43.2	17.0
1981.9.1~9.10	308	30.3	104.5	300	8	5.2	5.0	17.0

注:因没有及时开闸排沙,形成浑水水库,故排沙比很大。

由于冯家山水库为山区峡谷带状形水库,原河床比降陡(3.13‰)对异重流运动和排沙极为有利。从表 8-10 可知,1977 年 8 月 20 日洪水,在洪峰流量仅 $34m^3/s$、最大含沙量为 $341kg/m^3$ 的条件下,仍然可以产生异重流并且排沙出库,排沙比达到 13.2%。官厅水库的回水长度在 28km 左右时,进库流量要在 $200m^3/s$ 左右,异重流才能达到坝前,排沙比仅为 8.3%(参见表 8-4,编号 27)。官厅水库为湖泊型水库,原始河床比降为 $1.0‰$。对比冯家山及官厅两水库可看出,由于地形条件相差很大,异重流排沙效益也迥然不同。这启示我们,水流强度用 $\gamma'QJ$ 表示时,比降起很大作用。另外水库地形的狭窄与宽阔,对沿程阻力影响很大,由狭窄段进入宽阔段,或由宽阔段进入狭窄段的局部损失,都会影响异重流的能量损失,同时也会影响排沙效益。对于某一具体的水库来讲,都必须考虑水库的边界条件。

参 考 文 献

[1] 钱宁,等. 异重流. 北京:水利出版社,1958

[2] 范家骅,焦恩泽. 官厅水库异重流初步分析. 见:泥沙研究三卷四期,北京:水利出版社,1958

[3] 侯晖昌,焦恩泽,等. 官厅水库 1953~1956 年异重流资料初步分析. 见:泥沙研究三卷二期. 北京:水利出版社,1958

[4] 范家骅,等. 异重流的研究和应用. 北京:水利电力出版社,1959

[5] 程龙渊,等. 三门峡库区水文泥沙实验研究. 郑州:黄河水利出版社,1999

[6] 曹如轩. 高含沙异重流的实验研究. 水利学报,1983(2)

[7] 焦恩泽,等. 巴家嘴水库来水来沙特性与高含沙异重流的研究. 见:科学研究论文集(第三集). 北京:中国环境科学出版社,1991

[8] 官厅水库水文实验站. 官厅水库泥沙测验工作. 见:泥沙研究第三卷第二期. 北京:水利出版社,1958

[9] 三门峡泥沙问题编写小组. 黄河三门峡水库的泥沙问题. 见:坝工建设技术经验汇编(第二集). 北京:水利出版社,1976

第九章　水库异重流运动规律

异重流的运动仍然是遵循水流运动的基本规律,只是在各种方程式中要附加含沙密度的作用。

第一节　异重流的基本方程[1]

在一般水力学的教科书中,都比较详细地介绍了水力学的三大定律:能量方程、连续方程和动量方程。此外还讨论了压力方程。

一、异重流压力

在重力作用下的水静力学中,压力方程可写成

$$P = P_0 + \gamma h \tag{9-1}$$

式中:γ 为液体重率;h 为自水面起的深度;P_0 为液面上的压强。

如果液面上边为空气或者是自由大气压,可将式(9-1)改写成

$$P = \gamma h \quad \text{或} \quad h = P/\gamma$$

现在我们来考察异重流的压力分布,见图 9-1。图中有两种液体,设上层为较清的液体,下层为较浑的液体,其全水深 H 的压强由两部分组成。假设浑水液体的密度为均匀

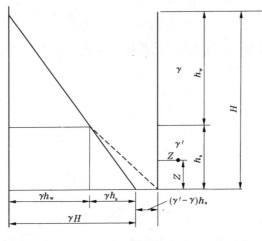

图 9-1　压力分布

的,其任意一点 Z 的压强为

$$P = \gamma h_w + \gamma'(h_s - Z)$$

或者为

❶　焦恩泽.水库异重流问题研究与应用.水电站泥沙研习班讲义.1986 年 9 月

$$P = \gamma(H - Z) + \frac{\Delta\gamma}{\gamma'}(h_s - Z)\gamma' \tag{9-2}$$

可以看出,式(9-2)一部分是上层清水和下层浑水中的清水压力,另外一部分是下层浑水与清水的重率差($\gamma' - \gamma$)引起的附加压力。因此,也可以写成

$$P = P_w + \Delta P' \tag{9-3}$$

式中:P_w 为清水压力;$\Delta P'$ 是由重率差引起的附加压力。

二、异重流能量方程[1]

在水力学中,能量方程最后均用伯诺里方程表示,即

$$Z_1 + \frac{P_1}{\gamma} + \frac{u_1^2}{2g} = Z_2 + \frac{P_2}{\gamma} + \frac{u_2^2}{2g}$$

在描写异重流的能量方程时,将清水的重率 γ 改换为浑水重率 γ',则异重流能量方程可写成

$$Z_1 + \frac{P_1}{\gamma'} + \frac{u_1^2}{2g} = Z_2 + \frac{P_2}{\gamma'} + \frac{u_2^2}{2g} \tag{9-4}$$

但是,异重流的压力由两部分组成,即

$$P = \gamma H + \Delta\gamma h_s - \gamma' Z$$

令 $H_1 \approx H_2$,将上式代入式(9-4),经过整理成为下式:

$$h_{s1} + \frac{u_1^2}{2\frac{\Delta\gamma}{\gamma'}g} = h_{s2} + \frac{u_2^2}{2\frac{\Delta\gamma}{\gamma'}g} \tag{9-5}$$

三、异重流连续方程

异重流的连续方程与一般流体运动的连续方程式是完全相同的。对于二维不恒定流来说,均质液体的连续方程式为

$$\frac{\partial h}{\partial t} + \frac{\partial q}{\partial x} = 0$$

考虑到异重流的密度,应改写成

$$\frac{\partial \rho' h_s}{\partial t} + \frac{\partial \rho' q}{\partial x} = 0 \tag{9-6}$$

对于二维恒定异重流,则 $\partial\rho'/\partial t = 0$,$\partial h_s/\partial x = 0$,所以

$$q\frac{\partial \rho'}{\partial x} + \rho^2 \frac{\partial q}{\partial x} = 0 \tag{9-7}$$

如果假定密度 ρ' 沿程不变,则式(9-7)可写成

$$\frac{\partial q}{\partial x} = 0 \tag{9-8}$$

在天然水库中,因为是泥水异重流,有一部分粗颗粒泥沙要沉积,不能满足式(9-7)及式(9-8)的条件。

四、异重流动量方程

最简单的情况只是讨论两个断面之间的均匀异重流,设 a_1 及 a_2 为两个断面,其间的动量方程为

$$P_1 A_1 - P_2 A_2 = \frac{\gamma' Q u_2}{g} - \frac{\gamma' Q u_1}{g} \tag{9-9}$$

式中:P_1、P_2 为断面上的某一点的压力;A_1、A_2 为断面面积;$P_1 A_1$、$P_2 A_2$ 分别为断面 a_1 及 a_2 上的总压力。

在二维情况下,式(9-9)两边除以宽度,可改写成下式:

$$P_1 H_1 - P_2 H_2 = \frac{\gamma' q u_2}{g} - \frac{\gamma' q u_1}{g} \tag{9-10}$$

由式(9-2)可转化为

$$P = \gamma(H - Z) + (\gamma' - \gamma)(h - Z)$$

对上式进行积分:

$$P = \int_0^H [\gamma(H - Z)\mathrm{d}Z + \int_0^h (\gamma' - \gamma)(h - Z)\mathrm{d}Z = \gamma\frac{H^2}{2} + \Delta\gamma\frac{h^2}{2}$$

将上式代入式(9-10)可得

$$\left[\gamma\frac{H_1^2}{2} + \Delta\gamma\frac{h_1^2}{2}\right]H_1 - \gamma\left[\frac{H_2^2}{2} + \Delta\gamma\frac{h_2^2}{2}\right]H_2 = \frac{\gamma' q u_2}{g} - \frac{\gamma' q u_1}{g}$$

令 $H_1 = H_2$,两边同除以 γ',可得到下式:

$$h_{s1}^2 + \frac{2q u_1}{\frac{\Delta\gamma}{\gamma'}g} = h_{s2}^2 + \frac{2q u_2}{\frac{\Delta\gamma}{\gamma'}g} \tag{9-11}$$

式(9-11)就是异重流的动量方程。

第二节　水库异重流产生条件[1]

在库区,挟沙水流由明渠流转化为异重流,它的惟一标志是异重流潜入点。潜入点标志着异重流已经开始形成。从明渠流潜入到形成异重流,清水与浑水的交界面是不连续的,处在突变状态,见图9-2。

潜入点下游的清浑水交界面曲线有一个拐点,该处浑水水深沿流程变化率为$\mathrm{d}h/\mathrm{d}x$。当$\mathrm{d}h/\mathrm{d}x \to \infty$时,即

$$\frac{v^2}{\frac{\Delta\gamma}{\gamma'}gh} = 1$$

参照图9-2可知,$v^2 / \left(\frac{\Delta\gamma}{\gamma'}gh\right) = 1$ 时,在B断面上的水深为临界水深 h_k,而潜入点的异重流(A断面)水深 h_0 要大于 h_k。因此,潜入点处的佛氏数要小于1.0。

范家骅根据室内水槽试验,得到异重流产生条件为

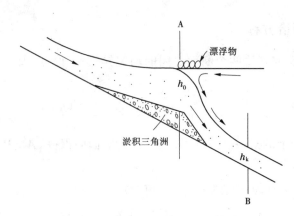

图 9-2　异重流潜入点附近示意

$$\frac{v}{\sqrt{\dfrac{\Delta\gamma}{\gamma'}gh_0}} = 0.78 \tag{9-12}$$

或

$$\frac{v^2}{\dfrac{\Delta\gamma}{\gamma'}gh_0} = 0.6$$

　　式(9-12)在许多水库中得到印证,基本上是正确的,见图9-3。图中有范家骅室内试验资料,有黄河水利科学院水槽试验资料。此外,还有官厅、红山、刘家峡和小浪底水库的实测资料。从图中可以看到,v 与 $(n_g gh_0)^{1/2}$ 的关系比较好,室内与野外资料都符合式(9-12)。

　　日本学者芦田和男也提出了异重流潜入点的计算方法[2],他是将异重流潜入点处的水流简化如图9-4所示。作者假定压强为静力分布,潜入点上游和下游的流速分布为定值,均匀分布。

　　考虑了水流连续方程,并对运动方程进行积分,推导以后得如下公式:

水流连续方程为

$$u_1 H_p = u^2 H = q \tag{9-13}$$

水流运动方程为

$$u\frac{\partial u}{\partial x} + \omega\frac{\partial u}{\partial z} = \frac{1}{\rho}\frac{\partial p}{\partial x} \tag{9-14}$$

假定静压力和流速分布为常数,对式(9-14)积分,则可得

$$u_2^2 H - u_1^2 H_p = \frac{1}{2}\frac{\Delta\gamma}{\gamma'}g(H_p^2 - H^2) \tag{9-15}$$

令 $u_1 = \dfrac{u_2 H}{H_p}$,代入式(9-15)可得

$$Hu_2^2 - \frac{u_2^2 H}{H_p} = \frac{1}{2}\frac{\Delta\gamma}{\gamma'}g(H_p^2 - H^2)$$

两边乘4,再加1,经过转换后可得

$$\frac{8u_2^2}{\dfrac{\Delta\gamma}{\gamma}gH} + 1 = 4\left(\frac{H_p^2}{H} + 4\frac{H_p}{H} + 1\right)$$

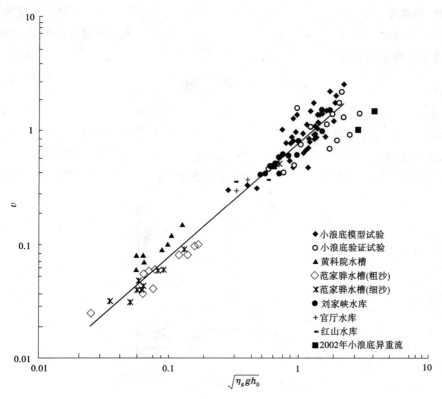

图 9-3　异重流产生条件关系

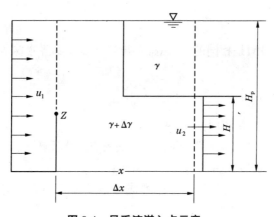

图 9-4　异重流潜入点示意

令 $u_2^2 / \left(\dfrac{\Delta \gamma}{\gamma'} gH \right) = Fr'^2$，则上式可改写为

$$8Fr'^2 + 1 = \left(2\frac{H_{\mathrm{p}}}{H} + 1 \right)^2$$

$$H_{\mathrm{p}} = \frac{1}{2} \left(\sqrt{8Fr'^2 + 1} - 1 \right) H \tag{9-16}$$

式(9-16)就是异重流潜入点水深计算式。

式(9-16)是在坡度为零的条件下求得的公式。如果在有一定坡度的流路上,应给出单宽流量、密度差 $\gamma' - \gamma = \Delta\gamma$ 和潜入以后的异重流厚度 H,因此还要分割异重流的厚度 H。作者进行假定和简化,考虑了动黏滞系数 ν,密度差 $\Delta\gamma$、床面相对粗糙度 k_s,最后给出异重流潜入点水深公式为

$$H_p = 0.365q^{2/3}\left(\frac{\Delta\rho}{\rho}gJ\right)^{-1/3} \tag{9-17}$$

式中:J 为潜入点附近的能坡。

朱鹏程[3]于 1981 年从异重流受力的情况,列出了异重流产生前和产生后在断面上的作用力,从与进出断面的动量改变率的关系出发,推导出异重流产生的判别式。

作者假定在平底无坡,在微小的距离内,不考虑阻力的情况下,其模型如图 9-5 所示。

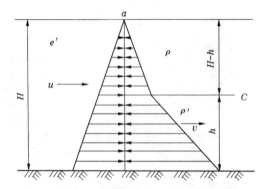

图 9-5　异重流潜入条件模型

图 9-5 实际上假定为均质浑水,流速为定值。这样可写出受力情况为

$$\frac{1}{2}\frac{\Delta\rho}{\rho}g(H^2 - h^2) = hv^2 - Hu^2$$

与芦田和男式(9-15)是相同的,最后推导出异重流的临界水深 h_k 为

$$h_k = \frac{q^{2/3}}{\left(\dfrac{\Delta\gamma}{\gamma'}gJ\right)^{1/3}} \tag{9-18}$$

式(9-18)与式(9-17)是相同的。

若是水库异重流存在共轭水深,则异重流潜入点的佛氏数 Fr' 应小于 1。用实测资料求得潜入点处佛氏数为 $Fr' \leqslant 0.8$ 或 $Fr'^2 = 0.64$。

式(9-17)中有能坡 J 的因子,也可理解成考虑了河道边界条件,从理论上讲是合理的。

朱鹏程的公式(9-18)与芦田和男的公式(9-17)是一致的。

第三节　异重流阻力

异重流阻力是研究异重流运动的重要因素,也是计算水库异重流的重要参数。

异重流的阻力公式与明渠流相同,只是需要考虑异重流的有效重力加速度,可改写为

$$u = \left(\frac{8}{\lambda_m}\frac{\Delta\gamma}{\gamma'}gRJ\right)^{1/2} \tag{9-19}$$

异重流的平均阻力系数 λ_m 可采用范家骅公式[1]。

范家骅在室内用泥水所做的异重流试验,求得明渠流时,水槽底部和边壁阻力系数按下式计算:

$$\lambda_m = \frac{8gRJ}{u^2} \tag{9-20}$$

λ_m 平均值为 0.020。

求得清浑水交界面的平均阻力为 0.005,因此异重流的平均总阻力为 0.025。

2001 年小浪底水库发生异重流,用式(9-20)计算,λ_m 的平均值为 0.022,见表 9-1。马怀宝分析 2002 年小浪底水库异重流时,也计算了阻力,如表 9-2 所示。

表 9-1　　　　　　　　小浪底水库异重流阻力系数 λ_m 计算值●

时间 (月·日)	位置 (断面)	水位 (m)	流速 (m/s)	含沙量 (kg/m³)	异重流厚度 (m)	λ_m	河段平均 λ_m
8.21	黄淤 29	205.42	1.12	188	9.81	0.032 2	0.028 2
	黄淤 27	205.58	1.42	35.1	7.87	0.031 7	
	黄淤 25	205.76	1.34	77.4	18.55	0.020 7	
8.23	黄淤 29	209.78	1.41	106.0	9.34	0.014 4	0.016 2
	黄淤 27	209.8	0.93	80.5	9.17	0.015 7	
	黄淤 25	209.71	1.05	77.5	11.18	0.018 6	
8.24	黄淤 29	210.1	0.78	78.1	7.74	0.024 3	0.017 6
	黄淤 27	210.12	0.69	43.1	8.01	0.005 1	
	黄淤 25	210.13	0.45	60.7	8.84	0.023 4	
8.25	黄淤 29	210.29	0.62	66.7	2.18	0.010 2	0.012 4
	黄淤 27	210.3	0.20	58.1	6.17	0.020 8	
	黄淤 25	210.29	0.28	76.6	6.93	0.006 3	
8.27	黄淤 29	210.8	0.5	39.1	4.38	0.026 5	0.022 3
	黄淤 27	210.85	0.44	50.9	6.67	0.024 4	
	黄淤 25	210.85	0.48	51.1	6.44	0.015 9	
8.29	黄淤 29	212.30	0.63	18.1	8.48	0.019 6	0.027 1
	黄淤 27	212.46	0.47	25.5	10.23	0.022	
	黄淤 25	212.49	0.37	30.0	9.58	0.039 8	
8.31	黄淤 29	213.78	0.47	21.2	4.69	0.017 4	0.024 9
	黄淤 27	213.91	0.42	36.7	7.35	0.023 4	
	黄淤 25	213.95	0.38	36.1	7.19	0.034	
9.3	黄淤 29	215.89	0.47	28.0	6.82	0.015 4	0.026 9
	黄淤 27	216.03	0.34	29.0	6.04	0.043 8	
	黄淤 25	216.06	0.31	29.0	5.14	0.021 5	

● 侯素珍.2001 年小浪底水库异重流初步分析.黄科技 Zx-2002-21-35(N20).黄河水利科学研究院,2002 年 4 月

表 9-2　　　　　　　　　　2002 年小浪底水库异重流综合阻力系数计算[1]

施测时间 (月·日·时:分)	水位 (m)	断面 名称	异重流厚度 (m)	水力半径 (m)	流速 (m/s)	含沙量 (kg/m³)	阻力 系数	河段 平均
7.8.12:40	233.71	1	8.7	8.84	0.13	57.66	0.025 9	
7.8.13:40	233.76	5	16	16.14	0.23	35.50	0.024 1	
7.8.12:00	233.81	9	11.3	7.87	0.28	44.30	0.018 8	
7.8.16:00	233.71	17	13.7	7.56	1.29	44.90	0.024 9	0.024 5
7.8.16:00	233.74	21	17.1	9.95	0.71	52.40	0.020 7	
7.8.17:00	234.06	29	14.4	6.87	0.59	39.60	0.032 4	
7.9.6:30	233.12	1	17	21.95	0.12	60.30	0.026 0	
7.9.8:30	233.03	5	12.8	20.85	0.12	51.10	0.035 4	
7.9.6:18	233.12	9	14	8.93	0.23	71.00	0.029 3	
7.9.6:30	233.14	17	12.5	7.04	0.65	46.90	0.020 5	0.028 6
7.9.7:18	233.12	21	14.3	7.58	0.50	40.20	0.036 0	
7.9.16:48	232.62	29	9.3	4.42	0.81	27.90	0.024 5	
7.10.16:00	231.35	1	8.6	9.21	0.06	53.80	0.034 2	
7.10.16:00	231.37	5	14.2	9.35	0.13	84.40	0.020 5	
7.10.8:06	231.77	9	13.9	8.67	0.15	85.60	0.028 6	
7.10.7:30	231.79	17	11	6.77	0.32	56.30	0.032 1	0.025 8
7.10.16:00	231.42	21	8.5	5.21	0.27	52.60	0.026 9	
7.10.17:12	231.37	29	7	3.68	0.66	27.70	0.012 7	
7.11.16:00	230.17	1	9.4	9.53	0.05	51.80	0.019 6	
7.11.8:30	230.47	5	12.3	7.43	0.09	76.90	0.030 2	
7.11.16:00	230.14	9	13.9	8.29	0.14	98.10	0.034 9	
7.11.16:00	230.12	17	9.3	6.10	0.24	56.20	0.028 5	0.029 6
7.11.15:48	230.18	21	7.9	4.85	0.19	58.30	0.034 9	
7.11.16:00	230.20	29	7.8	4.10	0.52	40.40	0.029 7	
7.12.16:00	228.69	1	6.8	9.00	0.05	44.70	0.033 1	
7.12.16:10	228.70	5	11.2	7.69	0.09	60.00	0.023 5	
7.12.8:12	229.23	9	13.4	8.00	0.13	95.10	0.028 2	
7.12.15:36	228.73	17	7.8	5.87	0.23	50.00	0.024 0	0.026 1
7.12.16:06	228.82	21	6.7	4.59	0.28	43.80	0.023 1	
7.12.8:00	229.29	29	4.6	2.63	0.39	26.20	0.024 3	

　　官厅水库异重流的平均阻力系数为 0.018 5~0.029 9,平均值为 0.023。计算成果见表 9-3[1]。

---

[1]　马怀宝,等.小浪底库区实测异重流资料分析.黄科技 Zx-2002-27-42(N25).黄河水利科学研究院,2002 年 12 月

表 9-3

官厅水库异重流的阻力系数数据

日 期 （年·月·日）	平均厚度 h（m）	平均流速 v（m/s）	平均含沙量 S（kg/m³）	异重流比重 γ'	清水比重 γ	$\Delta\gamma$	$\dfrac{\Delta\gamma}{\gamma}$	$-\dfrac{\mathrm{d}h}{\mathrm{d}x}$	λ_m	Re	温度（℃）清水	温度（℃）浑水	$\dfrac{v^2}{\frac{\Delta\gamma}{\gamma}gh}$	J_0
1957.8.27~28	0.42	0.24	44	1.026 0	0.997 32	0.028 68	0.028 00	0.000 144	0.023 0	109 500	24.0	24.0	0.500	0.000 90
1957.8.31	0.65	0.24	34	1.019 0	0.997 80	0.021 16	0.020 75	0.000 161	0.018 5	181 300	21.8	21.4	0.436	0.001 64
1956.8.28	0.95	0.35	55	1.031 3	0.996 89	0.034 41	0.033 37	0.000 1	0.020 0	325 400	26.0	25.0	0.394	0.000 93
1956.6.19	1.10	0.40	75~70	1.043 8	0.997 49	0.046 31	0.044 37	0.0	0.025 0	400 000	23.3	24.2	0.334	0.001 04
1956.6.20	1.20	0.36	60	1.034 5	0.997 56	0.036 94	0.035 70	0.0	0.029 9	405 400	23.0	24.0	0.308	0.001 16
1956.6.27	0.95	0.35	65	1.038 6	0.998 28	0.040 31	0.038 9	0.0	0.024 5	278 600	20.3	19.7	0.338	0.001 00
1956.6.30	1.20	0.41	60	1.035 1	0.998 08	0.037 02	0.035 76	0.000 15	0.027 2	430 000	22.0	20.7	0.399	0.001 20
1956.7.19	0.95	0.31	56	1.032 0	0.997 27	0.034 73	0.034 6	0.000 28	0.026 5	335 400	24.7	24.2	0.298	0.000 81
1956.7.20(1)	1.25	0.35	45	1.025 9	0.997 20	0.028 70	0.027 98	0.000 265	0.028 2	422 000	24.5	23.5	0.363	0.001 10
1956.7.20(2)	1.30	0.3	50	1.029 3	0.997 20	0.032 10	0.031 19	0.000 3	0.036 5	442 000	24.5	25.0	0.226	0.000 80
1956.8.1(1)	0.80	0.32	48	1.027 1	0.996 81	0.030 29	0.029 49	0.000 253	0.025 5	248 000	26.0	24.0	0.442	0.001 30
1956.8.1(2)	1.30	0.45	60	1.034 4	0.997 35	0.037 05	0.035 82	0.000 05	0.019 5	610 500	26.0	24.0	0.443	0.001 25
1956.8.2	0.85	0.30	40	1.021 9	0.996 94	0.024 96	0.024 43	0.000 382	0.026 2	224 200	25.5	25.0	0.444	0.001 20
1956.8.9	1.8	0.52	50	1.027 8	0.996 75	0.031 05	0.030 21	0.000 1	0.018 9	999 000	25.5	26.2	0.507	0.001 15
1956.8.10	1.6	0.41	55	1.031 3	0.996 89	0.034 41	0.033 37	0.000 02	0.019 1	535 500	25.0	24.7	0.321	0.000 82

第四节　异重流输沙能力

在天然条件下,水库异重流的运动都是不恒定的、非均匀流的流体。但是由于异重流在沿程阻力和槽蓄的作用下,流经一定距离和经过一定时间以后,异重流逐渐趋向恒定和均匀。如果将运动距离和流动时间看做是微小的,可以假定为是恒定均匀流。

异重流在恒定均匀条件下,$\partial u / \partial S = 0$。

对二元问题,$B > 2h$,所以 $R \approx h$,此时异重流的流速公式为

$$u = \frac{8}{\lambda_m} \frac{\Delta \gamma}{\gamma'} gh J_0 \tag{9-21}$$

将 $h = q/u$ 代入上式,则可写成

$$u = \left(\frac{8}{\lambda_m} \frac{\Delta \gamma}{\gamma'} gq J_0 \right)^{1/3} \tag{9-22}$$

$$h = \left(\frac{\lambda_m}{8} \frac{q^2}{\frac{\Delta \gamma}{\gamma'} g J_0} \right)^{1/3} \tag{9-23}$$

在稳定的条件下,异重流的单宽输沙率可写成

$$q_s = qS \tag{9-24}$$

水流挟沙力可写成如下形式:

$$S_* = \left(\frac{u^2}{gh} \right) \left(\frac{u}{\omega} \right)$$

因此可以推导出异重流挟沙公式为

$$S_* = k \frac{\frac{8}{\lambda_m} \frac{\Delta \gamma}{\gamma'} gh J_0}{gh \omega_0} = k \frac{8}{\lambda_m} \frac{\Delta \gamma}{\gamma'} \frac{q J_0}{h \omega_0} \tag{9-25}$$

式中 λ_m 为阻力系数,可以用试验和水库实测资料计算求得。如水槽试验 $\lambda_m = 0.025$,官厅水库为 0.023,小浪底水库为 0.022。J_0 为水库库底坡度。则式(9-25)可简化为

$$S_* = k \left(\frac{\Delta \gamma}{\gamma'} \frac{q_0 J}{h \omega_0} \right)^m \tag{9-26}$$

式中 ω_0 为单颗粒泥沙沉降速度。泥水异重流是群体运动和群体沉降,用 ω_s 表示异重流群体沉降,它与单颗粒泥沙沉降的关系为

$$\omega_s / \omega_0 = e^{-6.72 S_V}$$

式中 S_V 为体积含沙量,代入式(9-26),两边乘以单宽流量,可改写成

$$q_s = qk \frac{\Delta \gamma}{\gamma'} \frac{q J_0 e^{6.72 S_V}}{h \omega_0}$$

则异重流的输沙能力计算式为

$$q_s = k' \frac{\Delta \gamma}{\gamma'} \frac{q^2 J_0 e^{6.72 S_V}}{h \omega_0} \tag{9-27}$$

式(9-27)与天然河道的输沙能力公式基本相同,只是相差一项 $\Delta \gamma / \gamma'$。单宽输沙率

与单宽流量成正比,$J/h\omega_0$ 表示水流能坡与沉降时间的比值,能坡越大,水流提供的能量越大,相应的输沙能力也越强。k' 为综合系数。

我们根据小浪底水库 2001 年实测异重流资料,按式(9-27)进行计算,如图 9-6 所示。确定综合系数 k' 为 370,指数 m 为 0.63。应当指出的是,这只局限于小浪底水库。因此,k' 尚有待更多的资料进行验证。

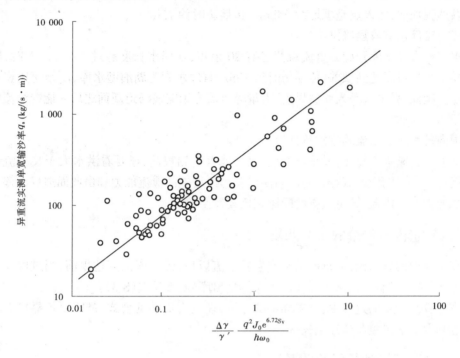

图 9-6　异重流单宽输沙率关系

第五节　异重流排沙问题

水库异重流产生以后,流动到坝前,当排沙设施开启闸门以后才能排沙出库,异重流要流经宽断面、窄断面,扣除沿程损失以后才能达到坝前。若异重流流量大于泄流能力,还会出现壅水而形成浑水水库。

一、异重流到达坝址的进库流量与含沙量

水库异重流产生以后能够运动到坝前,必须有足够的流量,即大于某一级流量并持续上涨一定时间才可以由产生、流动至坝前。我们从已有水库的实测资料得知,就某一座水库而言,在洪峰上涨过程,流量和含沙量大于某一数量级时,所产生的异重流就可以达到坝址。

(一)三门峡水库异重流排沙

从已知的 17 次异重流观测资料中,在洪水上涨到 1 000～1 500m³/s、含沙量在 30 kg/m³ 以上时,并继续上涨,异重流产生以后可以流动到坝前。三门峡潼关以下库区,虽

然是峡谷型地形,但是在黄淤40~37断面及34~30断面较为宽阔。异重流流到这些河段,要消耗一定数量的异重流容积之后才能向下游流动,达到坝前排沙。

(二)小浪底水库异重流排沙

小浪底水库在2001年及2002年对异重流的产生、运动以及流速、含沙量做了观测。从实测资料得知,洪水上涨到1000m³/s以上,含沙量在30kg/m³以上时,所产生的异重流可以达到坝前,潜入点至坝址约55km。传播历时约12h。

(三)官厅水库异重流排沙

永定河官厅水库开展异重流观测已有20余年,在回水长度超过20km以上时,所产生的异重流也可以达到坝前,传播历时约10h。官厅水库为湖泊型水库,原始河道宽浅游荡不定。因此,异重流潜入库底以后,大量异重流充填宽浅河道断面之后才能继续流向坝前。

国内外水库异重流的排沙特征值见表9-4。

从上述三座水库知道,异重流产生之后,能否达到坝前,还要看洪水大于某一流量级的后续情况,另外是水库地形、闸门启闭以及排沙设施的泄流能力和由此而造成的浑水水库容积的大小。因此,异重流排沙问题是比较复杂的。

二、异重流总沙量的平衡问题

在水库中的异重流,从进库洪水产生异重流以后,流经库区到达坝前,当进库流量大于出库流量时,又有一定壅水或浑水水库倒排出库外,参见式(8-3)。

在计算总沙量的过程中,对未知项的计算,还没有成熟的公式,都需要依靠已有水库的经验和今后的测量工作逐渐完成。

三、异重流排沙量经验关系

异重流的排沙与进库的水沙条件、水库地形以及来沙的颗粒组成有密切关系。一般讲,库底坡度大,其排沙比也大,反之则小。在同一水库的条件下,进库流量大,其排沙比也大,反之则小。根据国内外一些有异重流排沙的水库资料,点绘库底坡度与排沙比的关系,如图9-7所示。图中对于每座水库是用多次洪水排沙比的平均值与库底坡建立的关系。从图中可以看出,排沙比 $\eta = (W_{so}/W_{si})$ 与库底坡度关系较好。其中 W_{so}、W_{si} 分别为出库沙量与进库沙量。

从很多水库排出的异重流得知,异重流出库的泥沙组成都小于0.01mm。因此,也可以用产生异重流的相应进库洪水中的泥沙组成颗粒小于0.01mm的百分比作为排沙比的百分数。这里收集到的官厅、三门峡和闹德海水库的实测资料,建立排沙比与进库泥沙组成 $d<0.01$mm 百分比的关系,如图9-8所示。图中官厅水库分别为3种情况:一是敞泄排沙;二是部分开启闸门,意味着出现浑水水库,只排出一部分泥沙,因此进库 $d<0.01$mm百分比大于排沙比;三是闸门全部开启。

闹德海水库有一个点据偏上,我们缺乏具体运用资料,可能是属于敞泄冲刷型异重流,排沙比中不完全都是异重流排沙。

表9-4

国内外16座异重流排沙水库特征值、排沙比统计

编号	水库名称	所在国家	坝高 (m)	库容 (亿m³)	流域面积 (km²)	河道比降 (‰)	回水长度 (km)	泥沙粒径 (mm) 进库	泥沙粒径 (mm) 出库	含沙量 (kg/m³) 进库	含沙量 (kg/m³) 出库	排沙比 (%)	测量年份	资料来源
1	米德湖	美国	183	—	434 000	10	110~185	—	0.001 6	32.2	—	2.5	1935	《异重流》,钱宁,等编著,水利出版社,1957
2	三门峡	中国	106	96.0	688 421	3.5	136	0.034	—	56	—	25.7~35	1960~1964	三门峡水库泥沙问题的研究,张启舜,龙毓骞
3	冈崱斯	美国	51	—	19 000	15	37	—	—	—	54	15~30	1939~1944	《异重流》,钱宁,等编著,水利出版社,1957
4	爱勒芬贝脱	美国	—	—	—	0.89	64	黏土	—	31.9	—	2~3	1933	《异重流》,钱宁,等编著,水利出版社,1957
5	戴克索玛湖	美国	—	31.0	—	—	80	0.01	0.004	12~36.5	10~24	小于15	1951	《异重流》,钱宁,等编著,水利出版社,1957
6	红山	中国	31	25.6	24 486	6.0	34	0.02	—	44	—	0.49~11.0	1961~1974	黄河泥沙研究报告选编第二册,204~216页,1975
7	官厅	中国	45	22.7	43 500	16	20	0.025	0.005	12~132	21~75	25	1953~1956	碧口电站泥沙总结初稿,余厚政,1981.11
8	汾河	中国	60	7.0	5 268	34.7	15	—	—	44	—	11.2~20.8	1973~1974	
9	碧口	中国	101	5.21	26 000	30	36.5	0.044	—	最大227	—	18~44	1976~1980	
10	冯家山	中国	73	3.89	3 232	38.5	18.5	0.02	—	最大604	—	20.8	1975~1980	冯家山水库异重流排沙初步总结,1981.3
11	依利—艾姆达	阿尔及利亚	61	1.56	—	30	(20)	—	0.013 6	120	81	45	1953~1955	《异重流》,钱宁,等编著,水利出版社,1957
12	刘家峡 (洮河)	中国	147	1.14	30 200	25~100	20	0.023	0.016~0.03	最大400	—	47.4	1969~1980	黄河刘家峡水电站水库泥沙设计与现状,吴孝仁,1982.3
13	小河口	中国	41	0.33	—	290	4.0	—	0.026~0.065	—	—	最大95	1976	黄河泥沙研究报告选编第三册,138~149页,1976
14	恒山	中国	69	0.133	169	290	2.0	0.011~0.058	—	—	—	36.6~100	1968~1978	山西省恒山水库空库排沙及高浓度异重流排沙总结,郭志刚,甄可忠来志至,1979
15	黑松林	中国	45.5	0.086	370	110	3.0	d<0.035	—	—	—	61.2~91	1962~1972	水库泥沙报告汇编,169~1984页,1972
16	小浪底	中国	150	127	694 000	11	126	d<0.025百分比为39%	—	—	—	—	—	

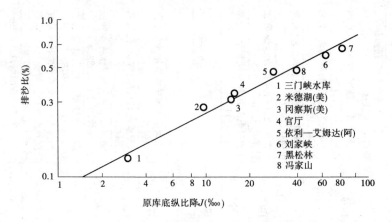

图 9-7　多次洪峰异重流平均排沙比经验关系

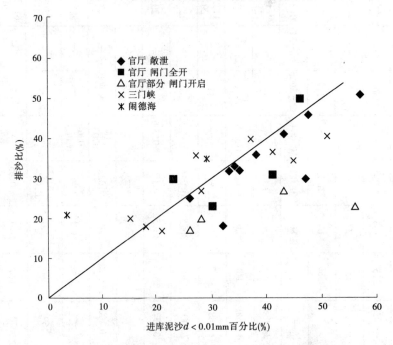

图 9-8　三门峡、官厅水库进库泥沙 $d<0.01$mm 百分比与排沙比关系

第六节　异重流吸出高度❶

　　许多学者[1,4]对异重流孔口出流进行了系统的试验研究,认为异重流排沙孔口有吸出高度即所谓"爬高"现象。他们所做的试验均为以盐水或含沙浓度很小(出口含沙量均在 10kg/m³ 以上)的水流作为异重流流体在水槽中进行的试验。其主要结论是:异重流抵达孔口前,受流速场影响,产生负压区;当异重流交界面高程还低于孔口高程时,交界面

　　❶　焦恩泽.小浪底水库高含沙异重流的试验研究.黄科院科技第 87010 号,1987 年 2 月

受孔口抽吸及负压的作用,使交界面局部升高,则异重流得以排出。这种现象称之为孔口吸出高度。

我们对异重流吸出高度的研究是从两方面进行的:一是室内试验;二是小浪底水库实测资料分析。

一、室内试验

(一)试验设备

室内试验设备参见图9-9。水槽长18m、高0.7m、宽0.5m,平底可以任意铺垫坡度。水槽两侧内壁间距的误差为±1.0mm,升降式自记水位计,误差为±0.1mm。电磁流量计精度为1/200,作为进口流量的测量仪器,用电动自控闸门并联,形成反馈自控系统,在中央控制台操作,有自记仪器记载全部试验数据。

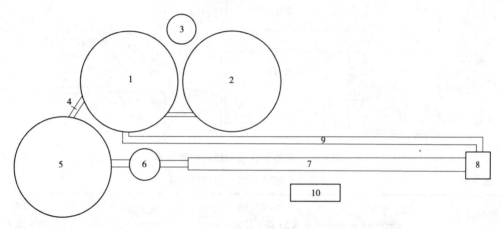

图9-9　异重流试验水槽示意

1——次搅拌池;2—事故池;3—水泵;4—输送管道;5—二次搅拌池;
6—电磁流量计;7—水槽;8—尾门;9—回水管路;10—中央控制台

水槽出口分3层设置,参见图9-10。孔口内径5cm,孔口末端设调压箱,设自记水位计。调节箱设一总出口管道,下接锥型阀控制出口流量及水位。调压箱水位变幅为10cm,水槽水位最大变幅控制在0.5mm。对比试验结果见表9-5。

三层排沙孔各设置取样孔口,孔口内径为4.0mm。用胶管连接,可随时取样,测定各层管道的含沙量。

(二)孔口吸出高度试验

1.孔口出流试验基本资料

我们所做的异重流试验,其沙样取自花园口滩区细颗粒泥沙,泥沙组成见表9-6。

异重流孔口出流试验基本数据见表9-7。

从表9-7中可以看出,试验的含沙量由$3.0kg/m^3$到$389kg/m^3$,也就是说,本试验包括了高含沙异重流与一般含沙异重流。

2.异重流孔口出流过程与结果

这里选用异重流含沙为$60.3kg/m^3$的孔口出流试验作为例子。表9-8是该次试验的实测值。

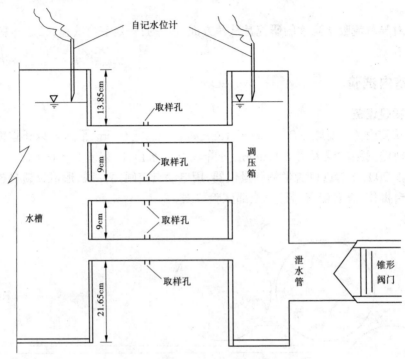

图 9-10　异重流水槽孔口管布置示意

表 9-5　　　　　　　　　　　　　异重流水槽试验坝上水位特征值

进口流量 （cm³/s）	坝上水位(cm)			最大变幅 （最高－最低） （cm）	调压箱水位(cm)			最大变幅 （最高－最低） （cm）
	最高	最低	平均		最高	最低	平均	
495.9	56.80	56.80	56.80	0.0	56.60	56.15	56.38	0.45
991.8	57.10	57.10	57.10	0.0	56.78	56.05	56.42	0.73
1 487.7	57.13	57.10	57.12	0.03	56.63	56.03	56.33	0.60
1 983.6	57.15	57.13	57.14	0.02	56.70	56.00	56.35	0.70
2 479.5	57.3	57.25	57.28	0.05	56.58	56.10	56.34	0.48
2 975.4	65.3	65.25	65.28	0.05	56.65	56.00	56.33	0.65
3 471.3	67.6	67.55	67.58	0.05	56.68	56.08	56.38	0.60
3 967.2	69.4	69.4	69.40	0.0	56.63	56.05	56.34	0.58

注：坝上水位起调44.8cm，调压箱水位起调45.0cm。

表 9-6　　　　　　　　　　　　　异重流试验沙样组成

d_i（mm）	0.025	0.010	0.005	0.002	0.001	0.000 5
百分数	80.0	61.5	46	31	18	8

表 9-7　　　　　　　　　　　异重流孔口出流试验基本数据

试验日期 （年·月·日）	试验组次	进口流量 （cm³/s）	异重流含沙量 （kg/m³）	孔口平均流速 （cm/s）	备　　注
1986.12.3	1	495.9	389.0	10.44	1. 排沙孔进口底板高程
1986.12.4	2	972.0	385.0	20.46	21.65cm,排沙孔直径 5.5cm
1986.12.10	3	456.0	60.5	9.60	2. 排沙孔上取样孔直径
1986.12.11	4	952.1	61.4	20.04	0.4cm,中心高程 26.15cm
1986.12.12	5	287.6	65.9	6.05	3. 排沙孔下取样孔直径
1986.12.15	6	248.0	60.3	5.22	0.4cm,中心高程 22.65cm
1986.12.17	7	922.4	117.0	19.42	
1986.12.19	8	912.0	146.0	19.20	
1986.12.22	9	922.4	260.0	19.42	
1986.12.25	10	446.3	3.0	9.40	
1986.12.27	11	902.5	8.3	19.00	
1986.12.31	12	922.5	36.5	19.42	
1987.1.5	13	458.2	86.0	9.65	
1987.1.7	14	932.3	88.7	19.63	
1987.1.13	15	430.4	288.0	9.06	
1987.1.14	16	936.3	288.0	19.71	
1987.1.15	17	434.4	214.0	9.15	
1987.1.16	18	261.8	181.0	5.51	
1987.1.19	19	287.6	97.0	6.06	
1987.1.20	20	248.0	34.4	5.22	
1987.1.20	21	495.9	35.7	10.44	
1987.1.21	22	456.2	10.0	9.60	
1987.1.22	23	273.0	10.6	5.75	
1987.1.23	24	495.9	12.5	10.44	
1987.1.24	25	282.7	5.5	5.65	
1987.3.21	26	902.5	405.0	19.00	

　　根据表 9-8 可绘制图 9-11。将孔口排沙过程划分为 4 个阶段,示意图见图 9-12。

　　从表 9-8 及图 9-11、图 9-12 可以看出,当异重流交界面高程在 20cm 以下时,上下取样孔的含沙量均在 2.23kg/m³ 以下。只有异重流交界面高程超过排沙管道进口底板高程 21.65cm 时,下取样孔的含沙量突然增加到 28.8kg/m³。而上取样孔在异重流交界面高程达到 26cm 时,含沙量突然增大到 18.4kg/m³。这一结果充分证明,异重流在孔口前不存在吸出高度。不论是上取样孔还是下取样孔,异重流交界面的高程处在 22cm 以下时,所排出的含沙量不是异重流含沙量。这是因为,异重流抵达孔口板时,流体撞到板壁后,由动能转换为位能,便有局部异重流瞬时上升,与清水发生急剧掺混,但含沙浓度很低。这部分的低浓度含沙水流由排沙孔排入水槽下游。

表9-8 <center>异重流孔口出流特征值</center>

观测时间 (时:分:秒)	异重流 交面高度 (cm)	下取样孔 含沙量 (kg/m³)	上取样孔 含沙量 (kg/m³)	孔口平均 含沙量 (kg/m³)	进口流量 (cm³/s)	进口含沙量 (kg/m³)	排沙孔流量 (cm³/s)
4:30:25	0.0	2.23	0.57	0.69	248.0	60.3	124.0
4:35:03	10.0	1.4	—	0.70			
4:39:15	14.0	2.02	0.72	0.77			
4:43:25	17.0	1.38	0.79	0.84			
4:46:05	20.0	0.5	0.69	0.68			
4:50:00	22.0	28.8	1.52	2.62			
4:57:00	24.0	54.4	0.44	18.8			
4:59:25	25.0	54.7	0.86	32.6			
5:05:00	26.0	58.1	18.4	50.3			
5:16:20	28.0	60.3	57.3	60.3			

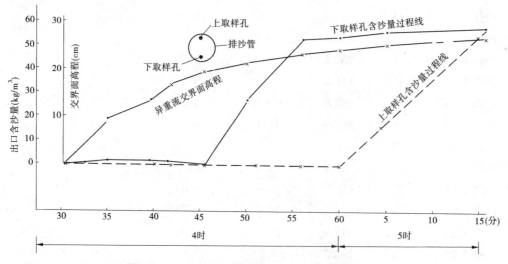

图9-11 异重流孔口出流含沙量、交界面高过程线

二、小浪底水库资料分析[1]

小浪底水库排沙洞进水口底板高程为175m,异重流排沙主要通过排沙洞下泄。

2001年8月20日,三门峡水库开始泄水排沙。20日13时,出库流量为1 190m³/s,含沙量为352kg/m³。小浪底水库于8月20日20时在黄淤31断面(距坝约53km)产生

---

[1] 黄委会水文局.黄河小浪底水库异重流观测与初步分析.2001年10月

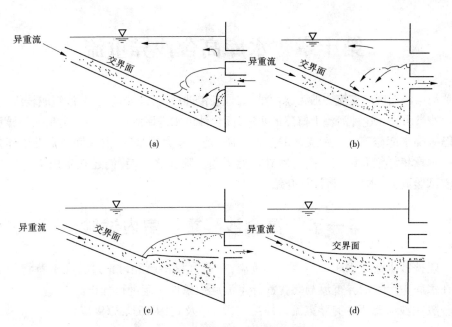

图 9-12　异重流孔口出流过程示意

异重流。8 月 21 日 8 时在距坝 1.32km 的桐树岭断面观测到异重流,此时水库水位为 204.5m。桐树岭断面浑水水面高程 176.0m。小浪底出库水沙过程见表 9-9。

表 9-9　　　　　　　　2001 年 8 月小浪底水库出库流量、含沙量

时间 (月·日·时)	Q (m³/s)	S (kg/m³)	时间 (月·日·时:分)	Q (m³/s)	S (kg/m³)
8.21.14	102	0	8.22.2	97	89.9
8.21.15	100	0.345	8.22.3	97	114
8.21.18	100	3.31	8.22.8	97	151
8.21.20	97	10.9	8.22.8:54	97	164
8.22.0	97	32.9	8.22.10:12	97	166

从表 9-9 可知,小浪底出库水流有含沙量的起始时间是 8 月 21 日 15 时,仅为 0.345kg/m³,直到 22 日 0 时,含沙量才达到 32.9kg/m³。这说明异重流达到桐树岭以后,要将 175.0m 高程以下库容蓄满之后才有可能排出库外。由此看来,在小浪底水库的异重流也没有吸出高度。

参 考 文 献

[1] 范家骅,等.异重流的研究和应用.北京:水利电力出版社,1959
[2] 芦田和男.贮水池密度流の潜入点水深の推定.第 15 回自然灾害科学总会シンポゾウム,1987
[3] 朱鹏程.异重流的形成与衰减.水利学报,1981(5)
[4] 钱宁,等.异重流.北京:水利出版社,1958
[5] 程龙渊,等.三门峡库区水文泥沙试验研究.郑州:黄河水利出版社,1999

第十章 水库高含沙异重流

黄河中游地区的支流一般为暴雨洪水,地表侵蚀严重,含沙量大,泥沙组成较细,容易产生高含沙洪水。在这种河流上修建的水库,高含沙洪水进库以后,极易产生高含沙异重流。

巴家嘴水库修建在泾河支流的蒲河中游,是一座大型水库,洪水期经常发生高含沙异重流。本章将详细介绍有关高含沙异重流问题。除此之外,我们还在室内进行了高含沙异重流试验研究,本章也将详细介绍。

第一节 高含沙异重流室内试验

一般挟沙水流在水库中产生的异重流,在第九章中已经讨论过。在本章将一般挟沙水流在水库中产生的异重流与高含沙异重流产生条件一起进行分析。

一般挟沙水流产生的异重流条件见式(9-12)及式(9-16)、式(9-17)。

一、高含沙异重流产生条件

室内试验设备在第九章第六节中已经介绍,这里不再叙述。

我们在室内水槽中做了 28 组试验,含沙量范围在 $11.1\sim479.7\text{kg/m}^3$ 之间。其中含沙量在 300kg/m^3 以上的有 13 组,见表 10-1。

高含沙异重流是由高含沙水流进入水库以后转化产生的,因此其流体特性属于非牛顿流体。国内描述非牛顿流体的挟沙水流特性时,均采用宾汉流体模型进行研究。为此,我们也对此进行了沙样的流变试验,其结果见表 10-2。

根据表 10-1,计算体积含沙量 S_V 与修正佛氏数 Fr',点绘成图 10-1。图 10-1 中的资料有我们和范家骅的试验资料,又有官厅和刘家峡水库的实测资料。从图中可以看出:$S_V<0.04$ 以下的点群,基本上符合范家骅的关系式,即式(9-12);当 $S_V>0.1$ 时,修正佛氏数 Fr' 下降到 0.3 以下;当 $S_V>0.15$ 时,S_V 与 Fr' 基本上没有关系。

高含沙异重流潜入点的阻力方程可用下式表示:

$$\lambda_{\text{m}} = \frac{8ghJ}{u^2}\frac{\Delta\gamma}{\gamma'} \tag{10-1}$$

式中:h 为潜入点水深;J 为潜入点上下游的底部坡度;u 为潜入点流速。

由于高含沙异重流与一般异重流同样要受到清水的浮托作用,因此高含沙异重流的雷诺数 Re_{m} 应改写为有效黏度雷诺数 Re'_{m}:

$$Re'_{\text{m}} = \frac{4hu\gamma'}{\dfrac{\Delta\gamma}{\gamma'}g\left(\eta + \dfrac{\tau_{\text{B}}R}{2u}\right)} \tag{10-2}$$

式中:η 为刚度系数;τ_{B} 为宾汉体极限剪切力。

用 λ_{m} 与 Re'_{m} 建立关系,如图 10-2 所示。图中的层流区阻力系数关系式为

表 10-1 高含沙异重流产生条件试验成果

序号	含沙量 (kg/m³)	流量 (cm³/s)	潜入点水深 (cm)	平均流速 (cm/s)	τ_B (g/cm²)	Fr'	λ_m	Re'_m
1	11.1	1 000	6.6	5.14	0.000 18	0.768	0.184	256 718
2	30.0	2 000	9.7	6.99	0.000 43	0.53	0.337	85 530
3	117.2	900	4.0	7.63	0.001 7	0.467	0.565	5 771
4	135.0	1 000	4.2	8.07	0.001 95	0.452	0.599	4 893
5	163.9	2 200	6.0	12.4	0.002 6	0.532	0.393	8 272
6	158.1	2 470	6.4	13.1	0.002 5	0.551	0.359	10 011
7	257.1	2 470	5.5	15.2	0.006	0.558	0.367	3 630
8	257.8	3 000	6.5	15.7	0.006	0.527	0.362	4 288
9	361.9	4 180	7.6	18.6	0.023 5	0.503	0.408	1 217
10	416.8	2 000	6.0	11.3	0.066	0.324	1.038	135.7
11	429.9	1 240	5.0	8.41	0.080	0.261	2.12	58
12	421.5	1 180	4.2	9.52	0.070	0.325	1.15	82.4
13	427.2	1 470	6.4	7.80	0.076	0.214	2.38	56.2
14	415.1	1 940	7.2	9.13	0.065	0.240	1.83	95.4
15	427.8	650	4.5	4.90	0.077	0.161	4.66	19.9
16	403.1	2 590	6.3	13.9	0.054	0.369	0.701	261
17	266.0	2 000	5.4	12.6	0.006 6	0.458	0.548	2 185
18	260.9	1 410	4.4	10.9	0.006 2	0.442	0.618	1 675
19	253.6	2 120	5.7	12.6	0.005 8	0.457	0.541	2 639
20	324.2	3 120	6.5	16.3	0.013 5	0.497	0.44	1 649
21	375.6	3 560	6.9	17.5	0.031	0.488	0.448	769
22	226.5	1 560	4.5	11.8	0.004 5	0.503	0.475	3 012
23	121.5	2 530	6.0	14.3	0.001 7	0.703	0.226	20 998
24	78.9	2 560	7.1	12.2	0.001 07	0.677	0.230	37 788
25	51.9	970	5.1	6.45	0.000 72	0.516	0.439	20 906
26	421.6	2 000	4.7	14.4	0.07	0.466	0.548	194
27	479.7	2 060	8.1	8.6	0.16	0.202	2.490	33
28	425.5	236	4.8	1.67	0.075	0.053	9.53	2.43

$$\lambda_m = \frac{150}{Re'_m} \tag{10-3}$$

此区与宾汉流体高沙区相对应,S_V 均大于 0.15。式(10-3)与清水的层流区阻力系数相比增加 56%。这是因为,异重流与上层清水发生相对运动时,增加了阻力。

紊流区阻力系数为

$$\lambda_m = 0.23 \tag{10-4}$$

光滑区阻力系数关系式为

$$\lambda_m = 2.3/(Re'_m)^{0.25} \tag{10-5}$$

表 10-2 室内试验异重流产生条件沙样流变试验成果

$S(\text{kg/m}^3)$	$\tau_B(\text{g/cm}^2)$	$\eta(\text{g}\cdot\text{s/cm}^2)\times 10^{-5}$
384	0.043 5	5.316
346	0.030 4	3.93
298	0.009 3	2.66
281	0.008 3	2.43
253	0.006 3	2.16
207	0.003 3	1.91
169	0.003 0	1.46
123	0.001 35	1.35
107	0.002 5	1.18
92.0	0.002 6	1.00
86.7	0.001 09	1.12
80.0	0.002 5	1.113
69.4	0.001 8	1.122
61.0	0.002 1	1.082
50.1	0.001 7	0.99
47.0	0.000 41	1.05
41.1	0.000 48	1.15
31.8	0.000 56	1.09
26.0	0.000 37	0.99
21.5	0.000 53	0.95
19.6	0.000 34	0.97
18.0	0.000 11	0.98

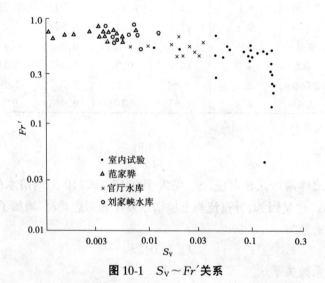

图 10-1 $S_V \sim Fr'$ 关系

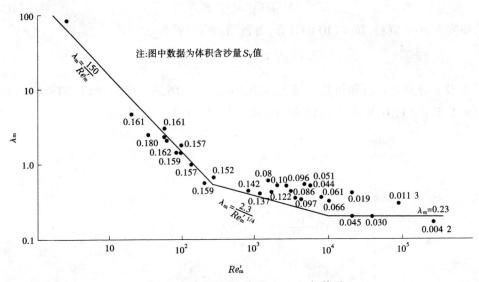

图 10-2　异重流潜入点处 $\lambda_m \sim Re'_m$ 关系

在高含沙水流产生的异重流潜入点上游,明流段水面平静,潜入点下游没有发生水跃现象,一旦进口含沙量小于 $400kg/m^3$ 时,明渠段水流开始出现微细波纹,特别是当进口含沙量小于 $200kg/m^3$ 时,明流段水流急湍,波浪很陡,潜入点下游水跃现象非常突出。总之,随着进口含沙量的减小,水流现象向急湍、波浪起伏较大的方向发展。这种现象与含沙浓度有直接关系。同时也启示我们,含沙浓度的大小与水流流动形态有关,即含沙量的多少会改变水流流动形态。为此,点绘了 Re'_m 与 S_V 关系,见图 10-3。

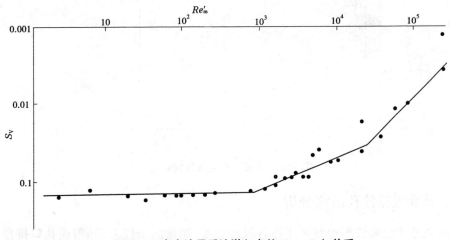

图 10-3　高含沙异重流潜入点处 $S_V \sim Re'_m$ 关系

从图中可以看出: $S_V < 0.04$ 时,自成一个体系; $S_V > 0.15$ 时, Re'_m 与 S_V 没有相关关系;在 $0.04 < S_V < 0.15$ 范围,又是另外一种体系。这与图 10-1、图 10-2 是相对应的。由此可以看出,高含沙异重流的产生条件,应当采用两个无量纲参数,即 Fr' 和 Re'_m 与体积含沙量 S_V 共同决定,其关系式为

$$Fr'Re'_m = f(S_V) \tag{10-6}$$

根据表 10-1 资料,按式(10-6)计算,可得到通用公式为

$$(Fr'Re'_m)^{1/2} = \frac{k}{S_V^n} \tag{10-7}$$

式中 k 及 n 分别为系数和指数。当 $S_V < 0.04$ 时,$k = 16$,$n = 0.61$;当 $0.04 < S_V < 0.15$ 时,$k = 1.6$,$n = 1.3$;当 $S_V > 0.15$ 时,$Fr'Re'_m$ 与 S_V 无关。见图 10-4。

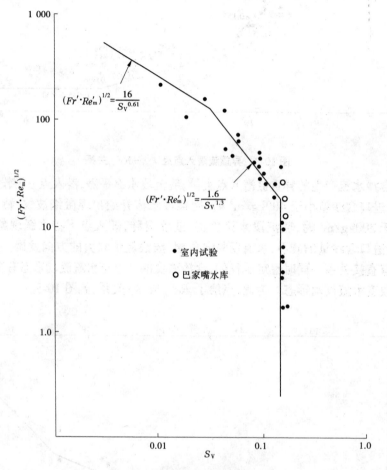

图 10-4　异重流产生条件判别式

二、异重流排沙孔出流分析

在第九章中已经详细地阐述了在各级含沙量、流量的条件下,异重流孔口排沙的过程。

在试验过程中观察到,当异重流抵达孔口时,异重流交界面高度尚未达到排沙孔底板高程以前,因为异重流撞击孔口高程以下墙板时由动能转换成位能,使部分交界面瞬时上升,并向上游反射,有一个逆波向上游运动。与此同时又与上面清水发生强烈掺混,形成浓度很小的浑水体,由孔口排出。在异重流含沙量为 219kg/m³ 的条件下,排出含沙量仅

为 $0.98 kg/m^3$，见表 10-3。

表 10-3 　　　　　　　同流量不同含沙量的异重流排沙管道的含沙量

试验组次	10			17			22		
进口流量(cm^3/s)	446.3			434.4			456.2		
进口含沙量(kg/m^3)	3.0			219.0			10.0		
交界面高程(cm)	$S_下$	$S_上$	$\bar{S}_0$	$S_下$	$S_上$	$\bar{S}_0$	$S_下$	$S_上$	$\bar{S}_0$
0	1.63	1.45	1.46	0.76	0.52	0.54	0.97	0.59	0.62
16.0	1.81	0.93	0.994	0.73	0.41	0.43	0.46	0.36	0.363
20.0	1.99	0.49	0.60	0.86	0.41	0.44	2.27	0.26	0.41
21.0	2.17	0.48	0.603	0.98	0.42	0.46	2.46	0.26	0.57
22.0	2.36	0.47	0.608	75.4	0.43	5.89	5.58	0.26	0.65
23.0	2.60	0.46	0.77	183	0.56	26.7	6.67	0.39	1.29
24.0	2.62	0.45	1.19	201	0.69	69.0	7.75	0.59	3.03
26.0	2.65	0.44	2.22	211	73.3	184	8.77	4.7	7.98
27.0	2.82	0.71	2.73	219	157	216	9.29	8.82	9.30
28.0	2.99	0.97	2.90	219	205	218			

注：排沙孔进口底板高程为 25.65cm。

　　当异重流交界面达到孔口底板高程以上时才是异重流排沙。从试验中看到，排沙孔上游出现 3 层不同浓度的液体，最上一层为清水层，有极微小的流速向上游流动。中层为浑水体，含沙浓度很小，其中一部分进入排沙孔下泄(这可能被误认为孔口吸抽作用)，另一部分形成涌波向上游运动，实际可认为是向上游方向运动的中层异重流。底层流动的为异重流，其交界面高程达到排沙孔底板高程以上时，才是孔口排沙。参见表 10-3。

　　表 10-3 中的交界面高程是在排沙孔上游 9.0cm 处的实测值。$S_上$ 是在排沙孔上部的取样孔的含沙量，$S_下$ 是在排沙孔下部的取样孔的含沙量，$\bar{S}$ 为排沙孔平均含沙量。在交界面还没有达到排沙孔底板高程之前，它包括一部分清水在内，平均含沙量 $\bar{S}_0$ 不超过 $1.0 kg/m^3$，即使是排沙孔下部取样孔 $S_下$，最大含沙量也只有 $2.17 kg/m^3$。当异重流交界面上升到 21.65cm 以后，排沙孔的含沙量逐渐增加，交界面达到排沙孔顶部以后，排沙孔的平均含沙量才接近进口含沙量。从表 10-3 可知，不论是低含沙($3.0 kg/m^3$)或高含沙($219 kg/m^3$)，都没有"爬高"现象。而只有异重流与清水层掺混后很小的含沙量的浑水排出孔口。

　　从表 10-3 中还可以看出，进口含沙量很小时，清浑水掺混强度大，如第 10 组试验，进口含沙量为 $3.0 kg/m^3$，而下取样孔的含沙量可以达到 $1.6 \sim 2.17 kg/m^3$。它与第 17 组和第22组试验相差很大。这说明细颗粒泥沙,其黏滞力与含沙浓度有关,含沙量越大,其水流黏滞度越大,不易被清水掺混。

第二节　巴家嘴水库进库水沙特性[1,2]

巴家嘴水库位于蒲河中游,蒲河流经黄土丘陵梁峁区,地表植被稀少,多暴雨而且强度大,坡面侵蚀与重力侵蚀严重。地表径流与固体径流迅速汇集于沟谷之中,从而构成高含沙洪水,水库进库站(姚新庄),洪水期平均含沙量达到500kg/m³。

巴家嘴水库在蒲河上设有姚新庄水文站,距坝址31km,控制流域面积2 246km²,在支流黑河上设有太白良水文站,控制流域面积334km²,区间无控制区的面积为924km²。

蒲河与其支流黑河相邻,属于相同的地貌单元,气候、降雨和地质地貌条件差异很小。因此,可以用姚新庄水文站资料研究巴家嘴水库进库水沙基本特性。

一、姚新庄测验断面概况

姚新庄水文站测流河段,河道顺直、规整,右岸为陡壁岩石,左岸为覆盖1.0m厚度砂与砾石的高滩。河槽呈矩形断面形态,宽度约60m,滩槽高差约5.5m,河床为基岩、大卵石组成。在洪水过程中,河床冲淤幅度在0.2m左右。

洪峰流量超过300m³/s时,将发生1.0m高的波浪,水面经常出现10m左右的大旋涡,有时可以看到10mm直径的卵石漂浮在水面之上,流量超过1 000m³/s时可看到1.0m直径的大块石被洪水带往下游。洪峰刚刚退落,水面开始平静,可以看到山影倒映,在水面上还可能看到各种不同尺度的扭曲花纹。

姚新庄水文站,在汛期经常出现大于400kg/m³以上的高含沙水流,洪水的多年平均含沙量为499kg/m³。高含沙水流的特性,给巴家嘴水库带来了很多特殊的泥沙运动特性和规律。

二、水沙量在年内的分配

从姚新庄水文站实测资料中得知,最大流量为2 460m³/s,最小流量仅0.06m³/s,最大月平均含沙量为434kg/m³,最小月平均含沙量为0.1kg/m³。多年汛期(6~9月)平均径流量为8 264万m³,输沙量为2 690万t。年内径流量、输沙量的分配见表10-4。

从水文系列年来看,1964年输沙量最大,达到7 320万t;1965年最小仅为480万t。汛期输沙量占全年的94.4%。

三、径流量与输沙量关系

姚新庄以上流域,属于中等切割梁峁地区河谷、沟道的坡度陡峻,覆盖厚度很大的黄土及黄质土,地表植被差。每逢暴雨,很快形成高含沙量洪水进入河道。洪水历时一般不超过20h,与之相应的沙峰同时出现。沙峰退落过程迟缓,含沙量大于400kg/m³的历时可达33h,见图10-5。

这种水沙特性在水量与沙量的关系上也得到充分反映。

表 10-4

巴家嘴入库径流量、输沙量

月份	水量(万 m^3)	沙量(万 t)	Q(m^3/s)	S(kg/m^3)
1	406.8	0.1	1.52	0.20
2	422.6	0.2	1.58	0.36
3	745.6	9.6	2.78	12.88
4	660.9	20.5	2.47	21.08
5	781.7	95.5	2.92	1 221.1
6	974.5	234.9	3.64	241.08
7	2 779.2	1 057.9	10.38	380.66
8	3 318.5	1 214.3	12.39	365.93
9	1 191.8	183.3	4.45	153.76
10	757.3	30.7	2.83	40.48
11	568.9	1.4	2.12	2.51
12	451.6	0.0	1.69	0.00
汛期	8 264.0	2 690.4	7.80	325.6
非汛期	4 795.4	158.0	2.29	32.90
全年	13 059.4	2 848.4	4.14	218.11

(一)汛期水沙量关系

姚新庄水文站,汛期洪峰的最大含沙量均在 500kg/m^3 以上。根据实测资料,点绘出汛期水量与沙量的关系,如图 10-6 所示。

(二)洪水期水量与沙量关系

高含沙水流均在洪水期发生,为了进一步研究高含沙水流的特性,用实测资料点绘洪水期的水量与沙量关系,见图 10-7。其相关关系为

$$W_{s洪} = 0.50 W_{洪} \quad (10\text{-}8)$$

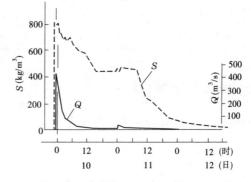

图 10-5 姚新庄 1966 年 8 月 10~12 日洪峰过程线

式中:$W_{s洪}$为洪水期沙量,t;$W_{洪}$为洪水期水量,万 m^3。

从式(10-8)可以得出多年平均洪水期含沙量为 500kg/m^3。

(三)进库泥沙组成

姚新庄水文站,实测的悬移质泥沙的组成较细,依据 1969~1982 年资料统计,其中粒径小于 0.01mm 的沙重百分数为 27.5%;粒径大于 0.05mm 的沙重百分数为 17.7%;中数粒径为 0.023mm,平均粒径为 0.041 4mm。见表 10-5。在各年中,粒径小于 0.01mm 沙重占百分数最大值可达到 37.3%(1975 年),最小值为 23.1%(1972 年),年平均粒径最大值为 0.065 2mm(1971 年),而最小值为 0.033mm(1982 年)。

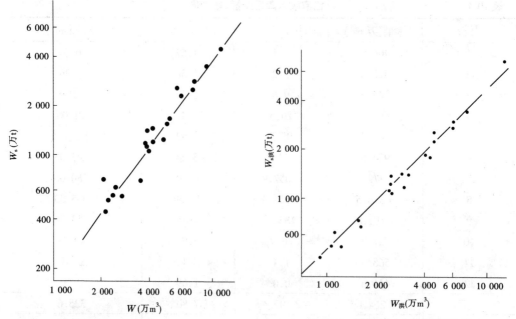

图 10-6　汛期水量与沙量关系

图 10-7　洪水期水量与沙量关系

表 10-5　　　　　　　1969～1982 年多年平均颗粒级配表(改正后)

小于某粒径(mm)的沙重百分数(%)										中数粒径 (mm)	平均粒径 (mm)
0.007	0.01	0.025	0.05	0.1	0.25	0.5	1.0	2.0	5.0		
21.9	27.5	52.9	82.3	95.3	98.8	99.3	99.5	99.97	100	0.023	0.041 4

四、高含沙水流特性

一般对高含沙水流特性的表达方式,可用宾汉流体模型处理。宾汉流体的流变方程用下式表达:

$$\tau = \tau_B + \eta \frac{\mathrm{d}u}{\mathrm{d}y} \tag{10-9}$$

式中:τ_B 为极限剪切力;η 为流变曲线斜率,又称之为刚度系数。

当 $\tau_B \to 0$ 时,刚度系数接近于牛顿流体流变方程中的系数 μ;当 $\tau_B = 0$ 时,即为牛顿流体的流变方程:

$$\tau = \mu \mathrm{d}u/\mathrm{d}y$$

姚新庄水文站,在 1981～1983 年期间,做了很多组次的流变试验,求得 τ_B 与 η 值。它们与含沙量 S 存在较好关系,见图 10-8。

从图 10-8 中可以看出,在 $\tau_B \sim S$ 及 $\eta \sim S$ 的曲线上,当含沙量在 400kg/m³ 附近时有一拐点。当 $S < 400$kg/m³ 时,$\mathrm{d}\tau_B/\mathrm{d}S$ 以及 $\mathrm{d}\eta/\mathrm{d}S$ 的增长率很缓慢;当 $S > 400$kg/m³ 时,$\mathrm{d}\tau_B/\mathrm{d}S$ 及 $\mathrm{d}\eta/\mathrm{d}S$ 的增长率突然加大,这说明含有一定数量的细颗粒的流体,其流体特性发生质的改变。

从试验得知,含沙量等于或小于 $100kg/m^3$ 时,其极限剪切力 τ_B 已经很小,甚至为零,亦即流体特性仍为牛顿流体。当 $S>100kg/m^3$ 时,流体的特性由牛顿流体转向非牛顿流体。因此,对蒲河来讲,可以将含沙量 $100 kg/m^3$ 作为牛顿流体和非牛顿流体的分界判别指标。

细颗粒泥沙($d<0.01mm$)与水组成基本悬浮液,能够浮托大量的粗颗粒泥沙,并且可以输送到很远的距离,具有强大的输送能力。为了寻求细颗粒泥沙需要多少数量才能形成高含沙水流,依据实测资料,点绘了不同粒径组与总含沙量的关系,如图10-9所示。图10-9(a) 为 $d<0.01mm$ 含沙量 $S_{d<0.01mm}$ 与总含沙量 S 关系图。从图10-9(a)中可以看出,当总含沙量 $S>400kg/m^3$ 时,与细颗粒泥沙成正比关系,$S_{d<0.01mm}$ 保持在 $100\sim150kg/m^3$ 范围,不随总含沙量的增加而增加。此值可以作为组成高含沙水流的细颗粒含沙量的临界值。图10-9(b)是 $d>0.025mm$ 的含沙量 $S_{d>0.025mm}$ 与总含沙量 S 的关系。图10-9(c)是 $d>0.05mm$ 含沙量 $S_{d>0.05mm}$ 与总含沙量 S 的关系。两图的关系都比较好,都随着总含沙量的增大而增加。

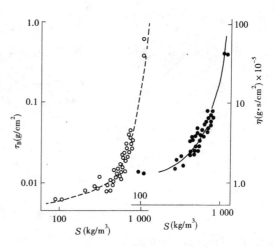

图10-8　姚新庄水文站流变参数曲线

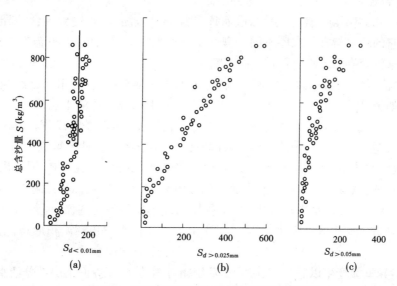

图10-9　不同粒径泥沙含沙量与总含沙量关系

依据姚新庄断面实测资料,可计算阻力系数 λ_m 及雷诺数 Re_m,并点绘成图10-10。

从图10-10中可以看出,$Re_m \geq 10^5$ 为充分紊流区,它又随满宁系数 n 值的增减而变化,n 值越大,λ_m 也随之增加;$Re_m<2\,000$ 的层流区点据较少,过渡区的关系式符合布拉

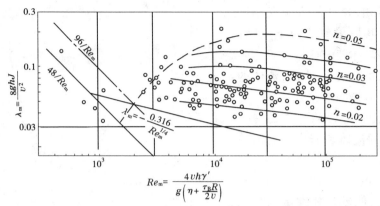

$$Re_m = \frac{4vh\gamma'}{g\left(\eta + \frac{\tau_B R}{2v}\right)}$$

图 10-10　姚新庄水文站量 $\lambda_m \sim Re_m$ 关系

修斯公式,而层流区的关系式可写成 $\lambda = 48/Re_m$,与清水明渠流关系式 $\lambda_m = 96/Re_m$ 相差一倍,这可能是高含沙水流的减阻作用。

第三节　水库高含沙异重流

一、高含沙异重流现象

一般挟沙水流产生异重流时,在潜入点附近有大量漂浮物,潜入点的下游附近,可看到,清水层下面"黄云翻滚",横向涡列非常强烈,即所谓的"翻花"现象。如官厅水库就是如此。笔者曾经多次在现场观测到这种场面。

1984～1986 年汛期,曾经在巴家嘴水库参加异重流测验,观测到高含沙异重流产生时的情况,它的现象与官厅水库不同。官厅水库的异重流潜入以后,要流经 1.0km 左右的流程,异重流交界面才趋于稳定。巴家嘴水库高含沙异重流是自姚新庄水文站(进库)的高含沙水流,经过 10km 以上的河道调整,进入水库雍水区之前,水流已经变成平静无波浪,平面如镜,山影倒映的水面景观。水流表面有 1～2mm 的清水层,再往下的含沙量突然增加到 100kg/m³ 以上。水面有 5m 左右的大尺度旋涡,缓慢转动。进入潜入点附近,集聚了大量漂浮物。高含沙水流潜入库底以后,转化为高含沙异重流。

一般挟沙水流,在回水影响上游端点开始,受水流减缓作用,粗颗粒泥沙出现第一次拣选作用,形成淤积尾部段,逐渐发展成淤积三角洲,水流在三角洲顶点附近产生异重流。

高含沙水流进入回水影响范围内,粗颗粒泥沙不发生拣选落淤,而是以"整体浑水""像固体一样进入雍水区。因此,高含沙河流上的水库没有三角洲淤积形态,呈锥体淤积形态"。

高含沙异重流产生以后,与上层清水发生相对运动,将交界面上层部分清水带动流向下游,清水体积减少,水位下降出现倒比降,使清水向上游流动,符合水流连续规律。异重流流动与交界面上面的清水发生掺混,出现横向涡列,即所谓"翻花"现象。但高含沙异重流翻花的尺度要比一般异重流的翻花尺度小,而且激烈,翻花库段不长,其下游紧接着为"拉丝"现象,好像织布机上的密密麻麻的丝线流向下游。这些奇特景观是其他水库发生异重流时所看不到的,见图 10-11。

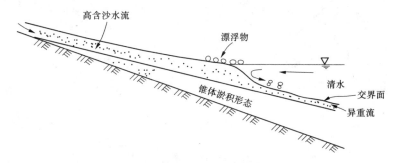

图 10-11　高含沙异重流潜入点下游附近现象示意

　　潜入点下游附近的流速、含沙量以及泥沙中数粒径在垂线上的分布特点,见表 10-6。从表 10-6 可以看出,水面处的含沙量为 0,及至水深 0.1m 处,含沙量突然增大到 346 kg/m^3。水深 0.1m 至水深 1.1m 范围,流速均等,这就是高含沙异重流的流核,垂线上的含沙量和中数粒径也几乎是相等的。

表 10-6　　　　　　　　　　　1984 年 5 月 26 日蒲河断面异重流实测成果

坝前水位 (m)	测点水深 (m)	测点流速 (m/s)	测点含沙量 (kg/m^3)	测点 d_{50} (mm)	备注
1 103.2	0.0	0.0	0		进库最大流量:姚新庄 $97.7m^3/s$
	0.1	0.64	346	0.018 8	太白良 $37.0m^3/s$
	0.5	0.65	467	0.022	
	0.85	0.64	471	0.023	进库最大含沙量:姚新庄 $580kg/m^3$
	1.10	0.64	474	0.023	太白良 $716kg/m^3$
	1.30	0.0	473	0.022	测流位于潜入点下游附近

　　高含沙异重流的产生条件和机理,在本章第一节中已经做了详细的论述,此处不再赘述。

二、高含沙异重流阻力

　　在前面,我们已经介绍了巴家嘴进库站姚新庄站的高含沙水流的阻力问题,同时也分析了室内水槽高含沙异重流的阻力问题,下面根据巴家嘴水库高含沙异重流的实测资料对阻力进行分析。

　　巴家嘴水库,自 1980 年开始系统的异重流观测工作,同时开展了异重流沙样的流变试验。根据实测资料和流变参数,按式(10-1)及式(10-2)计算阻力系数 λ_m 及有效雷诺数 Re'_m,并点绘成图 10-12。求得巴家嘴水库异重流的阻力系数为

$$\lambda_m = \frac{200}{Re'_m} \tag{10-10}$$

　　式(10-10)与室内水槽试验所求得的阻力如式(10-3)有些差异,这可能是外业观测不如室内准确,另外室内水槽的宽度与坡度是定值,而水库中的异重流宽度和库底坡度是不

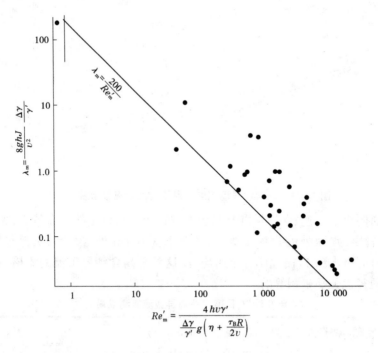

图 10-12 巴家嘴水库异重流 $\lambda_m \sim Re'_m$

恒定的。因此,其系数之差不足为奇。

三、异重流抵达坝前的最小流量

异重流能否流动到坝前是排沙的重要条件。从减少水库淤积来看,最有实用价值。为此,找出异重流达到坝前的最小流量,假定它就是排沙比接近于零的进库最小流量。

(一)蓄水运用期最小流量

巴家嘴水库曾经作为拦泥试验坝,所以在汛期除防洪需要降低水库水位预留防洪库容以外,一般都是蓄水拦泥,库区原有的主槽很快淤平。异重流产生以后,沿库底流动,需要克服各种阻力,扩散到库区各个角落,铺满河槽与滩地。有一部分库容被异重流充满,剩余的异重流才能流动到坝前。如不及时开启闸门便构成浑水水库,如 1973 年 7 月 14～16 日的洪峰,进库最大流量为 $191\text{m}^3/\text{s}$,出库最大流量为 $5.33\text{m}^3/\text{s}$,进库沙量为 177.02 万 t,出库沙量仅为 0.67 万 t,排沙比为 0.38%,见表 10-7。

表 10-7　　　　　　　　1973 年 7 月 14～16 日巴家嘴水库进出库水沙特征值

洪峰时段	站名	水量 (万 m³)	沙量 (万 t)	$Q_{\max}$ (m³/s)	$S_{\max}$ (kg/m³)	坝前水位 (m)	备　注
1973 年 7 月 14 日 22 时～7 月 16 日 24 时	姚新庄	300.15	156.47	191.0	971	1 098.78～ 1 099.03	1. 区间无降雨 2. 蓄水运用
	兰西坡	56.51	20.55	38.2	576		
	合计	356.66	177.02				
	巴家嘴	73.53	0.67	5.33	49.3		

从表 10-7 可看出,水库水位是上升过程,属于蓄水运用。进库平均含沙量,姚新庄为 521kg/m³,兰西坡为 364kg/m³,两站的平均含沙量为 496.3 kg/m³。本次洪峰的回水末端距坝址约 6.9km。异重流在回水范围内的传播历时约 10h,排沙历时为 14h。为此可判断,本次洪水产生的异重流能达到坝前的最小流量约 190m³/s。

(二)"蓄清排浑"运用最小流量

巴家嘴水库在 1674 年 1 月~1977 年 9 月进行了第二期加高坝体。在此期间,除洪水期有滞洪作用外,均为敞泄、冲刷排沙。因此,库内冲刷出来较为规则的主河槽,至 1977 年 8 月河槽库容达到 540 万 m³。以蒲淤 9 断面为例,历年河槽特征值见表 10-8。

表 10-8 　　　　　　巴家嘴水库 1965~1979 年蒲淤 9 断面河槽特征值

测验日期 (年·月)	运用方式	平滩水位 (m)	平滩宽度 (m)	平滩以下面积 (m²)	平滩以下平均水深	备　注
1974.5	空库冲刷	1 101.2	82.0	98.7	1.20	第二期加高坝体
1975.5	空库冲刷	1 101.0	126.0	668	5.30	
1976.5	空库冲刷	1 101.3	130.5	361	2.76	
1977.5	空库冲刷	1 101.1	130.5	349	2.76	
1978.5	蓄清排浑	1 101.9	139.0	425	3.06	
1979.5	蓄清排浑	1 101.8	150.0	355	2.37	

从表 10-8 可知,"蓄清排浑"运用以前河槽过水面积达到 349m²,使一般洪水产生的异重流基本上不漫滩,在河槽内运行。自 1978 年开始"蓄清排浑"运用,河槽库容在 324 万~540 万 m³ 之间变化,见表 10-9。

表 10-9 　　　　　　　　"蓄清排浑"运用期河槽库容演变过程

观测时间(年·月)	1978.5	1978.10	1979.5	1979.10	1980.5	1980.10	1981.5	1982.10
槽库容(万 m³)	540.2	472.0	520.9	437.0	324.3	538.6	525.6	485

由于河槽过水面积较大,所以在小洪水进库时所产生的异重流也比较容易流动到坝前排沙。1978 年 5 月 16~18 日,姚新庄出现一次小洪峰,最大流量为 21.6m³/s,最大含沙量为 873kg/m³,出库最大流量为 11.4m³/s,最大含沙量为 136kg/m³,排沙比达到 32.4%,见表 10-10。

表 10-10 　　　　　　　1978 年 5 月 16~18 日进出库洪水特征值

洪水河段	站名	水量 (万 m³)	沙量 (万 t)	Q_{max} (m³/s)	S_{max} (kg/m³)	坝前水位 (m)	备　注
1978 年 5 月 16 日~5 月 18 日	姚新庄	61.0	20.5	21.6	873	1 101.70~ 1 101.07	区间小雨0.8~7.2mm,基本上不产生径流
	太白良	1.48	0	0.057			
	合　计	62.48	20.5				
	巴家嘴	288.6	6.65	11.4	136		

从表 10-10 可知,进库平均含沙量为 $328kg/m^3$,本次洪水总量很小,由于河槽容积大,在洪峰流量仅有 $21.6m^3/s$ 时,异重流均在主河槽运行,其排沙比可达到 32.4%。因此可以确定,巴家嘴水库在"蓄清排浑"运用的条件下,异重流流抵坝前的最小流量可以按 $20m^3/s$ 估算。

四、异重流及其淤积物的泥沙组成

高含沙异重流具有极强的输送能力,自进库水文站断面起,经过壅水区至出库,其泥沙组成几乎是一致的。例如 1983 年 9 月 6 日,进库最大流量为 $620m^3/s$ 的洪水,库水位突然上涨,由 1 099m 上涨到 1 103.5m。进库泥沙组成、库区各断面异重流的泥沙组成以及出库站巴家嘴的泥沙组成,基本上是一致的,见表 10-11。表中的各组粒径的沙重百分数、d_{50}、d_{90},从进库站、库区各断面的异重流以及出库站巴家嘴基本上相差无几。

表 10-11   1983 年 9 月 7 日进出库及库区异重流泥沙组成

站名		观测时间 (月·日·时)	小于某粒径(mm)的沙重百分数(%)								d_{50} (mm)	d_{90} (mm)	备注
			0.005	0.01	0.025	0.05	0.1	0.25	0.5	1.0			
姚新庄		9.7.5	18.0	26.4	49.7	83.7	95.6	98.0	99.4	99.8	—	—	单沙
		9.9.7	17.7	26.4	49.0	81.0	97.6	99.4	100		0.026	—	断沙
太白良		9.7.5	19.6	27.7	53.1	85.0	99.4	99.8	100		—	—	单沙
		9.9.7	20.0	29.9	52.8	83.4	99.4	100			0.023	—	断沙
库区 异重 流	蒲淤 6	9.7.11	19.5	28.9	49.4	80.2	99.7	100			0.026	0.062	水深 6.0m
			19.4	30.3	55.1	82.4	99.7	100			0.022	0.057	水深 4.0m
	蒲淤 5	9.7.13	18.3	29.2	55.5	88.9	99.7	100			0.022	0.050	水深 2.0m
			21.2	30.7	54.3	85.6	99.7	100			0.022	0.054	水深 5.0m
	蒲淤 3	9.7.14	20.6	29.8	57.1	88.1	99.8	100			0.021	0.053	水深 4.0m
			20.1	29.0	53.5	88.6	99.7	100			0.023	0.053	水深 6.0m
	蒲淤 1	9.7.10	19.7	29.1	54.6	87.0	99.7	100			0.022	0.054	水深 4.0m
			18.7	26.6	52.3	85.3	99.6	100			0.023	0.056	水深 7.0m
巴家嘴		9.7.10	18.1	25.2	49.7	79.9	98.4	99.8	100		—	—	单沙
		9.7.20	20.7	29.8	57.2	89.4	99.7	100			—	—	单沙
		9.7.20	18.1	26.5	49.9	82.7	99.3	100			0.025	0.059	断沙

由于异重流所挟带的泥沙及其组成相差无几,所以库区各断面淤积组成沿程也变化不大,见表 10-12。因受到暴露的历时不同,库区淤积物干容重在蒲淤 9 断面以下变化不大,而在蒲淤 13 断面以上,因为经常处在水面以上,暴露历时很长,水分蒸发,淤积物干容重沿程向上游逐渐增大。

表 10-12

巴家嘴水库 1983 年 10 月库区干容重及颗分成果（调水调沙）

取样日期 （年·月·日）	断面编号	干容重 （t/m³）	d_{50} (mm)	小于某粒径的沙重百分数（%）												
				0.007	0.01	0.025	0.05	0.10	0.25	0.50	1.0	2.0
1983.10.13	蒲淤 0	1.21	0.035	7.6	10.2	30.7	72.5	99.2	100			
1983.10.13	蒲淤 1	1.01	0.025	11.7	19.7	49.4	90.0	99.7	100			
1983.10.14	蒲淤 3	1.20	0.033	8.6	12.7	34.5	80.2	99.7	100			
1983.10.14	蒲淤 5	1.23	0.030	9.5	13.7	38.8	81.9	99.8	100			
1983.10.14	蒲淤 7	1.20	0.030	12.2	19.4	40.5	82.7	98.2	99.6	100		
1983.10.25	蒲淤 9	1.21	0.033	11.3	17.0	36.6	77.5	98.0	99.7	100		
1983.10.24	蒲淤 13	1.37	0.037	8.5	13.7	29.7	73.9	98.4	99.9	100		
1983.10.24	蒲淤 16	1.34	0.031	12.4	20.6	40.3	77.7	97.4	99.7	100		
1983.10.24	蒲淤 19	1.43	0.037	9.1	13.4	30.5	69.8	99.6	100			
1983.10.15	蒲淤 23	1.45	0.041	5.4	9.0	22.6	66.4	96.6	99.8	100		
1983.10.25	蒲淤 27	1.53	0.035	7.8	13.9	32.1	77.1	99.1	99.9	100		
1983.10.25	蒲淤 31	1.55	0.046	6.4	10.2	18.5	60.1	95.9	99.8	100		
1983.10.25	蒲淤 35	1.70	0.052	7.4	11.5	21.4	48.2	71.5	89.0	98.2	99.9	100
1983.10.25	蒲淤 39	1.48	0.039	7.2	10.9	28.3	66.6	93.4	98.6	99.9	100	
1983.10.23	蒲淤 40	1.61	0.039	4.3	6.9	23.0	71.9	99.1	99.8	100		
1983.10.23	蒲淤 41	1.60	0.037	5.7	10.3	28.0	73.1	97.1	99.6	100		
1983.10.23	蒲淤 42	1.70	0.042	5.2	9.0	23.5	62.1	88.9	96.8	99.5	100	

注：颗分方法为粒径计法，$d \leqslant 0.05$mm 偏粗。

五、异重流排沙

巴家嘴水库排沙比与排水比有较好关系。

壅水条件下异重流排沙比与排水比的经验关系式为

$$\eta_s = 0.67\eta_w \qquad (10\text{-}11)$$

其中

$$\eta_s = W_{so}/W_{si}$$

$$\eta_w = W_o/W_i$$

式中：W_{so}、W_{si} 分别为该次洪峰的出库输沙量和进库输沙量；W_o、W_i 分别为该次洪峰的出库总水量和进库总水量。

高含沙异重流排沙比与排水比关系如图 10-13 所示。

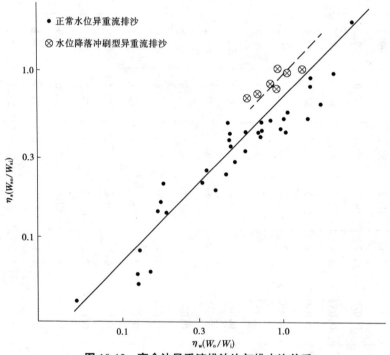

图 10-13　高含沙异重流排沙比与排水比关系

库水位下降过程中，水库末端发生冲刷，被冲起的淤积物是前期异重流淤积造成的，随水流进入壅水区又产生异重流排出库外，称之为冲刷型异重流。实测资料点绘在图 10-13 的右上方，可求出经验关系为

$$\eta_s = 0.92\eta_w \qquad (10\text{-}12)$$

巴家嘴水库，在进出库水文站之间的区间面积有 924km²，占巴家嘴水文站控制面积的 26.2%。因此，在如此大的面积上发生暴雨，通过水库两侧支沟进入水库，也可以产生高含沙异重流。其排沙比可达 6.53 倍，排水比仅为 2.92 倍。

六、高含沙异重流在坝前壅水、沉降与冲刷特性

高含沙异重流抵达坝前以后，受到泄流能力的限制，有部分异重流在坝区形成高浓度

浑水水库,含沙量为 $400\sim700\ kg/m^3$,底部可达到 $1\ 000kg/m^3$。与此同时,开始出现压缩性沉降,见图 10-14。坝前异重流交界面最大高程出现在 8 月 5 日 11 时 30 分,为 $1\ 097.11m$,经过 $36.5h$,交界面下降 $1.94m$(未扣除因泄流引起的下降高度)。其沉降速度为 $0.001\ 5cm/s$。如考虑泄流引起交界面下降对沉降速度的影响,交界面下沉的速度还要小一些。这与陈亦平的试验数值非常接近[1]。

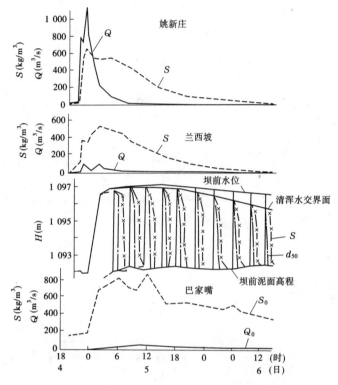

图 10-14　1970 年 8 月 4～6 日出库流量、含沙量及坝前
清浑水交界面、含沙量过程线

由于坝前浑水水库中的高含沙异重流沉降非常缓慢,异重流只要有非常小的流速或坡度,就会引起大面积流动。因此,一旦水库开闸泄流,就会排沙出库,所以出库含沙量大于进库含沙量,如图 10-14 所示。高含沙异重流在库区形成浑水水库以后,清浑交界面受泄流影响,坝前出现浑水水库漏斗。出库含沙量大于 $400kg/m^3$ 的历时约 $34h$,含沙量大于 $300kg/m^3$ 的历时可达 $40h$,见图 10-15。进出库水沙量及坝前水位见表 10-13。

从图 10-15 可以看出,出库流量最大值不超过 $50.1m^3/s$,而进库最大流量达到 $650m^3/s$,由于泄流不足,此次洪水排水比只有 20%。因为出库流量小,形成浑水水库以后,高含沙异重流出现压缩性沉降。因此,出库含沙量大于进库含沙量,进库含沙量大于 $400kg/m^3$ 的历时只有 $11h$,与出库相比相差约 3 倍。

本次洪水所产生的高含沙异重流,进入库区以后,作了交界面连时续观测,共观测了

❶ 陈亦平 . 离散颗粒与黏性颗粒凝合沉降的试验研究 . 硕士学位论文.1984 年 10 月

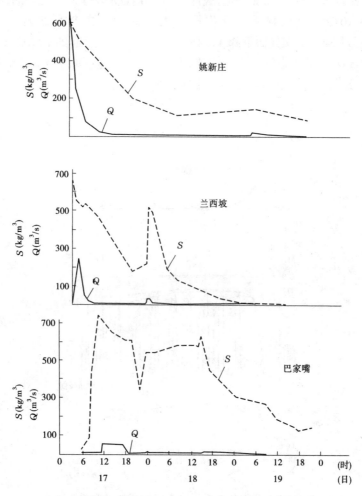

图 10-15　1971 年 8 月 17～19 日进出库流量、含沙量
过程线清浑水交界面瞬时纵剖面

6 个断面,历时 53h。其成果见图 10-16。

图 10-15 与图 10-16 是相对应的。

表 10-13　　　　　　　　　　　1971 年 8 月 17～19 日进出库水沙特征值

站名	水量(万 m³)	沙量(万 t)	Q_{max}(m³/s)	S_{max}(kg/m³)	坝前水位(m)
姚新庄	742.6	363.4	650	650	平均 1 097.14m
兰西坡	242.8	131.2	242	718	最高 1 097.47m
合计	985.4	494.6			最低 1 096.48m
巴家嘴	197.2	105.4	50.1	736	其中两日平均 超过 1 097.47m

注:排沙比:21.3%;排水比:20.0%。

　　1971 年 8 月 17 日 4～6 时洪峰进入库区,17 时 9 时,交界面高程达到最大值,此后开始压缩沉降,自 1 096.98m 降至 1 096.34m,沉降距离为 0.64m(未扣除泄流影响),历时

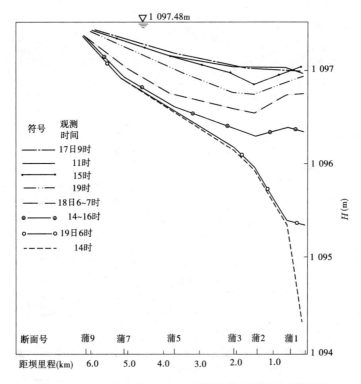

图 10-16　1971 年 8 月 17～19 日清浑水交界面瞬时纵剖面

30.7h,其平均沉降速度约 0.000 50cm/s。

从图 10-16 还可以看出,交界面在坝前 1.5km 范围出现倒坡,于 8 月 17 日 15 时在蒲2 断面出现转折点。一直延续到 18 日 16 时才开始消失,这种特殊现象,因资料太少,目前尚无法解释。

1971 年 9 月 1～4 日一场较大洪水进库,最大流量为 860m³/s,坝前水位由 1 098.61m上升到 1 099.6m。曾组织了一次范围较大、历时较长、项目较全的观测工作,在 13.3km范围布设 8 个断面进行固定垂线观测。洪水水沙特征值见表 10-14。

表 10-14　　　　　　　　　　　　1971 年 9 月 1～4 日洪水水沙特征值

站　名	水量 (万 m³)	沙量 (万 t)	Q_{max} (m³/s)	S_{max} (kg/m³)	$\bar{Q}$ (m³/s)	$\bar{S}$ (kg/m³)	坝前水位 (m)
姚新庄	904.44	511.9	860	651	26.2	566	1 098.61～1 099.6
兰西坡	253.50	119.8	188	772	7.34	472.6	
合　计	1 157.94	631.7			33.5	545.6	
巴家嘴	169.7	59.7	6.76	879	4.91	351.8	

从表 10-14 可知,本次洪水水库排沙比只有 9.45%,排水比也只有 14.6%。水库水位比较稳定。出库最大流量仅为 6.76m³/s,坝上游形成高含沙异重流浑水水库。其中含沙量大于 500kg/m³ 的浑水厚度为 5.0m 左右。因压缩沉降,引起出库最大含沙量达到879kg/m³,出库含沙量大于 200kg/m³ 的历时达到 66h,比进库多 36h。见图 10-17。

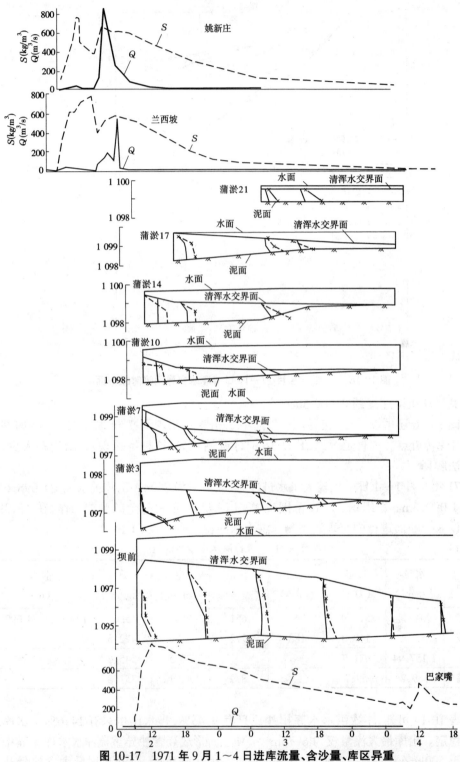

图 10-17　1971 年 9 月 1～4 日进库流量、含沙量、库区异重
流交界面、库底高程、库水位及出库流量、含沙量过程线

此次洪水使库区回水上延到蒲淤21断面(距坝13.3km),在9月3日6时以后,含沙量在垂线上的分布已出现梯度,各断面上的清浑水交界面开始逐渐下降,但下降速度极其缓慢,现以蒲淤10断面为例,其沉降资料见表10-15。

表10-15   **1971年9月2日蒲淤10断面沉降资料统计**

观测时间	水库水位(m)	清浑水交界面高程(m)	相应交界面高程含沙量(kg/m^3)
2日11时12分	1 099.61	1 098.71	487
2日17时12分	1 099.70	1 098.30	504
3日17时18分	1 099.64	1 098.20	586

表10-15中列出清浑水交界面上的含沙量均在$487\sim586kg/m^3$范围,用表10-15的资料可以求出交界面沉降速度分别为0.001 9cm/s、0.000 115cm/s,其相应中数粒径为0.037 5mm及0.033mm。一般的颗粒分析资料表明,粒径为$0.03\sim0.04$mm的沉降速度应当为$0.13\sim0.19$cm/s。与上述数据相比较,两者相差非常之大。

参 考 文 献

[1] 焦恩泽,韩宗孝.巴家嘴水库来水来沙特性与高含沙异重流的研究.见:科学研究论文集(第三集).北京:中国环境科学出版社,1992
[2] 焦恩泽.蒲河姚新庄以上流域产沙与输沙研究.泥沙研究,1988(4)

第四篇　枢纽工程泥沙与防治

在中国的许多河流上兴建很多水利水电枢纽,都会遇到程度不同的泥沙问题。20 世纪 60 年代以前修建的工程,对泥沙的危害认识不足,工程师们更多地考虑了水库库区淤积,如淤积数量、淤积部位,侵占兴利库容,水库排沙以及水库建成后对下游河道的冲淤变化等问题。

1964 年汛期,盐锅峡水电站发生水草与泥沙将电站进水口前面的拦污栅压垮事件,迫使电站停机 600h,社会动态效益损失 1.4 亿元。遗憾的是,这次严重事故没有引起规划设计部门的足够重视。

三门峡水库建成初期,因为库区淤积严重,威胁渭河下游工农业生产,各级领导机关高度重视,也只是从减少库区淤积出发和为了防治下游洪水必须保持足够的防洪库容,进而提出"确保西安、确保下游"的方针。在这个思想指导下,对三门峡水利枢纽工程进行了两期增建和改建。然而对于泥沙在枢纽各个过流设备造成的危害仍认识不足。

在三门峡水利枢纽第二期改建过程以及后期,水利部第十一工程局设计研究院对各个过流部件遭受到泥沙磨损问题,进行了全面的观测和总结,引起人们的高度重视。1972 年及其以后召开的数次有关泥沙问题的学术研讨会上,提出的很多研究论文中,相继提出泥沙对枢纽工程造成的危害,人们开始了解并重视枢纽工程泥沙问题。此后,各高等院校和科研院所进行了分析研究工作,并取得了一定的研究成果。

第十一章　泥沙给枢纽工程带来的问题

黄河干支流已建成的大中型水利水电工程,几乎都遇到了枢纽工程泥沙问题,都遭受到不同程度的损害。就全国的水利水电工程而言也是如此,泥沙对枢纽工程的损坏可归纳为如下 4 个方面:压垮拦污栅;淤堵闸门和发电机冷却系统;水轮机磨损以及对泄流建筑物的磨损等问题。

第一节　水草、泥沙压垮拦污栅 [1]

盐锅峡水电站在设计和施工过程没有设置排沙洞。拦河坝右侧为溢洪堰,堰顶高程为 1 609m,左侧为水电站,其进水口底坎高程为 1 600m。在上游 30km 处的刘家峡枢纽工程修建之前,来自洮河的洪水所挟带的泥沙和水草等杂物全部进入盐锅峡库区。1964 年 8 月洪水,大量水草杂物和泥沙进库以后直抵坝前,造成 3 号机组前的拦污栅上下游压

---

[1]　水利电力部水电规划设计院.水电站泥沙问题总结汇编.1996 年

· 328 ·

差达到 6.9m,不久拦污栅被压垮,被迫停机 600h,发电损失达 2 600 万 kWh。

由于没有排沙设施,进库全部水草杂物均集中在电站坝段,增加了清污工作量。1964 年 8 月 14 日～9 月 8 日,在 4 号机组前共清污 26 次。1965～1968 年共清污 550 次,清污总量达到 2 007m³。见表 11-1。

表 11-1   盐锅峡水电站 1965～1968 年清污统计

年份	1965	1966	1967	1968	合计
清污次数(次)	31	174	213	132	550
清污量(m³)	77	566	862	502	2 007

水电站进水口前的拦污栅的作用是拦截水草及其他污物,然而在多沙河流上的拦污栅,在拦截污物的同时又拦住大量泥沙,泥沙在污物间隙起到密封作用。因此,在多沙河流上修建水电站时,对拦污栅的设计、清污方法应当考虑泥沙对拦污栅的压力以及清污设备的负荷能力。云南水槽子电站于 1976 年拦污栅也被压垮。

第二节 泥沙淤堵闸门、发电机冷却系统[1]

在水电站和泄水建筑物下方没有设置排沙孔或冲沙孔,当库区泥沙淤积发展或推进到坝前以后,泥沙淤堵闸门的事故会经常发生。不论是泄水建筑物或者是机组的进水口,其闸门总是时而开启时而关闭,不会连续不断地敞开闸门。在关闭闸门时,泥沙就会在闸前落淤,威胁闸门启闭的安全,甚至短时间内闸门启闭不灵,它会直接威胁到水库安全度汛和电站的安全运行。

刘家峡水电站在 1986 年汛后,因为上游龙羊峡水库关闸蓄水,断流 124 天,刘家峡库水位由 1 735m 高程逐渐下降到 1 699m 高程,由于水库水位连续下降,使洮河库区发生强烈冲刷,大量泥沙进入坝区,泄水道闸门前的淤积面高程达到 1 682.3m。高出泄水道进水口底板高程(1 665m)17.3m。1988 年 5 月 21 日开启泄水道闸门时,由于泥沙淤堵,出现短时间泄水道不过水的严重事故。1988 年 5 月 26 日开启排沙洞闸门以后经过 65 天,冲开排沙洞闸门前的淤积物以后才过水。庆幸的是,排沙洞最大泄量只有 105m³/s,对防洪度汛影响不大。

泥沙淤堵的危害也反映在水轮机组的冷却系统方面。1963 年 5 月,盐锅峡水电站 4 号机组大修时,发现冷却器管路内及空气冷却器端盖内堆积有大量泥沙与水草。1964 年 4 月,个别冷却器被泥沙淤堵;同年 8 月,在拦污栅被压垮的同时,冷却器出现全部或部分被泥沙淤堵。

第三节 水轮机磨损

泥沙对水电站水轮机的磨损是一个带有普遍性的严重问题。这与枢纽建筑布置是否

---

[1] 刘家峡水力发电厂.刘家峡水库 1988 年低水位排沙技术报告.1989 年 2 月

合理、有没有排沙设施以及进库泥沙组成等诸多因素密切相关。

盐锅峡水电站的出库泥沙全部通过水轮机下泄,其磨损程度也是最为严重的。1962~1965年,仅仅4号机组就大修12次。总检修时间达到1 025天。最大磨损厚度:转轮叶片为7.0mm,导水叶片为5.0mm,下轮环为25mm,迷宫环间隙增大到7.0mm,出水边磨成锯齿形并发生裂纹。消耗不锈钢焊条59t,不锈钢钢板48t。4号机年最大过机沙量为415万t,过机最大粒径为2.5mm,见表11-2。

表11-2　　　　　　盐锅峡水电站4号机过机沙量、中数粒径、最大粒径统计

年份	1962	1964	1965	1966	1969	1971	1972	1973	1974	1975	1977	1978
过机沙量(万t)	44.6	179.3	168.9	275.3	133.7	117.0	137.0	300.0	114.0	193.0	384.7	415.6
中数粒径(mm)	0.008 6	0.056	0.025 3	—	—	0.046 9	0.066	0.037 9	0.051	0.052	0.035	0.030
最大粒径(mm)	0.05	0.25	0.445	—	—	0.50	0.50	2.5	1.00	1.00	1.00	1.00

从表11-2中可以看出,随着过机沙量的增加,过机的泥沙组成越来越粗,对机组的磨损也越来越严重。

刘家峡水电站的过机泥沙主要来自洮河,在洮河口拦门沙坎形成之前还没有完全暴露出来。1978年汛后,洮河库区死库容全部淤满,因淤积比降变缓、淤积上延的关系,兴利库容也大部分被淤积。挟沙水流直抵坝前,颗粒较粗的泥沙进入机组而且逐年增加。1978年2号机组年过机沙量达到1 160万t,占洮河年输沙量的27.4%。1979年达到1 190万t,粒径大于0.05mm的沙量占22.4%。1980年过机沙量占洮河年输沙量的76.8%,粒径大于0.05mm的沙量占27.8%。由此造成了水轮机严重磨损。1984年以前,水涡轮磨损面积约21m²,耗用不锈钢焊条2.5~3.0t。1985年磨损面积为24m²,耗用不锈钢焊条为3.5t。1986年水涡轮磨损面积为40m²,耗用不锈钢焊条4.5t。及至1987年,水涡轮磨损面积上升到66.1m²,耗用不锈钢焊条达到5.2t。

由于磨损面积逐年增加,机组检修时间随之增加,检修周期相应缩短。1985年以前,机组大修的间隔时间平均为2.6年,检修一次的工时平均为66天。其后的检修历时为103天,检修间隔时间缩短为1.96年。

云南省金沙江支流以礼河上的水槽子水库,没有设置排沙洞,电站进水口高程为2 088m,溢洪堰堰顶高程为2 089m,全部泥沙几乎都是通过机组下泄。水库淤积接近平衡以后,过机含沙量猛增,水轮机组磨损严重。1976年以后,出现机组启闭失灵情况❶。

四川映秀湾是一座低水头电站,只有少部分泥沙淤积在坝区,其余部分通过泄水建筑物下泄。其中部分泥沙进入水轮机组,导致水轮机导流叶片背面磨出鱼鳞坑,深度约0.5mm,导流叶片正面全面磨损,磨损厚度一般在0.5~1.0mm范围。上下轴颈鼓包处,

---

❶　杜国翰,等.以礼河水槽子水库冲沙试验研究.1989年3月

磨损坑深为1.0～2.0mm,下部为3.0～4.0mm。转轮部分上冠止漏环表面有鱼鳞坑,下冠止漏环上段的单边平均间隙增大1.75mm。

三门峡水电站进口下方没有设置排沙孔或冲沙孔,大量泥沙进入机组。运用最早、历时最长的4号机组,在运行30 465h以后,于1979年大修时,其转轮叶片和中、下环磨损异常严重,已接近于报废的程度。叶片背面磨损面积达到50%左右,磨损深度为10～12mm,最大深度为18～20mm。叶片头部损失掉200mm×250mm,个别部位的深坑达到30～40mm,叶片外缘与中环的间隙已由原来的6～8mm扩大到50～120mm。检修工期长达222天。修补所用的不锈钢焊条达到9.3t。

第四节　泄流建筑物磨损[1]

泥沙对泄流建筑物的磨损也是非常严重的。三门峡水利枢纽自1974年以后,对泄流建筑物进行过很多观测工作,取得了丰富的资料。磨损最严重的过流部件是底孔,影响了正常运行。遭到破坏最严重的部位是底孔进口门槽、工作门槽的正向导轨和底板。

在正向导轨高程282.5～288m之间,导轨表层的不锈钢及其基座方钢几乎磨平。门槽边缘的10cm范围内水封座板大部分被泥沙磨穿,混凝土已经裸露,被淘深2～8cm;门槽的底坎中心部位的钢板被磨穿,下部的混凝土被淘刷成锅底形状,最深处达到8～15cm。

底孔的工作门槽为矩形带斜坡错距的断面,单层孔在282～284m之间高程的导轨,磨损破坏严重。有大如手指状、顺水流方向的槽坑。双层孔的磨损也非常严重,除了上述高程以外,在287～288m高程范围,磨损特别严重。由于上述泥沙对底孔门槽的破坏,因而增加了闸门的启开力。

2号底孔的底板没有采取抗磨措施。在工作门后边,造成4处大面积冲蚀坑,并且被泥沙磨成扁状。其余铺设抗磨材料——辉绿岩铸石板的底孔,大部分铸石板被剥落冲坏。个别地方已经将钢筋冲刷裸露于外,底孔边墙的表层混凝土冲坏,粗骨料裸露出来。其中最大深度约5.0cm。

参 考 文 献

[1] 黄河三门峡水利枢纽志编纂委员会.黄河三门峡水利枢纽志.北京:中国大百科全书出版社,1993

第十二章　枢纽取水防沙

在十一章中已经概括地介绍了泥沙对水利水电枢纽工程所造成的危害。20 世纪 60 年代后期,吸取了三门峡等水库的经验,分析了东北柳河闹德海水库的枢纽布局,各规划设计单位都注意到了防止或减少泥沙进入水轮机组,更重视如何设置排沙底孔或冲沙孔。

除此之外,从防洪方面也注意到在不同高程上分别设置泄洪洞、溢流堰和排沙底孔,形成不同高程的各级流量泄流规模,确保下游河道行洪的安全,减轻下游地区防洪压力,进而减少水电机组和泄流建筑物的磨损,同时又是保持可用库容和水库排沙减淤的重要措施。

第一节　泄流排沙建筑物布置概况

众所周知,泥沙在水流中的垂线上的分布是:水面附近的含沙量最小,颗粒组成最细;靠近河床床面的含沙量最大,颗粒组成最粗。有时推移质发生跳跃运动时,少量推移质泥沙也会加入底部悬移质中去。这是泥沙分布的基本规律。

在河流上修建挡水建筑物以后,如果水库有足够的库容,经过一定时间以后,泥沙淤积逐渐发展到坝前,坝区挟沙水流逐渐转换为明渠挟沙水流。如果修建的挡水坝为低水头枢纽,建成后的坝前仍然是明渠挟沙水流。不论是前者还是后者,泥沙在垂线上的分布仍然服从基本规律。其差别是,水面含沙量更小,泥沙组成更细,底部含沙量更大,泥沙的颗粒更粗。因此,任何一座水利水电枢纽在布局上都应当考虑这个基本规律,符合客观实际地进行规划、设计枢纽泄流建筑物的布局,以防止或减少泥沙对水电站机组以及其他过流部件的磨损与破坏。

我国已建水利水电枢纽工程,在泄流建筑物的布局上,有许多经验和教训可以借鉴。

一、三门峡水利枢纽

1973 年汛后,第二期工程改建工作基本上完成以后,其泄流建筑物如图 12-1 所示。

左岸有 12 个底孔,进水口底坎高程为 280m;2 条泄洪排沙隧洞,进水口底坎高程为 290m;12 个深水孔,进水口底坎高程为 300m。右侧为电站坝段,水电站进水口底坎高程为 287m。从垂直方向上看,有 4 个层次较为合理,然而在布局上就显得不足。主要泄流建筑物均设在左侧,泄洪排沙也集中在这一坝段。水电站在右侧,没有专门设置排沙底孔。在电站前形成一个范围较大的回流区,大量泥沙落淤于此。造成水轮机组过沙多,不可避免地引起机组严重磨损。其经验教训是,在初步设计时只考虑了异重流排沙,忽视了淤积发展到达坝前以后的排沙问题。

1954 年汛后,官厅水库实测资料证明,水库淤积形态呈三角形形式。不仅淤积了死库容而且也侵占了兴利库容。当时的黄河规划委员会在计算三门峡水库淤积时,由于对泥沙运动规律认识不足,将水库淤积比降按"零"处理,即认为淤积体是水平的。因此,就

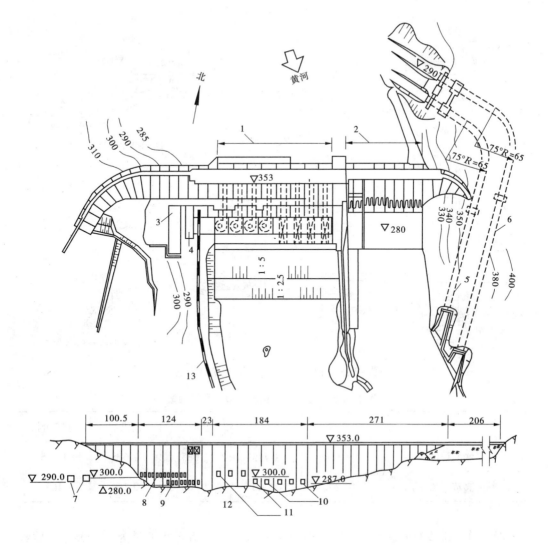

图 12-1　三门峡枢纽改建后工程布置(单位:m)

1—电站坝段;2—溢流坝段;3—110kV 变电站;4—副厂房;5—1 号隧洞;6—2 号隧洞;7—泄流排沙隧洞;
8—12 个 3m×8m 深水孔;9—12 个 3m×8m 底孔;10—电站进水口;11—排沙钢管;
12—内长扮岩;13—进厂铁路

很难想像出泥沙运动到坝前会从水电站机组下泄。只考虑了气蚀,没有想到会出现泥沙对水轮机的磨损问题。

二、刘家峡水电站

刘家峡水电站与 1964 年正式开始建设。方宗岱曾经提出在电站进水口下方设置排沙孔。由于各方面认识不同,这个关键性的建议没有被采纳,其后患无穷。该电站布局如图 12-2 所示。各泄流建筑物进水口底坎高程和最大泄量见表 12-1。

从图 12-2 中可以看出,泄水道与排沙洞等建筑物均布设在左岸。大坝右侧只有溢洪

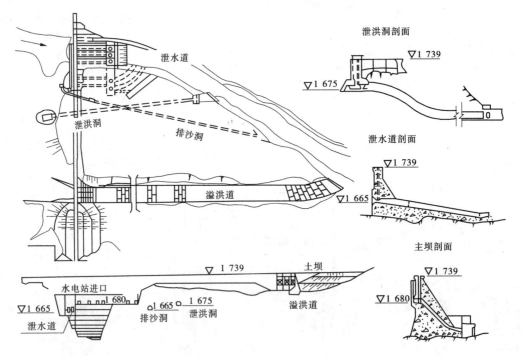

图 12-2　刘家峡水电站平面、上游立视图

表 12-1　　　　　　　刘家峡水电站各泄流建筑进水口高程及泄量

泄水建筑物	电站	溢洪道	泄水道	泄洪洞	排沙洞
底坎高程(m)	1 680	1 715	1 665	1 675	1 665
1 735m 高程泄量(m³/s)		3 800	1 500	2 150	105

道。泄水道与排沙洞的进水口底坎高程均为 1 665m。前者最大泄量为 1 500m³/s,后者为 105m³/s。运行实践表明,泄水道同时作为排沙洞运用,不仅泄洪而且大量排沙。排沙洞运用时间很少,距离电站进水口较远,起不到防止泥沙进入水轮机组的作用,几乎是虚设。

　　从图 12-2 还可以看出,在水电站进水口下方没有设置排沙孔,大量泥沙进入水轮机,造成电站发电系统严重磨损。泄水道闸前的冲刷漏斗只能影响到 5 号机组(机组排列由右向左为 1 号、2 号、…、5 号),而其他几台机组得不到防护,造成大量泥沙过机。

　　从竖向上看,在不同高程上有 4 层泄流洞(孔),然而,起到排沙作用的泄水道的高程比电站进水口高出 15m,闸门前冲刷漏斗又不能影响到 1～4 号机组,因此难以减少进入电站沙量。

三、青铜峡水利枢纽

　　青铜峡是一座低水头枢纽,拦河坝建筑物平面布局如图 12-3 所示。水电站布置如

图 12-4 所示。在闸墩式电站下方各设置两孔泄水管,实际上起到冲沙孔或排沙孔的作用,其底坎高程为 1 124m。水电站进水口底坎高程为 1 130.15m,两者相差 6.15m。溢流坝坝顶高程为 1 149.4m。大部分泄流设备均集中在电站坝段。由于排沙孔设置在电站进水口下方,对减少进入水轮机和溢流坝的含沙量起到了决定性作用。从图 12-3、图 12-4 可以看出,青铜峡水利枢纽的整体布局是比较合理的。

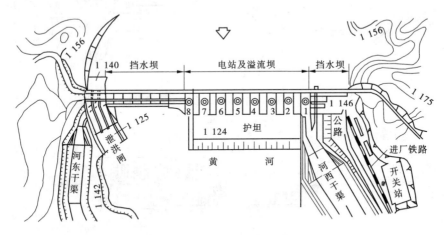

图 12-3　青铜峡枢纽平面布置

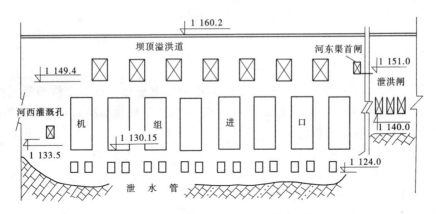

图 12-4　青铜峡水电站枢纽上游立面示意

四、天桥水电站

天桥水电站是一座低水头水电站,坝址原河床平均高程为 811m,土坝坝顶高程为 836m。枢纽平面布置见图 12-5,下游立视图见图 12-6。

天桥水电站的泄流设备有泄洪排沙闸 7 孔,底坎高程为 811m;上层溢流堰,堰顶高程为 829m;有 3 孔排沙闸,底坎高程为 811m;4 台发电机组的进水口高程为 816m;在电站下方各机组分别设置冲沙孔共 8 孔,底坎高程为 809.5m。从整体上分析是比较合理的。然而冲沙孔低于原河床平均高程,在开启冲沙孔过程中,造成电站下游附近河床发生局部冲刷,冲起来的泥沙运行较短的距离以后就落淤,形成一道横跨全断面的沙脊,它又反转过来影响电站尾水位。

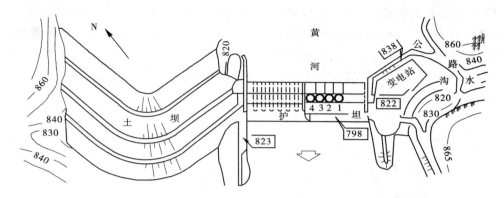

图 12-5　黄河天桥水电站枢纽平面布置图

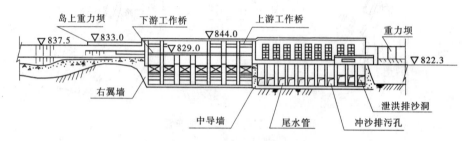

图 12-6　黄河天桥水电站枢纽下游立视图

五、龚嘴水电站●

四川省大渡河上的龚嘴水电站,是一座高水头水电枢纽。枢纽工程布置见图 6-7。在枢纽工程右岸布设坝后式地面电站,共 4 台机组,进水口底坎高程为 494m,在各进水口下方设置冲沙底孔,底坎高程为 472m,低于电站进水口高程 22m。在大坝左岸设置地下发电厂房,共 3 台机组,进水口高程为 504m,在每台机组下方的 495m 高程设置排沙孔。大坝中段设置 3 孔溢洪道和一孔非常溢洪道。溢洪道底坎高程为 506m。在此坝段下方设有冲沙底孔,底坎高程为 472m,见图 6-7。

从图 6-7 中可以看出,溢洪道底坎高出冲沙底孔 34m,电站进水口分别高出冲沙底孔 22、32m,高差很大。水面附近的泥沙量少且泥沙颗粒较细,在横向上分布,冲沙孔分布均匀而且电站进水口下方又设置冲沙孔。这种布局在总体上看是非常科学的。形成坝前有一个相互连接的冲刷漏斗(此问题下节专门讨论),防止了大量泥沙进入水轮机组及其他过流部件。

六、小浪底水利枢纽[2]

小浪底水利枢纽位于河南省洛阳市境内的黄河干流上。开发目标是防洪、减淤、供水和发电。经过较长时间的规划与设计,反复论证,吸取了国内尤其是黄河上的大型水利水

● 水利电力部水利水电规划设计院.全国大中型水利水电工程泥沙成果汇编.1982 年

电枢纽的经验,在枢纽泄流与水电站的布局上有新的突破。排沙洞进水口底坎高程为175m,电站进水口高程分别为190、195m,高出排沙洞15、20m,见表12-2。泄水建筑物布置见图12-7、图12-8。

表 12-2　　　　　　　　　　小浪底枢纽泄流建筑物进口底坎高程

泄流建筑物	进口底坎高程(m)						运用水位(m)
	1	2	3	4	5	6	
排沙洞	175	175	175				≥185
孔板洞	175	175	175				≥200
明流洞	195	209	225				超过250m,1号洞停用
发电洞	195	195	195	195	190	190	
溢洪洞	258						

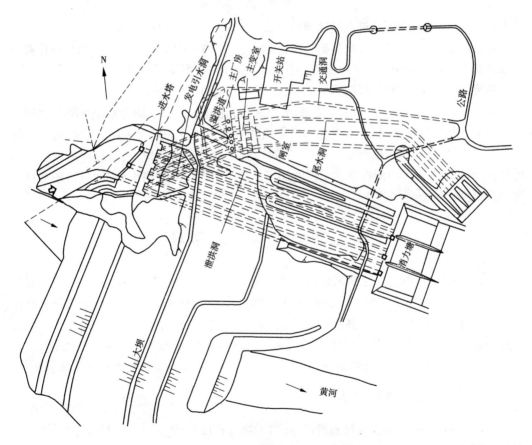

图 12-7　小浪底泄水建筑物总布置

从图12-7、图12-8可以看出,水电站下方设有排沙洞,水电站进水口右侧设置孔板泄洪洞,库水位超过200m高程时也可以用它排沙。排沙洞高程很低,不仅防止或减少泥沙

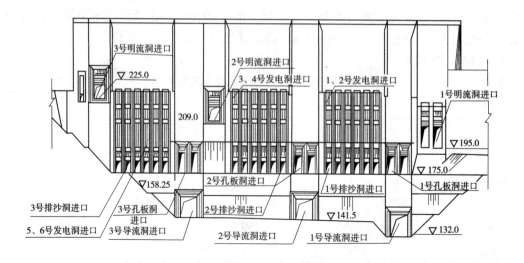

图 12-8　进水塔上游立视图

进入水轮机,同时减少泥沙进入其他泄流建筑物。

排沙洞的分布较均匀,分别防护各组电站,同时也防护明流洞过沙。排沙洞与孔板洞在敞开泄流后可以冲刷出较大范围的坝前漏斗,防止泥沙淤堵电站进水口闸门。

泄流建筑物集中布局,可以形成主流区,不会发生回流区淤积(如三门峡)。

从盐锅峡枢纽前的地形以及发生的淤积来看,在电站坝段上游 100m 处淤积成很大一片滩地。盐锅峡壅水深度小,滩地与河床高差不大。小浪底电站坝段上游的地形与盐锅峡非常相似,然而小浪底壅水位高,未来的坝前段如果发生淤积,其滩地与河床的高差可能在 50m 以上。滩地淤积物固结程度如何?会不会滑塌而淤堵电站进水口:还有待于进一步研究。

第二节　坝区冲刷漏斗

1972 年三门峡枢纽改建尚未全部完成以前,国内各水利水电工程的排沙底孔、隧洞等闸门被泥沙淤堵屡见不鲜。然而如何防止淤堵,采取何种措施以及泄流建筑物和排沙底孔布置方式等问题,缺乏实践经验。对此,张相峰、陈上群等在三门峡枢纽工地上收集了深水孔口门前的地形资料,首次提出局部冲刷漏斗的顺水流方向和侧向的坡度资料。以后又到其他水库做了广泛的调查,对冲刷漏斗的形态以及有关资料进行了初步分析❶。

一、坝区冲刷漏斗的基本图形

众所周知,各种泄流建筑物的进水口(以下简称孔口)上游的某一长度范围内,在闸门敞开的情况下,存在流速场,当闸门全关闭以后又是一个"静水池"。当泥沙淤积已经发展到坝前时,会出现两种截然不同的冲淤形态。当闸门关闭以后,泥沙仍缓慢地运动到孔口

❶　黄河水库泥沙规测研究成果交流会.水库泥沙报告汇编.1973 年 12 月

前落淤,进而逐渐淤堵闸门。若闸门开启以后,孔口前发生冲刷,靠近孔口附近的流速大,冲刷的强度大,距离孔口远的地方,流速减弱,接近泥沙的起动流速,处在不冲不淤的状态,呈现出一个冲刷漏斗的形态。它是在前期淤积的基础上冲刷形成的。

　　不论是排沙洞、泄水洞或者某一台发电机组,都不是连续不断地开启闸门,总是时而开启时而关闭。孔口前沿也随之发生冲刷或淤积。因此,孔口前冲刷漏斗的形成与消失的过程是先淤积而后冲刷。淤积过程也是坝前壅水过程,孔口前淤积物质组成要比上游河段更细,如果淤积历时较长,因泥沙组成较细,淤积物固结以后需要较大的冲刷能量,甚至采取人工措施(如空气泵、高压水枪)才能将闸门前淤积物清除。

　　孔口上游的流速场的范围取决于孔口的泄量大小,泄量大影响范围远,泄量小其流速场影响范围短。此外又与孔口底板和淤积面的高差有关,高差大则冲刷距离长,反之则短。实际上反映了水流功率 γQJ 的大小对冲刷的作用。根据已有资料得知,其范围在250m 以内,称之为冲刷小漏斗。

　　小漏斗的形态根据泄流建筑物所在地的地质、地形条件的不同又可分为两种类型:一是泄流孔前缘以下为淤积物质组成的床面。此类型漏斗靠近孔口前缘部分受流速场的作用,出现一个低于孔口高程范围很小的冲刷坑,如图 12-9(a)所示。二是建筑物的前沿是岩石平台或者有护坦工程,孔口前会出现一个水平冲刷段,此段长度与上述冲刷坑的半径相当,见图 12-9(b)。小漏斗的形态是上凸形状。

　　小漏斗的上游为二级漏斗。二级漏斗顺水流方向的坡度是冲淤交替变化过程塑造而形成的。当闸门关闭时,小漏斗发生淤积,二级漏斗也随后发生淤积。二级漏斗下段的淤积,一方面是壅水引起的淤积,另一方面是小漏斗淤积上延引起的。

　　当闸门开启以后,库水位下降,小漏斗和二级漏斗同时发生冲刷。小漏斗又以溯源冲刷形式向上游发展,加速了二级漏斗冲刷。其冲刷的强度要小于小漏斗。不论是淤积过程或者是冲刷过程,小漏斗对二级漏斗均产生一定的影响。二级漏斗的形态既受下游小漏斗的影响,又受到上游来水来沙条件的作用。

　　二级漏斗的上游为大漏斗。实际上是锥体淤积形态前坡段的中上段。它的形成主要是上游来水来沙条件的作用,二级漏斗的形态对它的作用是次要的。

　　综观上述分析,坝区冲刷漏斗的形态是

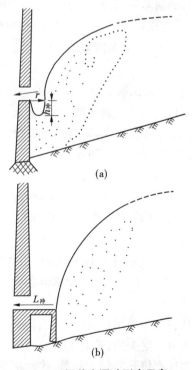

图 12-9　坝前小漏斗形态示意

一条上凸形纵剖面。过去我们在研究锥体淤积前坡段的比降时,均概化为一条直线。从冲刷漏斗的机理来分析,实际上是上凸形曲线。当然作为规划设计时可以简化为直线。

图 12-10 为坝区冲刷漏斗纵剖面。

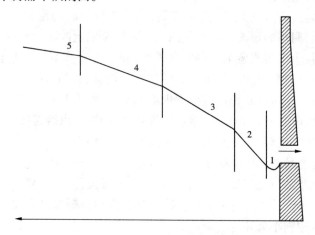

图 12-10　坝区冲刷漏斗示意
1—孔口前冲刷坑；2—小漏斗；3—二级漏斗；4—大漏斗；5—锥体淤积

二、冲刷漏斗成因分析

冲刷漏斗所划分的小漏斗、二级漏斗和大漏斗 3 个段落，其中小漏斗的成因最为复杂，它受到孔口泄量（Q）、前期淤积物组成（D_{50}）、孔口前底坎高程以上的淤积厚（Z）、孔口前水深 H 等诸多因素的作用。其形式可写成

$$\tan\alpha = f(Q、D_{50}、\gamma_s、Z_s、H)$$

式中：γ_s 为淤积物干容重。

孔口前的淤积物组成，受坝前水深、水库运用方式、上游来水来沙等多因素的影响。

官厅水库是多年调节的水库，坝前为异重流淤积物，干容重在 $0.9 \sim 1.0 t/m^3$ 范围。D_{50} 为 $0.004 \sim 0.005 mm$，胶结程度强。距闸门 50m 范围的顺水流方向的坡度为 $0.16 \sim 0.214$。

刘家峡为年调节水库。每年 6 月末，库水位下降到死水位，受洮河口拦门沙的影响，闸门前淤积物颗粒较粗，D_{50} 约 $0.02 mm$。在 50m 范围内，顺水流方向的坡度为 $0.125 \sim 0.15$ 范围。

孔口泄流量的大小，标志着孔口前缘附近水域的水流强度。在其他边界条件相同的情况下，水流强度大则其冲刷范围大，反之则冲刷范围小。表 12-3、表 12-4 是国内几座水库的实测资料。

孔口前缘的淤积物厚度（Z_s），孔口前水深以及单宽泄流量（q）与小漏斗顺水流方向的坡度有一定关系，见表 12-4。

当库水位升降较为频繁，或者是关闭闸门与下次开启闸门的相隔时间较短，闸门前的淤积物还没充分固结的情况下，各种相关因素与冲刷漏斗的实测值见表 12-5。应当说明的是，坝前水流运动极其复杂，流速急湍，观测难度大，又极其危险。因此，表 12-4 及表 12-5 的资料精度略显粗糙，但是用它作为定性分析还是可信的。

表 12-3 　　　　　　　　　　　各水库泄量、D_{50} 及漏斗坡度

水库名称	泄量(m³/s)	D_{50}(mm)	顺水流方向坡度
汾河	12.5	0.025	0.12
	10.0	0.026	0.1~0.12
	9.0	0.026	0.17
小河口	5~6	0.035	0.145
官厅	55.0	0.003 9	0.16~0.21
	63.0	0.004 6	0.084
碧口	270	0.027	0.045~0.077
青铜峡	133	0.030	0.07
三门峡	567	0.059	0.028
刘家峡	946	0.02	0.016 4

表 12-4 　　　　　　　　　　　国内六座大型水利水电枢纽小漏斗实测资料

水库名称	观测日期 (年·月·日)	孔前水深 H (m)	孔前淤积厚度 Z_s (m)	单宽泄流量 q (m³/s)	实测坡度
龚嘴	1981.11	53.5	29.0	81.0	0.179
	1984.8.10	51.0	29.0	69.0	0.149
盐锅峡	1965.8.31	15.0	12.8	17.5	0.159
	1975.5	18.8	10.0	17.5	0.185
	1979.10	18.7	12.0	17.5	0.182
	1979.10	18.7	12.0	17.5	0.240
碧口	1980.8.7	52.1	3.0	59.0	0.048
	1980.11.13	68.0	2.0	68.0	0.0435
青铜峡	1980.9.16	31.7	19.0	23.0	0.260
	1980.8.16	22.2	13.5	33.3	0.204
	1980.10.10	29.5	15.0	23.0	0.260
	1980.10.10	20.0	8.5	37.0	0.278
	1980.10.10	13.5	11.0	73.5	0.240
官厅	1966.2	26.0	8.0	40.0	0.130
	1976.12	31.0	11.0	40.0	0.156
刘家峡	1976.10.26	70.0	3.0	248	0.028
	1977.10.24	52.2	3.0	211	0.054
	1980.5.17	38.5	3.0	174	0.061
	1981.6.5	36.9	11.0	170	0.091
	1981.7.8	35.1	7.0	165	0.100

表 12-5   淤积物不固结条件下冲刷漏斗实测值

水库名称	流量 Q (m^3/s)	泄水孔前流速 u (m/s)	颗粒中径 D_{50} (mm)	孔前水深 H(m)	深水孔前淤积厚度 H_m(m)	坡度 J(顺水流方向)	坡度 J'(侧向)
小华山	0.25	0.89	0.047	12	6.0	0.333	0.4
巴家嘴	6.5	1.16	0.034	12	5.5	0.20	0.323
浍 河	7.5	1.7	0.012	13.5	4.9	0.20	0.286
汾 河	18	0.515	0.026	31.8	3.6	0.189	0.313
汾 河	25	0.715	0.026	21.2	1.6	0.20	0.333
汾 河	20	0.572	0.026	23	6.0	0.167	0.217
小河口	5.5	0.55	0.035	21.7	7.5	0.25	
三门峡	240	6.9	0.059 5	15			0.143
三门峡	790	10.4	0.059 5	12.3	5	0.034	0.159
三门峡	567	5.42	0.059 5	39.7	4	0.024	0.149
盐锅峡	140	1.59	0.035	15.0	11	0.166	0.200

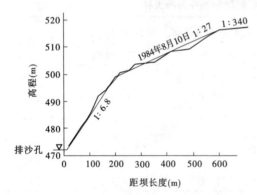

图 12-11 龚嘴水电站坝区冲刷漏斗纵剖面

二级漏斗的观测资料很少,它对枢纽泄流建筑物没有直接的危害,不被人们所注意。影响二级漏斗形态的因素,不仅是小漏斗,大漏斗的形态对它也有一定的影响。此外,水流动力条件,泥沙运动都与之密切相关,由于缺乏实测资料,理论方面更不完善,目前还不能给出定性的估算方法,只能参照有关水库的实测资料进行类比。图 12-11 是龚嘴水电站坝区冲刷漏斗纵剖面。从图上可以看出,小漏斗范围在 260m 左右,其顺水流方向的坡度约 0.149,二级漏斗在 260～600m 范围,顺水流方向的坡度约 0.037,距坝址 600m 以上为大漏斗,顺水流方向的坡度 0.003 左右。

图 12-12 是官厅水库坝前漏斗的形态。官厅水库淤积三角洲的顶点还没有推进到坝前,但是小漏斗和二级漏斗已经形成,而大漏斗仍然在发展过程,所以图 12-12 中没有大漏斗形态。

小漏斗的形成也随着坝前淤积发展而演变,随着时间的推移而逐渐趋于稳定。官厅水库于 1953 年汛期滞洪,1955 年正式蓄水。在运用初期,只有异重流挟带的泥沙淤积在坝前,淤积数量小,淤积厚度不大。闸门开启以后冲刷出来的纵向坡度很小(见图12-13)。随着闸门前沿的淤积厚度逐年增加,其坡度也随之增大,及至 1970 年以后,小漏斗坡度趋于稳定,在 0.04 左右,1975 年以后又有些上升(见图 12-13)。

从图 12-13 可以看出,小漏斗也有一个产生、发展到逐渐稳定的过程。

二级冲刷漏斗末端至锥体淤积形态顶点的纵向坡度为大漏斗。过去在很多文献中将

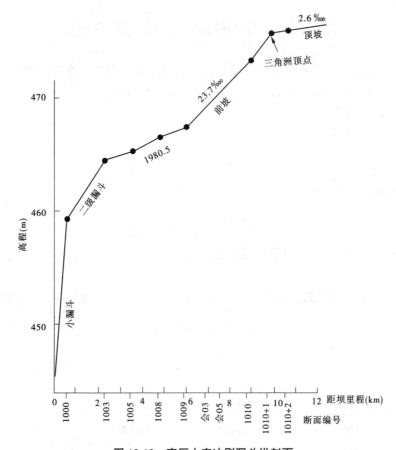

图 12-12　官厅水库冲刷漏斗纵剖面

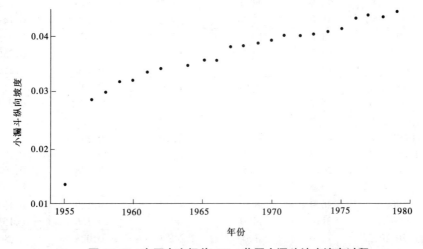

图 12-13　官厅水库闸前 480m 范围小漏斗坡度演变过程

淤积三角洲前坡段看成是一个均一坡度,甚至认为是下凹形曲线。在淤积三角洲远离坝址向前推进过程,这种认识是正确的。当三角洲顶点已接近坝前,演变成锥体形态以后,就发展成上述不同段落的三级漏斗,其总体形态是上凸形。如图 12-11 所示。

第三节　冲刷漏斗的估算方法

上述的各级漏斗对泄水建筑物闸门威胁最直接的是小漏斗。在 20 世纪 70 年代,水电部第十一工程局设计研究院为了三门峡枢纽工程改建的需要,对北方几座水库做了认真的调查研究,并提出如下经验公式:

顺水流方向坡度 J 为

$$J = 0.234\ 5 - 0.063 \lg \frac{Qu}{u_{01}^2 H_m^2} \tag{12-1}$$

漏斗的侧向坡度 J' 为

$$J' = 0.31 - 0.063 \lg \frac{Qu}{u_{01}^2 H_m^2} \tag{12-2}$$

式中: Q 为孔口流量; u 为孔口平均流速; u_{01} 为水深 1.0m 时床面起动流速; H_m 为漏斗前淤积厚度。

我们根据国内几座水库的实测资料建立了小漏斗顺水流方向坡度 $J_{小}$ 的经验公式如下:

$$J_{小} = 1.2 \frac{H_m^{0.45}}{H^{0.9} e^{0.001\ 5q}} \tag{12-3}$$

式中: H 为孔口处水深; q 为孔口单宽流量;其他符号的含义同前。见表 12-6 及图 12-14。

小漏斗侧向坡度如表 12-7 所示。

表 12-6　　　　　　　　　　　　　实测坡度与计算坡度比较

水库名称	观测日期 (年·月·日)	孔前水深 (m)	孔前淤积厚度 (m)	单宽泄流量 (m³/(s·m))	实测坡度值	计算坡度值
龚嘴	1981.11	53.5	29.0	81.0	0.179	0.134
	1984.8.10	51.0	29.0	69.0	0.149	0.143
盐锅峡	1975.5	18.8	10.0	17.5	0.185	0.235
	1979.10	18.7	12.0	17.5	0.182	0.256
	1979.10	18.7	12.0	17.5	0.240	0.256
碧口	1980.8.7	52.1	3.0	59.0	0.048	0.051
	1980.11.13	68.0	2.0	68.0	0.043 5	0.033
青铜峡	1980.9.16	31.7	19.0	23.0	0.260	0.194
	1980.9.16	22.2	13.5	33.0	0.204	0.226
	1980.10.10	29.5	15.0	23.0	0.260	0.186
	1980.10.10	20.0	8.5	37.0	0.278	0.201
	1980.10.10	13.5	11.0	73.5	0.240	0.303
官厅	1966.2	26.0	8.0	40.0	0.130	0.154
	1976.12	31.0	11.0	40.0	0.156	0.151
刘家峡	1976.10.26	70.0	3.0	248.0	0.028	0.029 6
	1977.10.24	52.2	3.0	211.0	0.054	0.041
	1980.5.17	38.5	3.0	174.0	0.061	0.057
	1981.6.5	36.9	11.0	170.0	0.091	0.106
	1981.7.8	35.1	7.0	165.0	0.100	0.091

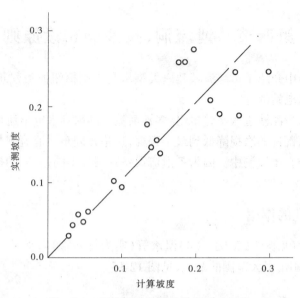

图 12-14　式(12-3)计算值与实测值对比

表 12-7　　　　　　　国内几座水库小漏斗侧向坡度统计

水库名称	观测日期	左侧坡度	右侧坡度	备 注
盐锅峡	1965.8	—	0.459	
	1966.10	0.33	—	
	1976	—	0.556	
	1974	0.25	—	1 号机组
青铜峡	1980.9	—	0.444	泄洪闸
	1980.9	0.30	—	河西渠首
	1980.9	—	0.313	7 号机组
	1980.9	—	0.37	泄洪闸
	1980.9	0.435	—	河西渠首
刘家峡	1984.5	0.429	—	机 组
	1981.7	0.400	—	
	1981.6	0.500	—	机 组
	1980.5	0.500	—	泄水道
	1980.5	0.435	—	3 号机组
	1976.5	0.571	—	泄水道
龚 嘴	1981.11	—	0.588	
	1984.8	—	0.439	排沙洞
碧 口	1980.8	0.37	0.20	排沙洞
	1980.6	—	0.429	排沙洞
三门峡	1984.10	0.49~0.5	—	底 孔

大漏斗坡度 $J_大$ 可近似按下式计算：

$$J_大 = 1.6J_0 \tag{12-4}$$

式中：J_0 为原河床纵比降。

第四节　泄流洞、排沙洞布设原则

在上述各章节中介绍了黄河流域几座大型水利水电枢纽泄流建筑物总体布局,有无排沙设置以及对水电站的危害。

为了防止或减少泥沙进入水轮机组,多沙河流上的水利水电枢纽均应当设置排沙洞,使泥沙对各种泄流部件的磨损降低到最小程度,这是合理布设泄流洞与排沙洞的原则,即尽可能使磨损集中在排沙洞中。因为各泄流设备的高程不同,它们的排沙量(以含沙量表示)和排沙组成是不同的。

一、排沙底孔的作用

青铜峡水电站(见图 12-3、图 12-4)泄水管(实为排沙管)高程最低,排出的含沙量最大,在电站前缘冲刷出很大范围的漏斗,见图 12-15。

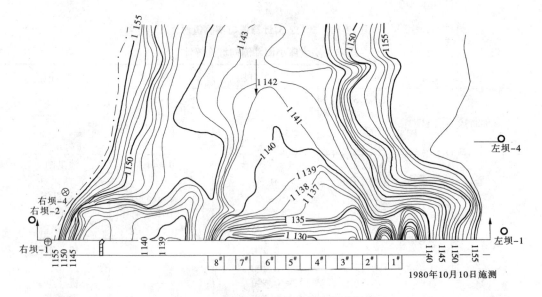

图 12-15　青铜峡水电站前刷刮漏斗地形

由于泄水管进水口底坎高程低,又设置在电站进水口两侧,对保持电站闸门前不淤、减少泥沙进入机组起到非常显著的效果,见表 12-8。

表 12-8　　　　　　　　　　青铜峡各泄水建筑物排沙效果比较

名称	单孔流量 (m³/s)	平均含沙量 (kg/m³)	出库沙量 (万 t)	排沙比 (%)	孔口高程 (m)
溢流坝	465	1.53	202	8.4	1 149.4
泄洪闸	735	3.80	890	37.1	1 140.0
泄水管	152	4.43	1 310	54.7	1 124.0
河床机组	250				1 130.15

三门峡水利枢纽在不同高程的泄流建筑物,其含沙量和粒径相差很大,见表12-9。

表 12-9　　　　　　　**三门峡枢纽各泄流建筑物排出含沙量及粒径**

对比泄流建筑物		隧洞/深孔	底孔/隧洞	底孔/深孔
含沙量比值	全　沙	1.08	1.25	1.35
	$d=0.1\sim0.05$mm	1.50	1.60	2.40
	$0.05\sim0.025$mm	1.20	1.25	1.50
	$0.025\sim0.01$	1.03	1.06	1.10
	d_{50}(mm)	1.12	1.28	1.43

根据三门峡等水利枢纽的不同高程的泄流排沙资料,点绘出排沙、泥沙组成的相对关系,如图 12-16 所示。

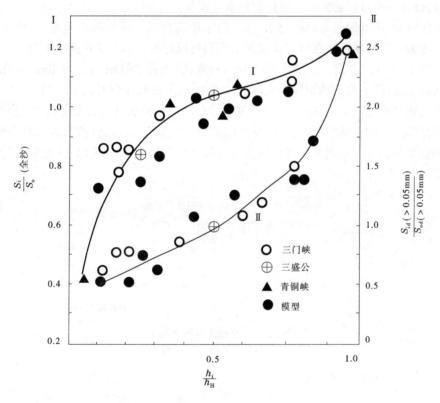

图 12-16　S_i/S_o、$S_{id}/S_{od}\sim h_i/h_H$ **关系**

注:图中 h_i 为电站取水口中心线与库水位高程差;h_H 为排沙底孔底板与库
水位高程差;S_i 为电站取水口含沙量;S_o 为出库平均含沙量。

从图 12-16 可以看出,电站取水口中心点高程与库水位高程之差 h_i 与排沙孔底板高程与库水位之差 h_H 的比值越小,则电站取水口的水流含沙量也越小,同样,$d>0.05$mm的含沙量就更小,这与表 12-9 的结果是一致的。表 12-9 是底孔与其他泄流建筑物的对比关系,图 12-16 则是电站取水口与出库进行对比,在绝对的相对百分数略有差别。

图 12-16 中提醒我们,在进行水电站规划设计时,一定要使 $h_i/h_H < 0.5$。这就要求,排沙底孔的底板高程与电站取水口中心高差要小于底孔前水深的一半以上,否则起不到减少过机含沙量的作用。

二、泄流与排沙建筑物布置原则

在本章的前面几节介绍了国内几座水利水电枢纽的泄流建筑物与排沙洞的布局,其中有成功的经验,也有失败的教训。凡是成功的,均设置有排沙洞(孔),而且排沙洞又设置在水电站引水口下方,防止粗颗粒泥沙进入水轮机,减少泥沙对水轮机系统的磨损和淤堵。

设置排沙洞不仅仅是减少进入水轮机的含沙量,它还可以在排沙洞上游形成冲刷漏斗,防止水电站引水口的闸门淤堵。如果其他泄流建筑物进水口底坎高程高于排沙洞底坎高程,排沙洞也可以起到防止闸门淤堵事故发生的作用。

由此可知,排沙洞底坎高程与水电站、泄水建筑物底坎高程的高差越大,防止泥沙的效益也越大。三门峡枢纽在这方面观测的资料可以证明,见表 12-9 及图 12-16。

从表 12-9 可以看出:深孔(高程 300m)与底孔(高程 280m)高差为 20m,底孔排全沙是深孔的 1.35 倍。排出的粗颗粒泥沙($D>0.05$mm)底孔是深孔的 2.4 倍。

从上述分析可以看出,排沙洞的合理布局不仅是维护水电站的安全运用,还可以维护枢纽泄流建筑物的整体安全。因此,排沙洞的设置宜数量适当,分散布设,以便形成较宽阔的坝前冲刷漏斗。小漏斗的侧向坡度等可按式(12-2)计算。图 12-17 是枢纽建筑物布局示意图。

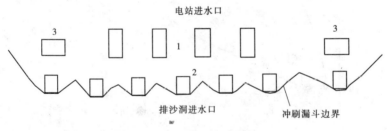

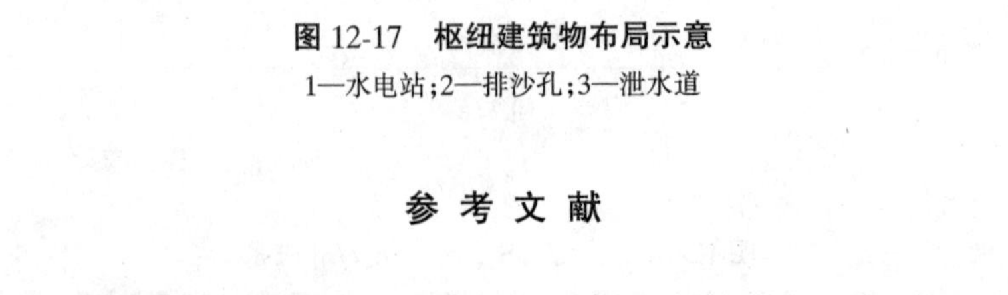

图 12-17　枢纽建筑物布局示意
1—水电站;2—排沙孔;3—泄水道

参 考 文 献

[1] 杨庆安,等. 黄河三门峡水利枢纽运用与研究. 郑州:河南人民出版社,1995
[2] 林秀山. 黄河小浪底水利枢纽文集. 郑州:黄河水利出版社,1997

第五篇　水库运用与管理

在河流上修建水库,其目的是防灾与兴利。具体到黄河河流而言,很多水库均将防洪减灾列为首要任务。因为洪水对人类的威胁和造成的灾害是最为严重的,特别是黄河下游始终是受灾最为严重的地区。千百年来,洪水对两岸人民所带来的灾难举不胜举。例如三门峡、小浪底水库都是以防洪为主、减少洪水灾害的大型水库。长江三峡水库的首要任务也是防洪,其次才是发电、供水和减淤。

为此,当水库建成以后,如何使其发挥最大的综合效益,权衡上下游、左右岸以及局部与全局的利益,就需要编制一套全面、周密而完整的水库运用方案。

编制出的水库运用方案,在实施过程中又会出现预想不到的问题,或者出现突发事件,突破了原来的方案。因此,及时总结经验教训,进一步改进或完善运用方案,又是必不可少的研究工作。

河流的径流量与输沙量的年总量与过程又随着气候的变化、人类活动和水资源利用的情况而改变。这种改变或变化又会影响到水库运用的实施。因此,运用方案还要根据客观变化的情况,改变原有的方案。

总之,水库运用在规划阶段的总目标的前提下,都要依据客观条件的变化,随时修正运用方案,以满足或基本上满足各方面的需要,最终达到发挥水库的最大综合效益的目的。

水库运用的实施不仅限于水利水电枢纽管理部门,它涉及到很多方面的利害关系,特别是在大江大河上修建的水库更是如此。例如三门峡水库,在水库运用初期,库区淤积速率超出原来设计水平,引起渭河渭南以下河道洪水位上升,两岸浸没面积增大。经国务院决定,改为蓄水运用为滞洪排沙运用,以及对枢纽泄流设备先后进行两次增建与改建。水库运用方案经过上级机关批准之后,日常的管理任务由枢纽管理部门执行。而重大变更或调整,又必须经过上级批准,甚至由国家最高权力机构做出决定。

因此,水库运用与管理的问题是一项非常复杂的系统工程。运用与管理实施的正确与否,它将影响到水库能否发挥最大效益。

第十三章　水库运用原则与分类

黄河干支流已经建成30座大型水库,其中干流有14座。黄河干流上游有10座,中游有4座。由于每座水库所处的位置、进入水库的径流量和输沙量以及开发目标和所承担的任务不同,所选择的水库运用方式也相差甚远。

小浪底水库是以防治黄河下游洪水为主,同时又以减少下游河道淤积为目的的重要枢纽工程,其他任务如灌溉、城市用水以及发电等作为兼顾项目。

龙羊峡水库位于黄河最上游,总库容达到247亿 m^3,多年平均输沙量为0.184亿 t

(1919～1998 年),库容与沙量比约 1 750。可以不考虑水库淤积问题,以发电为主,配合刘家峡水库承担下游河段(兰州及其以下)的防洪、灌溉和防凌任务。

从上述两座水库可以看出,它们所承担的任务是不尽相同的。小浪底水库要尽可能地保留防洪库容,防止库容被泥沙全部淤满,在调节出库径流量与输沙量过程中减少黄河下游河道淤积,采取非汛期蓄水拦沙、汛期敞泄排沙措施,借助于洪水期富余输沙能力将非汛期淤积下来的泥沙也能排出库外,以期实现年内冲淤平衡。因此,在堆沙库容淤满之后,确定水库运用方式为"蓄清排浑"模式。

龙羊峡水库库容大,年均输沙量不足 0.2 亿 t,折合体积后约 0.14 亿 m³。将进库泥沙全部拦截,水库可以运用 1 500 年以上,又有足够的防洪库容,所以它采用多年调节径流量,蓄水运用。

黄河干支流的众多水库,受各种条件的制约,决定了各自水库的运用方式。其中有多年调节径流量的蓄水运用,有需要保持一定库容作为下游防洪之用的"蓄清排浑"或者是调水调沙运用。为了满足日(周)调节库容的需要,进行适时水库运用。由于各水库的边界条件不同,水库的运用方式也是多种多样的。

对于多沙河流上的水库而言,水库运用方式随着时间的推移又会有所改变。库容与年沙量比在 50 以下的水库,其前期可以采用蓄水运用,当水库库容只剩下防洪库容时,其运用方式由蓄水运用转变为"蓄清排浑"运用。如地形条件或库区周边允许扩大淹没范围,也可以加高大堤增加库容,继续维持蓄水运用。永定河官厅水库,原来的总库容为22.7 亿 m³,经过 30 多年的运用,并经过洪水设计核算以后,已经不能达到防御千年一遇洪水的要求,直接威胁首都北京市的安全。经过多方面研究,决定加高大坝,使库容增加一倍。从库容与年沙量比来预估可以达到 100 以上。

第一节　蓄水运用

蓄水运用的水库,在黄河干支河道也是常见的,如前面举出的龙羊峡水库,在支流上有洛河的故县水库、伊河上的陆浑水库、宏农河上的窄口水库以及渭河支流的冯家山、羊毛湾、石头河等水库。这些水库所在的流域输沙模数一般均在 1 500t/(km·a)以下,控制的流域面积不大。库容与年沙量比在 50 以上,除了汛期洪水在库区发生异重流时期进行排沙以外,其余进库沙量均拦截在库内。

蓄水运用的水库都不同程度地担负着下游的防洪任务。多数水库将防洪作为首要任务。从水库运用角度来看,汛期或者主汛期,严格控制库水位在汛期限制水位以下或者不能超过汛期限制水位,预留防洪库容是非常重要的。少数年份在 9 月份也会出现洪水,如1989 年 9 月,龙羊峡水库水位已经到 2 570m,入库流量近 2 000m³/s。为了安全起见,9月份加大泄量,引起下游兰州市防洪出现紧张局面,甚至影响到宁蒙河段的防洪问题,这个教训是值得反思的。

在有泥沙的河流上的水库,虽然库容很大,然而异重流的淤积也会逐渐威胁泄水建筑物的安全。

刘家峡水库在龙羊峡水库建成之前,虽然库容达到 57 亿 m³,多年进库平均输沙量为

0.54 亿 t,按库容与年沙量比估算也可以达到 100 以上。但是洮河多年平均输沙量达到 0.263 亿 t,洮河口距坝址只有 1.5km,洮河库区的总容积为 1.15 亿 m³,水库运行不到 10 年,洮河库区淤积三角洲已经进入黄河干流库区,形成拦门沙坎。刘家峡水库不得不进行 4 次降低库水位冲刷拦门沙坎(见第六章第四节)。它给人们的启示是,在制订水库运用方案时,除了考虑库容与年沙量比以外,还应当研究支流进库的输沙量、库容以及支流河口距坝址的距离。

龙羊峡水库蓄水以后,龙羊峡至刘家峡区间汛期来水量约 28 亿 m³。因此,刘家峡水库的防洪任务大部分由龙羊峡水库承担。刘家峡采取高蓄水运用方式,使之洮河库区淤积部位上移,控制拦门沙坎高程上升。最高水位曾经上升到 1 730.77m(1989 年 8 月上旬),超过汛期限制水位 4.77m。这种应急措施可以保证水电站安全运行,但是这种运用方案决非长久之计。洮河库区泥沙迟早会推进到干流库区,届时拦门沙坎会突然升高,威胁水电站安全运行并非是遥远的未来。如果再采用降低水位冲刷拦门沙坎,几十亿立方米的水资源白白浪费是不可取的,应当及早研究对策付诸实施。

总之,在有泥沙的河流上,修建大型水库,虽然库容与年沙量比大于 50 时,可以采用蓄水运用方式,然而经过较长时期运用以后,均会出现泥沙淤积所带来的一系列问题。在规划设计时,应当充分筹划、细致研究,避免事故出现之后措手不及。

第二节 "蓄清排浑"运用

一、黑松林水库运用模式[1]

黑松林水库是陕西省一座中型水库,总库容为 1 430 万 m³,输沙模数为 1 780t/(km²·a),于 1959 年建成。运用初期的三年期间,水库淤积量占总库容的 19%。经过资料分析以及农业灌溉用水等多方面的研究,决定采取非汛期蓄水、汛期(7、8 月沙量占全年沙量的 87%)敞泄排沙措施,排沙比可以达到 90% 以上。滞洪期的异重流排沙比可以达到 65% 以上。将这种方式命名为"蓄清排浑",这种运用方式是黑松林水库最早总结出来的。所谓"蓄清"是指非汛期含沙量很小,近似清水,故名曰"蓄清";汛期来水的含沙量很大,尤其是洪水过程,含沙量可达 300kg/m³ 以上,称之为浑水,即"排浑"。黑松林水库的创新经验,给后来三门峡枢纽改建与水库运用方案的制订,起到了至关重要的作用。

二、三门峡水库运用模式

三门峡水利枢纽工程在二期改建规划阶段,在吸取了闹德海水库可以长期保持一定数量的库容和黑松林水库的"蓄清排浑"运用方式的经验的基础上,认真研究了如何解决稳定或降低潼关高程、维持渭河下游河道稳定、减少泥沙淤积,要求在一般洪水情况下,水库回水淤积不影响潼关,潼关以下库区基本上达到年内冲淤平衡。在上述的目标下制定水库运用原则。

通过资料分析与研究,总结出 3 方面的关键性规律。一是库区可分为滩地库容(简称滩库容)和河槽库容(简称槽库容)两部分。滩库容除了河势变化冲蚀少部分滩地以外,基本上没有大的变化;槽库容随着进库的水沙条件、库水位的变化,可以大冲大淤,使槽库容在年内保持一定的可以长期使用的库容。二是对比水库修建以前和以后的水流输沙能力,建库以后,在相同的进库水流条件下,建库后的输沙能力大于建库前的输沙能力,称之为富余输沙能力。借助于富余输沙能力,可以将前期(非汛期)淤积下来的泥沙冲刷出库,维持槽库容冲淤平衡。三是为了使水库淤积上延影响不到潼关,坝前水位在315m时,泄流能力应当达到10 000m³/s,水库的汛期水位平均值应控制在305m以下,非汛期除了防凌期水位较高以外,应控制在310m以下。

从上述情况可以看出,三门峡水库所采取的"蓄清排浑"运用已经突破了黑松林模式,它是有目的、有计划、有科学根据地制订了"蓄清排浑"运用方案,而不是泛泛地提出"蓄清排浑"。

在当时,人们还没有认识到由于社会经济迅速发展,对水资源需求过快以及气候的影响,使得流域径流量发生很大的改变,从而给水库淤积带来负面作用。

第三节 "调水调沙"运用

"调水调沙"运用方式是在"蓄清排浑"运用方式的基础上进一步改进和提高。"调水调沙"与很多因素有关,也是多种多样的,不仅与流域来水来沙条件有关,还涉及到水库的淤积部位、冲刷强度和如何更有效地利用水资源。

"调沙"问题要比"调水"复杂得多,它不仅仅是坝前水位升降能够控制或调节所能达到的,调节泥沙与很多因素有关。例如库区前期淤积量,剩余库容与需要恢复的库容,上游来水来沙情况,是多沙、少沙还是高含沙洪水,库区的富余输沙能力与进库洪水大小有关,枢纽工程有没有排沙洞(孔)或冲沙孔,闸门的启闭设备等因素均与"调沙"运用有很大关系。

一、三门峡水库"年调水调沙"运用模式

通过三门峡水库采用"蓄清排浑"的实践,人们的认识逐渐深化,所谓的"蓄清排浑"运用不能只限于汛期排沙,应当考虑在平水期进库水流比较平稳、含沙量比较小而且富余输沙能力有限时,可以适当地抬高水库水位发电,提高水资源利用效益,提高水位所发生的部分泥沙落淤是在冲刷大漏斗或二级漏斗范围,能够在洪水过程排出库外。在分析排沙流量时,总结出当流量大于2 500m³/s以上时,排沙效益最大,同时对黄河下游河道输沙有利,可以达到少淤或不淤的结果[1]。

在非汛期的蓄水位,尽可能低于320m,库水位超过320m时,淤积上延可能影响到潼关河段。在一般情况下最好控制在318m以下,非汛期平均水位控制在315m以下。

通过对"蓄清排浑"运用方案的不断改进,三门峡水库已经从"蓄清排浑"运用框架走出,迈向"调水调沙"运用方式。"调水调沙"运用,不只是考虑水库自身的冲淤变化,而且还要照顾到上下游河道的冲淤变化。

各水利水电枢纽的开发目标和地区对它的要求不同,"调沙"问题也呈现出多种多样。因此,"调水调沙"的内涵极为丰富。

---

[1] 黄委会三门峡水利枢纽汛期发电试验研究组.三门峡水利枢纽汛期发电试验研究报告.2000年12月

二、恒山水库"多年调水调沙"模式[2]

恒山水库位于桑干河流域浑河支流唐峪河,是一座峡谷型水库。总库容为1 330万m³,泄洪洞底坎高出原河床14.5m,最大泄量为1 260m³/s,排沙洞高出原河床2.6m。水库回水长度仅1 000m左右,原河床坡度约3%,水库平均宽度约300m,多年平均进库输沙量约44万t,其中汛期占98%,而且集中在洪水期。

水库自1966年开始蓄水运用,至1973年,库区淤积总量达到319万t,占总库区的24%。为了保持一定的库容,1974年起改为"常年蓄水、集中空库冲刷"的运用模式,可称之为"多年调水调沙"。

恒山水库在水库末端右岸有一座火电站,火电站的煤灰通过右岸支沟排放到水库库区,多年平均排放量约10万t,是库区淤积物的一部分。洪水期水库淤积一层泥沙,洪水过后是煤灰淤积层。相对而言,煤灰是透水层,泥沙近似不透水层。在冲刷过程中,因为有煤炭透水层存在,容易形成大面积坍塌或滑动。

1979年进行过一次泄空冲刷,排沙量达到120万m³,实现了"多年调沙"的目的。

恒山水库能够做到"多年调沙"有它的特殊性:一是泥沙与煤灰呈层状淤积,水库泄空过程中,滩地淤积物容易向河槽滑动,大面积滑动进入河槽可以排放出库;二是原河道比降达到3.0%,坡陡则流急,输送能力强;三是水库总长度约1 000m,距离短,冲刷起来的淤积物容易运动到坝前排出库外;四是泄流规模大,最大泄量达到1 260m³/s;五是水库平均宽度为300m,靠近大坝库段,两侧岩石陡立,滩面容易滑动,不易保存。

三、"适时调沙"运用模式

采用"蓄清排浑"运用方式的水库,经过实践,通过分析进库水沙特性,将"蓄清排浑"运用逐渐改变为"适时调沙"运用模式。

黄河上游青铜峡水库,蓄水运用6年,库区淤积达到5.33亿m³,占总库容的72.5%。随后改为"蓄清排浑"运用,汛期敞泄排沙,达到了减少水库淤积的目的。然而汛期大量的水资源利用率很低,影响了宁夏地区电力供求,也影响了宁夏灌区引水。

1968年汛后,刘家峡水库正式蓄水拦沙,而后于1986年龙羊峡水库蓄水拦沙。因此,进入青铜峡水库的输沙量主要来自兰州以下至下河沿区间的祖厉河和清水河。祖厉河河口下游黄河干流水文站为安宁渡。控制祖厉河水文站为靖远站,1986~1997年,安宁渡年均输沙量为0.941亿t,靖远站为0.4亿t,占黄河干流沙量的42.5%。祖厉河汛期沙量占全年沙量的83%,主要集中在洪水期,洪水期平均含沙量一般在300kg/m³以上。

青铜峡枢纽局经过认真分析研究。采取汛期洪峰、沙峰进库时降低水位敞泄排沙,沙峰过后,蓄水发电。经过实践,总结出4种排沙措施:①洪水期降低水位排沙(见图13-1);②根据上游水文站报汛汛情,沙峰进库前降低水位排沙(见图13-2);③利用进库大流量冲沙(见图13-3);④采取骤降坝前水位排沙(见图13-4)。

青铜峡水库的运用方式由蓄水运用改为"蓄清排浑"运用,通过总结,突破了"蓄清排浑"的框架改为按洪水、沙峰的具体情况进行水库调度,适应调沙的客观规律。既保持了一定的库容又增加了综合效益。

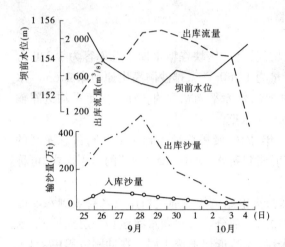

图 13-1　1980 年 9 月 25 日～10 月 4 日
降低水位排沙过程

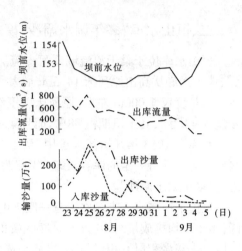

图 13-2　1972 年 8 月 23 日～9 月 5 日
沙峰期排沙过程

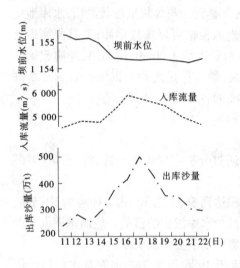

图 13-3　1981 年 9 月 11～22 日
大流量冲刷排沙过程

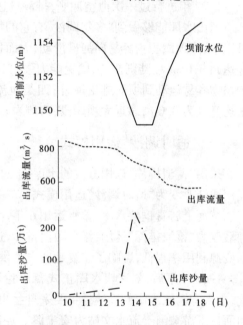

图 13-4　1970 年 11 月 10～18 日
骤降水位排沙过程

　　四川省大渡河上的龚嘴水库是一座大型水库。自 1971 年汛期蓄水运用以来,库区淤积已达到 2.43 亿 m³,占总库容(3.737 亿 m³)的 65%,在此以后水库改为日、周调节,其调节库容为 1.02 亿 m³。因此,水库已经处在接近淤积极限状态。如果再延续淤积下去,调节库容则难以保持,进而影响水电站安全运行和危及发电效益。

　　1986 年对 15 年的水库运用工作进行分析研究认为,汛期(6～9 月)的来沙量占全年沙量的 90% 以上,日平均流量大于 3 000m³/s 的天数占汛期的 38%,而沙量却占 70%。从排沙角度出发,在大流量的时期,如果适当降低坝前水位排沙,就可以实现年度冲淤平衡。因此,按流量级进行库水位调控非常关键。

1986 年 9 月 13 日入库流量为 3 860～4 280m³/s,含沙量为 1.66～2.69kg/m³,坝前水位由 522.06m 下降到 519.94m,冲刷期出库最大含沙量为 11.9kg/m³,库区冲刷量约 38.8 万 m³,影响范围 30.7km❶。

四、随时调度排沙运用

三盛公水利枢纽位于内蒙古自治区磴口县的黄河干流上,是一座以灌溉为主低水头的水利工程。枢纽所在的河段是冲积性平原河流,原河床比降为 1.9‰。修建拦河坝以后,它的淤积特性基本上是平行抬高,淤积以后的河床组成与原河床相差很小,所以在建库以后库区的富余输沙能力非常微弱。因此,不能依靠富余输沙能力来调节泥沙。

为了保持灌溉用水的调节库容,通过分析与总结,采用随时调度方式冲沙:①非灌溉期在满足发电水头的基础上进行敞泄排沙;②灌溉用水期,遇到流量为 3 000～4 000m³/s 的洪水进库时将闸门全部开启冲沙,历时 7～10 天基本上不影响灌溉用水;③如果库区淤积量侵占了调节库容,随时开闸冲沙,使之达到所需要的库容。

第四节　高含沙水库运用探讨

修建在高含沙河流上的水库,由于洪水期经常为高含沙水流,因此必须研究高含沙洪水的特性以及它在库区中的运动规律、排沙特点(见第四章),而后分析水库应当如何运用。

黄河流域支流经常出现高含沙洪水,如泾河右岸各支流、延河及清涧河和无定河赵石窑以下河道及其支流。

目前只有巴家嘴、王瑶水库是修建在高含沙河流上的大型水库,并且进行观测,其中巴家嘴水库的资料较为完整,观测历时较长。

巴家嘴水库的水沙特性是:洪水期输沙量占全年的 98%,为非牛顿流体;洪水进库后均可转化为高含沙异重流,高含沙异重流在水库中形成浑水水库以后,泥沙沉降极其缓慢,只要开闸泄水,浑水水库即可开始蠕动;排沙比可达 60%～90%。由于泄流能力不足,最大泄量约 100m³/s。经过改建,目前已达到 500m³/s 以上。

多年平均洪水径流量约 0.383 亿 m³,占全年径流量的 45.9%。如果将洪水期的径流量与输沙量全部敞泄出库,还有 54% 的径流量可以蓄存库内,而输沙量只有 2.0% 淤积在库区。从水沙特性来分析,可以采用非汛期以及汛期中的平水期蓄水运用,洪水期敞泄排沙。

高含沙河流上的水库进库水沙特性是:来沙量非常集中;高含沙异重流的排沙比很大,即使在库区形成浑水水库停滞 1～2 天,也不会发生淤积或者只有少部分淤积;水库泄空后,主槽两侧会发生大面积滑溜,进入河槽后可以继续排出库外。

在汛期蓄水阶段,应当与上游入库站和地区气象部门建立预报制度,根据上游洪水和气象预报,提早开闸预泄部分水量,当洪水进库后将闸门全部开启排沙,沙峰过后,(因沙峰滞后于洪峰,最长历时可达 12h)立即关闸蓄水,可调蓄"清水",以防浪费水资源。

---

❶　王敏生,等. 龚嘴水库运用方式探讨. 水电站设计. 水利电力部成都勘测设计院, 1988(1)

第十四章　水库管理

水利水电枢纽工程的管理是一项非常复杂的系统工程。枢纽工程所在的河流(干、支流)的地理位置以及周边环境相差很大,所承担的任务又有所不同,这些都会给枢纽管理者提出各式各样的要求。枢纽管理单位及其上一级机构面对诸多需求,在使之发挥最大效益的同时,解决或缓解各种矛盾,又是管理工作者不可推卸的责任。

在 20 世纪 60 年代,对水库的管理更多的是注重坝体安全、电站正常运用方面,对其他方面所产生的矛盾和影响考虑不足是无可非议的,这方面的教训也是很多的。

永定河官厅水库是北京市的主要水源地之一,城市工业用水,如热电站冷却用水,制药、化工等行业,因为有了官厅水库都是按照引用清水设计的。1962 年官厅水库坝前淤积面高程已经接近水电站引水口高程 460m。当年汛期洪水产生异重流并抵到坝前形成浑水水库,浑水水面高程超过 460m,水电站下泄浑水,虽然经过下游的下马岭、朱窝等中小型水库拦蓄,仍然有部分浑水直抵北京市输水渠道,由此引起热电站冷却水管道淤堵及化工、制药行业停产。时值困难时期,粮食供应异常紧张,本次下泄浑水,使北京市损失很大。这次事故的发生引起管理机构非常重视,认识到对官厅水库的管理不仅要重视水库工程自身安全,更要扩大视野,综观全局,方能立足于发挥更大的效益,避免无谓的损失。此外,它还担负京津地区防洪重任,因此官厅水库备受国家关注。

1998 年黄河下游进行挖河减淤试验工程。在主河道修筑围堤,为了防止上游来水出现决口、漫堤,需要三门峡水库控制下泄流量。同年 5 月下旬,三门峡水库进库连续发生两次高含沙小洪水,进库沙量达到 0.88 亿 t,库水位急剧上升,高于其他年份 4～6m,回水末端达到黄淤 39 断面(距潼关断面 6.5km)。不仅没有将高含沙洪水挟带的沙量排出库外,反而使潼关以下库区多淤 0.76 亿 t,占非汛期淤积量的 41.5%。同时促使潼关河段比降变缓,由 0.2‰下降到 0.16‰。这对控制潼关高程上升是非常不利的。

举出上述两个实例,是想说明水库管理问题非常复杂又非常重要,特别是遇到突发事故。在这方面我们实在是缺乏经验。在本章的编写内容方面也只能是从宏观上或者原则上提出设想或者是思路,供有关方面参考。

第一节　水库管理权限

水库的管理权限原则上可以划分出三级管理。

一级管理的水库均为大型水库,它承担防洪减灾、供水发电等重大任务,涉及到某一个或几个省(区)的利害关系。如三门峡和小浪底水库,从防洪方面来看,涉及到河南、山东甚至河北、安徽和江苏几个省和相关的大中城市,在水库上游又使陕晋两省付出很大代价。对这一类水库的重大决策要由国家最高权力机构决定。

黄河三门峡水库和长江三峡水库,均由全国人民代表大会决定是否兴建。三门峡枢纽工程改建与增建、改建的规模和改建后的运用原则也是报送国务院批准的。

二级管理的水库,一般讲只涉及到局部地区,或者承担的任务比较单纯。如三盛公水利枢纽,只承担内蒙古灌区用水,壅水高度不大,而且地处沙漠边缘,淹没浸没影响范围小,对库区周边工农业没有多少影响。这类水库在省(区)管辖下的水行政部门就可以制订水库运用方案。又如青铜峡水库,所淹没的范围均在宁夏自治区,与相邻省(区)没有利害关系,即使出现一些矛盾,在自治区内部就可以解决。

三级管理的水库均指修建在二级支流或更小支流上的水库。如陕西省王瑶水库修建在延河支流杏子河上,该支流流域范围是延安地区中的一部分,它承担的最主要任务是延安市防洪与供水,兼顾发电。这一类水库所涉及的问题在地区范围内就可以解决。

上述分出的三级管理也只是宏观上的划分。小型水库和一些中型水库属县、乡两级政府管辖范围,在一般情况下,县、乡政府就可以依据具体情况进行处理。然而遇到大洪水或特大洪水时,在进行保坝与破坝的重大决策之前,应当筹划破坝以后,坝下游群众的生活、生产的安排与救济,保坝要考虑坝上游淹没范围扩大后,水库末端群众的生活安置问题。破坝又必须考虑对下游人民群众生命财产的威胁,涉及面又不仅局限于某一地区。

通过上述分析可知,各水库所承担的任务、影响范围,涉及到国家、社会的利益、危害影响相差很大,不同级别的水库,其管理权限应有所区别。大型水库中涉及到全局的,应由国家或水行政部门管理,小型水库一般应由县级政府管理,有些大型水库,由省(区)政府或与相邻省(区)共同会商并且作出决策。

第二节　水库管理原则

水库管理问题涉及到管理体制、人事任用、财务和经营、科学技术等多方面。这里只是讨论与水库运用有关的原则问题。

一、减少水库淤积,保留防洪库容

黄河是一条著名的多沙河流,水库淤积是不可避免的。通过总结与研究得知,当水库运用得当时,减少水库淤积,保留长期可用库容作为防洪之用是可以实现的。这就要求我们及时总结并吸取其他水库可贵的经验,完善水库运用方案,及时改进制定出可行而有效的水库运用方式,使水库能够发挥最大效益,这是制订水库运用方案的核心内容。

二、权衡水库上下游利与弊

主管水库的权力机构,不仅要考虑确保水库安全运行,还必须考虑对上下游河道的防洪与减淤的需要。例如"蓄清排浑"运用的水库,一般情况是进入汛期就开始敞泄排沙。如果进库流量不大或者不是洪水进库,那么坝前水位不宜下降太低,使之有一定的壅水高程,否则会出现库区特别是靠近坝址附近发生严重冲刷,使出库流量不大但含沙量很高,下游河道会发生严重淤积。如果遇到的是高含沙小洪水进库,水库仍降低水位排沙,下游河道淤积情况更加严重。

1996年7月5日,有两次高含沙小洪水进入三门峡库区,水库平均水位下降到298.57m,库区发生严重冲刷,出库平均含沙量达到$182kg/m^3$,黄河下游花园口以上河道在 7 月份淤积 2.83 亿 t,伊洛河口以上平均淤积厚度约 1.31m[❶]。当水库水位超过 320m 的天数达到 118 天,淤积部分偏上,潼关至坫埝河段淤积量占潼关以下库区的 34.1%。致使潼关断面(六)1 000m³/s 水位上升 0.73m。对渭河下游河道渭淤 1 断面至渭淤 10 断面淤积 0.63 亿 m³。

从上述情况可知,如果水库运用不当,对上下游河道会带来不利影响。

第三节 水库排沙时机与水沙搭配

水库排沙是减少水库淤积、恢复槽库容的最主要措施,然而排沙又与下游河道淤积发生矛盾。因此,选择最佳排沙时机就显得非常重要。三门峡水库在几十年运用过程中,总结出水库排沙时机应当在出库流量大于 2 500m³/s 时。这个流量级对黄河下游河道产生的淤积量较少(高含沙水流除外)对排沙最为有利。从水沙搭配参数(S/Q)来看,当下游河道 $S/Q<0.015kg \cdot s/m^6$ 时,河道基本不淤,当 $S/Q>0.015kg \cdot s/m^6$ 时发生淤积,然而还要根据洪水情况来确定冲淤变化。当进库流量大于 2 500m³/s 时,尽可能排沙。从输沙率(Q_3)与流量(Q)的经验关系来看,输沙率与流量的高次方成正比,即 $Q_3 \sim \kappa Q^n$,这里 κ 为系数,n 为指数,一般在 2.0 左右。当三门峡出库流量增大时,下游河道输沙能力迅速增加,因此 S/Q 的数值虽然增大,但下游河道淤积量却增加很少。

在水文系列中,不论是径流量或者是输沙量均有丰、枯、平三种情况和不同组合。遇到平水枯沙系列,水库运用得当,下游河道会发生冲刷。如三门峡水库在 1980~1985 年的运用情况,黄河下游共冲刷 4.85 亿 t。遇到枯水平沙年份,三门峡水库运用虽然有所改善,然而黄河下游河道仍然发生较多淤积。如 1985 年 11 月~1990 年 10 月,下游河道淤积 9.3 亿 t。

遇到高含沙洪水时,黄河下游河道出现淤滩刷槽现象,就全断面来看,淤积非常严重。据统计[3],1969~1989 年黄河下游发生的 16 次含沙量大于 300kg/m³ 的洪水,径流量、输沙量分别为 294 亿 m³ 和 60.8 亿 t,占同期总天数、径流量、输沙量的 2%、4% 和 25%。全下游淤积量达到 42.3 亿 t,占同期淤积量的 69.6%。因此,遇到高含沙洪水时,黄河下游的严重淤积是难以避免的。对这类洪水,最好的解决方式应当是在上游合适的地域进行放淤。

参 考 文 献

[1] 夏迈宁,任增海. 黑松林水库防淤排沙技术及泥沙利用. 见:河流泥沙国际学术讨论会论文集. 北京:光华出版社,1980
[2] 郭志刚,等. 恒山水库空库排沙初步总结. 人民黄河,1980(4)
[3] 赵业安,等. 黄河下游河道演变基本规律. 郑州:黄河水利出版社,1998

---

❶ 黄河水利科学研究院. 黄河下游"96·8"洪水河道冲淤及洪水演进特性分析. 1997 年 6 月

第六篇 水利水电枢纽与
下游河道演变

在河流上修建水利水电枢纽,调节水资源,以满足人们的兴利愿望是一项重大举措。但是同时由于枢纽的调蓄或滞蓄作用,又改变了下游河道径流量和输沙量的时空分布。水库的调蓄作用削减了进库的洪水,较为均匀地下泄,或者使其坦化。从泥沙的输移方面来看,调蓄过程也是泥沙淤积过程,敞泄过程又是库区泥沙发生冲刷的过程,使得出库流量与含沙量出现大水带小沙、小水带大沙的水沙搭配失衡现象。

在水库蓄水运用时期,改变了坝下游的水沙过程,下泄水流变清,洪峰坦化变小,下游河床将出现冲刷下切或展宽侧蚀,河床粗化,水流输沙能力下降,甚至引起两岸引水工程的取水门口悬空,危及防洪坝垛下挫。

在泄洪排沙过程中又会引起坝下游河道强烈回淤,河势发生摆动,出现"横河"、"斜河"的概率增加,河床上升,平滩流量下降等诸多问题。

因此,在枢纽工程规划设计阶段就应当认真研究,提出预防对策。枢纽工程建成以后,更应当加强观测,跟踪研究,以防不测。

第十五章 水库运用对下游河道的作用

黄河干流几座大型水库修建以后,对坝下游河道产生一系列影响,首先是流量与含沙量过程将发生改变,其次是河道发生冲淤变化。

第一节 流量与含沙量过程的改变

三门峡水库于 1960 年 9 月开始蓄水,至 1962 年 3 月,除了异重流排沙以外均为清水下泄。用潼关水文站(进库)和三门峡水文站(出库)以及花园口水文站(下游)作对比,见图 15-1 及图 15-2。

从图 15-1 可以看出,受水库蓄水调节作用,出库和下游的流量趋于坦化和均匀化。其中 7 月份为了防洪需要,水库要预留库容,因此下泄流量较大,所以出库流量和下游水文站的流量过程只有坦化而没出现大幅度削减的现象。

根据已有资料分析,水库对洪峰流量的削减率最大可达 68.8%。

水库蓄水运用对泥沙的调节作用非常之大,水库蓄水以后,库区水流流速迅速下降,促使泥沙在库区发生淤积。因而出库和下游的含沙量锐减,见图 15-2。从图中可以看出,出库最大含沙量在 $30kg/m^3$ 以下,这是水库异重流排沙造成的。进入 9 月份以后,水库开始蓄水,出库含沙量接近于零,绝大部分泥沙淤积在库内。

三门峡水库于1962年4月以后改为滞洪排沙运用。水库的调节作用主要反映在洪水过程,见图15-3及图15-4。从图中可以看出,在中小流量过程,水库有较少的调蓄作用,调蓄作用较大的是洪水过程。

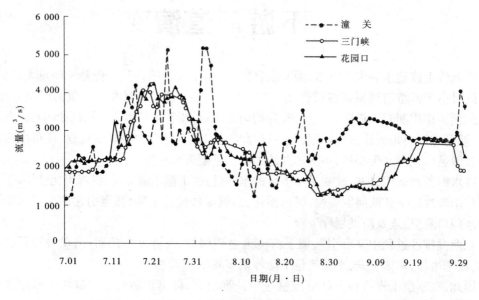

图 15-1　1961 年 7～9 月三门峡水库进出库及下游流量过程线

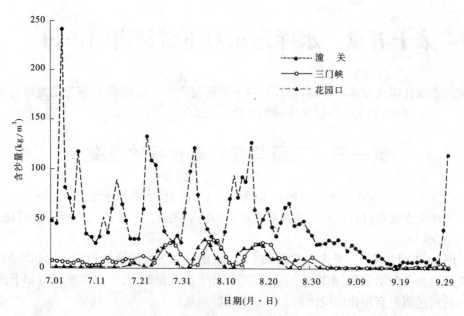

图 15-2　1961 年 7～9 月三门峡水库进出库及下游含沙量过程线

对含沙量的调节幅度比流量调节幅度要大,如图15-4所示。

黄河上游刘家峡水库自1968年10月开始蓄水运用,改变了天然径流的过程,由于刘家峡水库蓄水,出库的流量有较大的变化。汛期水量减少,非汛期水量增加,受影响最大

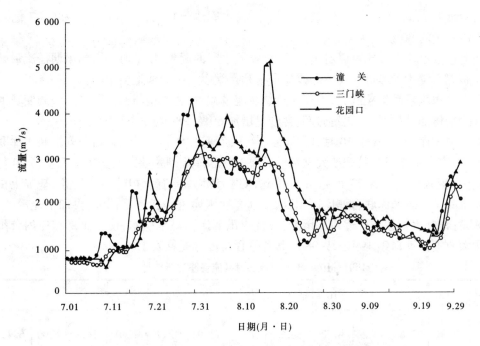

图 15-3　1962 年 7～9 月三门峡水库进出库及下游流量过程线

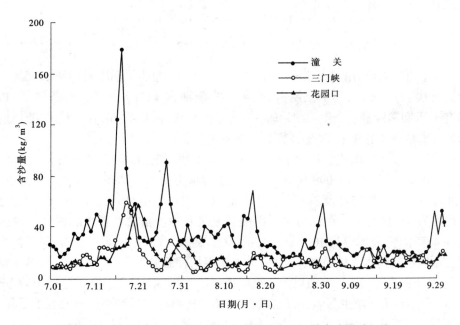

图 15-4　1962 年 7～9 月三门峡水库进出库及下游含沙量过程线

的是兰州至河口镇河段。在刘家峡水库运用之前,河口镇水文站汛期径流量为 161 亿 m³ (1950～1968 年),占年径流量的 61.7%,非汛期径流量为 100 亿 m³,占年径流量的 38.3%;水库修建后,河口镇水文站汛期径流量为 127 亿 m³,占年径流量的 54.3%,而非汛期径流量增加到 107 亿 m³,占年径流量的 45.7%。输沙量也有变化,水库修建之前,汛期输沙量为 1.38 亿 t,占全年输沙量的 81%;水库修建之后,汛期输沙量为 0.87 亿 t,占全年输沙量的 80%。

从上述数据与百分比可以看出,由于刘家峡水库的调蓄,坝下游河道的汛期径流量减少 7.4%,输沙量只减少了 1.0%。改变了水沙搭配以后引起河道变形。

由于洪水流量受到控制,坝下游河道总径流量减少,径流量与输沙量之间失调使黄河中游含沙量增加,以龙门水文站为例,含沙量增加 50%~80%。

龙羊峡水库于 1986 年 10 月开始蓄水,坝下游河道断流 134 天,之后与刘家峡水库联合调度,刘家峡水库成为反调节大型水库。龙羊峡水库至刘家峡区间多年径流量约 50 亿 m^3,其中汛期径流量只有 23.5 亿 m^3。因此,刘家峡水库原有承担的防洪任务,基本上由龙羊峡水库承担。两库联合调度运用以后,刘家峡水库进一步进行调节,再加上盐锅峡、八盘峡、青铜峡等枢纽进行逐级反调节,而且非汛期宁蒙灌区引水,使径流量在年内分配发生很大改变。河口镇 1991~1998 年其各月径流量分配见表 15-1。

表 15-1　　　　　　　　　1991~1998 年河口镇各月径流量输沙量统计

月份	7	8	9	10	11	12	1	2	3	4	5	6
水量 (亿 m^3)	10.6	23.6	15.2	6.72	10.7	11.4	11.9	12.7	22.0	14.4	4.00	6.42
沙量 (亿 t)	0.045 3	0.130	0.052 6	0.007 7	0.016 6	0.008 2	0.003 7	0.004 2	0.068	0.029 4	0.043	0.012 8

从表中可以看出,汛期径流量只占全年的 37.5%,而非汛期则增加到 62.5%。全年输沙量为 0.421 5 亿 t,其中汛期占 55.9%、非汛期占 44.1%。而自然条件下(1952~1990 年),汛期输沙量占全年输沙量的 80%,非汛期只占 20%。两者相对比,非汛期百分比增加。水沙条件变化如此之大,势必影响河床演变向不利方向发展。

辽河流域在新中国成立以后建成大型水库 11 座,加上以前已建成的 2 座水库共 13 座大型水库,总库容为 73.098 亿 m^3,是辽河下游卡力马水文站多年平均径流量(55.8 亿 m^3)的 1.31 倍,见表 15-2 及表 15-3。从表 15-2 中可以看出,1954~1968 年期间,已建水库总库容为 62.17 亿 m^3,对辽河中下游的径流量和输沙量已有较大的调节。1968 年以后增加 4 座水库,总库容为 10.9 亿 m^3,沿河工农业以及城市用水量猛增,使径流量进一步减少。以巨流河水文站为例,1954~1968 年年均径流量为 52.87 亿 m^3,1968~1979 年减少到 26.01 亿 m^3,减少 50% 以上。汛期径流量由 37.46 亿 m^3 减少到 15.04 亿 m^3;年输沙量由 2 900 万 t 减少到 466 万 t,减少 84%。这种径流量与输沙量改变的后果,必然带来下游河道发生冲淤变化。

柳河闹德海水库,在 1971 年以前是滞洪排沙运用,没有闸门控制,全年敞泄,洪水过程只起到滞洪作用,部分泥沙淤积在库内,减少下游防洪压力。但是滞洪过后大量泥沙下泄,出库水沙失去均衡,流量与含沙量失调引起下游河道发生严重淤积。1971 年将大坝 7 孔泄水洞安装闸门,以后按"蓄清排浑"方式运用,水库得以保持住长期可用库容,然而在非汛期下泄水量又被截住输送到城市或农业用水,下游河道几乎接近断流状态,汛期仍然采用滞洪排沙运用模式,下游河道淤积没有得到改善。

表 15-2   辽河上中游大型水库库容建成年份[2]

水库名称	所在河流	控制面积 (km²)	总库容 (亿 m³)	防洪库容 (亿 m³)	建成年份
闹德海	柳河	4 051	1.99	1.99	1942
二龙山	东辽河	3 676	17.62	9.78	1943
清河	清河	2 376	9.71	5.05	1959
南城子	叶赫河	625	2.06	1.05	1959
莫力庙	西辽河	旁侧	1.564	0.888	1959
他拉干	新开河		1.35	0.786	1960
孟家段	西辽河	旁侧	1.078	0.553	1960
吐尔吉山	教来河	6 851	1.20	0.587	1961
红山	老哈河	24 486	25.60	17.36	1962
舍力虎	教来河	旁侧	1.20	0.469	1972
柴河	柴河	1 355	6.45	3.67	1974
榛子岭	汛河	369	2.08	0.93	1975
打虎山	黑里河	540	1.196	0.576	1980

表 15-3   辽河主要水文站水量、沙量

时段 (年)	月份	通江口		铁岭		巨流河		卡力马	
		径流量 (亿 m³)	输沙量 (万 t)	径流量 (亿 m³)	输沙量 (万 t)	径流量 (亿 m³)	输沙量 (万 t)	径流量 (亿 m³)	输沙量 (万 t)
1954~1979		1.491	72.85	3.02	96.29	3.14	93.19		
1954~1968	6	1.777	105.79	3.30	140.86	3.324	129.25	2.881	88.27
1968~1979		0.885	30.91	2.67	39.56	2.90	47.3		
1954~1979		3.822	427.73	6.31	498.66	7.33	476.19		
1954~1968	7	5.368	715.15	8.34	824.35	9.355	746.71	9.883	889.41
1968~1979		1.456	61.91	3.73	84.15	4.73	131.9		
1954~1979		6.295	685.56	11.25	850.7	13.05	747.4		
1954~1968	8	9.527	1 186.4	16.41	1 452.5	17.96	1 203.8	18.72	1 336.9
1968~1979		1.714	48.1	4.68	84.8	6.80	167.1		
1954~1979		3.499	232.03	5.93	324.75	7.215	346.58		
1954~1968	9	5.055	393.09	8.55	507.58	10.14	578.74	10.88	519.73
1968~1979		1.193	27.04	2.61	92.04	3.49	51.12		
1954~1979		1.902	44.05	2.41	47.47	3.013	56.10		
1954~1968	10	2.835	73.60	3.09	76.59	3.744	87.71	4.111	96.55
1968~1979		0.561	6.45	1.53	10.40	2.08	15.87		
1954~1979		0.897	8.41	1.18	11.62	1.536	16.74		
1954~1968	11	1.303	13.92	1.42	19.40	1.802	26.24	2.048	22.67
1968~1979		0.299	1.39	0.86	1.72	1.198	4.04		

时 段 （年）	月 份	通江口		铁 岭		巨流河		卡力马	
		径流量 （亿 m³）	输沙量 （万 t）	径流量 （亿 m³）	输沙量 （万 t）	径流量 （亿 m³）	输沙量 （万 t）	径流量 （亿 m³）	输沙量 （万 t）
1954～1979	12	0.205	0.39	0.420	0.87	0.578	0.87		
1954～1968		0.278	0.54	0.500	1.46	0.673	1.08	0.729	1.76
1968～1979		0.088	0.20	0.320	0.12	0.458	0.61		
1954～1979	12	0.205	0.39	0.420	0.87	0.578	0.87		
1954～1968		0.278	0.54	0.500	1.46	0.673	1.08	0.729	1.76
1968～1979		0.088	0.20	0.320	0.12	0.458	0.61		
1954～1979	1	0.052	0.072	0.180	0.053	0.246	0.110		
1954～1968		0.071	0.097	0.160	0.080	0.298	0.160	0.300	0.39
1968～1979		0.022	0.040	0.20	0.018	0.180	0.060		
1954～1979	2	0.039	0.050	0.110	0.027	0.159	0.03		
1954～1968		0.044	0.071	0.130	0.039	0.193	0.04	0.164	0.160
1968～1979		0.025	0.020	0.080	0.013	0.120	0.03		
1954～1979	3	0.268	3.49	0.730	9.90	0.786	6.69		
1954～1968		0.356	5.49	0.970	16.56	0.962	9.81	1.224	22.28
1968～1979		0.123	0.96	0.420	1.42	0.563	2.73		
1954～1979	4	3.346	53.80	1.740	59.38	1.932	53.04		
1954～1968		5.595	91.29	2.44	112.78	2.604	88.61	2.919	101.85
1968～1979		0.381	6.09	0.86	6.70	1.08	7.76		
1954～1979	5	0.806	22.03	1.940	27.15	2.069	32.77		
1954～1968		0.833	17.15	1.620	22.74	1.814	28.95	1.928	34.64
1968～1979		0.606	28.25	2.34	32.76	2.39	37.64		
1954～1979	年总量	22.621	1 550.5	35.21	1 926.9	41.05	1 829.4		
1954～1968		33.042	2 602.6	46.94	3 162.9	52.87	2 900.6	55.79	3 114.7
1968～1979		7.353	211.3	20.29	353.7	26.01	466.2		
1954～1979	汛 期 （6～9月）	13.62	1 345.3	23.5	1 674.1	27.59	1 570.1		
1954～1968		19.95	2 294.7	33.3	2 784.4	37.46	2 528.8	39.49	2 746.0
1968～1979		4.36	137.0	11.0	261.0	15.04	350.1		

第二节　坝下游河道冲淤变化

三门峡水库在不同运用方式下，对下游河道的冲淤作用截然不同。表 15-4 是不同运用阶段下游河道冲淤量。

表 15-4 　　　　　　　　　　黄河三门峡水库上下游河道冲淤量[1]

水库运用方式	时　期（年·月）	水库冲（−）淤量（亿 m³）			下游河道冲（−）淤量（亿 t）			
		潼关以上	潼关以下	全库区	铁谢—高村	高村—艾山	艾山—利津	全下游
蓄水运用及滞洪排沙初期	1960.9～1964.10	8.85	36.52	45.37	−16.84	−5.0	−1.28	−23.12
滞洪排沙后期	1964.11～1973.10	20.94	−9.23	11.71	26.72	6.66	6.12	39.50
"蓄清排浑"运用期	1973.11～1980.10	−0.40	1.48	1.08	4.55	4.90	3.22	12.67
	1980.11～1985.10	−0.13	−1.03	−1.16	−5.95	2.25	−1.15	−4.85
	1985.11～1990.10	3.19	1.09	4.28	6.65	1.20	1.45	9.30
1960.9～1990.10		32.45	28.83	61.28	15.13	10.01	8.36	33.50

从表 15-4 可以清楚地看出,在 1960 年 9 月～1964 年 10 月的蓄水运用以及滞洪排沙初期,黄河全下游冲刷 23.12 亿 t,其上段铁谢至高村河段首当其冲,因而冲刷最多,达到 16.84 亿 t,占全下游冲刷量的 72.8%。下段艾山至利津河段只冲刷了 1.28 亿 t,占全下游冲刷量的 5.5%。

滞洪排沙后期(1964 年 11 月～1973 年 10 月)除了敞泄排沙外,三门峡枢纽工程进行了两次工程改建与增建,潼关以下库区冲刷近 10 亿 m³。使黄河下游河道发生严重淤积,全下游淤积量达到 39.5 亿 t。其淤积分布与冲刷分布相似,上段(铁谢—高村)淤积 26.72 亿 t,占全下游淤积量的 67.6%;下段(艾山—利津)淤积量为 6.12 亿 t,占全下游淤积量的 15.5%。

"蓄清排浑"运用初期(1973 年 11 月～1980 年 10 月),非汛期水库蓄水位偏高,又出现两次高含沙洪水,以及 1977 年为枯水丰沙年份,下游河道发生严重淤积,共淤积 12.67 亿 t。

"蓄清排浑"运用中期(1980 年 11 月～1985 年 10 月),进入三门峡水库的径流量偏丰,而输沙量偏枯,不仅库区发生冲刷,而且全下游也发生冲刷,总共冲刷 4.85 亿 t。其中铁谢至高村冲刷 5.95 亿 t。黄河下游的中段及下段还出现淤积状态。

"蓄清排浑"运用后期(1985 年 11 月～1990 年 10 月),黄河上游龙羊峡水库投入运用,并与刘家峡水库联合运用,汛期将黄河上游的洪水几乎全部拦截,黄河中游水沙搭配失调。也改变了黄河河口镇至龙门河段径流量和输沙量在年内的分布,不仅使三门峡库区发生严重淤积,同时也促使黄河下游出现累积性淤积,共淤积 9.3 亿 t。其中铁谢至高村淤积 6.65 亿 t,占全下游淤积量的 71.5%。

三门峡水库在下泄清水时期,中水流量持续时间较长,如 1961 年汛期流量在 4 000～6 000 m³/s 的天数长达 20 多天,1964 年全汛期的流量基本维持在 2 000～4 000 m³/s 范围。在这种水流条件下,主流顶冲点变化大,促成河道容易发生摆动,进而淘刷滩地,造成滩地大面积坍塌。据统计,陶城铺以上共坍塌滩地面积 326.6 km²,其中高村以上损失滩地 277.6 km²,见表 15-5。图 15-5 是下游沿程坍塌累计图。

表 15-5　　　　　　　　　　　　　　三门峡下泄清水时期滩地坍塌量

河段	铁谢—花园口	花园口—东坝头	东坝头—高村	高村—陶城铺	总　计
坍塌面积(km²)	82.2	125.2	70.2	49	326.6

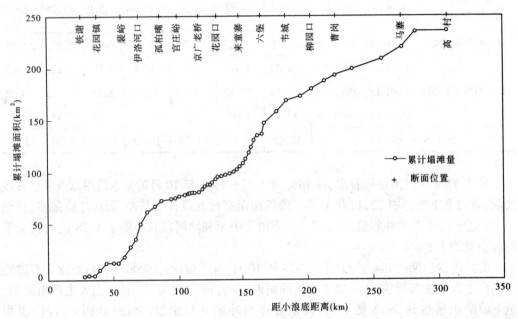

图 15-5　黄河下游沿程坍塌累计量

辽河在 1968 年以前,辽河下游柳河河口(以新民水文站代表)至六间房河道长为 108.7km。巨流河为辽河干流水文站,新民为柳河进入辽河之前的水文站,柳河口位于巨流河水文站下游。用巨流河与新民两站径流量与输沙量之和代表柳河口辽河干流的进口径流量与输沙量,见表 15-6。

表 15-6　　　　　　　　　　　　　　建库前辽河下游水沙情况[2]

时段 (年)	径流量(亿 m³)				输沙量(万 t)				冲(−)淤量(万 t)	
	巨流河	新民	卡力马	六间房	巨流河	新民	卡力马	六间房	巨、新—卡	卡—六
1959~1960	71.57	3.99	73.22	69.23	6 942.2	874.2	7 212.20	4 652.8	604.2	2 559.4
1960~1961	63.10	3.72	67.65	64.00	4 156.0	862.4	4 131.70	4 333.2	886.7	−201.5
1963~1964	44.25	4.88	50.47	48.10	2 360.2	1 258.8	2 578.75	2 187.7	1 040.25	391.05
1964~1965	76.75	4.36	82.31	78.75	2 338.2	1 098.2	3 362.80	1 950.5	73.6	1 412.3
1965~1966	25.33	3.42	28.79	27.16	675.9	530.5	363.60	721.4	842.8	−357.8

柳河口至卡力马河长 58.5km,卡力马至六间房河长 50.2km。从表 15-6 可以看出,柳河口至卡力马几乎每年都发生淤积,其淤积量多寡与径流量和输沙量有关。

水库群形成之后,新建朱家房水文站,地处卡力马与六间房两水文站之间,可以代表辽河下游末端的水文资料。从表15-7中可以看出,河道淤积有所减少,它与上游来沙量减少有关。

表15-7 建库后辽河下游水沙情况[2]

时段 (年)	输水量(亿 m³)			输沙量(万 t)			含沙量(kg/m³)			冲(-)淤量 (万 t)
	巨流河	新民	朱家房	巨流河	新民	朱家房	巨流河	新民	朱家房	巨、新-朱
1968~1969	14.80	3.17	16.8	179.2	1 106.8	339.7	1.21	34.9	2.02	946.3
1969~1970	41.572	5.061	43.47	976.5	1 903.8	1 590.7	2.35	37.62	3.66	1 289.6
1973~1974	37.10	2.20	38.78	778.7	222.2	1 386.0	2.10	10.1	3.57	-385.1
1976~1977	22.57	2.49	23.42	308.3	151.53	558.73	1.37	6.09	2.39	-98.9
1976年7月15 日~8月27日	7.96	0.50	7.97	193.5	34.1	313.1	2.43	6.82	3.93	-85.5
1978~1979	15.17	2.06	15.17	169.01	133.59	364.1	1.11	6.48	2.40	-61.5

黄河上游刘家峡水库建成之后,由于水库的拦蓄作用,改变了坝下游水文泥沙过程,拦截了部分泥沙,汛期径流量减少很多,直接影响了黄河上游河段出口站(河口镇)水沙过程,见表15-8。

表15-8 刘家峡建库前后兰州、河口镇水沙量变化

时段 (年)	兰州				河口镇			
	径流量(亿 m³)		输沙量(亿 t)		径流量(亿 m³)		输沙量(亿 t)	
	汛期	全年	汛期	全年	汛期	全年	汛期	全年
1952~1996	172.8	321.0	0.643	0.765	130.0	234.4	0.964	1.218
1952~1968	208.7	342.0	1.031	1.210	165.4	264.3	1.448	1.771
1969~1986	170.6	326.5	0.426	0.501	129.9	238.6	0.686	1.102
1987~1989	135.6	285.3	0.366	0.467	84.1	184.4	0.411	0.565
1987~1996	115.6	275.4	0.375	0.485	70.0	174.3	0.315	0.488

影响兰州至河口镇河段的水沙变化的因素很多,如干支流水库对径流量和输沙量的调节,灌溉引水引沙量、流域内小型水利水保工程以及气候变化等。其中以龙羊峡、刘家峡水库调节和引黄灌溉用水对水沙变化作用最大。

表15-8中的河口镇径流量和输沙量还包括兰州至河口镇区间支流的径流量和输沙量,见表15-9。表中大夏河和洮河的径流量和输沙量已为刘家峡水库调节,湟水河与大通河仅仅受八盘峡水库的影响,但是八盘峡库容有限,不足0.5亿 m³,对调节水沙作用很小。青铜峡水库在1980年以前已经淤积6.0亿 m³以上,仅仅剩有日调节库容。因此,龙羊峡和刘家峡水库对调水调沙起到了决定性作用。

表 15-9 　黄河上游主要支流年均实测水沙量[3]

河流	时段(年)	汛期径流量(亿 m³)	年径流量(亿 m³)	汛期输沙量(万 t)	年输沙量(万 t)	河流	时段(年)	汛期径流量(亿 m³)	年径流量(亿 m³)	汛期输沙量(万 t)	年输沙量(万 t)
大夏河	1956~1959	6.47	9.95	325[①]	406[①]	大通河	1950~1959	19.6	30.63	352	406
	1960~1969	6.79	12.10	287	384		1960~1969	17.0	28.03	225	284
	1970~1979	6.15	9.82	361	415		1970~1979	17.3	27.05	304	363
	1980~1989	4.70	8.47	137	192		1980~1989	19.8	31.84	260	352
	1990~1995	4.12	6.79				1952~1989	18.4	29.32	282	348
	1956~1989	6.04	10.24	270	337	祖厉河	1955~1959	1.67	1.92	9 330	10 020
洮河	1954~1959	26.33	45.50	2 883	3 280		1960~1969	0.97	1.37	4 840	5 830
	1960~1969	34.87	59.15	2 157	2 636		1970~1979	0.87	1.16	4 210	5 080
	1970~1979	29.42	48.51	2 526	2 963		1980~1989	0.63	0.98	2 780	3 830
	1980~1989	27.01	49.07	1 652	2 488		1995~1989	0.94	1.28	4 700	5 640
	1990~1995	20.03	37.79			清水河	1955~1959	1.49	1.77	5 240	5 400
	1954~1989	29.75	51.12	2 240	2 793		1960~1969	0.93	1.39	1 690	1 890
	1952~1959	11.78	18.63	2 038	2 295		1970~1979	0.56	0.78	1 760	1 910
湟水	1960~1969	10.28	18.20	1 576	1 898		1980~1989	0.49	0.74	1 750	1 800
	1970~1979	8.81	14.62	1 943	2 191		1990~1996	1.10	1.46	4 400	4 820
	1980~1989	10.46	17.66	850	1 107		1995~1989	0.78	1.09	2 250	2 370
	1952~1989	10.26	17.21	1 579	1 850						

注:①为 1957~1959 年。

刘家峡水库自 1968 年 11 月~1986 年 10 月,年均汛期蓄水量约 27 亿 m³,与建库前相比较,刘家峡下泄水量减小,削减了洪水流量;非汛期径流量增加,加大了坝下游河道的基流量。从而引起下游河道冲淤变化,主要表现在石嘴山至河口镇的宁夏与内蒙古境内的黄河干流上,见表 15-10。表中采用沙量平衡方法,设定了青铜峡、三盛公枢纽以及灌溉用水引沙之后所估算的结果。

表 15-10 　黄河上游各河段河道年冲淤量 　(单位:亿 t)

时段(年)	兰州—安宁渡	安宁渡—下河沿	下河沿—石嘴山	石嘴山—河口镇	合计
1952~1996	0.065	0.001	0.012	0.211	0.289
1967~1986	0.019	0.024	−0.099	−0.246	−0.302
1987~1989	0.034	0.034	−0.03	0.613	0.651

从表 15-10 可以看出,兰州至下河沿河段,刘家峡水库建成以前是微淤的,龙羊峡建成以后,淤积量增加。由于这一段河道基本上是峡谷型河道,平均坡度约 0.84‰,年均淤积量不大。石嘴山至河口镇河段,在建库前平均淤积量为 0.211 亿 t,1967~1986 年,由于刘家峡和青铜峡拦截大量泥沙,尤其是青铜峡水库拦沙 6.0 亿 m³ 以上,致使本河段发生冲刷。1987 年以后由于龙羊峡、刘家峡两水库联合调度,汛期水量税减,青铜峡水库只剩下日调节库容,对泥沙已经不起调节作用,使得本河段淤积量猛增,达到 0.36 亿~0.61亿 t。

参 考 文 献

[1] 赵业安,等.黄河下游河道演变基本规律.郑州:黄河水库出版社,1998

[2] 王吉秋,等.修建水库群后辽河下游河床演变的初步探讨.泥沙研究,1982(4)

[3] 赵文林,等.龙羊峡、刘家峡水库调节和灌溉引水对头道拐水沙变化的影响.见:黄河水沙变化研究.郑州:黄河水利出版社,2002

第十六章　坝下游河床变形

受水库对径流量和输沙量的调节作用,流量和含沙量的过程发生了改变,水沙过程不协调,在滞洪过程削减了洪峰流量,拦截住泥沙,出现大水带少沙,当洪水退落以后又出现小水带大沙的过程。这种非常不利的水沙过程必然引起坝下游河道冲淤变形。

第一节　水库对黄河下游河道演变的影响[1]

三门峡水库在不同运用时期,对下游河道冲淤数量以及河道形态变化的作用是不同的。在各种不同运用期间,各河段河道冲淤不仅在数量上有差异,而且冲刷起来的物质组成也有很大的不同,见表16-1。

表16-1　　　　　　　　　三门峡水库不同时期水沙特征值

时段	来水总量(亿 m³)	粒径范围(mm)	来沙量(亿 t)	三一花	花一高	高一艾	艾一利	高村以上	高村以下	全下游
						河段冲淤量(亿 t)				
三门峡水库蓄水拦沙期(1960.9.15~1964.10.30)										
全年	2 262.63	<0.025	18.19	-4.52	-1.79	-3.04	-0.61	-6.31	-3.65	-9.96
		0.025~0.05	3.31	-2.14	-3.11	-1.01	-0.85	-5.25	-1.86	-7.11
		0.050 1	1.65	-2.00	-2.46	0.60	-1.40	-4.46	-0.80	-5.26
		>0.1	0.14	-0.45	-0.19	0.25	-0.29	-0.64	-0.04	-0.68
		合　计	23.29	-9.11	-7.55	-3.20	-3.15	-16.66	-6.35	-23.01
三门峡水库滞洪排沙期(1964.10.31~1973.10.30)										
全年	2 338.83	<0.025	71.78	-1.36	4.53	2.60	-2.54	3.17	0.06	3.23
		0.025~0.05	37.04	1.95	2.84	2.32	1.5	4.79	3.82	8.61
		0.05~0.1	33.33	8.21	6.06	-0.81	5.98	14.27	5.17	19.44
		>0.1	6.33	2.79	1.81	0.52	0.49	4.6	1.01	5.61
		合　计	148.48	11.59	15.24	4.63	5.43	26.82	10.06	36.89
三门峡水库"蓄清排浑"期(1973.10.31~1990.10.30)										
汛期	3 877.17	<0.025	87.44	-1.77	6.15	8.21	-0.64	4.38	7.57	11.95
		0.025~0.05	44.83	8.34	2.97	0.33	-2.37	11.31	-2.04	9.28
		0.050 1	29.14	7.08	4.57	-2.44	-1.06	11.64	-3.51	8.14
		>0.1	5.76	1.84	2.89	-0.25	0.66	4.73	0.41	5.14
		合　计	167.17	15.48	16.58	5.85	-3.41	32.07	2.43	34.5
非汛期	2 944.21	<0.025	3.40	-3.65	-4.56	0.84	0.23	-8.12	1.06	-7.14
		0.025~0.05	1.31	-6.77	-2.65	2.16	2.75	-9.42	4.90	-4.52
		0.050 1	0.97	-6.56	-0.22	0.26	2.59	-6.78	2.85	-3.93
		>0.1	0.16	-1.11	0.57	0.05	0.33	-0.54	0.38	-0.16
		合　计	5.84	-18.08	-6.87	3.31	5.89	-24.95	9.20	-15.75
全年	6 821.38	<0.025	90.84	-5.42	1.69	9.04	-0.41	-3.83	8.63	4.80
		0.025~0.05	46.14	1.57	0.32	2.49	0.38	1.89	2.87	4.76
		0.050 1	30.10	0.51	4.35	-2.18	1.52	4.86	0.66	4.21
		>0.1	5.92	0.73	3.47	-0.20	0.99	4.19	0.79	4.98
		合　计	173.00	-2.61	9.72	9.15	2.48	7.11	11.63	18.75

清水下泄期,黄河下游铁谢至花园口河段,河床冲刷以下切为主,断面向窄深方向发展,见图 16-1。

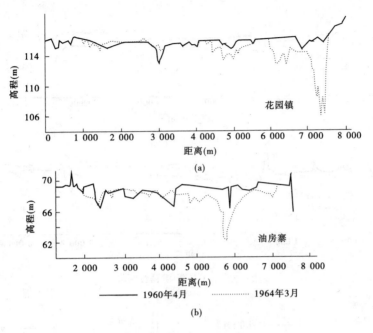

图 16-1　清水冲刷期典型断面变化

滞洪排沙期,三门峡水库库区发生强烈冲刷,由于受到大坝壅水作用,经常出现大水带小沙、小水带大沙现象,水沙失去协调,引起黄河下游河道发生异常淤积现象。又加上滩地修筑生产堤,限制了水流漫滩,因此造成主槽淤积量猛增,而滩地淤积量很少,形成"二级悬河",或者说是"悬河之悬河"现象,见图 16-2。

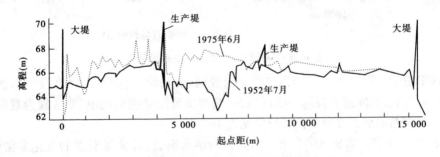

图 16-2　滞洪排沙期下游河道典型断面变化

1973 年 12 月以后,三门峡水库改为"蓄清排浑"运用。由于流域的径流量和输沙量的变化,对下游河道的影响可粗略地分为两个时期:一是从 1974～1985 年。这个时段,龙羊峡水库尚未建成,流域来水量比较丰富,特别是 1981～1985 年径流量多而输沙量少,中等以上洪水次数多,下游河道主槽几乎均发生冲刷。二是 1986 年以后。这个时段,龙羊峡水库建成投入运用,将黄河上游洪水几尽拦截,致使河口镇水文站汛期径流量减少50%以上,造成黄河下游河道的中小水流量历时增加,主槽淤积严重,河宽缩窄,河槽萎缩。平滩流量由建库前的 6 000m³/s 下降到不足 3 000m³/s。见图 16-3。

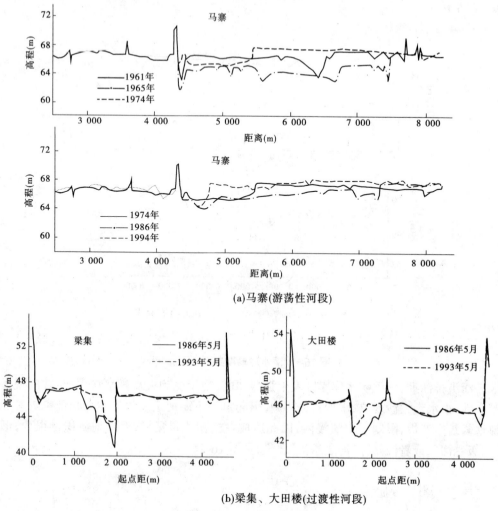

(a)马寨(游荡性河段)

(b)梁集、大田楼(过渡性河段)

图 16-3 "蓄清排浑"时期典型断面变化

黄河中游的吴堡至龙门区间和二级支流泾河、北洛河,每逢暴雨经常发生高含沙洪水,洪水出三门峡水库进入黄河下游河道,一般均出现淤滩刷槽现象,造成较为规整的窄深河槽。其横断面形态发生变化特征值见表 16-2。

从表 16-2 中可以看出,1977 年两次高含沙洪水前后,各典型断面的变化非常激烈。以花园口(游荡性河段)为例,断面形态指标 $\sqrt{B}/H$ 由洪水前的 35.5~59.8 减少到 10.3~14,相差近 3 倍。高村断面(过渡性河段)由洪水前的 16.4~23.6 减少到 8.4~11.5,将近 1 倍。而艾山断面(有工程和天然节点控制)变化很小。

在第一场高含沙洪水对河槽塑造之后,第二场高含沙洪水前后,各典型断面变化较小,但是用洪水前后进行对比,$\sqrt{B}/H$ 值又有缩窄。

1983 年汛期,水流含沙量较往年偏低,该年最大洪峰流量为 8 180m³/s,然而含沙量只有 57kg/m³,水沙搭配参数 S/Q 为 0.007kg·s/m⁶,下游河道沿程发生冲刷。用3 000

m³/s 流量来统计下游河道沿程各断面的水深 H 和河宽 B 对比汛前和汛后的变化可知，$\sqrt{B}/H$ 值在游荡性河段有较大增加，过渡段的各断面变化不大，艾山以下河段变化很小，靠近河口段的断面有变小的趋势。见表 16-3。

表 16-2   1997 年两次高含沙洪水前后断面特征值

站名	第一次洪水						第二次洪水					
	洪水前			洪水后			洪水前			洪水后		
	Q (m³/s)	B (m)	$\sqrt{B}/H$	Q (m³/s)	B (m)	$\sqrt{B}/H$	Q (m³/s)	B (m)	$\sqrt{B}/H$	Q (m³/s)	B (m)	$\sqrt{B}/H$
花园口	1 600	1 240	35.5	1 700	632	14	1 900	429	8.8	1 900	410	6.7
	2 900	2 640	52.9	2 700	602	12.5	2 700	602	12.5	2 800	420	6.9
	5 500	2 280	59.8	5 300	744	10.3	3 800	487	6.9	4 000	490	5.7
高村	1 800	754	23.6	1 900	414	8.4	1 900	414	8.4	2 000	431	9.1
	3 500	759	16.4	3 600	641	11.5	3 100	813	16.7	3 200	791	12.3
艾山	1 500	401	8.3	1 600	400	8	1 900	403	7.3	2 000	403	7.2
	4 000	414	3.6	3 900	408	4.1	3 600	407	5.1	3 600	406	4.8

表 16-3   1983 年汛期前后同流量下断面形态变化

站名	$Q = 1\,000$ m³/s			$Q = 3\,000$ m³/s		
	7 月			10 月		
	B(m)	H(m)	$\sqrt{B}/H$	B(m)	H(m)	$\sqrt{B}/H$
裴峪	2 413	1.04	47.2	2 845	0.80	66.7
官庄峪	2 197	0.85	55.1	2 263	0.74	64.2
花园口	1 137	0.91	37.1	1 749	0.81	51.6
夹河滩	3 109	0.95	58.7	1 634	1.32	30.6
高村	7.6	1.90	14.0	584	3.22	7.5
苏泗庄	768	1.76	15.7	894	3.20	9.3
杨集	733	1.98	13.7	655	2.29	11.7
孙口	827	1.48	19.4	772	2.05	13.6
南桥	686	2.22	11.8	714	2.26	11.8
艾山	407	3.26	6.2	405	4.57	4.4
官庄	536	3.79	6.1	530	3.94	5.8
泺口	306	3.71	4.7	303	4.46	3.9
刘家园	449	2.43	8.7	423	3.45	6.0
道旭	359	3.06	6.2	351	5.04	3.7
利津	472	2.35	9.2	480	3.69	5.9

三门峡水库对黄河下游纵剖面的影响如图 16-4。从图中可以看出，花园口至高村在 1960~1964 年全线冲刷，两次的纵剖面几乎是平行下降的，而 1964~1999 年又是平行淤积上升的。铁谢至裴峪段，1960~1964 年受三门峡下泄清水冲刷，至 1999 年仍然没有回淤至原有的高程。

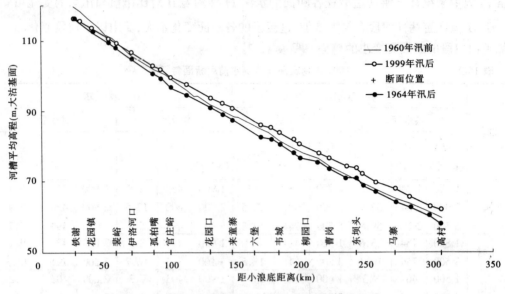

图 16-4　黄河下游游荡性河道各时期主河槽纵剖面

第二节　水库群对辽河下游河道的作用[2]

　　辽河流域在修建水库以后,下游河道水沙条件发生改变,同时也引起河槽纵横断面形态发生变化。这是流域来水来沙与河床互相适应的结果。用 1962 年和 1979 年实测资料,分别代表水库修建前后的河相关系以及平滩流量进行对比,见表 16-4。

表 16-4　　　　　　　　　　　　　辽河下游各河段河相关系

河段	年份	平滩流量(m^3/s)	$\sqrt{B}/H$
柳河口—卡力马	1962	614	4.82～16.6
	1979	206	7.54～37.4
卡力马—朱家房	1962	475	4.54～7.99
	1979	282	4.65～9.89
朱家房—六间房	1962	736	2.45～5.87
	1979	310	4.50～10.1
六间房—盘山闸	1962	720	1.89～6.99
	1979	419	1.82～7.68

　　从表 16-4 可以看出,平滩以下的流量普遍减小,上段减少的多。建库后的平滩流量减少近 2/3,在下游尾闾段减少近 1/2。从河相关系来看$\sqrt{B}/H$ 值,几乎都有增大,上段(柳河口—朱家房)增大近 50 %,而下游各河段$\sqrt{B}/H$ 值的增加值逐河段减小。及至六间房以下的河段,$\sqrt{B}/H$ 值几乎没有改变。

　　辽河下游的纵剖面在修建堤防(1955～1958 年)以后有较大变化。经过几十年的淤积,河道已经成为地上河,平均河底高程已经超出堤防以外地面1～2m。在卡力马附近河床高出堤防以外地面1.0m以上,六间房附近超出堤防以外地面2.0m以上。

从1962年及1975年、1979年3次河床纵剖面的实际测量结果来看,建库前,朱家房至盘山段淤积最为严重,朱家房至六间房河段年平均淤积厚度约0.08m,六间房至盘山段约0.12m。柳河口至卡力马及朱家房至六间房两河段淤积速度加快,1975年与1979年相比较,年均淤积厚度分别为0.16、0.19m。见表16-5及图16-5。

表 16-5 辽河下游各河段不同时期淤积量

河段	主槽年平均淤积厚度(m)	
	1962～1975 年	1975～1979 年
柳河口—卡力马	0.069	0.16
卡力马—朱家房	0.013	0.108
朱家房—六间房	0.08	0.19
六间房—盘山闸	0.12	0.04

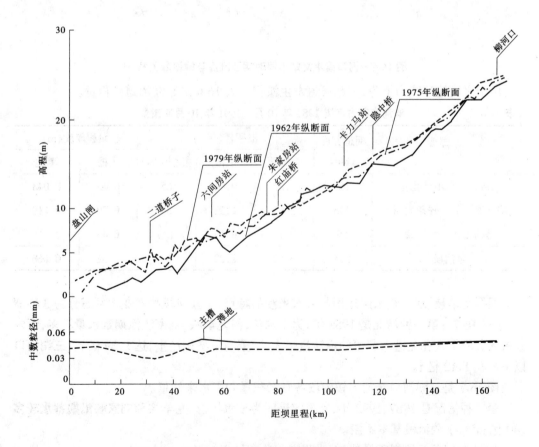

图 16-5　辽河下游历年河道纵断面及河床质中数粒径

第三节　龙羊峡、刘家峡对宁蒙河道的影响[3]

　　龙羊峡和刘家峡水库在1986年实施联合调度运用以来,对宁蒙河道的冲淤演变影响很大。由于龙羊峡、刘家峡水库的调蓄作用,改变了宁蒙河段的流量过程,中小流量的历时增加,洪水流量的历时大减,从而降低了水流输沙能力。以河口镇水文站为例,在相同的径流量条件下输沙量下降,1952～1968年输沙量较大,1987～1996年最少,见图16-6。

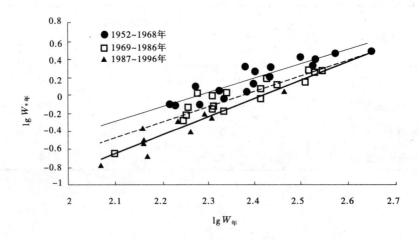

图16-6　河口镇水文站不同时期径流量与输沙量关系

　　由于水流输沙能力下降,引起河道发生淤积。表16-6是宁蒙河道淤积量。

表16-6　　　　　黄河内蒙古河道1982年10月～1991年10月冲淤量

河段	河道长度(km)	淤积量(亿t)			淤积厚度(m)	
		全断面	主槽	主/全(%)	主槽	滩地
三盛公—毛不流孔兑	250	1.29	0.84	65	0.40	0.048
毛不流孔兑—呼斯太河	206	2.07	1.22	59	0.70	0.110
呼斯太河—河口镇	55	0.16	0.16	100	0.40	
全河段	511	3.52	2.22	63	0.52	0.066

　　根据龙羊峡、刘家峡水库运用与来水来沙的特点,宁蒙河段冲淤变化可划分为3种情况(见表16-7):第一种情况是1989年,为丰水年,但龙羊峡、刘家峡汛期蓄水量较多,而内蒙古入黄的十大孔兑进入黄河的输沙量很大,宁蒙河道淤积严重,达1.39亿t。三湖河口以下淤积1.12亿t。

　　图16-7是三湖河口至河口镇河段各月淤积量和来水来沙量。

　　第二种情况是1987、1993年,龙羊峡进库为枯水年份,龙羊峡和刘家峡汛期蓄水较多(40亿m³),宁蒙河段基本不淤。

　　1989年宁蒙河段淤积最严重,沿程淤积分布见表16-8。

表 16-7　　龙羊峡、刘家峡两库蓄水量与宁蒙河道冲淤量

年份	龙羊峡、刘家峡两库蓄水量(亿 m³)						水量(亿 m³)				年沙量(亿 t)			河道冲淤量(亿 t)		
	6月	7月	8月	9月	10月	7~10月	下沿河 年	汛期	头道拐 年	汛期	兰州	下河沿	头道拐	下河沿—石嘴山	石嘴山—头道拐	下河沿—头道拐
1989	44.95	45.72	6.11	8.37	9.63	69.83	391.97	214.5	291.1	154.9	0.756	1.446	1.200	0.030	1.360	1.390
1987	26.62	31.74	7.96	3.43	-2.21	41.92	218.9	94.6	117.0	38.8	0.152	0.386	0.168	-0.012	0.012	0
1993	12.38	15.41	21.67	9.34	0.62	47.04	381.6	130.6	182.7	81.9	0.395	0.804	0.418	-0.219	0.314	0.095
1994	7.56	9.94	-5.17	2.26	-1.64	5.39	273.33	115.1	194.7	81.3	0.674	1.877	0.636	0.481	0.470	0.951
1996	6.69	4.84	8.78	8.46	1.7	23.78	207.68	82.3	144.8	56.8	0.407	1.946	0.454	0.640	0.561	1.201
1987~1989	26.09	28.36	4.94	7.58	11.57	52.45	280.77	135.2	184.4	84.1	0.476	1.051	0.565	-0.030	0.613	0.583
1990~1996	2.04	8.28	12.52	12.44	3.86	37.10	254.14	100.9	170.0	63.9	0.488	1.396	0.454	0.317	0.364	0.681
1987~1996	4.71	14.31	10.25	10.99	6.17	41.72	262.13	111.2	174.3	70.0	0.485	1.292	0.488	0.213	0.439	0.652

注：下河沿水沙量包括清水河来水沙量,1989 年十大孔兑来沙 1.19 亿 t_o

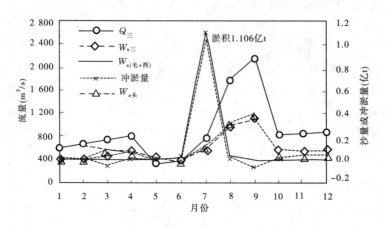

图 16-7　1989 年三湖河口—河口镇各月冲淤量及水沙量

表 16-8　　　　　　　**1989 年下河沿—河口镇冲淤分布**　　　　　（单位：亿 t）

河　段	下河沿—青铜峡	青铜峡—石嘴山	石嘴山—巴彦高勒	巴彦高勒—三湖河口	三湖河口—昭君坟	昭君坟—河口镇	下河沿—河口镇
冲淤量	0.18	−0.15	0.09	0.14	0.91	0.22	1.39

第三种情况是 1994、1996 年，虽然进入龙羊峡水库径流量为枯水年，但两库在汛期蓄水量较少，刘家峡水库以下区间来沙量较多（约 2.0 亿 t），在水少沙多的不利条件下，引起宁蒙河段的发生淤积，约 1.0 亿 t。

河道淤积以后，造成同流量水位上升。表 16-9 是 1986～1996 年巴彦高勒至河口镇的同流量水位上升情况。其中巴彦高勒上升最多，达到 1.07m，青铜峡处在青铜峡电站下游，断面比较窄，因而发生冲刷。青铜峡至石嘴山为宁夏灌区河道，引水引沙进入灌区之后，清水退回河道，使石嘴山断面发生冲刷。进入内蒙古河道以后，河道坡度较缓，约 0.2‰。由于三盛公枢纽在 1986 年以前已经达到冲淤基本平衡，进出库泥沙量基本相等，因此上游来沙量全部下泄，引起巴彦高勒水文站断面淤积严重，同流量水位上升幅度较大。大量泥沙在昭君坟以上河段发生淤积，至河口镇水文站，同流量水位上升较少。

表 16-9　　　　　　　**宁蒙河段 1 000m³/s 水位升降值**　　　　　（单位：m）

水文站	下河沿	青铜峡	石嘴山	巴彦高勒	三湖河口	昭君坟	河口镇
升降值	0.02	−0.04	−0.07	1.07	0.81	1.06	0.14

应当指出的是，龙羊峡、刘家峡水库，调蓄了很多水量，削减了洪水，然而刘家峡以下区间来沙量没有得到控制，如祖厉河、清水河等支流的水土流失严重，洪水期大量泥沙进入黄河，而干流洪水又被拦蓄，水沙搭配严重失去平衡，致使内蒙古河段淤积非常严重。

龙羊峡、刘家峡两座水库联合运用以后，使中小流量历时增长，洪水漫滩机会大减，中小流量容易坐弯，造成滩地大量坍塌。据卫星遥感资料分析，1973～1986 年三盛公至四科头河段，向北淘进面积约 25km²，向南淘进 30.6km²。主河道摆动幅度大，见表 16-10。

表 16-10　　　　　　　　　　典型河段 1973～1990 年主流摆幅

地点	摆动距离(m)		速率(m/a)		地点	摆动距离(m)		速率(m/a)	
	1973～1986 年	1986～1990 年	1973～1986 年	1986～1990 年		1973～1986 年	1986～1990 年	1973～1986 年	1986～1990 年
黄河八队	600	1 800	46	450	西柳匠圪堵东	200	2 000	15	500
水桐树村	1 000	2 400	77	600	打拉图	1 400	1 600	108	400
河曲村	1 600	2 000	123	500	三和成	200	2 400	15	600
羊场圪旦	1 200	2 500	92	625	昆都仑入口	600	1 200	46	300
三苗树西	600	2 200	46	550	召圪梁东 5km	600	1 600	46	400

在内蒙古河段有十大孔兑(支流)入黄,孔兑坡陡流急,水土流失严重,每年 7、8 月份经常发生多沙洪水,将大量粗颗粒泥沙带入黄河干流,干流坡度缓,河道宽浅,支流洪水进入干流以后,流速减缓,水流输沙能力下降,引起局部河段发生严重淤积,形成沙坝。虽然在刘家峡水库修建之前也曾经发生过(如 1961、1966 年),但是干流流量大,可以随后冲开。龙羊峡和刘家峡水库建成之后,沙坝对干流的阻水作用非常突出。如 1989 年 7 月,西柳沟发生 6 940m³/s 洪水,径流量为 0.735 亿 m³,输沙量为 0.474 亿 t,最大含沙量达到 1 240kg/m³。而黄河流量只有 1 000m³/s 左右,在西柳沟入黄处形成长 600m、宽约 7km、高约 5.0m 的拦河沙坝,堆沙约 3 000 万 t,使上游 1.5km 处的昭君坟水文站同流量水位猛涨 2.18m。

参 考 文 献

[1] 赵业安,等.黄河下游河道演变基本规律.郑州:黄河水利出版社,1998
[2] 王吉秋,臧家津.修建水库群后辽河下游河床演变的初步探讨.泥沙研究,1982(4)
[3] 赵文林,侯素珍.龙羊峡、刘家峡水库调节和灌溉引水对头道拐水沙变化的影响.见:黄河水沙变化研究(第二卷).郑州:黄河水利出版社,2002
[4] 陈霁巍,等.黄河治理与水资源开发利用(综合卷).郑州:黄河水利出版社,1998

第十七章 水库拦沙与下游减淤

黄河是一条多沙河流,而且又水沙异源。不仅如此,在产沙区又分为粗泥沙来源区和细泥沙来源区,对于水库和下游河道将产生不同的冲淤影响。

黄河干支流已经建成很多大中型水库,大坝抬高了水位,坝上游总会发生淤积。当水库水位较高、下泄清水或出库的含沙量较低时,清水以及不饱和的输沙水流进入下游,下游河道会出现沿程冲刷;当水库降低水位或敞泄排沙时,出库水流将呈现出超饱和输沙状态,进而使下游河道发生淤积,甚至出现严重的淤积局势。

黄河三门峡水库已经运行了40余年,经历了蓄水拦沙、滞洪排沙、敞泄排沙和"蓄清排浑"等多种运行方式,黄河下游河道也随之发生强烈的冲淤变化。由此引申出"水库拦沙与下游减淤",或者是"水库排沙与下游淤积"的问题。不论是水库拦沙或者排沙,对下游河道的冲淤作用都需要认真分析与研究。

对于已建水库和今后拟建的水库,在制订水库运用方案时,也应当考虑水库的排沙量在不同的泄水量或不同流量级的水沙如何搭配,另外,对下游河道可能出现的情况也是必须考虑的。

第一节 拦沙与减淤概况

三门峡水库自1960年9月正式运用以来,经历了不同运用阶段,在蓄水拦沙期水库出现严重淤积,而下游河道发生强烈冲刷;在滞洪排沙或敞泄排沙期,库区发生冲刷的同时下游河道随之发生淤积;在"蓄清排浑"运用期间,遇到有利的水沙年份,库区与下游河道均发生冲刷,遇到不利的水沙年份,库区与下游河道均产生淤积,见表17-1。

表 17-1 三门峡水库与下游河道冲淤对照

水库运用方式	时段(年·月)	库区冲淤量(亿 m³)	下游河道冲淤量(亿 m³) [*]			
			小浪底—高村	高村—艾山	艾山—利津	全下游 [**]
蓄水与滞洪初期 滞洪排沙	1960.9~1964.10	45.37	−15.272	−2.355	−3.967	−21.71
	1964.11~1973.10	11.71	18.877	4.994	4.608	29.089
"蓄清排浑" (调水调沙)	1973.11~1980.10	1.080	2.136	3.363	2.408	8.234
	1980.11~1985.10	−1.160	−4.193	0.704	−1.586	−5.383
	1985.11~1990.10	4.280	4.972	0.893	1.846	7.987
	1990.11~2000.6	7.804	9.219	2.652	2.402	14.595

[*] 引自黄河水科院"黄河下游断面法冲淤量分析与评价",2002年4月。

[**] 全下游是指"小浪底至渔洼"的冲淤量。

从表 17-1 可以看出,在蓄水与滞洪排沙初期,水库在 330m 高程以下有 60.5 亿 m³ 库容,在拦沙过程库区流速缓慢,泥沙发生沉积,水库下泄清水或不饱和输沙水流,在此期间库区淤积 45.37 亿 m³,同期黄河下游河道冲刷 21.71 亿 m³;其中 1962 年 10 月~1964 年 10 月,库区淤积 17.66 亿 m³。1960 年 4 月~1964 年 10 月潼关以下库区淤积 36.52 亿 m³。在滞洪排沙中后期,遭遇 1966、1967、1968 年 3 年丰水丰沙年份,造成潼关以上库区发生严重淤积,达到 15.81 亿 m³,其中黄河干流库区淤积 8.768 亿 m³,渭河库区淤积 6.175 亿 m³,北洛河库区淤积 0.867 亿 m³。三门峡水库排沙量达到 59.2 亿 m³。同期下游河道淤积 1.48 亿 m³。下游河道淤积量相对较少是因为进入下游河道的水沙搭配较为有利,见表 17-2。

表 17-2   花园口站水沙量特征值

年份	水量 (亿 m³)		沙量 (亿 t)		平均流量 (m³/s)		含沙量 (kg/m³)		水沙搭配参数 * (kg·s/m⁶)	
	汛期	全年	汛期	全年	汛期	全年	汛期	全年	汛期	全年
1966	313.5	558.0	17.5	21.4	2 950	1 770	55.9	38.4	0.019	0.022
1967	445.0	700.4	16.5	19.8	4 190	2 220	37.1	28.3	0.009	0.013
1968	331.7	537.7	12.0	14.5	3 120	1 700	36.2	27.0	0.012	0.016

* 水沙搭配参数为含沙量与流量的比值(S/Q)。

1968 年汛期三门峡枢纽工程一期增建与改建工作完成,泄流能力增加,至 1970 年汛前,库区淤积量只有 0.003 亿 m³,由于水库采取敞泄运用,库区发生溯源冲刷和沿程冲刷,同期三门峡出库输沙量增加到 13.9 亿 t,下游河道发生严重淤积,达到 6.36 亿 m³。

1970 年 7 月,二期改建工程打开 3 条施工导流底孔,至 1973 年全部竣工。潼关以下库区冲刷 3.95 亿 t,由于 1970、1973 年两年来沙量较大,黄河干流库区淤积 2.442 亿 m³,渭河库区淤积 1.43 亿 m³。同期三门峡水库下泄沙量达到 59.4 亿 t,下游河道淤积量高达 15.22 亿 m³。

1973 年 12 月以后,三门峡水库改为"蓄清排浑"运用,至 1985 年汛后,库区微冲,下游河道总淤积 2.85 亿 m³,年均淤积量仅为 0.237 5 亿 m³;1985 年汛后至 2000 年汛前,受黄河上中游水沙变化甚至是恶化的影响,库区淤积 12.08 亿 m³,年均淤积量为 1.098 亿 m³,下游河道淤积 22.58 亿 m³,年均淤积量为 2.053 亿 m³。

从以上的简略论述中不难看出,在水库蓄水拦沙期间,下游河道会发生沿程冲刷。如 1961 年汛期,花园口水文站平均流量为 2 767m³/s,平均含沙量为 9.2kg/m³,相应的水沙搭配参数 S/Q 为 0.003 3kg·s/m⁶;下游河道全线冲刷,冲刷总量为 5.601 亿 m³。如果水库下泄流量较小,尽管含沙量不大,下游河道也发生冲刷,但是冲刷距离较短,如 1976、1978、1983 年非汛期就是如此。如表 17-3 所示。

表 17-3 提示我们,若使黄河下游全河段发生冲刷,花园口水文站平均流量应当在 2 200~2 700m³/s,如果花园口流量较小,则会出现上段河道发生冲刷而下段河道(孙口以下河道)发生淤积,特别是艾山以下河段发生淤积,将给防凌、防洪带来威胁。

表 17-3　　　　　　　　　　水库下泄清水时不同流量与下游冲刷长度[1]

时段		河段									花园口水文站		
		小浪底 — 花园口	花园口 — 夹河滩	夹河滩 — 高村	高村 — 孙口	孙口 — 艾山	艾山 — 泺口	泺口 — 利津	利津 — 渔洼	全下游	Q (m³/s)	S (kg/m³)	S/Q (kg·s/m⁶)
汛期	1961	−1.956	−1.778	−1.355	0.245	−0.308	−0.335	−0.064	−0.05	−5.601	2 767	9.21	0.003 3
	1962	−0.033	−0.638	−0.275	−0.324	−0.091	−0.383	−0.547	0.075	−2.515	2 214	13.5	0.006 1
	1964	−0.986	−1.817	−0.588	−0.864	−0.113	−0.318	−2.203	−0.323	−7.211	4 871	23.0	0.004 7
非汛期	1976	−0.732	−0.052	−0.031	0.110	0.133	0.100	0.293	0.039	−0.138	794	5.73	0.007 2
	1978	−0.365	−0.428	−0.067	0.311	0.132	0.153	0.308	0.034	0.079	754	6.53	0.008 7
	1983	−0.518	−0.570	−0.497	0.242	0.158	0.21	0.442	0.082	0.449	1 122	7.25	0.006 5

第二节　水库拦沙与下游河道减沙、减淤

　　水库拦沙以后,它所拦截的沙量就是减少进入下游河道的沙量。从减少进入下游河道的沙量来讲,其效益是1:1。在减沙的同时也起到了对下游河道减淤的作用,但是其效益不完全是1:1。为此,在分析水库拦沙与下游减淤时应考虑进入下游河道的不同流量级、含沙量以及水沙搭配参数对下游河道减淤所带来的影响。

　　从坝下游河道的治理角度研究河道冲淤演变而言,在相同流量条件下,水库下泄细颗粒泥沙($D>0.025$mm),下游河道会发生冲刷,其冲刷距离随着流量增大而增长。不言而喻,在流量不大时,会出现上段河道发生冲刷,下段河道发生淤积,若有足够的流量,全下游河道都会发生冲刷。

　　当水库水位急骤下降时,库区会发生强烈的冲刷,使得沉积在库内的粗颗粒泥沙排往下游,下游河道发生淤积,其淤积强度又随着水沙搭配参数增大而增大,其淤积数量与水库排沙量成正比。在很多情况下是水库水位急骤降落时,往往进出库流量都比较小,而且出库流量要大于进库流量。因此,出现小水带大沙的情况,这对下游河道是极为不利的。

　　在多沙河流上修建水利水电工程,制订水库运用方案时,要能保证水库有长期可以使用的库容,适当地分阶段拦截粗泥沙,多排细颗粒泥沙,使下泄的流量与含沙量构成合理的搭配,达到减少下游河道淤积或不淤的目的。这是符合水库库区和下游河道少淤的水库调度的优化目标。

　　三门峡水库在蓄水期间(1960年9月～1962年3月),坝前最高水位超过326m高程,回水末端超过潼关断面;滞洪排沙期,汛期平均水位都控制在310m高程以下。因此,水库水位产生的回水对潼关断面影响很小;"蓄清排浑"运用以后(1974年至今)汛期平均水位不超过306m,水库回水末端已经达不到潼关断面;非汛期平均水位控制在320～314m高程,对潼关断面也不产生影响。所以,三门峡水库冲刷与拦沙主要在潼关以下库区反复进行,特别是在"蓄清排浑"运用以后更是如此。潼关以上库区的冲淤演变是由流域来水来沙条件和水沙搭配参数不相适应引起的,基本上属于自然河床的演变规律。为此,在分析水库拦沙与排沙对下游河道的减淤作用时,以潼关以下库区冲淤为准,库区大

断面测量和"黄河下游断面法冲淤量分析与评价"的数据进行相关分析。

花园口水文站是控制进入黄河下游河道径流量、输沙量的把口站,承接三门峡水库出库站以及支流伊洛河和沁河的来水来沙量。为此,用花园口水文站汛期、非汛期的径流量和输沙量的特征值来分析下游河道冲淤变化与上游三门峡潼关以下库区冲淤变化,进而研究水库拦沙(排沙)对下游河道的减淤效益。

第三节　水库拦沙与下游减淤效益

赵业安等对三门峡水库拦沙与下游河道减淤作用曾经做过研究[1],认为三门峡水库在非汛期水库淤积量与下游河道减淤量的比值接近于 1.0。

"蓄清排浑"运用时期对黄河下游河道的冲淤影响很复杂,据初步分析:对下游河道起到了一定的减淤作用,17 年累积减少下游淤积 4.3 亿 t,年均减少淤积 0.255 亿 t。三门峡水库出库流量在 2 000～6 000m³/s 时排沙对下游河道输沙有利。

一、资料选择

三门峡库区和黄河下游河道的冲淤量采用两种测量方法:一是用各水文站输沙率观测求得的输沙量来求得的冲淤量;二是用大断面测量方法求得的冲淤量。前一种方法没有考虑岸边变形、临床面底沙漏测等带来的影响。后一种方法是实测数据,然而受测试仪器等限制,观测历时较长,库区与下游不能同时进行,也会出现一定的差别。由于大断面测量费功费时,每年只能在汛前汛后进行两次测量。据龙毓骞分析[2],认为大断面测量的数值更接近于实际。因此,我们采用大断面测量资料进行分析。库区采用实测大断面的资料,黄河下游采用黄河水利科学研究院的资料❶。

二、非汛期水库拦沙对下游河道减淤作用

"蓄清排浑"运用以来,非汛期三门峡水库蓄水拦沙,除每年 6 月下旬要腾空库容以迎接汛期洪水,水库水位急骤下降过程,有泥沙排出水库外,其余时间均为清水下泄。此外,非汛期流量变幅较小比较稳定,含沙量很小。花园口水文站非汛期平均流量在 473～1 450m³/s 之间,40 年资料中有 31 年平均流量小于 1 000m³/s;平均含沙量在 4.55～18.6kg/m³ 之间,其中有 10 年大于 10kg/m³,水沙搭配参数 S/Q 在 0.005 2～0.020 6 kg·s/m⁶ 之间,有 8 年大于 0.015kg·s/m⁶,见表 17-4。

根据表 17-4 可以绘制成图 17-1。

图 17-1 可写成如下经验关系式:

$$\Delta W_{s\text{全}} = \Delta W_{\text{潼下}} + 0.75 \tag{17-1}$$

式中:$\Delta W_{s\text{全}}$ 为黄河全下游(小浪底至渔洼河段)冲淤量,三门峡至小浪底河段,河道坡度为 1‰以上的峡谷河道,冲淤变化很少,故略而不计;$\Delta W_{\text{潼下}}$ 是指三门峡水库潼关以下库区冲淤量。

---

❶ 黄河水利科学研究院.黄河下游断面法冲淤量分析与评价.2002 年 4 月

表 17-4　非汛期三门峡水库拦沙与下游河道(高村以上)冲刷数值(断面法)[2]

时　段 (年·月)	冲淤量(亿 m³)				花园口			备注
	库区	下游高	下游孙	全下游	Q (m³/s)	S (kg/m³)	S/Q (kg·s/m⁶)	
1960.9～1961.6	0.577	-1.006	-0.86	-0.722	675	7.30	0.010 8	1.下游高, 是指高村断面以上河道
1961.11～1962.6	1.470	-1.642	-1.894	-2.142	1 351	6.80	0.005 0	
1962.11～1963.6	0.804	-0.417	-0.677	-0.554	1 171	9.44	0.008 1	
1963.11～1964.6	1.084	-1.091	-1.209	0.206	1 456	8.77	0.006 0	2.下游孙是指孙口断面以上河道
1964.11～1965.6	-3.398	2.186	2.452	4.049	1 381	17.4	0.012 6	
1965.11～1966.6	-0.876	0.560	0.071	0.489	611	9.94	0.016 3	
1966.11～1967.6	-1.253	0.047	0.289	0.754	1 170	16.0	0.013 7	3.全下游是指小浪底至渔洼河道
1967.11～1968.6	-1.094	0.289	0.253	1.001	1 216	12.9	0.010 6	
1968.11～1969.6	-0.769	0.466	0.658	1.703	985	12.2	0.012 4	
1969.11～1970.6	0.232	0.590	0.839	1.327	858	16.0	0.018 6	
1970.11～1971.6	-0.097	-1.451	-1.234	-0.710	798	16.4	0.020 6	
1971.11～1972.6	0.471	-1.126	0.664	0.066	968	18.6	0.019 2	
1972.11～1973.6	1.059	-0.398	0.219	0.272	619	11.7	0.018 9	
1973.11～1974.6	1.237	-1.556	-1.819	-1.524	748	10.7	0.014 3	
1974.11～1975.6	1.831	-1.017	-0.705	-0.432	756	8.67	0.011 5	
1975.11～1976.6	1.407	-2.109	-0.877	-1.339	1 106	7.96	0.007 2	
1976.11～1977.6	1.141	-0.815	-0.705	-0.138	794	5.73	0.007 2	
1977.11～1978.6	1.304	-0.464	-0.308	-0.098	559	5.06	0.009 1	
1978.11～1979.6	1.614	-0.86	-0.549	0.079	754	6.53	0.008 7	
1979.11～1980.6	1.583	-1.071	-0.593	0.168	682	6.72	0.009 9	
1980.11～1981.6	1.010	-0.505	-0.034	0.343	550	8.65	0.015 7	
1981.11～1982.6	1.205	-0.441	0.668	1.371	828	6.35	0.007 7	
1982.11～1983.6	1.500	-1.261	-1.274	-0.619	923	4.89	0.005 3	
1983.11～1984.6	1.090	-1.585	-1.343	-0.449	1 122	7.25	0.006 5	
1984.11～1985.6	0.799	-0.967	-0.961	-0.256	996	5.14	0.005 2	
1985.11～1986.6	0.805	-0.280	-0.014	1.263	862	4.76	0.005 5	
1986.11～1987.6	0.747	-0.378	-0.338	-0.161	619	5.02	0.008 1	
1987.11～1988.6	0.985	-0.322	-0.244	-0.097	631	4.55	0.007 2	
1988.11～1989.6	1.080	-1.348	-1.269	0.558	871	7.46	0.008 6	
1989.11～1990.6	1.716	-1.412	-1.509	-1.109	1 118	6.76	0.006 0	
1990.11～1991.6	1.527	-1.098	-1.117	-0.682	952	13.3	0.014 0	
1991.11～1992.6	0.961 1	-0.625	-0.498	-0.254	535	8.87	0.016 6	
1992.11～1993.6	2.044	-2.284	-2.065	-1.317	769	6.72	0.008 7	
1993.11～1994.6	1.296 5	-1.283	-1.388	-1.072	749	5.89	0.007 9	
1994.11～1995.6	1.680 1	-1.324	-0.967	-0.621	650	8.16	0.012 6	
1995.11～1996.6	1.390	-1.823	-1.560	-1.294	565	6.53	0.011 6	
1996.11～1997.6	1.383	-0.754	-0.693	-0.296	543	6.89	0.012 7	
1997.11～1998.6	1.213	-0.916	-0.885	-0.743	473	8.03	0.017 0	
1998.11～1999.6	1.732	-0.662	-0.588	-0.244	572	6.36	0.011 1	
1999.11～2000.6	1.104	-1.189	-1.091	-0.868	476	6.33	0.013 2	

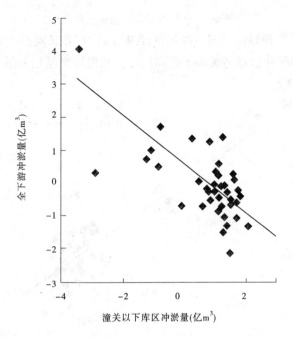

图 17-1　非汛期潼关以下库区冲淤量与全下游冲淤量关系

　　表 17-3 所给出的情况表明,非汛期尽管是下泄清水,出小浪底断面以后发生冲刷,水流挟沙沿程逐渐恢复达到饱和,由于流量小,其冲刷范围有限。为此又绘制了库区冲淤量与下游孙口断面以上河段冲淤量的关系,如图 17-2 所示。对比图 17-1 与图 17-2 可以看出,图 17-2 的点群较为集中,其经验关系为

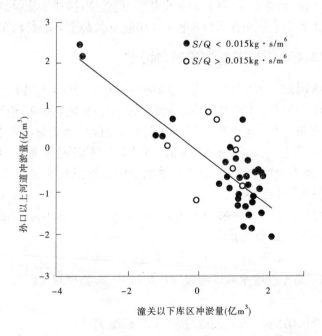

图 17-2　非汛期潼关以下库区冲淤量与孙口以上河道冲淤量关系

$$\Delta W_{s孙} = -0.645\Delta W_{s潼下} - 0.1 \qquad (17\text{-}2)$$

式中：$\Delta W_{s孙}$为黄河下游孙口以上河道冲淤量；$\Delta W_{s潼下}$物理意义同前。

同时又点绘了库区冲淤量与黄河下游高村以上河段冲淤量相关图，见图17-3。

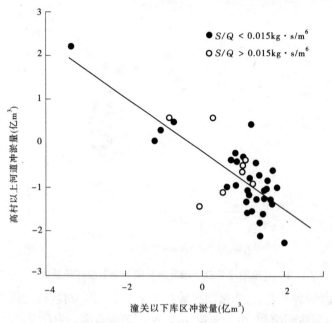

图17-3　非汛期潼关以下库区冲淤量与高村以上河道冲淤量关系

三门峡水库非汛期下泄清水，使黄河下游河道上段发生冲刷，当挟沙水流恢复到饱和以后，进入下游河道下段，河道形态(纵剖面及横断面)的改变，挟沙水流呈超饱和状态，因而发生淤积。如1981年小浪底至花园口冲刷0.146亿 m^3，而全下游淤积1.371亿 m^3。

三、汛期水库排(拦)沙与下游河道淤(冲)积

在汛期，三门峡水库有拦沙和排沙时期，如1960年9月～1964年10月以拦沙为主，在1965年以后又以排沙为主。在拦沙时期，黄河下游河道均发生冲刷；相反在水库排沙时期，下游河道又以淤积为主。然而在1981～1985年，花园口水文站汛期平均流量均在2 500 m^3/s以上，而平均含沙量却在33kg/m^3以下，水沙搭配参数 S/Q 均在0.01 kg·s/m^6以下，尽管水库发生冲刷，由于进入下游河道的水沙搭配和流量等因素有利，黄河下游河道仍发生冲刷。见表17-5。

按表17-5的资料可以绘制出两幅相关图，一是以 $S/Q \leqslant 0.015$kg·s/m^6 的资料为一组，点绘成图17-4。可写成经验关系式为

$$\Delta W_{s全下} = -0.531\Delta W_{s潼下} - 0.634 \qquad (17\text{-}3)$$

式中：$\Delta W_{s全下}$为黄河下游小浪底至渔洼河段冲淤量；$\Delta W_{s潼下}$物理意义同前，点旁数据为汛期平均流量。

另一组为 $S/Q > 0.015$kg·s/m^6 的资料，可点绘成图17-5。

表 17-5　　汛期三门峡水库拦沙（排沙）与下游河道冲（淤）量数值（断面法）

时段（年·月）	冲淤量（亿 m³）库区	冲淤量（亿 m³）下游	花园口 Q (m³/s)	花园口 S (kg/m³)	花园口 S/Q (kg·s/m⁶)	备　注
1961.6~10	9.680	-5.601	2 767	9.21	0.003 3	1. 库区冲淤量为潼关以下库区冲淤量
1962.6~10	4.108	-2.515	2 214	13.5	0.006 1	
1963.6~10	3.888	-3.200	2 906	18.6	0.006 4	
1964.6~10	11.560	-7.211	4 871	23.0	0.004 7	2. 下游冲淤量为全下游冲淤量
1965.6~10	-1.112	1.456	1 556	21.9	0.014 1	
1966.6~10	1.647	1.337	2 948	55.9	0.018 9	
1967.6~10	2.072	-0.604	4 187	37.1	0.008 9	3. 花园口、含沙量流量为汛期平均值
1968.6~10	0.289	-1.003	3 121	36.2	0.011 6	
1969.6~10	-1.010	3.357	1 284	60.7	0.049 2	
1970.6~10	-1.486	6.574	1 713	80.8	0.047 2	
1971.6~10	-1.265	3.897	1 466	58.5	0.039 1	
1972.6~10	-0.898	1.225	643	28.5	0.044 3	
1973.6~10	-1.734	3.900	1 992	65.7	0.033 0	
1974.6~10	-0.631	0.391	1 223	37.2	0.030 4	
1975.6~10	-1.973	2.186	3 301	37.9	0.011 5	
1976.6~10	-1.114	0.582	3 297	25.0	0.007 6	
1977.6~10	0.346	5.964	1 743	89.6	0.051 4	
1978.6~10	-1.754	0.582	2 110	51.5	0.024 4	
1979.6~10	-2.112	1.158	2 104	39.1	0.018 6	
1980.6~10	-1.403	0.702	1 418	30.1	0.021 2	
1981.6~10	-1.906	-1.621	3 342	33.5	0.010 0	
1982.6~10	-0.839	-1.412	2 820	21.1	0.009 1	
1983.6~10	-1.560	-1.513	3 546	19.6	0.005 5	
1984.6~10	-1.248	-0.287	3 170	22.2	0.007 0	
1985.6~10	-1.083	-0.940	2 490	25.0	0.010 0	
1986.6~10	-0.695	1.507	1 335	19.5	0.014 6	
1987.6~10	-0.245	0.927	863	19.6	0.022 7	
1988.6~10	-1.332	3.851	2 089	54.5	0.026 1	
1989.6~10	-0.993	0.891	2 039	32.6	0.016 0	
1990.6~10	-0.974	1.469	1 389	35.2	0.025 3	
1991.6~10	-0.616	1.496	556	34.2	0.061 5	
1992.6~10	-1.887	4.544	1 321	63.8	0.048 3	
1993.6~10	-1.765	1.171	1 371	31.8	0.023 2	
1994.6~10	-1.469	3.546	1 332	66.0	0.049 5	
1995.6~10	-1.303	1.477	571	56.4	0.098 8	
1996.6~10	-2.253	5.438	1 454	56.3	0.038 7	
1997.6~10	-0.683 3	1.819	470	63.8	0.135 7	
1998.6~10	-1.119	1.272	1 030	41.6	0.040 4	
1999.6~10	1.230	1.203	899	42.7	0.047 5	

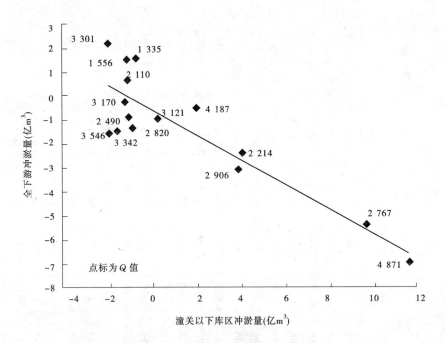

图 17-4 潼关以下库区冲淤量与全下游冲淤量关系($S/Q{\leqslant}0.015\text{kg}\cdot\text{s}/\text{m}^6$)

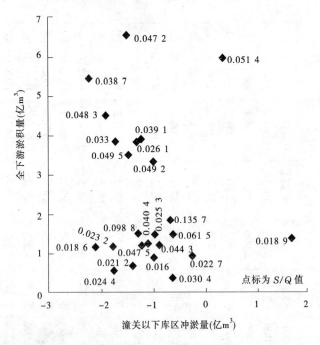

图 17-5 潼关以下库区冲淤量与全下游冲淤量关系($S/Q{>}0.015\text{kg}\cdot\text{s}/\text{m}^6$)

从图 17-5 可以看出,花园口水文站的水沙搭配参数(S/Q)在 $0.015\text{kg}\cdot\text{s}/\text{m}^6$ 以上时,三门峡潼关以下库区冲刷量 $\Delta W_{s潼}$ 一般为 2.0 亿~0.3 亿 m^3,而黄河下游河道淤积量随着水沙搭配参数的增大而增大,在三门峡水库相同的冲刷量的情况下,下游河道的淤积量可相差近 10 倍之多,水沙搭配参数可相差 7~8 倍。这就提示我们,在水库排沙时,如何调整好水沙搭配关系以及流量过程,是减少下游河道淤积的最关键性的环节。

　　汛期初始,三门峡水库水位已经下降到305m高程以下,水库上游经常出现高含沙小洪水,在这种情况下会出现进入下游"小水带大沙"的水沙过程,潼关以下库区在前期(非汛期)淤积的基础上,近坝段会发生强烈的溯源冲刷。这对下游河道非常不利,赵业安对此做了统计和归纳[1],见表17-6。从表17-6中可以看出,最大平均流量为2 494m³/s,最小平均流量为265m³/s,最大平均含沙量为207kg/m³,最小平均含沙量为22.6kg/m³;最大水沙搭配参数为0.125 8kg·s/m⁶,最小水沙搭配参数为0.010 3kg·s/m⁶。根据表17-6可点绘成图17-6。从图17-6可以看出,在潼关以下库区冲刷量相同的条件下,由于水沙搭配参数不同,黄河下游淤积量相差10倍以上。如1980年7月14日~8月3日洪水期,三门峡水库排沙量达到2.62亿t,出库水沙搭配参数为0.115kg·s/m⁶,黄河下游河道淤积1.495亿t。又如1976年7月16日~7月27日,三门峡出库沙量为0.62亿t,水沙搭配参数为0.017kg·s/m⁶,黄河下游河道只淤积了0.093亿t。

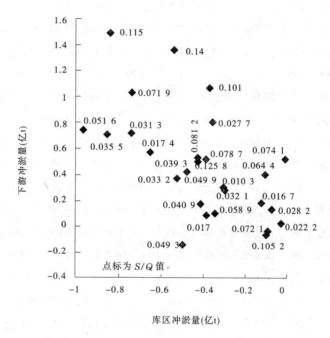

图17-6　三门峡出库小洪水与下游河道的冲淤关系

　　从上述的分析可以看出:①非汛期三门峡水库蓄水拦沙时期,黄河下游河道产生局部河段冲刷或全河段冲刷,小浪底至孙口河段冲淤量与三门峡潼关以下库区拦沙量的相关关系较好,当 $S/Q \leqslant 0.015$kg·s/m⁶ 时,水库拦沙1.0亿m³,下游河道可冲刷约0.714亿m³,如果按全下游冲淤计算,水库拦沙0.75亿m³时,黄河下游河道接近不冲不淤;②汛期,在平均流量大于2 200m³/s、$S/Q \leqslant 0.015$kg/m³ 时,水库拦沙对下游河道减淤效益显著,若 $S/Q > 0.015$kg·s/m⁶,则水库排沙增加下游河道淤积,其增加淤积量随 S/Q 值增大而增加。由于资料的限制,如洪水传播、变形、含沙量沿程衰减与恢复、河床形态变形等因素,以及由输沙率法所得到的冲淤量如何转化为大断面法冲淤量的问题,目前都没有较好的方法来解决。这些问题都有待今后进行深入研究。

表 17-6 三门峡水库汛初小水排沙情况[3]

时 段 (年·月·日)	三门峡				潼关—三门峡		下游河道冲淤量(亿 t)				
	平均流量 (m³/s)	平均含沙量 (kg/m³)	水沙搭配参数系数 (kg·s/m⁶)	沙量 (亿 t)	排沙比 (%)	冲淤量 (亿 t)	三门峡—花园口	花园口—高村	高村—艾山	艾山—利津	三门峡—利津
1975.7.10～7.14	1 740	86.8	0.049 9	0.651	381	−0.480	0.440	0.019	−0.032	−0.001	0.426
1975.7.15～7.21	1 760	58.5	0.033 2	0.626	632	−0.527	0.443	−0.008	−0.034 4	−0.037 4	0.363
1976.6.30～7.15	1 487	46.5	0.031 3	0.956	460	−0.748	0.728	0.106	−0.040	0.020 6	0.715
1976.7.16～7.27	1 874	31.9	0.017 0	0.620	225	−0.345	0.274	0.001	−0.112	−0.070	0.093
1978.7.11～7.19	1 481	207.0	0.140 0	2.380	129	−0.540	0.853	0.375	0.120	0.012	1.360
1978.7.20～7.27	1 863	189.0	0.101 0	2.410	118	−0.370	0.515	0.349	0.208	−0.004	1.068
1979.6.30～7.20	741	60.2	0.081 2	0.810	209	−0.423	0.414	0.128	−0.013	−0.022	0.507
1980.6.30～7.13	1 089	85.7	0.078 7	1.129	152	−0.388	0.492	0.133	−0.14	0.052	0.517
1980.7.14～8.3	1 360	165.3	0.115 0	2.021	172	−0.843	1.216	0.155	0.060	0.064	1.495
1981.7.3～7.14	2 286	81.2	0.035 5	2.086	169	−0.855	0.738	0.200	−0.287	0.054	0.705
1982.7.11～7.28	2 760	28.3	0.010 3	0.540	224	−0.299	0.307	−0.015	−0.004	−0.013	0.275
1983.6.23～7.4	1 355	22.6	0.016 7	0.318	162	−0.122	0.134	0.022	−0.038	0.062	0.180
1983.7.5～7.14	1 296	35.9	0.027 7	0.482	374	−0.353	0.765	0.006	0.006	0.027	0.789
1984.6.30～7.6	525	117.0	0.022 2	0.037	411	−0.028	0.001	0.011	0.007	0.006	0.025
1984.7.2～7.6	1 379	56.4	0.040 9	0.604	325	−0.418	0.332	0.048	−0.165	−0.043	0.172
1985.6.23～7.1	1 531	49.1	0.032 1	0.585	208	−0.304	0.341	0.036	−0.051	−0.031	0.295
1986.7.2～7.8	1 934	76.1	0.039 3	0.890	214	−0.474	0.291	0.005	0.011	0.111	0.418
1986.7.9～7.25	2 494	43.4	0.017 4	1.588	170	−0.651	0.390	0.096	0.030	0.054	0.570
1987.7.1～7.30	742	20.9	0.028 2	0.403	123	−0.075	0.052	0.050	0.023	0.013	0.138
1988.7.1～7.15	1 425	102.4	0.071 9	1.892	164	−0.740	0.688	0.303	−0.023	0.065	1.033
1988.7.16～7.19	1 707	110.0	0.064 4	0.646	119	−0.103	0.255	0.143	−0.011	0.012	0.399
1989.6.30～7.10	332	34.9	0.105 2	0.110	786	−0.096	0.067	−0.036	−0.015	−0.091	−0.075
1990.6.30～7.6	1 265	74.5	0.058 9	0.570	308	−0.385	0.302	−0.271	0.040	0.005	0.076
1990.7.7～7.14	1 918	94.6	0.049 3	1.254	166	−0.500	0.467	−0.797	0.234	−0.057	−0.153
1991.6.27～7.12	265	19.12	0.072 1	0.110	550	−0.090	−0.011	−0.012	0.001	−0.030	−0.052
1992.6.30～7.25	305	22.6	0.074 1	0.154	107	−0.010	0.002	0.020	0.017	0.012	0.510
1993.6.30～7.20	637	80.2	0.125 8	0.926	186	−0.429	0.453	0.060	0.019	−0.002	0.530
1993.7.21～7.31	1 758	90.7	0.051 6	1.516	276	−0.967	0.625	0.233	−0.101	−0.021	0.736

水库排沙对下游河道减淤的成因中,除了流量的大小、含沙量的多寡、水沙搭配参数的作用之外,又与水库排沙的颗粒组成有关。在相同的水沙搭配条件下,如果出库泥沙组成较粗,下游河道可能出现淤积,淤积的强度视输沙量大小而定;如果出库泥沙较细,如异重流排沙所挟带的泥沙多为冲泻质,与水力因子相关甚少,可以一泻千里,因此下游河道也可以发生冲刷。

由于实测资料的限制,难以找齐全,目前尚无法开展。然而,出库泥沙组成对下游河道冲淤变化确实起到重要作用的事实是难以回避的,有待今后完善补充。

参 考 文 献

[1] 赵业安,等.黄河下游河道演变基本规律.郑州:黄河水利出版社,1998
[2] 龙毓骞,等.用全沙观点研究黄河泥沙问题.人民黄河,2002(8)

内 容 提 要

本书是水库泥沙专著,全书共分六篇十七章,分别介绍了黄河流域水沙特性;水库泥沙冲淤机理和排沙、黄河流域水库泥沙的特殊问题;水库异重流的产生、运动和排沙以及高含沙异重流;枢纽工程泥沙和排沙洞布局;水库管理运用;水利水电枢纽对下游河道演变的作用,水库拦沙对下游河道减淤等。

本书体系完整,内容丰富,理论与实践密切结合。可供水库泥沙设计、工程管理方面的科研工作者以及大专院校师生阅读参考。

图书在版编目(CIP)数据

黄河水库泥沙/焦恩泽著.—郑州:黄河水利出版社,
2004.11
ISBN 7-80621-857-2

Ⅰ.黄… Ⅱ.焦… Ⅲ.黄河流域－水库泥沙－
研究 Ⅳ.TV145-53

中国版本图书馆 CIP 数据核字(2004)第 114322 号

出 版 社:黄河水利出版社
　　　地址:河南省郑州市金水路 11 号　　邮政编码:450003
发行单位:黄河水利出版社
　　　发行部电话及传真:0371-6022620
　　　E-mail:yrcp@public.zz.ha.cn
承印单位:黄河水利委员会印刷厂
开本:787mm×1 092mm　1/16
印张:25　　　　　　　　　插页:4
字数:580 千字　　　　　　印数:1—1 500
版次:2004 年 11 月第 1 版　　印次:2004 年 11 月第 1 次印刷

书号:ISBN 7-80621-857-2　/TV·379　　　定价:62.00 元